超ビジュアル!

日本の合戦大事典

矢部健太郎／監修

西東社

超ビジュアル！日本の合戦大事典

もくじ

この本の使い方 …… 7
合戦《かっせん》の呼《よ》び方 …… 8

1章 飛鳥《あすか》時代〜平安《へいあん》時代 9

武士《ぶし》が誕生《たんじょう》し、勢力《せいりょく》を拡大《かくだい》する!! …… 10
マンガ 衣摺《きずり》の戦《たたか》い！ …… 12
合戦《かっせん》1 587年 衣摺《きずり》の戦《たたか》い …… 14
合戦《かっせん》2 663年 白村江《はくすきのえ》の戦《たたか》い …… 16
マンガ 壬申《じんしん》の乱《らん》！ …… 18
合戦《かっせん》3 672年 壬申《じんしん》の乱《らん》 …… 20
知っておどろき！合戦《かっせん》！ これが奈良《なら》時代の軍装《ぐんそう》!! …… 24
合戦《かっせん》4 939年 平将門《たいらのまさかど》の乱《らん》 …… 26
合戦《かっせん》5 939年 藤原純友《ふじわらのすみとも》の乱《らん》 …… 28
合戦《かっせん》6 1051年 前九年《ぜんくねん》の役《えき》 …… 30
合戦《かっせん》7 1083年 後三年《ごさんねん》の役《えき》 …… 32
マンガ 保元《ほうげん》の乱《らん》！ …… 34
合戦《かっせん》8 1156年 保元《ほうげん》の乱《らん》 …… 36
マンガ 平治《へいじ》の乱《らん》！ …… 38
合戦《かっせん》9 1159年 平治《へいじ》の乱《らん》 …… 40
知っておどろき！合戦《かっせん》！ 合戦《かっせん》の主力兵器《へいき》「弓矢」!! …… 44
合戦《かっせん》おもしろコラム 古代日本の城壁《じょうへき》は低《ひく》かった!? …… 46

2章 源平《げんぺい》合戦《かっせん》〜室町《むろまち》時代 47

武士《ぶし》による政治《せいじ》がはじまる!! …… 48

マンガ 一《いち》の谷《たに》の戦《たたか》い! …… 50

合戦《かっせん》10 1180年 宇治橋《うじばし》合戦《かっせん》 …… 54

合戦《かっせん》11 1180年 富士川《ふじがわ》の戦《たたか》い …… 56

合戦《かっせん》12 1184年 一《いち》の谷《たに》の戦《たたか》い …… 58

合戦《かっせん》13 1185年 屋島《やしま》の戦《たたか》い …… 60

合戦《かっせん》14 1185年 壇《だん》の浦《うら》の戦《たたか》い …… 62

知っておどろき! 合戦《かっせん》! 下級武士《ぶし》は「腹当《はらあて》」「腹巻《はらまき》」を着た!! …… 66

合戦《かっせん》15 1221年 承久《じょうきゅう》の乱《らん》 …… 68

合戦《かっせん》16 1274年 1281年 文永《ぶんえい》・弘安《こうあん》の役《えき》（元寇《げんこう》） …… 70

合戦《かっせん》17 1333年 千早城《ちはやじょう》の戦《たたか》い …… 74

合戦《かっせん》18 1333年 鎌倉《かまくら》の戦《たたか》い …… 76

マンガ 湊川《みなとがわ》の戦《たたか》い! …… 78

合戦《かっせん》19 1336年 湊川《みなとがわ》の戦《たたか》い …… 82

合戦《かっせん》20 1467年 応仁《おうにん》の乱《らん》 …… 84

合戦おもしろコラム 兜《かぶと》の種類《しゅるい》と歴史《れきし》!! …… 88

3章 織田《おだ》信長《のぶなが》の時代 89

戦国《せんごく》の革命児《かくめいじ》・織田《おだ》信長《のぶなが》が登場!! …… 90

マンガ 桶狭間《おけはざま》の戦《たたか》い! …… 92

合戦《かっせん》21 1546年 河越夜戦《かわごえやせん》 …… 96

合戦《かっせん》22 1555年 厳島《いつくしま》の戦《たたか》い …… 98

合戦《かっせん》23 1560年 桶狭間《おけはざま》の戦《たたか》い …… 100

マンガ 川中島《かわなかじま》の戦《たたか》い! …… 104

合戦《かっせん》24 1561年 川中島《かわなかじま》の戦《たたか》い（第4次） …… 108

合戦《かっせん》25 1570年 金ケ崎《かねがさき》の戦《たたか》い …… 112

合戦《かっせん》26 1570年 姉川《あねがわ》の戦《たたか》い …… 114

合戦《かっせん》27 1570年 石山合戦《いしやまかっせん》（第1次） …… 116

合戦《かっせん》28 1571年 比叡山《ひえいざん》焼《や》きうち …… 118

マンガ 三方《みかた》ケ《が》原《はら》の戦《たたか》い！……120
合戦《かっせん》29 1572年 三方《みかた》ケ《が》原《はら》の戦《たたか》い……122
合戦《かっせん》30 1573年 一乗谷城《いちじょうだにじょう》の戦《たたか》い……124
合戦《かっせん》31 1573年 小谷城《おだにじょう》の戦《たたか》い……126
合戦《かっせん》32 1574年 伊勢長島一揆《いせながしまいっき》（第3次）……128
知っておどろき！合戦《かっせん》！ 戦場《せんじょう》で矢を防《ふせ》ぐ「母衣《ほろ》」!!……130
マンガ 長篠《ながしの》の戦《たたか》い！……132
合戦《かっせん》33 1575年 長篠《ながしの》の戦《たたか》い……136
合戦《かっせん》34 1576年 天王寺《てんのうじ》の戦《たたか》い……140
合戦《かっせん》35 1576年 1578年 木津川口《きづがわぐち》の戦《たたか》い（第1次・第2次）……142
合戦《かっせん》36 1577年 和歌川《わかがわ》の戦《たたか》い……146
合戦《かっせん》37 1577年 信貴山城《しぎさんじょう》の戦《たたか》い……148
合戦《かっせん》38 1577年 七尾城《ななおじょう》の戦《たたか》い（第2次）……150
合戦《かっせん》39 1577年 手取川《てどりがわ》の戦《たたか》い……152
合戦《かっせん》40 1578年 三木城《みきじょう》の戦《たたか》い……154
合戦《かっせん》41 1578年 有岡城《ありおかじょう》の戦《たたか》い……156
合戦《かっせん》42 1580年 高天神城《たかてんじんじょう》の戦《たたか》い（第2次）……158
合戦《かっせん》43 1581年 鳥取城《とっとりじょう》の戦《たたか》い……160
合戦《かっせん》44 1582年 天目山《てんもくざん》の戦《たたか》い……162
合戦《かっせん》45 1582年 備中高松城《びっちゅうたかまつじょう》の戦《たたか》い……164
マンガ 本能寺《ほんのうじ》の変《へん》！……168
合戦《かっせん》46 1582年 本能寺《ほんのうじ》の変《へん》……172
合戦《かっせん》47 1582年 二条御所合戦《にじょうごしょかっせん》……176
知っておどろき！合戦《かっせん》！ 戦国武将《せんごくぶしょう》たちの「旗印《はたじるし》」「馬印《うまじるし》」!!……178
合戦《かっせん》おもしろコラム 天守《てんしゅ》と櫓《やぐら》のちがいは？……180
4章 秀吉《ひでよし》・家康《いえやす》の時代 181
天下が統一《とういつ》され、戦乱《せんらん》の世が終結《しゅうけつ》!!……182
マンガ 賤《しず》ケ《が》岳《たけ》の戦《たたか》い！……184
合戦《かっせん》48 1582年 山崎《やまざき》の戦《たたか》い……186

合戦《かっせん》49 1583年 賤《しず》ケ《が》岳《たけ》の戦《たたか》い …… 190

合戦《かっせん》50 1584年 沖《おき》田《た》畷《なわて》の戦《たたか》い …… 194

マンガ 小《こ》牧《まき》・長《なが》久《く》手《て》の戦《たたか》い！ …… 196

合戦《かっせん》51 1584年 小《こ》牧《まき》・長《なが》久《く》手《て》の戦《たたか》い …… 198

合戦《かっせん》52 1585年 四《し》国《こく》攻《ぜ》め …… 202

合戦《かっせん》53 1585年 上《うえ》田《だ》合《かっ》戦《せん》（第1次） …… 204

合戦《かっせん》54 1585年 人《ひと》取《とり》橋《ばし》の戦《たたか》い …… 208

合戦《かっせん》55 1586年 九《きゅう》州《しゅう》攻《ぜ》め …… 210

マンガ 摺《すり》上《あげ》原《はら》の戦《たたか》い！ …… 212

合戦《かっせん》56 1589年 摺《すり》上《あげ》原《はら》の戦《たたか》い …… 214

合戦《かっせん》57 1590年 小《お》田《だ》原《わら》攻《ぜ》め …… 216

合戦《かっせん》58 1590年 忍《おし》城《じょう》の戦《たたか》い …… 220

知っておどろき！合戦《かっせん》！ 戦《せん》国《ごく》武《ぶ》将《しょう》の甲《かっ》冑《ちゅう》!! …… 222

知っておどろき！合戦《かっせん》！ これが戦《せん》国《ごく》の「変《か》わり兜《かぶと》」!! …… 224

合戦《かっせん》59 1592年 1597年 文《ぶん》禄《ろく》・慶《けい》長《ちょう》の役《えき》（朝《ちょう》鮮《せん》出《しゅっ》兵《ぺい》） …… 226

合戦《かっせん》60 1600年 伏《ふし》見《み》城《じょう》の戦《たたか》い …… 230

合戦《かっせん》61 1600年 慶《けい》長《ちょう》出《で》羽《わ》合《かっ》戦《せん》 …… 232

マンガ 第2次上《うえ》田《だ》合《かっ》戦《せん》！ …… 236

合戦《かっせん》62 1600年 上《うえ》田《だ》合《かっ》戦《せん》（第2次） …… 238

合戦《かっせん》63 1600年 石《いし》垣《がき》原《ばる》の戦《たたか》い …… 242

マンガ 関《せき》ケ《が》原《はら》の戦《たたか》い！ …… 244

合戦《かっせん》64 1600年 関《せき》ケ《が》原《はら》の戦《たたか》い …… 248

マンガ 大《おお》坂《さか》夏《なつ》の陣《じん》！ …… 254

合戦《かっせん》65 1614年 大《おお》坂《さか》冬《ふゆ》の陣《じん》 …… 258

知っておどろき！合戦《かっせん》！ これが安《あ》土《づち》桃《もも》山《やま》時代の大《たい》砲《ほう》!! …… 260

合戦《かっせん》66 1615年 大《おお》坂《さか》夏《なつ》の陣《じん》 …… 262

合戦《かっせん》67 1637年 島《しま》原《ばら》の乱《らん》（島《しま》原《ばら》・天《あま》草《くさ》一《いっ》揆《き》） …… 266

知っておどろき！合戦《かっせん》！ これが行《こう》軍《ぐん》時《じ》の軍《ぐん》編《へん》成《せい》!! …… 268

合戦《かっせん》おもしろコラム 軍《ぐん》配《ばい》・軍《ぐん》扇《せん》は合《かっ》戦《せん》を指《し》揮《き》する道具!! …… 270

5章 幕末《ばくまつ》～明治維新《めいじいしん》 271

薩摩《さつま》・長州《ちょうしゅう》が江戸《えど》幕府《ばくふ》をほろぼす!! 272

マンガ 禁門《きんもん》の変《へん》！ 274

合戦《かっせん》68 1863年 薩英《さつえい》戦争《せんそう》 278

合戦《かっせん》69 1864年 禁門《きんもん》の変《へん》（蛤御門《はまぐりごもん》の変《へん》） 280

合戦《かっせん》70 1866年 長州《ちょうしゅう》征伐《せいばつ》（第2次） 282

合戦《かっせん》71 1868年 鳥羽《とば》・伏見《ふしみ》の戦《たたか》い 284

マンガ 上野《うえの》戦争《せんそう》！ 288

合戦《かっせん》72 1868年 上野《うえの》戦争《せんそう》 292

合戦《かっせん》73 1868年 会津《あいづ》戦争《せんそう》 294

合戦《かっせん》74 1869年 箱館《はこだて》戦争《せんそう》 298

マンガ 西南《せいなん》戦争《せんそう》！ 300

合戦《かっせん》75 1877年 西南《せいなん》戦争《せんそう》 302

日本の旧国名《きゅうこくめい》マップ 306

『日本の合戦《かっせん》』年表 308

さくいん 312

『川中島合戦図屏風《かわなかじまがっせんずびょうぶ》』にえがかれた武田信玄《たけだしんげん》と上杉謙信《うえすぎけんしん》の一騎《いっき》うち。 米沢市上杉博物館所蔵

この本の使い方

関連地図《かんれんちず》

合戦《かっせん》の流れや軍勢《ぐんぜい》の動きなどを地図で解《かい》説《せつ》しています。

合戦《かっせん》ハイライト

合戦《かっせん》の中で特《とく》に名場面であることを示《しめ》しています。

合戦《かっせん》イラスト・CG

合戦《かっせん》の場面をイラストやCGで再現《さいげん》しています。想像《そうぞう》でえがいた場面もあります。

対戦者《たいせんしゃ》プロフィール

合戦《かっせん》で戦《たたか》った人物が、どのような人物だったのかを簡単《かんたん》に説明《せつめい》しています。

西暦《せいれき》

合戦《かっせん》が起きた年です。

合戦5
939年
藤原純友の乱
藤原純友の動き
合戦ハイライト
藤原純友軍
VS
朝廷軍
水上戦
朝廷には従わない！瀬戸内海で暴れ回ってやる！
本拠地の日振島を攻撃する！
好古の作戦
海と陸から純友軍をはさみうちにする
平将門の乱と同時期に瀬戸内海で反乱する
朝廷軍の大勝利
合戦の結果

ビジュアル資料《しりょう》

合戦《かっせん》に関《かん》する絵や写真などの資《し》料《りょう》です。

合戦《かっせん》の結果《けっか》

合戦《かっせん》が終わった後、その影響《えいきょう》でどのようなことが起きたのかを説明《せつめい》しています。

勝者《しょうしゃ》と勝因《しょういん》

合戦《かっせん》に勝った（または敗《やぶ》れた）人物や、活躍《かつやく》した人物を取り上げ、勝った（敗《やぶ》れた）原因《げんいん》を説明《せつめい》しています。

合戦場所《かっせんばしょ》

合戦《かっせん》が起きた場所《ばしょ》を地図で示《しめ》し、その場所《ばしょ》の旧国名《きゅうこくめい》と現在《げんざい》の都道府《とどうふ》県《けん》名を記しています。

合戦《かっせん》の作戦《さくせん》

対戦者《たいせんしゃ》がどのような作戦《さくせん》をとって戦《たたか》ったのかを記しています。

発見《はっけん》！

現在《げんざい》でも見ることができる古戦《こせん》場《じょう》などです。

合戦名《かっせんめい》

合戦《かっせん》の名前です。別《べつ》の合戦《かっせん》名や、第１次、第２次などの分け方がある場合は、カッコで入れています。

- 戦力《せんりょく》や、合戦《かっせん》の日時・場所などには別《べつ》の説《せつ》があるものもあります。
- マンガ、イラストは基本的《きほんてき》に史実《しじつ》に基《もと》づいていますが、想像《そうぞう》でえがいた場面もあります。
- 人物の生没年《せいぼつねん》、できごとの日時・場所などには別《べつ》の説《せつ》がある場合もあります。
- 人物の名前が複数《ふくすう》ある場合、最《もっと》も一般的《いっぱんてき》なものに統一《とういつ》していることもあります。

合戦《かっせん》の呼《よ》び方

合戦《かっせん》は、その内容《ないよう》によって「～の戦《たたか》い」「～合戦《かっせん》」などのほかに、「～の乱《らん》」「～の変《へん》」「～の役《えき》」など、さまざまな呼《よ》び方がある。使い分けに明確《めいかく》なルールはないが、一般《いっぱん》的《てき》にはこのページの解説《かいせつ》で示《しめ》したように使われている。

陣《じん》

権力者《けんりょくしゃ》の命令《めいれい》によって、支配下《しはいか》にある軍勢《ぐんぜい》が参加《さんか》した戦《たたか》いに使われる。

代表例《だいひょうれい》　真田幸村《さなだゆきむら》が、徳川家康配下《とくがわいえやすはいか》の軍勢《ぐんぜい》と戦《たたか》った「大坂冬《おおさかふゆ》の陣《じん》」（➡P258）

乱《らん》

国家や政府《せいふ》に対する反乱《はんらん》や、いくつもの戦《たたか》いが続《つづ》く場合などに使われる。

代表例《だいひょうれい》　京都《きょうと》を中心に11年間も戦《たたか》いが続《つづ》いた「応仁《おうにん》の乱《らん》」（➡P84）

攻め《ぜ》

広大な地域《ちいき》に攻《せ》めこむ場合に使われる。「征伐《せいばつ》」「平定」などが使われることもある。

代表例《だいひょうれい》　豊臣秀吉《とよとみひでよし》が九州《きゅうしゅう》に攻《せ》めこんだ「九州《きゅうしゅう》攻《ぜ》め」（➡P210）

変《へん》

権力争《けんりょくあらそ》いや政治的《せいじてき》な目的《もくてき》で、権力者《けんりょくしゃ》・実力者が倒《たお》された事件《じけん》に使われる。

代表例《だいひょうれい》　織田信長《おだのぶなが》が家臣《かしん》・明智光秀《あけちみつひで》に倒《たお》された「本《ほん》能寺《のうじ》の変《へん》」（➡P172）

戦争《せんそう》

基本的《きほんてき》には国家間の戦《たたか》いのことだが、明治《めいじ》時代以降《いこう》の大規模《だいきぼ》な戦《たたか》いにも使われる。

代表例《だいひょうれい》　西郷隆盛《さいごうたかもり》が新政府軍《しんせいふぐん》と戦《たたか》った「西南戦争《せいなんせんそう》」（➡P302）

役《えき》

外国との戦争《せんそう》や、辺境《へんきょう》（国境《こっきょう》近く）で起きた戦《たたか》いなどに使われる。

代表例《だいひょうれい》　元《げん》・高麗軍《こうらいぐん》が九州《きゅうしゅう》に攻《せ》めてきた「文永《ぶんえい》・弘安《こうあん》の役《えき》」（➡P70）

1章

飛鳥《あすか》時代～平安《へいあん》時代

武《ぶ》士《し》が誕《たん》生《じょう》し、勢《せい》力《りょく》を拡《かく》大《だい》する!!

飛鳥《あすか》時代や奈良《なら》時代は天皇《てんのう》と貴族《きぞく》が権力《けんりょく》をにぎっていた。しかし平安《へいあん》時代になると、地方では貴族《きぞく》や豪族《ごうぞく》に仕えていた「武士《ぶし》」が成長《せいちょう》し、反乱《はんらん》を起こすようになった。やがて「源氏《げんじ》」と「平氏《へいし》」というふたつの武士団《ぶしだん》が勢力《せいりょく》をのばした。

奈良《なら》時代に決められた国

奈良《なら》時代、日本は東海道《とうかいどう》や山陽道《さんようどう》などの地方に分けられ、さらに多くの国に分けられ、国ごとに国府《こくふ》と呼《よ》ばれる役所が置《お》かれた。

663年 白村江《はくすきのえ》の戦《たたか》い (➡P16)

日本・百済軍《くだらぐん》 vs 唐《とう》・新羅軍《しらぎぐん》

672年 壬申《じんしん》の乱《らん》 (➡P20)

大海人皇子軍《おおあまのおうじぐん》 vs 大友皇子軍《おおとものおうじぐん》

939年 平将門《たいらのまさかど》の乱《らん》 (➡P26)

平将門軍《たいらのまさかどぐん》 vs 朝廷軍《ちょうていぐん》

1051年 前九年《ぜんくねん》の役《えき》 (➡P30)

源氏軍《げんじぐん》 vs 安倍軍《あべぐん》

1083年 後三年《ごさんねん》の役《えき》 (➡P32)

源氏軍《げんじぐん》 vs 清原軍《きよはらぐん》

1159年 平治《へいじ》の乱《らん》 (➡P40)

平清盛軍《たいらのきよもりぐん》 VS 源義朝軍《みなもとのよしともぐん》

1156年 保元《ほうげん》の乱《らん》 (➡P36)

後白河天皇軍《ごしらかわてんのうぐん》 VS 崇徳上皇軍《すとくじょうこうぐん》

939年 藤原純友《ふじわらのすみとも》の乱《らん》 (➡P28)

藤原純友軍《ふじわらのすみともぐん》 VS 朝廷軍《ちょうていぐん》

587年 衣摺《きずり》の戦《たたか》い (➡P14)

蘇我馬子軍《そがのうまこぐん》 VS 物部守屋軍《もののべのもりやぐん》

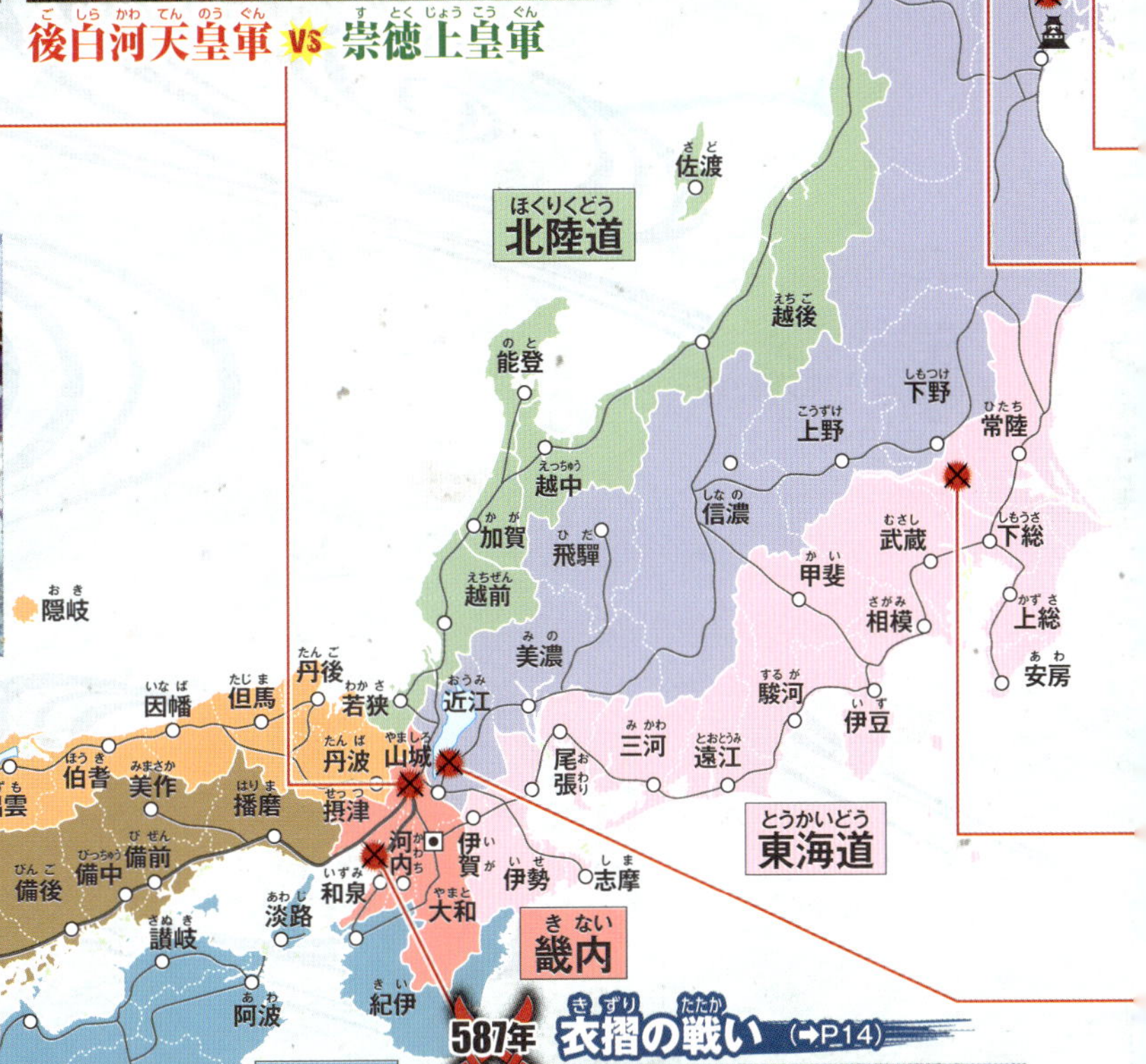

587年
朝廷《ちょうてい》に仕える
物部守屋《もののべのもりや》と
蘇我馬子《そがのうまこ》との間で
争《あらそ》いが起きた。
屋敷《やしき》を攻《せ》め落とせ！
朝廷《ちょうてい》の重臣《じゅうしん》
蘇我馬子《そがのうまこ》
バッバッ
朝廷《ちょうてい》の重臣《じゅうしん》
物部守屋《もののべのもりや》
我《わ》が屋敷《やしき》の守りを破《やぶ》れるものかっ！
だめです！守りが固《かた》くて落とせません！
くう…守屋《もりや》め…
厩戸王《うまやとおう》
（聖徳太子《しょうとくたいし》）
シュッ
シュッ

スッ…
仏様《ほとけさま》…
この戦《たたか》いに勝てたなら必《かなら》ず新たな寺を建《た》てます
だからどうか我《われ》らに勝利《しょうり》をお与《あた》えください
…厩戸王《うまやとおう》
そうだ！我《われ》らには仏《ほとけ》が味方してくれる！
あきらめるな！必《かなら》ず勝てる！
オオー

合戦《かっせん》1
587年

衣摺《きずり》の戦《たたか》い

合戦《かっせん》ハイライト!
物部守屋《もののべのもりや》
物部守屋《もののべのもりや》の館

守屋《もりや》の館を攻撃《こうげき》する蘇我軍《そがぐん》

蘇我軍《そがぐん》は守屋《もりや》の館を包囲《ほうい》して攻撃《こうげき》をしかけたが、物部軍《もののべぐん》は稲《いね》を積《つ》み上げた防壁《ぼうへき》「稲城《いなき》」で防御《ぼうぎょ》を固《かた》め、大量《たいりょう》の矢を放ち、何度も退却《たいきゃく》させた。

仏教《ぶっきょう》を信《しん》じない
物部氏《もののべし》を倒《たお》す!
厩戸王《うまやとおう》も味方だ!

蘇我馬子《そがのうまこ》(?〜626)

飛鳥《あすか》時代の豪族《ごうぞく》。仏教《ぶっきょう》を信《しん》じ、大和朝《やまとちょう》廷《てい》で高い位《くらい》についていた。仏教《ぶっきょう》の受け入れに反対する物部氏《もののべし》と対立した。

蘇我馬子軍《そがのうまこぐん》 戦力《せんりょく》 不明《ふめい》

VS

馬子《うまこ》の作戦《さくせん》で
孤立《こりつ》したが…
衣摺《きずり》の館で
馬子《うまこ》をむかえうつ!

物部守屋軍《もののべのもりやぐん》 戦力《せんりょく》 不明《ふめい》

物部守屋《もののべのもりや》(?〜587)

飛鳥《あすか》時代の豪族《ごうぞく》。大和朝廷《やまとちょうてい》で強い権力《けんりょく》をもち、軍事《ぐんじ》を任《まか》された。仏《ぶっ》教《きょう》の受け入れに強く反対した。

合戦《かっせん》タイプ 攻城戦《こうじょうせん》

合戦場所《かっせんばしょ》

衣摺《きずり》
河内《かわち》(大阪府《おおさかふ》)

馬子《うまこ》の作戦《さくせん》

朝廷《ちょうてい》を味方につけて守屋《もりや》を追いつめる

蘇我氏《そがし》と物部氏《もののべし》が仏教《ぶっきょう》をめぐって争《あらそ》う

538年、百済《くだら》(朝鮮《ちょうせん》半島の国)から大和朝廷《やまとちょうてい》(古代日本の政《せい》権《けん》)に仏教《ぶっきょう》が伝《つた》えられた。このとき蘇我氏《そがし》は仏教《ぶっきょう》の受け入れに賛成《さんせい》したが、物部氏《もののべし》は反対したため、両氏《りょうし》は対立した。

585年、物部守屋《もののべのもりや》が蘇我馬《そがのうま》子《こ》の寺を焼《や》きはらい、両氏《りょうし》の対立はさらに激《はげ》しくなった。しかし、その2年後、病に倒《たお》れた用《よう》明天皇《めいてんのう》が仏教《ぶっきょう》を信《しん》じることを発表したため、守屋《もりや》は朝廷《ちょうてい》内で孤《こ》立《りつ》した。用明天皇《ようめいてんのう》の死後、守屋《もりや》は自分の味方の穴穂部皇子《あなほべのおうじ》を次の天皇《てんのう》にしようとしたが、馬子《うまこ》は穴穂部皇子《あなほべのおうじ》を殺《ころ》し、他の皇子《おうじ》たちを味方につけ、守屋討伐軍《もりやとうばつぐん》を結成《けっせい》した。この討伐軍《とうばつぐん》には仏《ぶっ》教《きょう》を信《しん》じる厩戸王《うまやとおう》(聖徳太子《しょうとくたいし》)も参加《さんか》した。

衣摺《きずり》の戦《たたか》い関連《かんれん》地図
摂津《せっつ》
物部守屋《もののべのもりや》
合戦ハイライト!
物部氏《もののべし》の支配地《しはいち》
衣摺《きずり》
和泉《いずみ》
河内《かわち》
蘇我氏《そがし》の支配地《しはいち》
天香具山《あまのかぐやま》
三輪山《みわやま》
磐余池辺双槻宮《いわれのいけべのなみつきのみや》
蘇我馬子《そがのうまこ》
❸衣摺《きずり》の戦《たたか》い
守屋《もりや》は一族を率《ひき》いて衣摺《きずり》の館に立てこもった。蘇我軍《そがぐん》は守屋《もりや》を射殺《いころ》して勝利《しょうり》。
❶穴穂部皇子《あなほべのおうじ》の殺害《さつがい》
馬子《うまこ》は、守屋《もりや》に味方する穴《あな》穂部皇子《ほべのおうじ》を殺《ころ》す。
❷守屋討伐軍《もりやとうばつぐん》を結成《けっせい》
馬子《うまこ》は厩戸王《うまやとおう》（聖徳太子《しょうとくたいし》）などを味方につけ、守屋討伐軍《もりやとうばつぐん》を組《そ》織《しき》。2方向から進軍《しんぐん》した。

稲城《いなき》
稲《いね》を積《つ》み上げてつくった防壁《ぼうへき》。
蘇我軍《そがぐん》
物部軍《もののべぐん》

射殺《いころ》される守屋《もりや》

守屋《もりや》は館の大木に登って弓で攻撃《こうげき》していたが、蘇我軍《そがぐん》の弓の名手によって射殺《いころ》された。

守屋《もりや》は本拠地《ほんきょち》の河内《かわち》（現在《げんざい》の大阪府《おおさかふ》）に帰り、衣摺《きずり》の館に立てこもり、稲城《いなき》を築《きず》いて待ち構《かま》えた。物部《もののべ》氏は朝廷《ちょうてい》の軍事《ぐんじ》を担当《たんとう》していたので、兵《へい》は強力で、攻《せ》め寄せる蘇我軍《そがぐん》を何度も撃退《げきたい》した。このとき厩戸王《うまやとおう》が仏像《ぶつぞう》をつくって勝利《しょうり》を祈《いの》ると、守屋《もりや》を射《い》殺《ころ》すことができたという。こうして馬子《うまこ》は物部氏《もののべし》をほろぼし、朝廷《ちょうてい》の権力《けんりょく》をにぎった。

蘇我馬子《そがのうまこ》の大《だい》勝《しょう》利《り》

守屋《もりや》を射殺《いころ》した後、物部軍《もののべぐん》は総崩《そうくず》れになりました。
蘇我軍《そがぐん》の大将《たいしょう》・蘇我馬子《そがのうまこ》氏

合戦《かっせん》の結果《けっか》

馬子《うまこ》は大和朝廷《やまとちょうてい》で最大《さいだい》の権力《けんりょく》者《しゃ》となり、仏教《ぶっきょう》をさらに広めていった。

合戦《かっせん》 2
663年

白村江《はくすきのえ》の戦《たたか》い

合戦《かっせん》ハイライト！

楼船《ろうせん》
古代中国《ちゅうごく》の巨大《きょだい》な戦艦《せんかん》。全長約《やく》60mあり、数百人の兵士《へいし》が乗っていた。

白村江《はくすきのえ》の戦《たたか》い
唐《とう》の水軍《すいぐん》は白村江《はくすきのえ》で、約《やく》170隻《せき》もの楼船《ろうせん》を連《つら》ねて防御《ぼうぎょ》を固《かた》めていた。日本水軍《すいぐん》は約《やく》800隻《せき》の倭船《わせん》で突撃《とつげき》をしかけたが、はさみうちにされた後、火攻《ひぜ》めにされ、大敗《たいはい》した。

日本と親しい百済《くだら》をたすけるため、兵《へい》を送る！

中大兄皇子《なかのおおえのおうじ》(626～671)
蘇我氏《そがし》を倒《たお》して政治《せいじ》の実権《じっけん》をにぎり、大化《たいか》の改新《かいしん》と呼《よ》ばれる天皇《てんのう》中心の政治《せいじ》を進めた。

日本・百済軍《くだらぐん》 戦力《せんりょく》 約《やく》4万人

VS

唐《とう》に援軍《えんぐん》を出してもらう！

唐・新羅軍《とう・しらぎぐん》 戦力《せんりょく》 数万人

文武王《ぶんぶおう》(626～681)
新羅《しらぎ》の30代王。660年に新羅軍《しらぎぐん》を率《ひき》いて百済《くだら》をほろぼした。

合戦《かっせん》タイプ 水上戦《すいじょうせん》

合戦場所《かっせんばしょ》

白村江《はくすきのえ》
朝鮮半島《ちょうせん》

中大兄《なかのおおえ》の作戦《さくせん》
周留城《するじょう》を救《すく》うため水軍《すいぐん》を向かわせる

日本水軍《すいぐん》の倭船《わせん》が唐《とう》の巨大戦艦《きょだいせんかん》に敗《やぶ》れる

朝鮮《ちょうせん》半島の国・百済《くだら》は、日本と仲《なか》がよかったが、660年、同じく朝鮮《ちょうせん》半島の国・新羅《しらぎ》にほろぼされた。しかし生き残《のこ》った百済《くだら》の家臣《かしん》たちは、百済《くだら》の復活《ふっかつ》を目指して軍《ぐん》を結成《けっせい》し、日本にたすけを求《もと》めた。当時の日本は、蘇我氏《そがし》を倒《たお》した中大兄皇子《なかのおおえのおうじ》が権力《けんりょく》をにぎっていた。中大兄皇子《なかのおおえのおうじ》は百済《くだら》をたすけるため、約《やく》4万人の日本軍《にほんぐん》を朝鮮《ちょうせん》半島へ送った。

一方の新羅《しらぎ》は唐《とう》(中国《ちゅうごく》)と同盟《どうめい》を組み、百済軍《くだらぐん》の本拠地《ほんきょち》である周留城《するじょう》へ攻撃《こうげき》を開始した。中大兄皇子《なかのおおえのおうじ》は日本軍《にほんぐん》を二手に分け、一方で新羅《しらぎ》を攻《せ》めさせ、もう一方で約《やく》800隻《せき》の倭船《わせん》を周留城《するじょう》の救援《きゅうえん》に向かわせた。しかし周《す》留城《るじょう》近くの入江《いりえ》「白村江《はくすきのえ》」で唐《とう》の

❖白村江《はくすきのえ》の戦《たたか》い関連《かんれん》地図

660年頃《ごろ》に唐《とう》と同盟《どうめい》して高句麗《こうくり》、百済《くだら》をほろぼし、676年に朝鮮《ちょうせん》半島を統一《とういつ》した。
唐軍《とうぐん》の進路
高句麗《こうくり》
新羅《しらぎ》
663年
白村江《はくすきのえ》の戦《たたか》い
百済《くだら》をたすけに向かった日本の水軍《すいぐん》は、白村《はくすきの》江《え》で、唐《とう》・新羅連合軍《しらぎれんごうぐん》との水上戦《すいじょうせん》で敗《やぶ》れた。
周留城《するじょう》
泗沘《しひ》
新羅軍《しらぎぐん》の進路
慶州《けいしゅう》
文武王《ぶんぶおう》
百済《くだら》
鬼ノ城《きのじょう》
大野城《おおのじょう》
日本と仲《なか》がよく、仏教《ぶっきょう》などの大陸《たいりく》文化を伝《つた》えたが、660年に唐《とう》・新《しら》羅軍《ぎぐん》にほろぼされた。
日本軍《にほんぐん》の進路
水城《みずき》
大宰府《だざいふ》
中大兄皇子《なかのおおえのおうじ》

倭船《わせん》
数十人が櫓《ろ》をこいで進む小型《こがた》の船だったと考えられている。

攻撃《こうげき》される倭船《わせん》

楼船《ろうせん》の攻撃《こうげき》を受けた倭船《わせん》は半数以上《いじょう》が沈《ちん》没《ぼつ》し、多くの死者が出た。

水軍《すいぐん》が待ち構《かま》えていた。唐《とう》は楼《ろう》船《せん》という巨大《きょだい》な戦艦《せんかん》から火矢で攻撃《こうげき》。防御力《ぼうぎょりょく》のない倭船《わせん》は半分が炎《ほのお》に包《つつ》まれ、海は兵士《へいし》の血で赤く染《そ》まったという。日本軍《にほんぐん》は撤退《てったい》し、周留城《するじょう》は落城《らくじょう》した。こうして百済《くだら》は完全《かんぜん》にほろびた。

日本・百済軍《くだらぐん》の大《だい》敗《はい》北《ぼく》
楼船《ろうせん》の攻撃力《こうげきりょく》はすさまじかった…
朝鮮《ちょうせん》半島への出兵《しゅっぺい》を決めた中大兄皇子《なかのおおえのおうじ》氏《し》

合戦《かっせん》の結果《けっか》

百済《くだら》は完全《かんぜん》にほろび、日本は朝鮮《ちょうせん》半島の拠点《きょてん》を失《うしな》った。中《なかの》大兄皇子《おおえのおうじ》は唐《とう》・新《しら》羅軍《ぎぐん》の追撃《ついげき》を恐《おそ》れ、大野城《おおのじょう》をはじめ、西日本の各地《かくち》に城《しろ》を築《きず》いた。

大野城跡《おおのじょうあと》（福岡県《ふくおかけん》）。

671年 天智天皇《てんじてんのう》は病気により亡《な》くなった。
天智天皇《てんじてんのう》
天智天皇《てんじてんのう》に命をねらわれていた弟の大海人皇子《おおあまのおうじ》は出家して吉野《よしの》（奈良県《ならけん》）にひそんでいた。
ついに兄上が亡《な》くなった…
次の大王《おおきみ》が決まる前に戦《たたか》いの準備《じゅんび》をしなければ…
大友皇子《おおとものおうじ》はあなたを警戒《けいかい》しています！
油断《ゆだん》しないでください！
おじを大王にはしないぞ
天智天皇《てんじてんのう》の子
大友皇子《おおとものおうじ》
鸕野讚良《うののさらら》
（大海人皇子《おおあまのおうじ》の妻《つま》）
わかっている
朝廷《ちょうてい》に戦《たたか》いをしかけるのだ！
決して気づかれてはならない…
半年後
朝廷《ちょうてい》が兵《へい》を集めている？
はい！我《われ》らが戦《たたか》いの準備《じゅんび》をしているのに気づいたのでは
どうなさいます？
あわてるな
もう準備《じゅんび》は十分整っている！

ついに
私《わたし》が大王《おおきみ》となるときがきた！
朝廷《ちょうてい》（大津宮《おおつのみや》）――
大海人皇子《おおあまのおうじ》が吉野《よしの》を出ただと！
はいっ！各地《かくち》で兵《へい》を集めて進軍《しんぐん》しています！
勝利《しょうり》は我《われ》われのものだ！
朝廷《ちょうてい》の軍《ぐん》を倒《たお》すのだ！
オオオオ
しかもすでに道をふさがれて味方の兵《へい》が来られません
何っ！

合戦《かっせん》 3
672年

壬申《じんしん》の乱《らん》

大友皇子軍《おおとものおうじぐん》 戦力《せんりょく》 不明《ふめい》

私《わたし》が正統《せいとう》な天皇《てんのう》だ！
朝廷《ちょうてい》に反逆《はんぎゃく》する
大海人皇子《おおあまのおうじ》を倒《たお》す！

大友皇子《おおとものおうじ》(648~672)
天智天皇《てんじてんのう》の子。大海人皇子《おおあまのおうじ》の挙兵《きょへい》を知ると、諸国《しょこく》に兵《へい》を出すように命じた。

VS

大海人皇子軍《おおあまのおうじぐん》 戦力《せんりょく》 数万人

天皇《てんのう》の位《くらい》を継《つ》ぐのは私《わたし》だ！
大友皇子《おおとものおうじ》を倒《たお》す！

大海人皇子《おおあまのおうじ》(?~686)
天智天皇《てんじてんのう》の弟。天智天皇《てんじてんのう》の死後、吉野《よしの》に身を隠《かく》していたが、壬申《じんしん》の乱《らん》を起こした。後の天武天皇《てんむてんのう》。

次の天皇《てんのう》には夫《おっと》の
大海人皇子《おおあまのおうじ》が
なるべき！
どんなことでも
協力《きょうりょく》します！

鸕野讃良《うののさらら》(645~702)
天智天皇《てんじてんのう》の娘《むすめ》。大海人皇子《おおあまのおうじ》の妻《つま》。壬申《じんしん》の乱《らん》では大海人《おおあまの》皇子《おうじ》と一緒《いっしょ》に行動し、支《ささ》え続《つづ》けた。後の持統天皇《じとうてんのう》。

壬申《じんしん》の乱《らん》相関図《そうかんず》

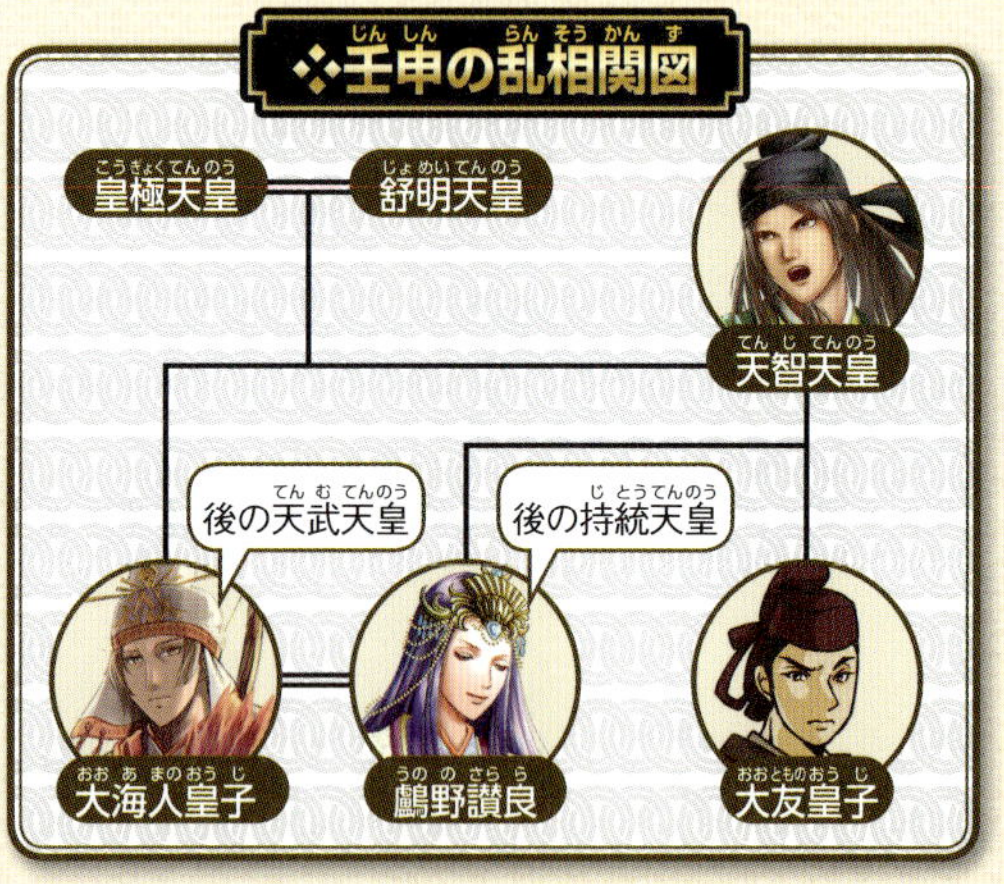

皇極天皇《こうぎょくてんのう》
舒明天皇《じょめいてんのう》
天智天皇《てんじてんのう》
後の天武天皇《てんむてんのう》
後の持統天皇《じとうてんのう》
大海人皇子《おおあまのおうじ》
鸕野讃良《うののさらら》
大友皇子《おおとものおうじ》

合戦《かっせん》タイプ 野戦《やせん》

合戦場所《かっせんばしょ》

近江《おうみ》(滋賀県《しがけん》)
瀬田橋《せたばし》

大海人《おおあま》の作戦《さくせん》

不破関《ふわのせき》をふさいで東国を支配下《しはいか》に置《お》く

吉野《よしの》の大海人皇子《おおあまのおうじ》が大友皇子《おおとものおうじ》に戦《たたか》いを挑《いど》む

白村江《はくすきのえ》の戦《たたか》いに敗《やぶ》れた中大兄《なかのおおえの》皇子《おうじ》は、都を難波宮《なにわのみや》(大阪府《おおさかふ》)から大津宮《おおつのみや》(滋賀県《しがけん》)に移《うつ》し、そこで天智天皇《てんじてんのう》になった。天智天皇《てんじてんのう》は、弟の大海人皇子《おおあまのおうじ》を次の天皇《てんのう》に指名していたが、本心は自分の子・大友皇子《おおとものおうじ》に天皇《てんのう》を継《つ》いでほしかった。

671年、病気で倒《たお》れた天智《てんじ》天皇《てんのう》は、大海人皇子《おおあまのおうじ》を呼《よ》んで、次の天皇《てんのう》になってほしいと頼《たの》んだが、天皇《てんのう》になると殺《ころ》されると感じた大海人皇子《おおあまのおうじ》は、これを断《ことわ》り、すぐに出家して、妻《つま》の鸕野《うの》讃良《さらら》と一緒《いっしょ》に吉野《よしの》(奈良県《ならけん》)へのがれた。その直後、天智天皇《てんじてんのう》は病死した。翌年《よくとし》、「朝廷《ちょうてい》が吉野《よしの》への攻撃《こうげき》を準備《じゅんび》している」という情報《じょうほう》を聞いた大海人皇子《おおあまのおうじ》は、大《おお》友皇子《ともののおうじ》と戦《たたか》うため、兵《へい》を挙《あ》げた。

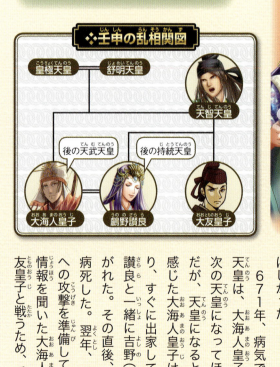

壬申《じんしん》の乱関連《らんかんれん》地図

671年12月

❶天智天皇《てんじてんのう》の死去

大津宮《おおつのみや》で天智天皇《てんじてんのう》が病死し、子の大友皇子《おおとものおうじ》が後継者《こうけいしゃ》となる。大《おお》海人皇子《あまのおうじ》は吉野《よしの》に向かう。

672年6月

❹不破関《ふわのせき》を封鎖《ふうさ》する

大海人皇子《おおあまのおうじ》が近畿《きんき》と東国を結《むす》ぶ関所《せきしょ》である不破関《ふわのせき》を封《ふう》鎖し、東国の兵《へい》をおさえた後、軍《ぐん》を３方面に分けて進《しん》軍《ぐん》させる。

672年7月

❼大友皇子《おおとものおうじ》の自害《じがい》

大友皇子《おおとものおうじ》は山崎《やまさき》までにげたが、大海人軍《おおあまぐん》に追いつめられて自害《じがい》した。

672年6月

❸高市《たけち》・大津皇子《おおつのおうじ》と合流

積殖山口《つむえのやまぐち》で大海人皇子《おおあまのおうじ》の長男・高市皇子《たけちのおうじ》が合流し、鈴鹿関《すずかのせき》で三男・大津皇子《おおつのおうじ》が合流した。

672年7月

❻瀬田橋《せたばし》の戦《たたか》い

息長横河《おきながのよこかわ》、鳥籠山《とこのやま》、安河《やすかわ》で大友軍《おおともぐん》を破《やぶ》った大海人軍《おおあまぐん》は、瀬田橋《せたばし》で最《さい》後《ご》の決戦《けっせん》をいどんだ。大海人軍《おおあまぐん》は勝利《しょうり》し、大友皇子《おおとものおうじ》はにげた。

672年6月

❷大海人皇子《おおあまのおうじ》の挙兵《きょへい》

大海人皇子《おおあまのおうじ》は、大友皇子《おおとものおうじ》を倒《たお》すため、吉野宮《よしののみや》で挙兵《きょへい》した。挙兵《きょへい》を説得《せっとく》したのは妻《つま》の鸕野讚良《うののさらら》といわれる。

672年7月

❺箸墓《はしはか》の戦《たたか》い

飛鳥《あすか》の大海人軍《おおあまぐん》は乃《な》楽《ら》で大友軍《おおともぐん》に敗《やぶ》れて退却《たいきゃく》したが、箸墓《はしはか》で大友軍《おおともぐん》を撃破《げきは》した。

合戦《かっせん》ハイライト!
瀬田橋《せたばし》の戦《たたか》い
672年７月22日、大海人軍《おおあまぐん》と大友軍《おおともぐん》は瀬田川《せたがわ》にかかる瀬田橋《せたばし》で向かい合った。大海人軍《おおあまぐん》の武将《ぶしょう》・大分稚臣《おおきだのわかおみ》は、矢が降《ふ》り注ぐ中、突撃《とつげき》した。これにより大友軍《おおともぐん》は総崩《そうくず》れになった。
大海人軍《おおあまぐん》
瀬田橋《せたばし》
大分稚臣《おおきだのわかおみ》
大友軍《おおともぐん》は、あらかじめ橋板を外して綱《つな》を結《むす》び、綱《つな》をひいて敵《てき》を橋から落とそうとしていたが、大分稚臣《おおきだのわかおみ》はすばやく橋を渡《わた》って突撃《とつげき》した。
瀬田川《せたがわ》

不破関《ふわのせき》を占領《せんりょう》した後 近江《おうみ》へ進撃《しんげき》を開始

吉野《よしの》で挙兵《きょへい》した大海人皇子《おおあまのおうじ》は、北へ向かって軍《ぐん》を進めた。その途中《とちゅう》で、子の高市皇子《たけちのおうじ》や大《おお》津皇子《つのおうじ》と合流し、各地《かくち》の豪族《ごうぞく》を味方につけながら美濃《みの》(現在《げんざい》の岐阜県《ぎふけん》)に入り、都と東国を結《むす》ぶ重要《じゅうよう》な関所《せきしょ》であった不破関《ふわのせき》(岐阜県《ぎふけん》)をふさぎ、そこに陣《じん》を構《かま》えて東国を支配下《しはいか》に置《お》いた。

大海人皇子《おおあまのおうじ》は、大和《やまと》(奈良県《ならけん》)方面や近江《おうみ》(滋賀県《しがけん》)方面に軍勢《ぐんぜい》を進ませた。大和《やまと》に向かった軍《ぐん》勢《ぜい》は、苦戦《くせん》しながらも箸墓《はしはか》で大《おお》友軍《ともぐん》を破《やぶ》った。近江《おうみ》方面に進んだ軍勢《ぐんぜい》は、息長横河《おきながのよこかわ》や安河《やすかわ》などで大友軍《おおともぐん》を撃破《げきは》した後、琵琶湖《びわこ》南部の瀬田橋《せたばし》で大友皇子《おおとものおうじ》の率《ひき》いる大友軍《おおともぐん》と向かい合った。

戦闘《せんとう》がはじまると、大友軍《おおともぐん》は大量《たいりょう》の矢で攻撃《こうげき》したが、大分稚《おおきだのわか》臣《おみ》の突撃《とつげき》をきっかけに総崩《そうくず》れとなった。大友皇子《おおとものおうじ》は山崎《やまさき》(京都《きょうと》府《ふ》)までにげたが、大海人軍《おおあまぐん》に追いつめられ、自害《じがい》した。

乱《らん》の原因《げんいん》は恋《こい》のうらみ!?

大海人皇子《おおあまのおうじ》は若《わか》いとき、額田王《ぬかたのおおきみ》と結婚《けっこん》した。
私《わたし》と結婚《けっこん》してください！
はい、喜《よろこ》んで！
しかし、兄の天智天皇《てんじてんのう》が額田王《ぬかたのおおきみ》を気に入ってしまった。
額田王《ぬかたのおおきみ》は私《わたし》の妻《つま》とする
わかりました…
あるとき、大海人皇子《おおあまのおうじ》は野原で額田王《ぬかたのおおきみ》と会った。
あなたが恋《こい》しい…
壬申の乱《じんしんのらん》は大海人皇子《おおあまのおうじ》の恋《こい》のうらみが原因《げんいん》ともいわれる。
兄上、このうらみは必《かなら》ず晴らす！

大友軍《おおともぐん》

発見《はっけん》!

瀬田橋《せたばし》
琵琶湖《びわこ》南部から流れる瀬田川《せたがわ》にかかる橋。近畿《きんき》と東国を結《むす》ぶ交通の拠点《きょてん》だった。

合戦《かっせん》の結果《けっか》

大海人皇子《おおあまのおうじ》は都を飛鳥《あすか》（現在《げんざい》の奈良県《ならけん》）にもどし、天武天皇《てんむてんのう》として即位《そくい》した。強い権力《けんりょく》をにぎった天武天皇《てんむてんのう》は、天皇《てんのう》中心の国づくりを進めた。

大海人皇子軍《おおあまのおうじぐん》の大勝利《だいしょうり》

KASSEN

不破関《ふわのせき》を封鎖《ふうさ》して、東国の兵《へい》に大友軍《おおともぐん》の味方をさせませんでした。

大友軍《おおともぐん》を倒《たお》した大海人皇子《おおあまのおうじ》氏

これが奈《な》良《ら》時代の軍《ぐん》装《そう》!!

奈《な》良《ら》時代、日本ではじめて徴兵制度《ちょうへいせいど》（国家が国民《こくみん》を一定期間、兵士《へいし》にする制度《せいど》）が確立《かくりつ》した。兵士《へいし》たちは、各地《かくち》に置《お》かれた「軍団《ぐんだん》」に配備《はいび》された。白村江《はくすきのえ》の戦《たたか》い以降《いこう》、敵対《てきたい》する中国《ちゅうごく》や朝鮮《ちょうせん》半島から鉄を輸入《ゆにゅう》することが難《むずか》しくなったため、兵士《へいし》の甲冑《かっちゅう》は鉄から革《かわ》に変化《へんか》した。

朝廷《ちょうてい》の下級兵士《へいし》の軍装《ぐんそう》

笠《かさ》や刀、弓、矢、水桶《みずおけ》、砥石《といし》、弦巻《つるまき》、草鞋《そうかい》などは、軍団《ぐんだん》から支給《しきゅう》されず、自分で用意しなければならなかった。革甲《かくこう》などの甲冑《かっちゅう》は全員が着用することはできなかった。

巾子《こじ》
冠《かんむり》の頂上部《ちょうじょうぶ》に突《つ》き出ている部分。髪《かみ》を束《たば》ねた髻《もとどり》を入れる。
矛《ほこ》
革甲《かくこう》
革製《かわせい》の甲冑《かっちゅう》。綿《めん》製《せい》の場合もある。
笠《かさ》
水桶《みずおけ》
水を入れる容器《ようき》。
弓
矢
弦巻《つるまき》
弓の弦《つる》を巻《ま》いて保《ほ》管《かん》しておく物。
刀
砥石《といし》
火をつける道具。
刀子《とうす》(小刀)
胡簶《やなぐい》
矢を入れて右腰《みぎこし》につける道具。
革甲《かくこう》
脛巾《はぎはば》 すね当て。
草鞋《そうかい》
紐《ひも》で足首をくくるタイプの草鞋《そうかい》もある。
草鞋《そうかい》
稲《いね》わらで編《あ》んだ履物《はきもの》で、鼻緒式《はなおしき》のもの。

イラスト／歴史復元画家中西立太

軍装《ぐんそう》
戦場《せんじょう》で戦《たたか》うときの姿《すがた》。
武装前《ぶそうまえ》の兵士《へいし》
国府《こくふ》の多賀城《たがじょう》（宮城県《みやぎけん》）に移動《いどう》するときの兵士《へいし》の姿《すがた》。

福島県立文化財センター白河館提供

地方軍団《ぐんだん》の兵士《へいし》

写真は奈良《なら》時代〜平安《へいあん》時代初期《しょき》に、東北《とうほく》地方に置《お》かれた白河軍《しらかわぐん》団《だん》に属《ぞく》した兵士《へいし》の復元模型《ふくげんもけい》。

裲襠《うちかけ》
武官《ぶかん》が着る儀《ぎ》礼《れい》用の衣服《いふく》。
位襖《いおう》
白袴《しろばかま》
赤皮沓《あかかわのくつ》
金銅製横刀《きんどうせいたち》

上級武官《ぶかん》（四位《しい》）の軍装《ぐんそう》

奈良《なら》時代には、地位《ちい》や身分に応《おう》じて位階《いかい》（等級）があった。四位《しい》は武官《ぶかん》（軍人《ぐんじん》の官職《かんしょく》）としては最《さい》高位《こうい》といえる位階《いかい》で、朝廷《ちょうてい》の儀《ぎ》式《しき》などで着用する位襖《いおう》は深緋色《ふかひいろ》に定められていた。

靫《ゆぎ》
矢を入れて背負《せお》う道具。
位襖《いおう》
裲襠《うちかけ》
赤脛巾《あかはばき》
草鞋《そうかい》

上級武官《ぶかん》（六位《ろくい》）の軍装《ぐんそう》

六位《ろくい》の上級武官《ぶかん》が儀式《ぎしき》で身につける軍装《ぐんそう》。六位《ろくい》の位襖《いおう》は深緑色に定められていた。

平安《へいあん》時代初期《しょき》の軍装《ぐんそう》

京都《きょうと》の安全を守る軍団《ぐんだん》「検非違使《けびいし》」の軍装《ぐんそう》。上級武士《ぶし》は馬に乗り、甲冑《かっちゅう》を着用しているが、下級兵士《へいし》は刀などの武器《ぶき》だけを持ち、はだしである。

合戦《かっせん》4
939年

平将門の乱《たいらのまさかどのらん》

合戦《かっせん》ハイライト!

朝廷軍《ちょうていぐん》と戦《たたか》う平将門《たいらのまさかど》

940年2月14日、将門軍《まさかどぐん》は下総《しもうさ》(現在《げんざい》の茨城県《いばらきけん》)の石井《いわい》で藤原秀郷《ふじわらのひでさと》・平貞盛《たいらのさだもり》が率《ひき》いる朝廷軍《ちょうていぐん》と戦《たたか》った。風上にいた将門軍《まさかどぐん》は有利《ゆうり》に戦《たたか》いを進めたが、風向きが変《か》わると反撃《はんげき》された。

もはや朝廷《ちょうてい》の命令《めいれい》は聞けぬ！
私《わたし》が新しい天皇《てんのう》になる！

平将門《たいらのまさかど》(?～940)

平安《へいあん》時代の武将《ぶしょう》。935年、おじの平国香《たいらのくにか》を殺害《さつがい》した後、関東各地《かんとうかくち》の国府《こくふ》をおそって勢力《せいりょく》を広げた。

平将門軍《たいらのまさかどぐん》 戦力《せんりょく》 約《やく》5000人

VS

朝廷《ちょうてい》に逆《さか》らう将門《まさかど》をうつ！

朝廷軍《ちょうていぐん》 戦力《せんりょく》 不明《ふめい》

藤原秀郷《ふじわらのひでさと》(生没年《せいぼつねん》不明《ふめい》)

平安《へいあん》時代の武将《ぶしょう》。下野《しもつけ》(現在《げんざい》の栃木県《とちぎけん》)で勢力《せいりょく》を広げた。

合戦《かっせん》タイプ 野戦《やせん》

合戦場所《かっせんばしょ》

石井《いわい》
下総《しもうさ》(茨城県《いばらきけん》)

秀郷《ひでさと》の作戦《さくせん》

将門《まさかど》の本拠地《ほんきょち》の石井《いわい》を攻《せ》める

武士《ぶし》による反乱《はんらん》を武士《ぶし》がしずめる

平安《へいあん》時代、地方に派遣《はけん》された下級貴族《きぞく》や、地元の有力者たちは、武力《ぶりょく》を高めて勢力《せいりょく》を広げていった。彼《かれ》らは「武士《ぶし》」と呼《よ》ばれ、やがて成長《せいちょう》した有力武士《ぶし》は、家来を集めて武士団《ぶしだん》をつくった。

平将門《たいらのまさかど》は桓武天皇《かんむてんのう》の子孫《しそん》で、関東《かんとう》で勢力《せいりょく》を広げた武士団《ぶしだん》「平氏《へいし》」の一族だった。下総《しもうさ》(現在《げんざい》の茨城県《いばらきけん》)を拠点《きょてん》にしていた将門《まさかど》は、935年、土地をめぐっておじの平国香《たいらのくにか》を殺害《さつがい》。さらに従兄弟《いとこ》の平貞盛《たいらのさだもり》と争《あらそ》いを続《つづ》けた。

939年、将門《まさかど》は常陸《ひたち》(現在《げんざい》の茨城県《いばらきけん》)の国府《こくふ》(地方役所)を襲撃《しゅうげき》。ほかの国府《こくふ》も次つぎと占領《せんりょう》し、関東一帯《かんとういったい》を支配下《しはいか》に置《お》いた。そして朝廷《ちょうてい》の許可《きょか》なく、勝手に国司《こくし》(地方の長官《ちょうかん》)を任命《にんめい》するようになり、自ら新皇《しんのう》(新し

平将門《たいらのまさかど》の乱《らん》関連《かんれん》地図
939年12月
❷新皇《しんのう》を名乗る
将門《まさかど》が上野国府《こうずけこくふ》で「新皇《しんのう》」と名乗る。
939年11〜12月
❶国府《こくふ》を占領《せんりょう》
将門軍《まさかどぐん》が常陸《ひたち》・上《こう》野《ずけ》・下野《しもつけ》の国府《こくふ》を襲《しゅう》撃《げき》して占領《せんりょう》。
下野《しもつけ》
上野《こうずけ》
平貞盛《たいらのさだもり》
常陸《ひたち》
合戦ハイライト!
藤原秀郷《ふじわらのひでさと》
石井《いわい》
武蔵《むさし》
下総《しもうさ》
平将門《たいらのまさかど》
相模《さがみ》
上総《かずさ》
940年2月
❸朝廷軍《ちょうていぐん》に敗北《はいぼく》
将門《まさかど》は、下総《しもうさ》の石井《いわい》で平貞盛《たいらのさだもり》・藤原秀郷《ふじわらのひでさと》らに敗北《はいぼく》して戦死《せんし》。
伊豆《いず》
平将門《たいらのまさかど》の本拠地《ほんきょち》
将門《まさかど》らの襲撃地《しゅうげきち》
将門《まさかど》の最大勢力範囲《さいだいせいりょくはんい》
国府《こくふ》

い天皇《てんのう》)と名乗った。

翌年《よくとし》、朝廷《ちょうてい》は将門《まさかど》を討伐《とうばつ》するための軍勢《ぐんぜい》を関東《かんとう》に送ったが、討伐軍《とうばつぐん》が到着《とうちゃく》する前に、下野《しもつけ》の押領使《おうりょうし》(地方警察《けいさつ》)だった藤原秀郷《ふじわらのひでさと》が平貞盛《たいらのさだもり》と協力《きょうりょく》して将門軍《まさかどぐん》への攻撃《こうげき》を開始。秀郷《ひでさと》は将門《まさかど》の本拠地《ほんきょち》・石井《いわい》(茨城県《いばらきけん》)を攻《せ》め、将門《まさかど》をうち取った。

朝廷軍《ちょうていぐん》の大《だい》勝《しょう》利《り》
風向きが変《か》わったとき、一気に反撃《はんげき》しました。矢が将門《まさかど》に当たって勝利《しょうり》が確実《かくじつ》になりました。

将門軍《まさかどぐん》に勝利《しょうり》した藤原秀郷《ふじわらのひでさと》氏《し》

合戦《かっせん》の結果《けっか》

乱《らん》はしずめられたが、朝廷《ちょうてい》は武士《ぶし》の力を恐《おそ》れ、武士《ぶし》の意見を無視《むし》できなくなった。

合戦《かっせん》5 939年

藤原純友《ふじわらのすみとも》の乱《らん》

合戦《かっせん》ハイライト!

朝廷《ちょうてい》には従《したが》わない！瀬戸内海《せとないかい》で暴《あば》れ回ってやる！

藤原純友《ふじわらのすみとも》(?～941)

平安《へいあん》時代の地方役人だったが、瀬戸内海《せとないかい》の海賊《かいぞく》を率《ひき》いて朝廷《ちょうてい》に反乱《はんらん》を起こした。

藤原純友軍《ふじわらのすみともぐん》 戦力《せんりょく》 約《やく》1000隻《せき》

VS

本拠地《ほんきょち》の日振島《ひぶりしま》を攻撃《こうげき》する！

朝廷軍《ちょうていぐん》 戦力《せんりょく》 不明《ふめい》

小野好古《おののよしふる》(884～968)

平安《へいあん》時代の武将《ぶしょう》。藤原純友《ふじわらのすみとも》の乱《らん》が起こると、朝廷軍《ちょうていぐん》の指揮官《しきかん》になった。

合戦《かっせん》タイプ　水上戦《すいじょうせん》

合戦場所《かっせんばしょ》

筑前《ちくぜん》(福岡県《ふくおかけん》)
博多湾《はかたわん》

好古《よしふる》の作戦《さくせん》

海と陸《りく》から純友軍《すみともぐん》をはさみうちにする

平将門《たいらのまさかど》の乱《らん》と同時期に瀬戸内海《せとないかい》で反乱《はんらん》する

藤原純友《ふじわらのすみとも》は、若《わか》い頃《ころ》に伊予《いよ》(現《げん》在《ざい》の愛媛県《えひめけん》)の地方役人になった。純友《すみとも》は海賊《かいぞく》の取りしまりなどをしていたが、任期《にんき》が終わっても伊予《いよ》に住み続《つづ》けた。やがて純友《すみとも》は日振島《ひぶりしま》(愛媛県《えひめけん》)を拠点《きょてん》に、約《やく》1000隻《せき》の海賊船《かいぞくせん》を率《ひき》いる海賊《かいぞく》のリーダーになった。

939年、純友《すみとも》は朝廷《ちょうてい》に反乱《はんらん》を起こした。朝廷《ちょうてい》は武士《ぶし》の小野《おのの》好古《よしふる》を追捕使《ついぶし》(反乱《はんらん》をしずめる軍事職《ぐんじしょく》)に任命《にんめい》したが、同じ時期に関東《かんとう》で平将門《たいらのまさかど》が反乱《はんらん》を起こしていたため、純友《すみとも》に高い官位《かんい》を与《あた》えて戦《たたか》わずに反乱《はんらん》を止めさせようとした。しかし純友《すみとも》は各《かく》地《ち》で反乱《はんらん》を続《つづ》け、周防《すおう》(現在《げんざい》の山口県《やまぐちけん》)の鋳銭司《じゅせんし》(貨幣《かへい》を製造《せいぞう》する場所)を攻撃《こうげき》し、続《つづ》いて大宰府《だざいふ》(福岡県《ふくおかけん》)を占領《せんりょう》した。

❖藤原純友《ふじわらのすみとも》の動き

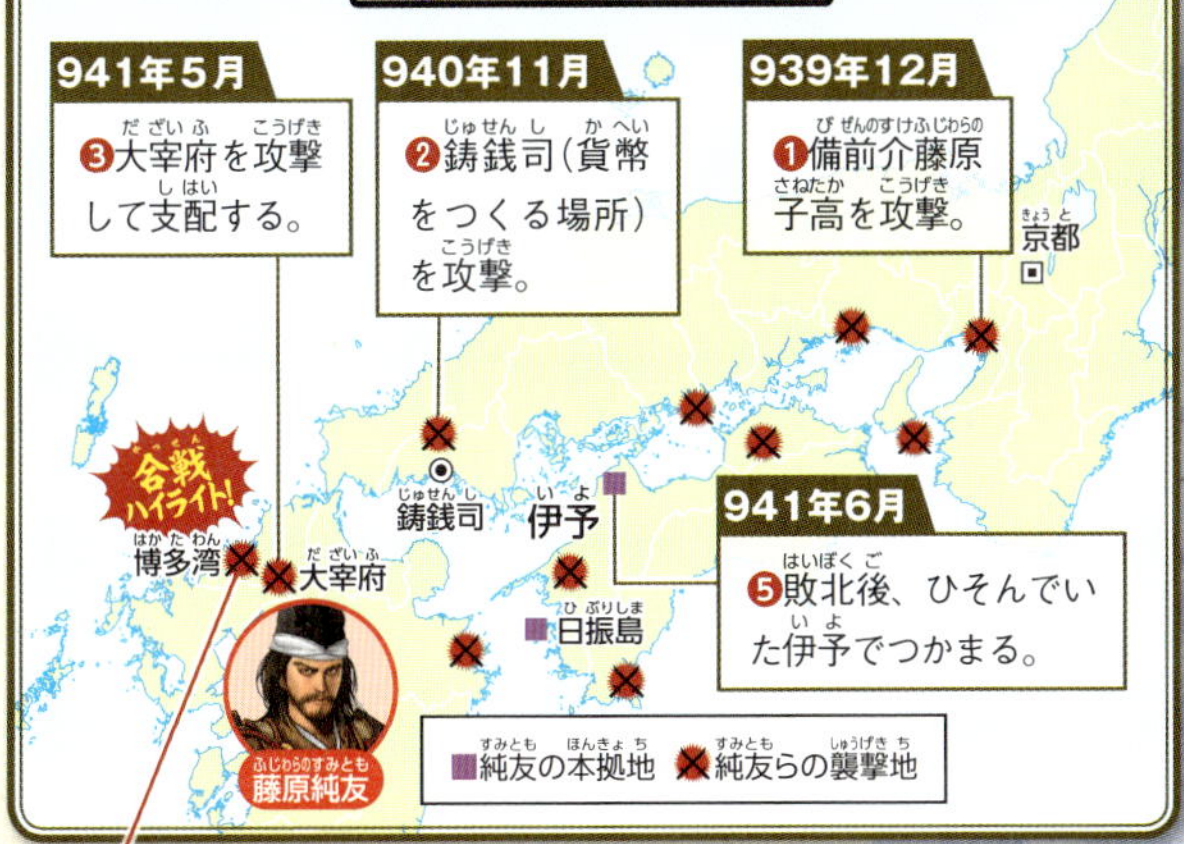
941年5月
❸大宰府《だざいふ》を攻撃《こうげき》して支配《しはい》する。
940年11月
❷鋳銭司《じゅせんし》（貨幣《かへい》をつくる場所）を攻撃《こうげき》。
939年12月
❶備前介藤原《びぜんのすけふじわらの》子高《さねたか》を攻撃《こうげき》。
京都《きょうと》
合戦ハイライト!
博多湾《はかたわん》
大宰府《だざいふ》
鋳銭司《じゅせんし》
伊予《いよ》
日振島《ひぶりしま》
941年6月
❺敗北後《はいぼくご》、ひそんでいた伊予《いよ》でつかまる。
藤原純友《ふじわらのすみとも》
純友《すみとも》の本拠地《ほんきょち》
純友《すみとも》らの襲撃地《しゅうげきち》

941年5月
❹小野好古《おののよしふる》が率《ひき》いる朝廷軍《ちょうていぐん》に敗《はい》北《ぼく》した。

ビジュアル資料《しりょう》

純友軍《すみともぐん》を破《やぶ》る小野好古《おののよしふる》

大日本名将鑑

好古《よしふる》は陸路《りくろ》から純《すみ》友《とも》を攻撃《こうげき》し、博多《はかた》湾《わん》に追いつめると、純友《すみとも》の海賊船《かいぞくせん》を撃破《げきは》した。

朝廷軍《ちょうていぐん》を迎《むか》えうつ純友《すみとも》

純友《すみとも》は大宰府《だざいふ》から博多湾《はかたわん》に向い、朝廷軍《ちょうていぐん》を迎《むか》えうった。激《はげ》しい戦《たたか》いの末《すえ》、純友軍《すみともぐん》は大《たい》敗《はい》し、約《やく》800隻《せき》を朝廷軍《ちょうていぐん》にうばわれた。

純友《すみとも》との決戦《けっせん》を決意した好古《よしふる》は、朝廷軍《ちょうていぐん》を率《ひき》いて日振島《ひぶりしま》を攻《こう》撃《げき》した後、純友《すみとも》がいる九州《きゅうしゅう》に向かい、海と陸《りく》から純友《すみとも》をはさみうちにした。追いつめられた純《すみ》友《とも》は、博多湾《はかたわん》で朝廷軍《ちょうていぐん》を迎《むか》えうとうとしたが大敗《たいはい》し、多くの海《かい》賊船《ぞくせん》を失《うしな》った。純友《すみとも》は伊予《いよ》までにげたが捕《と》らえられ、殺《ころ》された。

朝廷軍《ちょうていぐん》の大《だい》勝《しょう》利《り》
博多湾《はかたわん》に追いつめた純友軍《すみともぐん》を全力で倒《たお》しました。
KASSEN
朝廷軍《ちょうていぐん》を率《ひき》いた小野好古氏《おののよしふるし》

合戦《かっせん》の結果《けっか》

平将門《たいらのまさかど》の乱《らん》と同じく、武士《ぶし》の反乱《はんらん》は、武士《ぶし》の力でしずめるしかないことが世の中に示《しめ》された。

前九年《ぜんくねん》の役《えき》

合戦《かっせん》ハイライト！

厨川《くりやがわ》の戦《たたか》い
清原武則《きよはらのたけのり》の協力《きょうりょく》を得《え》た源頼義《みなもとのよりよし》は、安倍氏《あべし》の城柵《じょうさく》を次つぎと破《やぶ》って北上し、厨川柵《くりやがわのさく》に追いつめた。頼義《よりよし》は厨川柵《くりやがわのさく》を包囲《ほうい》し、総攻撃《そうこうげき》をしかけた。

安倍氏《あべし》をうって、源氏《げんじ》の勢力《せいりょく》を広げてみせる！
源氏軍《げんじぐん》
戦力《せんりょく》 不明《ふめい》

源頼義《みなもとのよりよし》(988〜1075)
平安《へいあん》時代の武将《ぶしょう》。父・源《みなもとの》頼信《よりのぶ》と一緒《いっしょ》に平忠常《たいらのただつね》の乱《らん》を平定した。前九年《ぜんくねん》の役《えき》では鎮守府将軍《ちんじゅふしょうぐん》に任命《にんめい》された。

VS

陸奥《むつ》は我《われ》らの領地《りょうち》だ！
父・頼時《よりとき》のかたきをうつ！
安倍軍《あべぐん》
戦力《せんりょく》 不明《ふめい》

安倍貞任《あべのさだとう》(1019〜1062)
平安《へいあん》時代の陸奥《むつ》の豪族《ごうぞく》。父・安倍頼《あべのより》時《とき》とともに前九年《ぜんくねん》の役《えき》を起こした。

合戦《かっせん》タイプ　野戦《やせん》

合戦場所《かっせんばしょ》

厨川《くりやがわ》
陸奥《むつ》(岩手県《いわてけん》)

頼義《よりよし》の作戦《さくせん》
豪族《ごうぞく》・清原武則《きよはらのたけのり》を味方につける

安倍軍《あべぐん》に大敗《たいはい》した後清原氏《きよはらし》を味方につける

1051年、奥六郡《おくろくぐん》(現在《げんざい》の岩手県《いわてけん》)を支配《しはい》する安倍頼時《あべのよりとき》は、朝廷《ちょうてい》に反乱《はんらん》を起こした。陸奥守《むつのかみ》(東北《とうほく》地方の長官《ちょうかん》)・藤原登任《ふじわらのなりとう》は反乱《はんらん》をしずめるため、朝廷軍《ちょうていぐん》を率《ひき》いて鬼切部《おにきりべ》(宮城県《みやぎけん》)で頼時軍《よりときぐん》と戦《たたか》ったが、敗《やぶ》れた。

そこで朝廷《ちょうてい》は、武士団《ぶしだん》「源氏《げんじ》」を率《ひき》いる源頼義《みなもとのよりよし》を鎮守府将軍《ちんじゅふしょうぐん》(武士《ぶし》の最高栄誉職《さいこうえいよしょく》)に任命《にんめい》し、多賀城《たがじょう》(宮城県《みやぎけん》)に向かわせた。頼義《よりよし》が到着《とうちゃく》すると、頼時《よりとき》は朝廷《ちょうてい》に従《したが》う態度《たいど》を見せ、両者は仲直《なかなお》りをしたが、その5年後、頼時《よりとき》は再《ふたた》び反逆《はんぎゃく》した。戦《たたか》いがはじまると、頼時《よりとき》は矢に当たって戦死《せんし》したため、頼時《よりとき》の子・貞任《さだとう》が後を継《つ》ぎ、抵抗《ていこう》を続《つづ》けた。

1057年、頼義《よりよし》は黄海《きのみ》(岩手《いわて》県《けん》)で安倍軍《あべぐん》と戦《たたか》ったが大敗《たいはい》し、

❖前《ぜん》九《く》年《ねん》の役《えき》関《かん》連《れん》地図

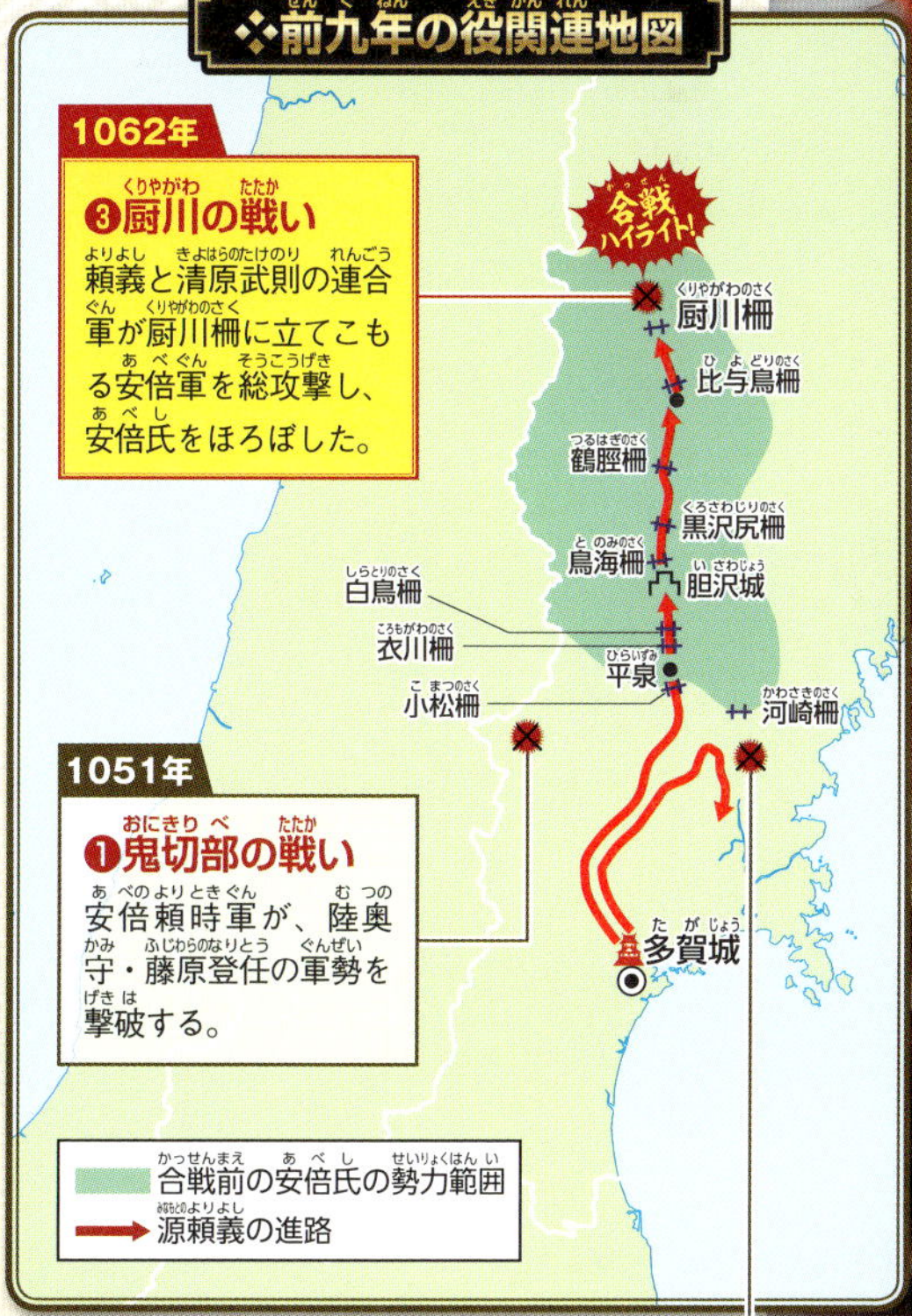
1062年
❸厨川《くりやがわ》の戦《たたか》い
頼義《よりよし》と清原武則《きよはらのたけのり》の連合《れんごう》軍《ぐん》が厨川柵《くりやがわのさく》に立てこもる安倍軍《あべぐん》を総攻撃《そうこうげき》し、安倍氏《あべし》をほろぼした。
合戦ハイライト!
厨川柵《くりやがわのさく》
比与鳥柵《ひよどりのさく》
鶴脛柵《つるはぎのさく》
黒沢尻柵《くろさわじりのさく》
鳥海柵《とのみのさく》
胆沢城《いさわじょう》
白鳥柵《しらとりのさく》
衣川柵《ころもがわのさく》
平泉《ひらいずみ》
小松柵《こまつのさく》
河崎柵《かわさきのさく》
1051年
❶鬼切部《おにきりべ》の戦《たたか》い
安倍頼時軍《あべのよりときぐん》が、陸奥《むつの》守《かみ》・藤原登任《ふじわらのなりとう》の軍勢《ぐんぜい》を撃破《げきは》する。
多賀城《たがじょう》
合戦前《かっせんまえ》の安倍氏《あべし》の勢力範囲《せいりょくはんい》
源頼義《みなもとのよりよし》の進路

1057年

❷黄海《きのみ》の戦《たたか》い

安倍貞任軍《あべのさだとうぐん》が、黄海《きのみ》で頼義軍《よりよしぐん》を撃破《げきは》。頼義《よりよし》はわずか7騎《き》で戦場《せんじょう》からにげた。

わずかな家臣《かしん》とともに戦場《せんじょう》からのがれた。頼義《よりよし》は兵力《へいりょく》を失《うしな》い、戦《たたか》いを続《つづ》けられなくなったが、1062年、出羽《でわ》(現在《げんざい》の秋田《あきた》県《けん》)の豪族《ごうぞく》・清原武則《きよはらのたけのり》を味方につけることに成功《せいこう》。頼義《よりよし》・武則《たけのり》の連合軍《れんごうぐん》は、衣川柵《ころもがわのさく》(岩手県《いわてけん》)など安倍氏《あべし》の拠点《きょてん》を次つぎと攻《せ》め落とし、貞任《さだとう》を厨川柵《くりやがわのさく》に追いつめて攻《せ》めほろぼした。

源氏軍《げんじぐん》の大勝利《だいしょうり》
開戦《かいせん》から12年かかりましたが、清原氏《きよはらし》の大軍《たいぐん》が味方になり、一気に勝負が着きました!

源氏軍《げんじぐん》を率《ひき》いた源頼義氏《みなもとのよりよしし》

合戦《かっせん》の結果《けっか》

この戦《たたか》いに勝利《しょうり》した源氏《げんじ》の勢《せい》力《りょく》は、関東《かんとう》から東北《とうほく》にまで広がった。

後三年《ごさんねん》の役《えき》

合戦《かっせん》ハイライト！

金沢柵《かねざわのさく》を包囲《ほうい》する源氏軍《げんじぐん》

1087年、清原家衡《きよはらのいえひら》が立てこもる金沢柵《かねざわのさく》を包囲中《ほういちゅう》、源義家《みなもとのよしいえ》は雁《かり》の群《む》れが列を乱《みだ》して飛《と》んでいるのを見て、その近くに敵兵《てきへい》が隠《かく》れていることに気づいた。義家《よしいえ》は矢で攻撃《こうげき》し、敵兵《てきへい》をうち取った。

金沢柵《かねざわのさく》
源義家《みなもとのよしいえ》

清衡《きよひら》を勝手におそった家衡《いえひら》を許《ゆる》さぬ！私《わたし》が家衡《いえひら》を倒《たお》す！

源義家《みなもとのよしいえ》(1039〜1106)

父・源頼義《みなもとのよりよし》の死後、源氏《げんじ》を率《ひき》いるリーダーとなる。1083年、陸奥守《むつのかみ》となって東北《とうほく》地方の支配《しはい》を任《まか》された。

源氏軍《げんじぐん》 戦力《せんりょく》 数万騎《すうまんき》？

VS

清原《きよはら》の領土《りょうど》は私《わたし》のものだ！清衡《きよひら》もろとも義家《よしいえ》を倒《たお》す！

清原軍《きよはらぐん》 戦力《せんりょく》 不明《ふめい》

清原家衡《きよはらのいえひら》(?〜1087)

平安《へいあん》時代の豪族《ごうぞく》。清原氏《きよはらし》の内部争《あらそ》いから後三年《ごさんねん》の役《えき》を起こした。

合戦《かっせん》タイプ **攻城戦《こうじょうせん》**

合戦場所《かっせんばしょ》

出羽《でわ》(秋田県《あきたけん》)
金沢柵《かねざわのさく》

清衡《きよひら》と義家《よしいえ》が協力《きょうりょく》して家衡《いえひら》の金沢柵《かねざわのさく》を落とす

安倍《あべ》氏をほろぼした清原氏《きよはらし》は、東北《とうほく》地方の覇者《はしゃ》となった。1083年、陸奥守《むつのかみ》（東北《とうほく》地方の長官《ちょうかん》）に任命《にんめい》された源義家《みなもとのよしいえ》（源《みなもとの》頼義《よりよし》の子）が多賀城《たがじょう》（宮城県《みやぎけん》）に入ると、清原氏《きよはらし》は家衡《いえひら》と清衡《きよひら》の兄弟が後継者《こうけいしゃ》の座《ざ》をめぐって対立した。この内部争《あらそ》いを止めるため、義家《よしいえ》は領地《りょうち》を半分ずつ分け与《あた》えて仲直《なかなお》りさせた。

しかし、この条件《じょうけん》に不満《ふまん》だった家衡《いえひら》は、1085年、清衡《きよひら》の館を襲撃《しゅうげき》。清衡《きよひら》からたすけを求《もと》められた義家《よしいえ》は、清衡《きよひら》に味方し、家衡《いえひら》が立てこもる沼柵《ぬまのさく》を攻《こう》撃《げき》したが失敗《しっぱい》した。翌年《よくとし》、義家《よしいえ》と清衡《きよひら》は大軍《たいぐん》を率《ひき》いて、家衡《いえひら》が立てこもる金沢柵《かねざわのさく》を包囲《ほうい》したが、攻《せ》め落とせなかった。そこで義家《よしいえ》は兵糧《ひょうろう》攻《ぜ》め（食料《しょくりょう》の補給《ほきゅう》

義家《よしいえ》の作戦《さくせん》

金沢柵《かねざわのさく》を兵糧《ひょうろう》攻《ぜ》めにする

後三年《ごさんねん》の役《えき》関連《かんれん》地図

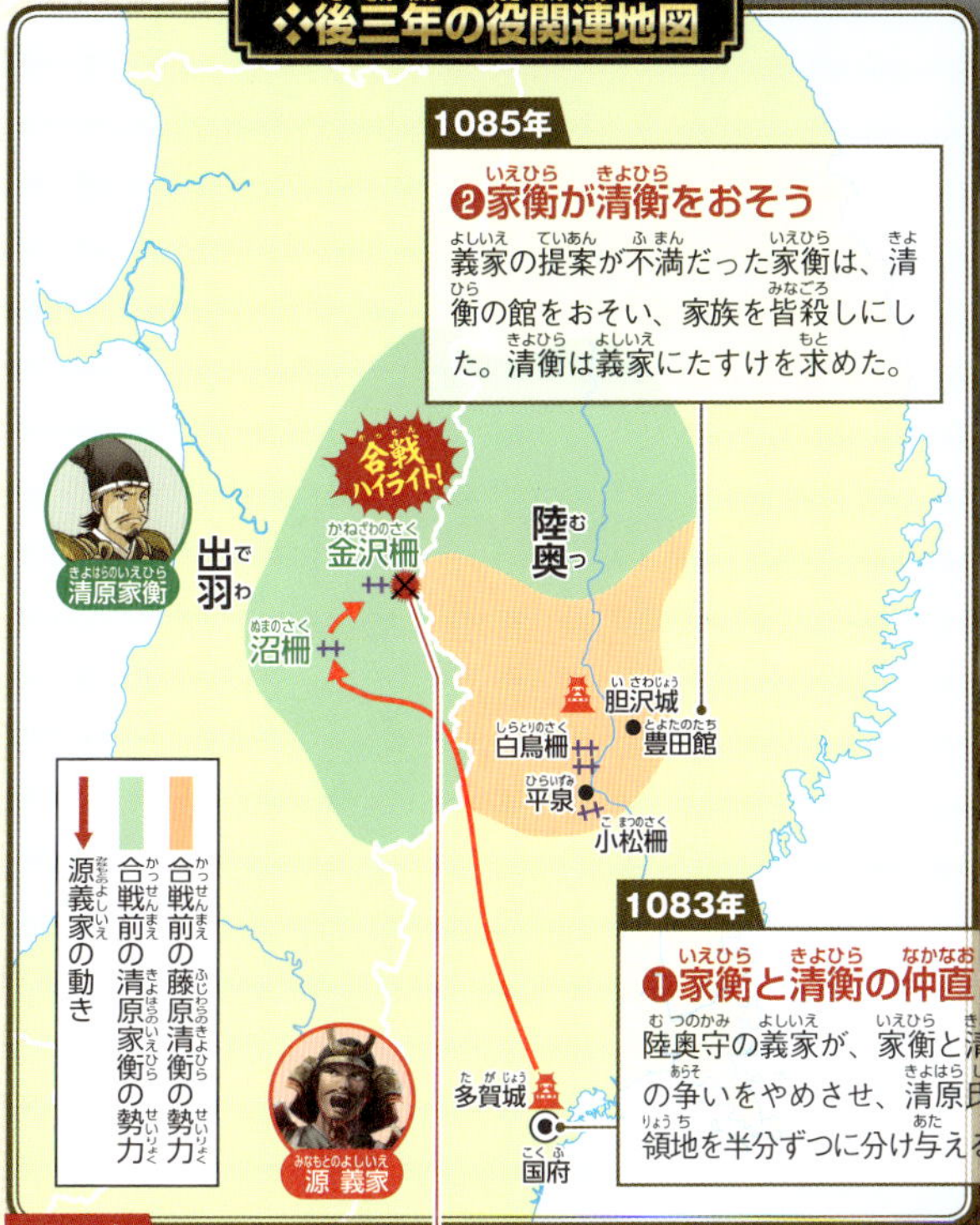
清原家衡《きよはらのいえひら》
源義家《みなもとのよしいえ》
合戦《かっせん》ハイライト!
出羽《でわ》
陸奥《むつ》
金沢柵《かねざわのさく》
沼柵《ぬまのさく》
胆沢城《いさわじょう》
豊田館《とよたのたち》
白鳥柵《しらとりのさく》
平泉《ひらいずみ》
小松柵《こまつのさく》
多賀城《たがじょう》
国府《こくふ》
合戦前《かっせんまえ》の藤原清衡《ふじわらのきよひら》の勢力《せいりょく》
合戦前《かっせんまえ》の清原家衡《きよはらのいえひら》の勢力《せいりょく》
源義家《みなもとのよしいえ》の動き

1083年

❶家衡《いえひら》と清衡《きよひら》の仲直《なかなお》り

陸奥守《むつのかみ》の義家《よしいえ》が、家衡《いえひら》と清衡《きよひら》の争《あらそ》いをやめさせ、清原氏《きよはらし》の領地《りょうち》を半分ずつに分け与《あた》える。

1085年

❷家衡《いえひら》が清衡《きよひら》をおそう

義家《よしいえ》の提案《ていあん》が不満《ふまん》だった家衡《いえひら》は、清衡《きよ ひら》の館をおそい、家族を皆殺《みなごろ》しにした。清衡《きよひら》は義家《よしいえ》にたすけを求《もと》めた。

1087年

❸金沢柵《かねざわのさく》の戦《たたか》い

源氏軍《げんじぐん》は、家衡《いえひら》が立てこもる金沢柵《かねざわのさく》を兵糧《ひょう ろう》攻《ぜ》めにした。食料《しょくりょう》がなくなった家衡《いえひら》は金沢柵《かねざわのさく》に火を放ってにげた。

雁《かり》の群《む》れ

路《ろ》を断《た》つ作戦《さくせん》)を実行。食料《しょくりょう》がなくなった家衡《いえひら》は、金沢柵《かねざわのさく》に火を放ってにげたが、捕《と》らえられて殺《ころ》された。

　朝廷《ちょうてい》は、この戦《たたか》いを「義家《よしいえ》が勝手にはじめたもの」としてほうびを与《あた》えなかった。このため義家《よしいえ》は自分の財産《ざいさん》から戦《たたか》いに参加《さんか》した東日本の武士《ぶし》たちにほうびを与《あた》えた。

源氏軍《げんじぐん》の大勝利《だいしょうり》
金沢柵《かねざわのさく》は防御力《ぼうぎょりょく》が高いので、兵糧攻《ひょうろうぜ》めが効果的《こうかてき》でした。
源氏軍《げんじぐん》を率《ひき》いた源義家氏《みなもとのよしいえし》

合戦《かっせん》の結果《けっか》

義家《よしいえ》が東日本の武士《ぶし》たちの信頼《しんらい》を得《え》たことで、源氏《げんじ》は東日本での勢力《せいりょく》を確立《かくりつ》した。

1156年 後白河天皇《ごしらかわてんのう》と 兄の崇徳上皇《すとくじょうこう》が 対立。
貴族《きぞく》や 武士《ぶし》も 天皇方《てんのうがた》と上皇方《じょうこうがた》に 分かれ、戦《たたか》いになった。
崇徳上皇《すとくじょうこう》
後白河天皇《ごしらかわてんのう》
上皇《じょうこう》の屋敷《やしき》は あそこだ！
ひるまずに 攻《せ》めこめー！
天皇方《てんのうがた》・源義朝《みなもとのよしとも》
兄上！
本気で上皇様《じょうこうさま》に 刃《やいば》を向ける気か！
上皇方《じょうこうがた》・源為朝《みなもとのためとも》

弓の名手と言われながら外すとは情《なさ》けないいな!
弟よ!
ギッ
今の矢は兄への礼儀《れいぎ》としてわざと外した!
しかし次はそうはいかぬ
おとなしく兵《へい》を引かぬのなら
次は兄上の胸《むね》を射抜《いぬ》く!
かかってこい!
オオ
我《われ》らはみかどのご命令《めいれい》で戦《たたか》っているだ!
だれが命をおしむものか!
ならばこちらも手加減《てかげん》なしだ!

1156年

保元《ほうげん》の乱《らん》

合戦《かっせん》ハイライト！
法勝寺《ほっしょうじ》
白河天皇《しらかわてんのう》が建《た》てた寺院。
源義朝軍《みなもとのよしともぐん》

この戦《たたか》いに勝利《しょうり》して平氏《へいし》の勢力を広げる！
父と対立しても天皇方《てんのうがた》につく！

源義朝《みなもとのよしとも》(1123～1160)
平安《へいあん》時代の武将《ぶしょう》。源為義《みなもとのためよし》の長男で、関東《かんとう》の源氏《げんじ》を率《ひき》いた。

平清盛《たいらのきよもり》(1118～1181)
平安《へいあん》時代の武将《ぶしょう》。父・平忠盛《たいらのただもり》の死後、平氏《へいし》一門を率《ひき》いた。

後白河天皇軍《ごしらかわてんのうぐん》
戦力《せんりょく》 約《やく》600騎《き》

VS

我《わ》が子・義朝《よしとも》と戦《たたか》わねばならぬとは…
弓で敵《てき》をけちらしてやる！

崇徳上皇軍《すとくじょうこうぐん》
戦力《せんりょく》 不明《ふめい》

源為朝《みなもとのためとも》(1139～1170?)
源為義《みなもとのためよし》の子で、義朝《よしとも》の弟。怪力《かいりき》の持ち主で、弓の名手。

源為義《みなもとのためよし》(1096～1156)
源義家《みなもとのよしいえ》の養子《ようし》となり、源氏《げんじ》を継《つ》いだ。保元《ほうげん》の乱《らん》では白河北殿《しらかわきたどの》を守った。

合戦《かっせん》タイプ　野戦《やせん》

合戦場所《かっせんばしょ》

山城《やましろ》(京都府《きょうとふ》)
京都《きょうと》

後白河方《ごしらかわかた》の作戦《さくせん》

上皇方《じょうこうがた》の白河北殿《しらかわきたどの》に夜襲《やしゅう》をかける

崇徳《すとく》と後白河《ごしらかわ》の対立が合戦《かっせん》に発展《はってん》する

1086年、白河天皇《しらかわてんのう》は自分の子に天皇《てんのう》の位《くらい》をゆずって上皇《じょうこう》になり、天皇《てんのう》に代わって政治《せいじ》をおこなうようになった。白河上皇《しらかわじょうこう》は政治《せいじ》の実権《じっけん》を43年間にぎり続《つづ》けた。白河上皇《しらかわじょうこう》の死後、権力《けんりょく》をにぎった鳥羽上皇《とばじょうこう》は、崇徳天《すとくてん》皇《のう》に位《くらい》をゆずらせ、弟の後白河《ごしらかわ》天皇《てんのう》を位《くらい》につけた。このため崇《す》徳上皇《とくじょうこう》は後白河天皇《ごしらかわてんのう》をにくむようになった。

ふたりの対立は激《はげ》しくなり、鳥羽上皇《とばじょうこう》が病死すると、有力貴《き》族《ぞく》の藤原氏《ふじわらし》や、有力武士団《ぶしだん》の平《へい》氏《し》や源氏《げんじ》を巻《ま》きこみ、戦《たたか》いへと発展《はってん》した。崇徳方《すとくがた》には源為義《みなもとのためよし》や、弓の名手・源為朝《みなもとのためとも》などが参《さん》加《か》し、後白河方《ごしらかわがた》には平清盛《たいらのきよもり》や源義朝《みなもとのよしとも》などが参加《さんか》した。

開戦前《かいせんまえ》、崇徳方《すとくがた》の為朝《ためとも》は夜襲《やしゅう》

❖源義朝軍《みなもとのよしともぐん》・平清盛軍《たいらのきよもりぐん》の進路

現在《げんざい》の京都御所《きょうとごしょ》
鴨《かも》川《がわ》
源義朝軍《みなもとのよしともぐん》
約《やく》200騎《き》
源義朝《みなもとのよしとも》
白河北殿《しらかわきたどの》
二条大路《にじょうおおじ》
東三条殿《ひがしさんじょうどの》
高松殿《たかまつどの》
平清盛軍《たいらのきよもりぐん》
約《やく》300騎《き》
三条大路《さんじょうおおじ》
源為朝《みなもとのためとも》
平清盛《たいらのきよもり》

白河北殿《しらかわきたどの》
白河上皇《しらかわじょうこう》が建《た》てた御所《ごしょ》で、崇徳上皇軍《すとくじょうこうぐん》の拠点《きょてん》。
源為義《みなもとのためよし》・為朝軍《ためともぐん》
平清盛軍《たいらのきよもりぐん》
鴨川《かもがわ》

保元《ほうげん》の乱《らん》

1156年7月11日の明け方、源義朝《みなもとのよしとも》と平清盛《たいらのきよもり》を中心とする後白河天皇軍《ごしらかわてんのうぐん》は、崇徳上皇軍《すとくじょうこうぐん》が集まっていた白河北殿《しらかわきたどの》に攻撃《こうげき》を開始した。崇徳方《すとくがた》の源為朝《みなもとのためとも》の大活躍《だいかつやく》によって、両軍《りょうぐん》は一進一退《いっしんいったい》の攻防《こうぼう》が続《つづ》いたが、義朝《よしとも》の火攻《ひぜ》めによって後白河方《ごしらかわがた》が勝利《しょうり》した。

兄・義朝《よしとも》に弓を射《い》る為朝《ためとも》

為朝《ためとも》は敵《てき》になった兄の義朝《よしとも》の兜《かぶと》をかすめるように矢を射《い》ておどしたという。

を提案《ていあん》したが、貴族《きぞく》から「ひきょうな作戦《さくせん》は取りたくない」と反対された。一方、後白河方《ごしらかわがた》の清盛《きよもり》や義朝《よしとも》らは、崇徳方《すとくがた》の拠点《きょてん》・白《しら》河北殿《かわきたどの》に夜襲《やしゅう》をしかけた。為朝《ためとも》の活躍《かつやく》などで激《はげ》しい戦《たたか》いが4時間ほど続《つづ》いたが、義朝《よしとも》の火攻《ひぜ》めにより後白河方《ごしらかわがた》が勝利《しょうり》した。この結果《けっか》、崇徳上皇《すとくじょうこう》や為朝《ためとも》は追放され、為義《ためよし》は処刑《しょけい》された。

合戦《かっせん》の結果《けっか》

後白河天皇《ごしらかわてんのう》は、子に天皇《てんのう》の位《くらい》をゆずって上皇《じょうこう》となり、権力《けんりょく》をにぎった。また武士《ぶし》の力がさらに広く認《みと》められた。

後白河天皇軍《ごしらかわてんのうぐん》の大《だい》勝《しょう》利《り》
夜襲《やしゅう》が効果的《こうかてき》でした。義朝《よしとも》の火攻《ひぜ》めも効《き》きました。
後白河方《ごしらかわがた》の武将《ぶしょう》・平清盛氏《たいらのきよもりし》

1159年後白河上皇《ごしらかわじょうこう》の臣下《しんか》の間で対立が激《はげ》しくなった。
イヤなヤツ
フンッ
藤原信頼《ふじわらののぶより》
信西《しんぜい》
ついに藤原信頼《ふじわらののぶより》は源義朝《みなもとのよしとも》と組んで上皇《じょうこう》を攻撃《こうげき》。
火を放て！
源義朝《みなもとのよしとも》
上皇《じょうこう》は捕《つか》まり、信西《しんぜい》は死に追いこまれた。
襲撃《しゅうげき》の後、信頼《のぶより》に不満《ふまん》をもつ貴族《きぞく》たちは平清盛《たいらのきよもり》を頼《たよ》った。
私《わたし》は信頼《のぶより》をすぐに倒《たお》すべきだと思います！
平清盛《たいらのきよもり》
しかし、上皇《じょうこう》とみかどは信頼《のぶより》に捕《つか》まっている
二条天皇《にじょうてんのう》
ハハハ
後白河上皇《ごしらかわじょうこう》
信頼《のぶより》を攻撃《こうげき》したらこちらが朝敵《ちょうてき》にされてしまうぞ
ならばこちらにお迎《むか》えすればいいのです…

みかどが清盛《きよもり》に連《つ》れ去られた!?上皇《じょうこう》もおられない!?
おふたりは私《わたし》の味方だと思っていたのに!
清盛《きよもり》め…
謀《はか》ったな…
父上!
平氏《へいし》の兵《へい》がこちらに攻め寄《よ》せ《せ》てくるようです!
源義平《みなもとのよしひら》
すぐに出陣《しゅつじん》のご命令《めいれい》を!
この戦《たたか》い…厳《きび》しいものになるぞ…
望《のぞ》むところです!

合戦《かっせん》9
1159年

平治《へいじ》の乱《らん》

合戦《かっせん》ハイライト!

源義朝《みなもとのよしとも》

信西殿《しんぜいどの》と親しい関係《かんけい》を築《きず》いて、さらに出世するぞ
清盛《きよもり》を味方につけて、私《わたし》が権力《けんりょく》をにぎる!
なぜ清盛《きよもり》ばかり出世するのだ!
信西《しんぜい》を倒《たお》したい!
VS

平清盛軍《たいらのきよもりぐん》 戦力《せんりょく》 約《やく》3000騎《き》

平清盛《たいらのきよもり》(1118〜1181)
平氏《へいし》一門を率《ひき》いる武将《ぶしょう》。保元《ほうげん》の乱《らん》で勝利《しょうり》し、信西《しんぜい》と協力関係《きょうりょくかんけい》を築《きず》いた。

信西《しんぜい》(1106〜1159)
平安《へいあん》時代の貴族《きぞく》。僧《そう》になった後も、後白河上皇《ごしらかわじょうこう》に信頼《しんらい》されて権力《けんりょく》をにぎった。

源義朝軍《みなもとのよしともぐん》 戦力《せんりょく》 約《やく》800騎《き》

源義朝《みなもとのよしとも》(1123〜1160)
源氏《げんじ》を率《ひき》いる武将《ぶしょう》で、保元《ほうげん》の乱《らん》で勝利《しょうり》したが、あまり出世できなかった。

藤原信頼《ふじわらののぶより》(1133〜1159)
平安《へいあん》時代の貴族《きぞく》。後白河《ごしらかわ》上皇《じょうこう》に信頼《しんらい》されたが、信西《しんぜい》と対立した。

合戦《かっせん》タイプ　野戦《やせん》

合戦場所《かっせんばしょ》

山城《やましろ》(京都府《きょうとふ》)
京都《きょうと》

清盛《きよもり》の作戦《さくせん》

上皇《じょうこう》と天皇《てんのう》を信頼《のぶより》から取りもどす

不満《ふまん》を高めた義朝《よしとも》が後白河上皇《ごしらかわじょうこう》に反逆《はんぎゃく》する

保元《ほうげん》の乱《らん》後、後白河天皇《ごしらかわてんのう》は平《たいらの》清盛《きよもり》には多くのほうびを与《あた》えたが、源義朝《みなもとのよしとも》には、ほとんどほうびを与《あた》えなかった。これは、清盛《きよもり》が後白河天皇《ごしらかわてんのう》から信頼《しんらい》されていた信西《しんぜい》と協力関係《きょうりょくかんけい》にあったからである。同じように活躍《かつやく》しながら評価《ひょうか》されなかった義朝《よしとも》は不満《ふまん》をつのらせていった。そんななか貴族《きぞく》の藤原信頼《ふじわらののぶより》も、信西《しんぜい》と対立して不満《ふまん》を高めていた。信頼《のぶより》は義朝《よしとも》に近づき、信西《しんぜい》と清盛《きよもり》を倒《たお》すようにしむけた。

1159年、清盛《きよもり》が平氏《へいし》一族を率《ひき》いて熊野《くまの》(和歌山県《わかやまけん》)に出かけたすきに、義朝《よしとも》は後白河上皇《ごしらかわじょうこう》が住む三条東殿《さんじょうひがしどの》を焼《や》きうちにし、後白河上皇《ごしらかわじょうこう》を捕《と》らえた。さらに内裏《だいり》(天皇《てんのう》の住まい)に向かい、二条天皇《にじょうてんのう》も捕《と》らえた。

三条東殿《さんじょうひがしどの》

三条東殿《さんじょうひがしどの》の焼《や》きうち

1159年12月9日の深夜、源《みなもとの》義朝《よしとも》は三条東殿《さんじょうひがしどの》(三条殿《さんじょうどの》)を攻撃《こうげき》し、後白河上皇《ごしらかわじょうこう》を捕《と》らえた。義朝《よしとも》は三条東殿《さんじょうひがしどの》に放火した。

ビジュアル資料《しりょう》
井戸《いど》に投げこまれた死体
殺《ころ》される人

燃《も》え上がる三条東殿《さんじょうひがしどの》

炎上《えんじょう》する三条東殿《さんじょうひがしどの》をえがいた絵。にげる者は女性《じょせい》でも容赦《ようしゃ》なく殺《ころ》された。

平治《へいじ》の乱《らん》関連《かんれん》地図

①清盛《きよもり》が京都《きょうと》を出る

清盛《きよもり》は熊野《くまの》(和歌山県《わかやまけん》)に出かけるため、京都《きょうと》を出た。

②三条東殿《さんじょうひがしどの》の焼《や》きうち

義朝《よしとも》が後白河上皇《ごしらかわじょうこう》のいる三条東殿《さんじょうひがしどの》をおそい、放火する。

③後白河上皇《ごしらかわじょうこう》を連行《れんこう》

義朝《よしとも》と藤原信頼《ふじわらののぶより》は後白河上皇《ごしらかわじょうこう》を連《つ》れて内裏《だいり》(天皇《てんのう》の住まい)に向かい、内裏《だいり》で二条天皇《にじょうてんのう》も捕《と》らえた。

④信西《しんぜい》を襲撃《しゅうげき》

義朝《よしとも》は信西邸《しんぜいてい》をおそった。信西《しんぜい》はにげたが、京都《きょうと》南部の宇治《うじ》で追いつめられ、自害《じがい》した。信西《しんぜい》の首は切られ、京都《きょうと》でさらされた。

⑤清盛《きよもり》が京都《きょうと》にもどる

熊野《くまの》に向かう途中《とちゅう》で事件《じけん》を知った清盛《きよもり》は、京都《きょうと》にもどり、六波羅邸《ろくはらてい》に入った。

⑥天皇《てんのう》の脱出《だっしゅつ》

清盛《きよもり》は味方の貴族《きぞく》に協力《きょうりょく》させて二条天皇《にじょうてんのう》を内裏《だいり》から脱出《だっしゅつ》させ、六波羅邸《ろくはらてい》に迎《むか》えた。後白河上皇《ごしらかわじょうこう》も内裏《だいり》を脱出《だっしゅつ》した。

⑦清盛軍《きよもりぐん》の退却《たいきゃく》

清盛軍《きよもりぐん》は、内裏《だいり》をおそった後、六波羅《ろくはら》へ向けて退却《たいきゃく》した。義朝《よしとも》は軍勢《ぐんぜい》を率《ひき》いて追撃《ついげき》した。

⑧六条河原《ろくじょうがわら》の合戦《かっせん》

義朝軍《よしともぐん》は、清盛《きよもり》の大軍《たいぐん》が待ち構《かま》える六条河原《ろくじょうがわら》におびき出され、大敗《たいはい》した。

清盛《きよもり》は義朝《よしとも》を六条河原《ろくじょうがわら》におびき出す

熊野《くまの》に向かう途中《とちゅう》に事件《じけん》を知った清盛《きよもり》は、ひそかに京都《きょうと》にもどり、本拠地《ほんきょち》の六波羅邸《ろくはらてい》に入った。清盛《きよもり》は味方の貴族《きぞく》を内裏《だいり》に送りこみ、二条天皇《にじょうてんのう》に女性《じょせい》の服を着せて内裏《だいり》から脱出《だっしゅつ》させ、六波羅邸《ろくはらてい》に迎《むか》え入れた。後白河上皇《ごしらかわじょうこう》もひそかに内裏《だいり》を抜《ぬ》け出した。

天皇《てんのう》と上皇《じょうこう》の脱出《だっしゅつ》を知った貴族《きぞく》たちは清盛《きよもり》の味方になり、信頼《のぶより》と義朝《よしとも》は孤《こ》立《りつ》した。清盛《きよもり》は内裏《だいり》が戦場《せんじょう》になるのを避《さ》けるため、内裏《だいり》に攻《せ》めこんだ後、わざと退却《たいきゃく》した。義朝軍《よしともぐん》はにげる平氏軍《へいしぐん》を追撃《ついげき》し、六条河原《ろくじょうがわら》(鴨川《かもがわ》の東岸)に着いた。そこには清盛《きよもり》の率《ひき》いる平氏軍《へいしぐん》が待ち構《かま》えていた。激《はげ》しい攻撃《こうげき》を受けた義朝軍《よしともぐん》は敗北《はいぼく》した。

戦場《せんじょう》からのがれた信頼《のぶより》は、捕《と》らえられ処刑《しょけい》された。義朝《よしとも》は、長男の義平《よしひら》や三男の頼朝《よりとも》ら源氏《げんじ》一族とともに東国を目指してにげたが、途中《とちゅう》で散《ち》り散《ぢ》りになり、頼朝《よりとも》は捕《と》らえられた。義朝《よしとも》は尾《お》張《わり》(現在《げんざい》の愛知県《あいちけん》)で家臣《かしん》の館に泊《と》まったが、裏切《うらぎ》られて殺《ころ》された。

殺《ころ》される義朝《よしとも》

義朝《よしとも》は、息子の義平《よしひら》や頼朝《よりとも》などと東国へにげようとしたが、その途中《とちゅう》で散《ち》り散《ぢ》りになった。義朝《よしとも》は尾張《おわり》(現在《げんざい》の愛知県《あいちけん》)で家臣《かしん》に殺《ころ》された。

平清盛軍《たいらのきよもりぐん》の大勝利《だいしょうり》
二条天皇《にじょうてんのう》を無事《ぶじ》に内裏《だいり》から脱出《だっしゅつ》させることができて、思いきり戦《たたか》うことができました。
平氏軍《へいしぐん》を率《ひき》いた平清盛氏《たいらのきよもりし》

合戦《かっせん》の結果《けっか》

合戦《かっせん》に勝利《しょうり》した平氏《へいし》の勢力《せいりょく》は圧倒的《あっとうてき》に強くなり、清盛《きよもり》は最高位《さいこうい》の太政大臣《だいじょうだいじん》にまで出世した。

頼朝《よりとも》は命拾いした!?

平治《へいじ》の乱《らん》後、13歳《さい》の 源 頼朝《みなもとのよりとも》は平氏軍《へいしぐん》に捕《と》らえられた。
覚悟《かくご》はいいな!
平清盛《たいらのきよもり》
清盛《きよもり》の母 池禅尼《いけのぜんに》
この子、亡《な》くなった我《わ》が子、家盛《いえもり》に似《に》ている…
清盛《きよもり》、お願《ねが》いだから命だけはたすけてあげて!
しかし…
…わかりました
頼朝《よりとも》、おぬしは伊豆《いず》へ追放じゃ!
その後、伊豆《いず》で成長《せいちょう》した頼朝《よりとも》は、平氏《へいし》打倒《だとう》の兵《へい》を挙《あ》げた。

合戦《かっせん》の主力兵器《へいき》「弓矢」!!

戦国《せんごく》時代に鉄砲《てっぽう》が登場するまで、合戦《かっせん》での主力兵器《へいき》は弓矢だった。弓と矢は基本的《きほんてき》には竹製《たけせい》で、さまざまな種類《しゅるい》があった。

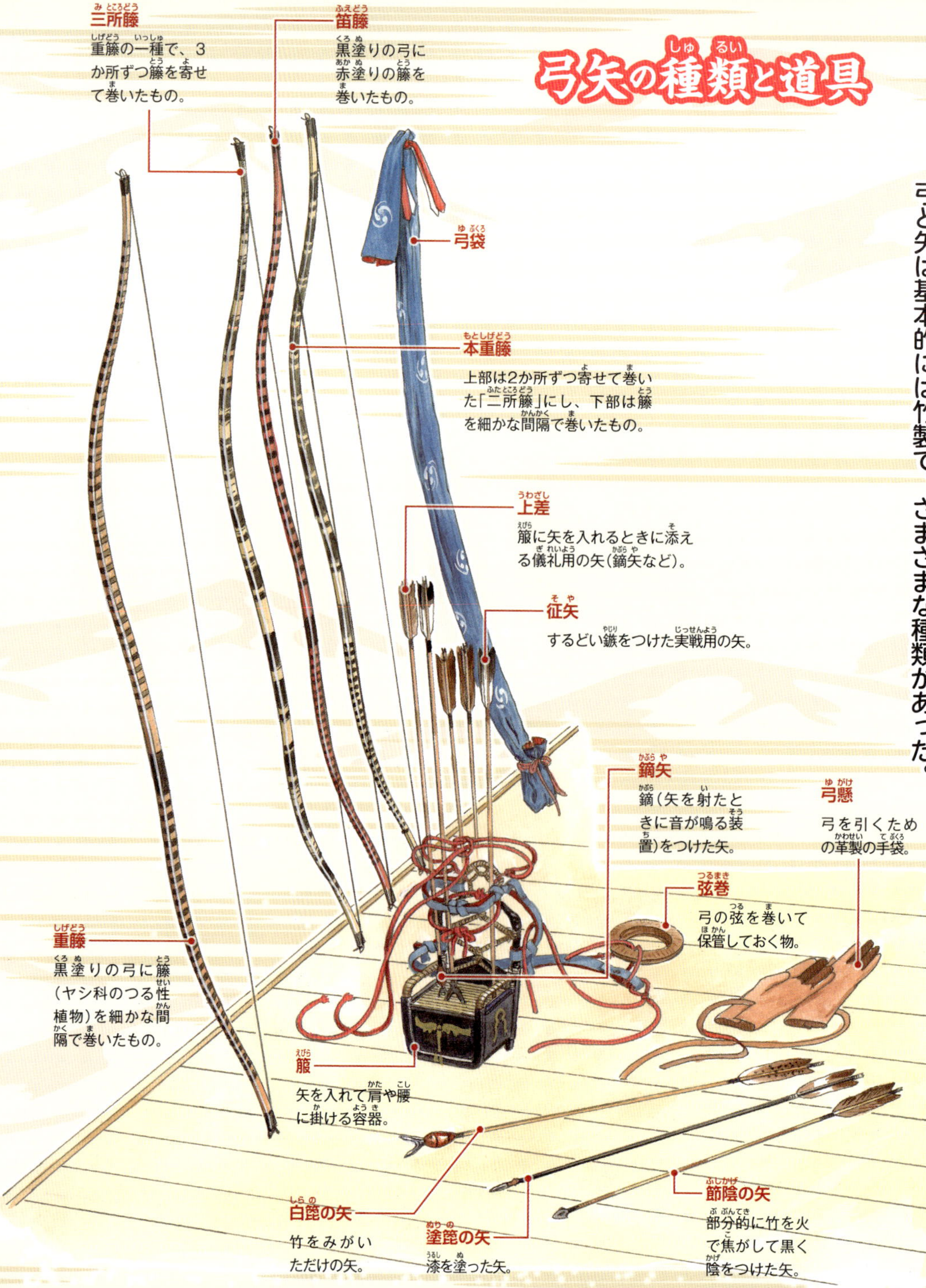

イラスト／歴史復元画家中西立太

弓の張《は》り方

弓に弦《つる》を張《は》るとき、弓を反らせるには強い力が必要《ひつよう》だった。3人必要《ひつよう》な弓は「三人張《ばり》」と呼《よ》ばれ、源為朝《みなもとのためとも》は5人で反らせた「五人張《ばり》」と呼《よ》ばれる強力な弓を使っていた。

平将門《たいらのまさかど》の乱《らん》において、将門《まさかど》に矢を射《い》ようとする平貞盛《たいらのさだもり》。

矢羽根《やばね》の種類

矢羽根《やばね》(矢の端《はし》につける羽根)は、矢を回転させて、矢をまっすぐ飛《と》ばすためのもので、基本的《きほんてき》には3枚《まい》つけた。ワシやタカ、キジなどの鳥の羽根が使われ、羽根の模様《もよう》によって、さまざまな呼《よ》び名があった。

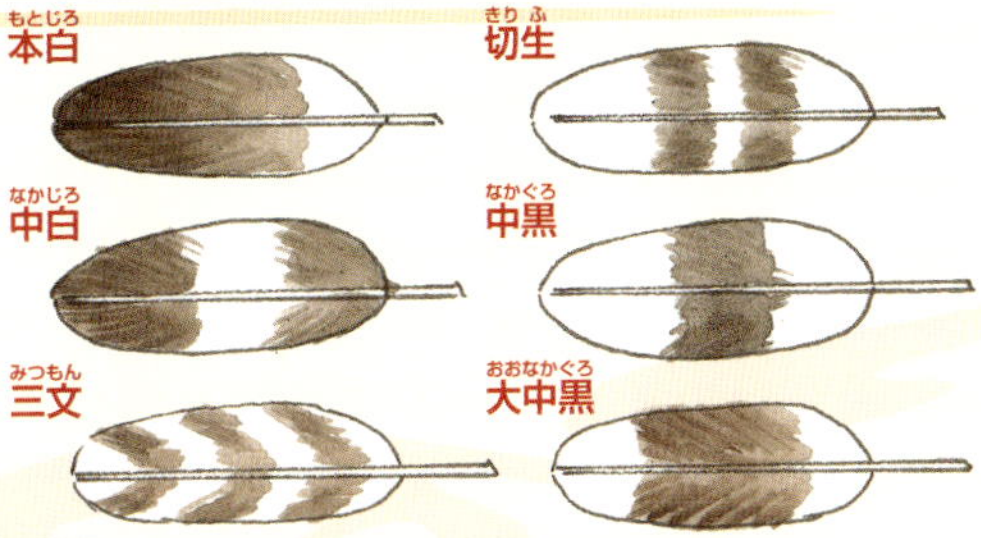

鏃《やじり》の種類《しゅるい》

鏃《やじり》(矢の先端《せんたん》)は、目的《もくてき》によってさまざまな形があった。合戦時《かっせんじ》に敵《てき》を貫《つらぬ》くための柳葉《やないば》や槇葉《まきのは》のほかに、盾《たて》などを砕《くだ》くための金神頭《かなじとう》などがあり、狩《か》りのときには平根《ひらね》や腸繰《わたくり》、雁股《かりまた》などが使われた。

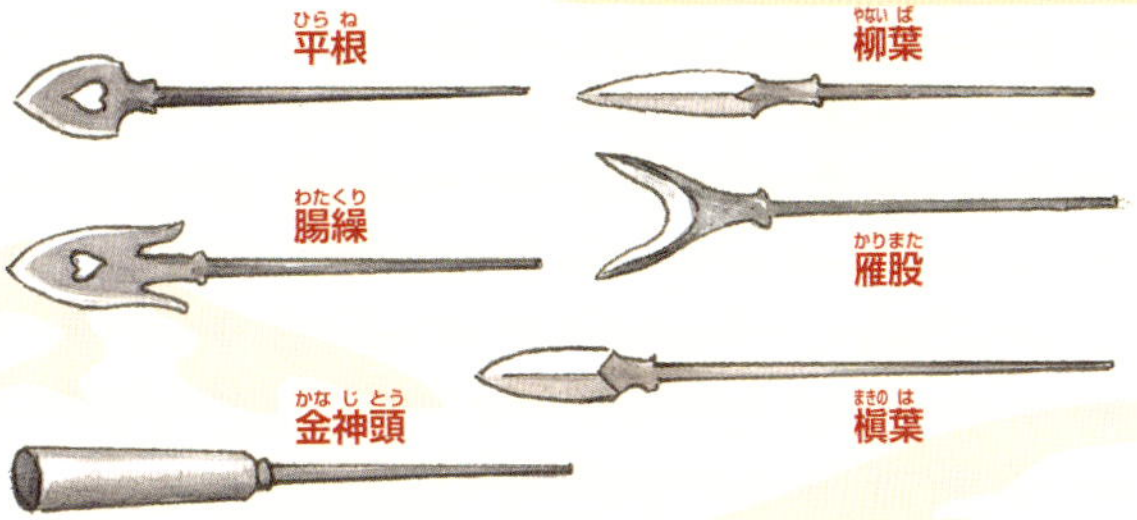

矢の長さの測《はか》り方

普通《ふつう》の矢の長さは十二束《じゅうにそく》(こぶし12個《こ》分)であったが、十三束《じゅうさんそく》三伏《みつぶせ》(こぶし13個《こ》+指3本分)のような長い矢もあった。

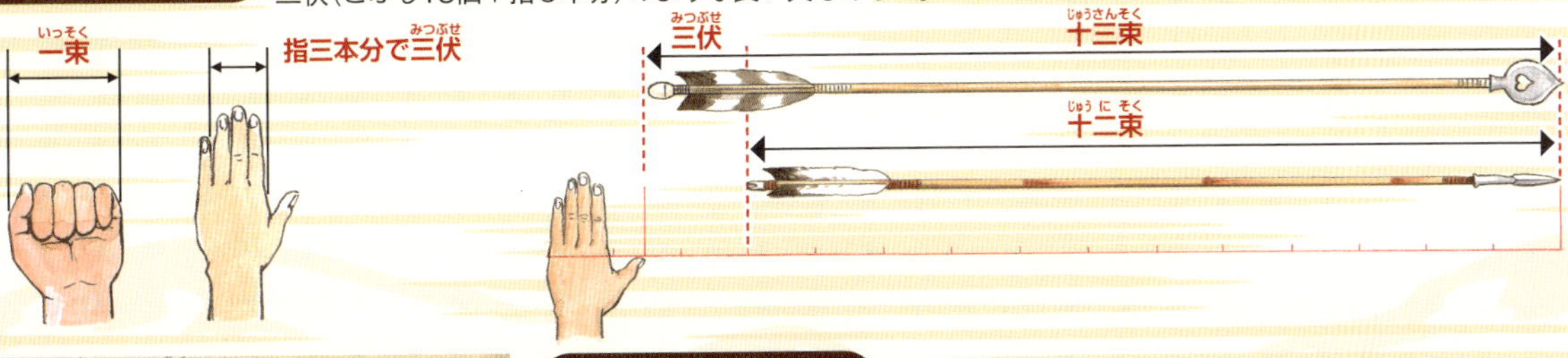

平治《へいじ》の乱《らん》で馬上から弓を射《い》る武士《ぶし》。

矢の引き方

矢を弓の右側《みぎがわ》にあてがい、弦《げん》を右手の親指にかけて引く。基本《きほん》の「つまみ型《がた》」のほかに、「三《み》つ懸《がけ》」や「四《よ》つ懸《がけ》」などの引き方がある。

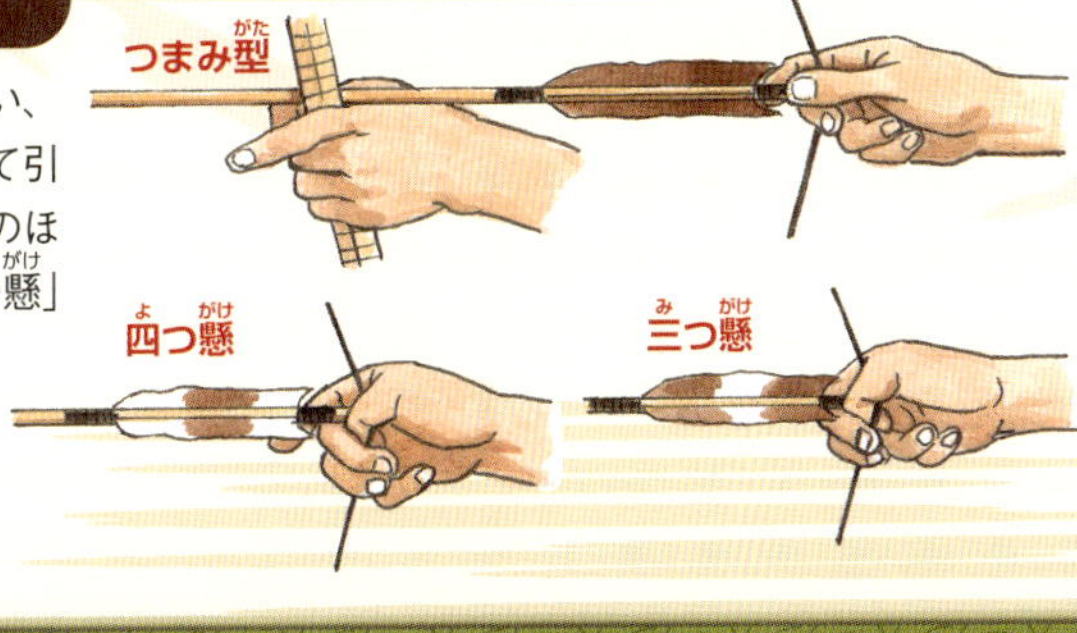

合《かっ》戦《せん》おもしろコラム

古代日本の城《じょう》壁《へき》は低《ひく》かった!?

侵略《しんりゃく》や反乱《はんらん》に対する危機感《ききかん》が小さかった

奈良《なら》時代や平安《へいあん》時代、平城京《へいじょうきょう》(奈良県《ならけん》)や平安京《へいあんきょう》(京都府《きょうとふ》)などの都が建設《けんせつ》された。都の内部は碁盤《ごばん》の目のような直線道路で整《せい》備《び》され、都市全体は城壁《じょうへき》で囲《かこ》まれていた。こうした形式の都市は「都城《とじょう》」と呼《よ》ばれ、唐《とう》(中国《ちゅうごく》)の都・長安《ちょうあん》をモデルにしている。

しかし、長安《ちょうあん》の城壁《じょうへき》は高さ・幅《はば》が10m以上《いじょう》あったのに対し、平城京《へいじょうきょう》や平安京《へいあんきょう》の城壁《じょうへき》は低《ひく》く、防御力《ぼうぎょりょく》もほとんどなかった。これは、日本が外国から侵略《しんりゃく》されることがほとんどなく、国内でも異民族《いみんぞく》による大規模《だいきぼ》な反乱《はんらん》が少なかったためだといわれている。また、地方の役所や軍事《ぐんじ》施《し》設《せつ》も平城京《へいじょうきょう》などと同じように城《じょう》壁《へき》は低《ひく》かった。

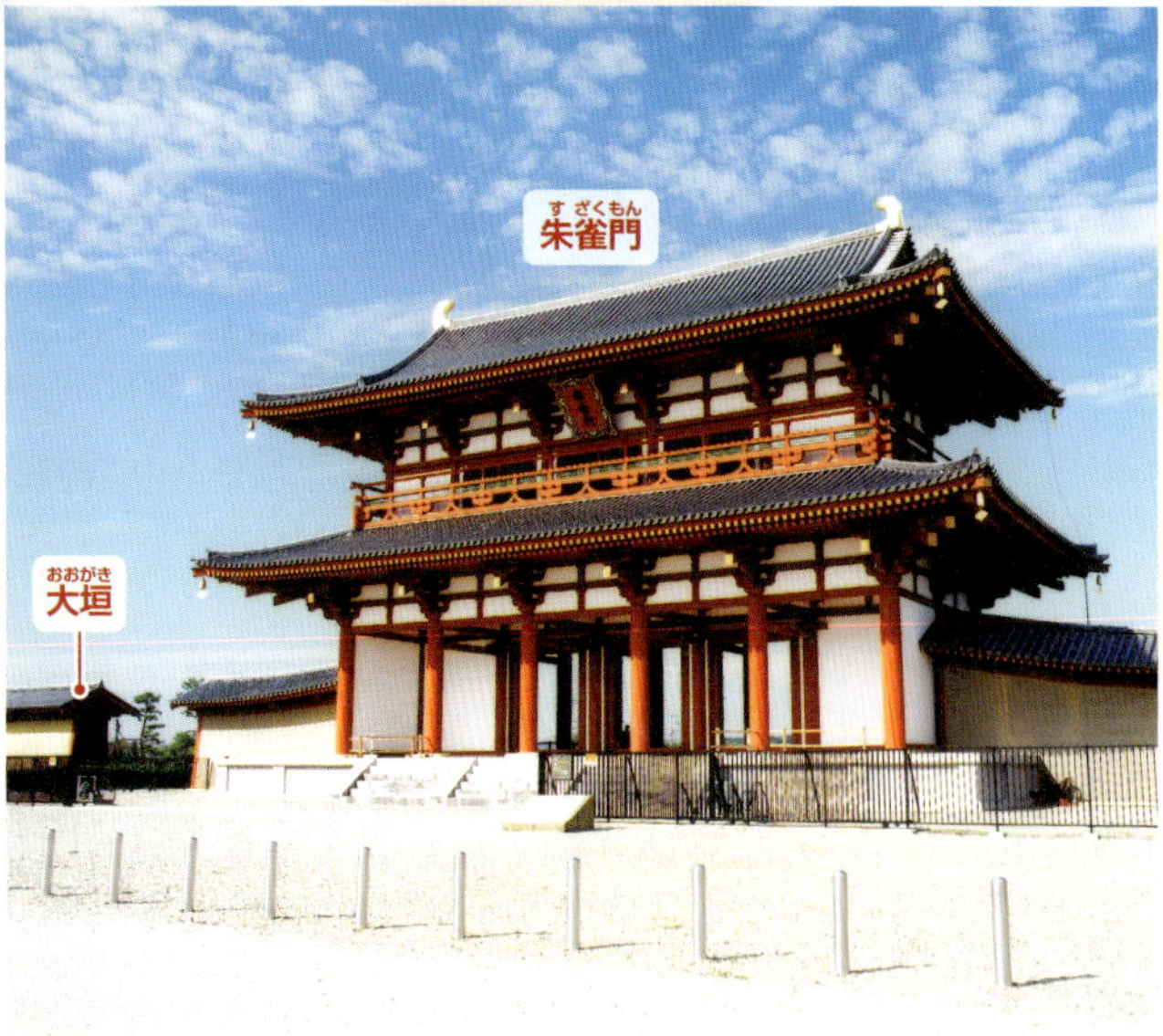

奈良市観光協会写真提供

平城京《へいじょうきょう》の朱雀門《すざくもん》と大垣《おおがき》(復元《ふくげん》)
朱雀門《すざくもん》は、大内裏《だいだいり》(天皇《てんのう》の住居《じゅうきょ》)から南にのびる朱雀大路《すざくおおじ》の先にあった平城京《へいじょうきょう》の正門。朱雀門《すざくもん》からは高さ約《やく》5mの「大垣《おおがき》」と呼《よ》ばれる土壁《つちかべ》がめぐらされていたが、防御力《ぼうぎょりょく》は低《ひく》かった。

国立歴史民俗博物館所蔵

多賀城《たがじょう》の築地塀《ついじべい》(復元模型《ふくげんもけい》)
多賀城《たがじょう》は、奈良《なら》・平安《へいあん》時代に東北《とうほく》地方を支配《しはい》するために置《お》かれた施《し》設《せつ》。政庁《せいちょう》(役所)が置《お》かれ、政治《せいじ》や軍事《ぐんじ》の中心地だった。周囲《しゅうい》は築地《ついじ》塀《べい》(屋根つきの土塀《どべい》)で囲《かこ》まれていたが、高さは4mほどだった。

長安《ちょうあん》の城壁《じょうへき》
現在《げんざい》残《のこ》っている長安《ちょうあん》(西安《シーアン》)の城壁《じょうへき》は1370年頃《ごろ》に再建《さいけん》されたもの。

2章

源《げん》平《ぺい》合《かっ》戦《せん》～室《むろ》町《まち》時代

武《ぶ》士《し》による政《せい》治《じ》がはじまる!!

平氏《へいし》との戦《たたか》いに勝利《しょうり》した源頼朝《みなもとのよりとも》は鎌倉《かまくら》に幕府《ばくふ》を開き、武士《ぶし》による政治《せいじ》をはじめた。鎌倉幕《かまくらばく》府の勢力《せいりょく》がおとろえると、足利尊氏《あしかがたかうじ》らが反乱《はんらん》を起こし、室町幕府《むろまちばくふ》を開く。室町《むろまち》時代末期《まっき》、応仁《おうにん》の乱《らん》が起こると、日本は戦乱《せんらん》の時代に入っていくのだった……。

1184年 一《いち》の谷《たに》の戦《たたか》い (➡P58)

源氏軍《げんじぐん》 vs 平氏軍《へいしぐん》

1336年 湊川《みなとがわ》の戦《たたか》い (➡P82)

足利尊氏軍《あしかがたかうじぐん》 vs 楠木《くすのき》・新田軍《にったぐん》

1467年 応仁《おうにん》の乱《らん》 (➡P84)

東軍《とうぐん》 vs 西軍《せいぐん》

1333年5月8日
新田義貞《にったよしさだ》が反乱《はんらん》を起こし、鎌倉《かまくら》へ進撃《しんげき》を開始する。

1333年 鎌倉《かまくら》の戦《たたか》い (➡P76)

新田義貞軍《にったよしさだぐん》 vs 幕府軍《ばくふぐん》

1180年 富士川《ふじがわ》の戦《たたか》い (➡P56)

源氏軍《げんじぐん》 vs 平氏軍《へいしぐん》

鎌倉《かまくら》時代末期《まっき》の日本

鎌倉幕府《かまくらばくふ》の執権《しっけん》（最高職《さいこうしょく》）として実権《じっけん》をにぎった北条家《ほうじょうけ》は、各地《かくち》に守護《しゅご》（地方の軍事《ぐんじ》・警察《けいさつ》をする職《しょく》）を置《お》き、全国の約《やく》半分を直接支配《ちょくせつしはい》した。北条家《ほうじょうけ》の政治《せいじ》に不満《ふまん》をもった御家人《ごけにん》（幕府《ばくふ》に仕《つか》える武《ぶ》士《し》）の足利尊氏《あしかがたかうじ》らは、後醍醐天皇《ごだいごてんのう》の呼《よ》びかけに応《おう》じて鎌倉幕府《かまくらばくふ》を倒《たお》した。

北条家当主《ほうじょうけ》の守護国《しゅごこく》
北条家《ほうじょうけ》一族の守護国《しゅごこく》
北条家《ほうじょうけ》一族が管理《かんり》する地方機関《きかん》

※赤字は有力な守護《しゅご》

1333年4月29日

倒幕勢力《とうばくせいりょく》と戦《たたか》うため、鎌倉《かまくら》を出発した足利尊氏《あしかがたかうじ》は、丹《たん》波《ば》（京都府《きょうとふ》）で幕府《ばくふ》に反乱《はんらん》を起こし、京都《きょうと》に攻《せ》めこむ。

1333年2月4日

後醍醐天皇《ごだいごてんのう》が、追放先の隠岐《おき》（島根県《しまねけん》）から脱《だっ》出《しゅつ》し、京都《きょうと》へ向かう。

1185年 壇《だん》の浦《うら》の戦《たたか》い (➡P62)

源氏軍《げんじぐん》 VS 平氏軍《へいしぐん》

1274年 1281年 文永《ぶんえい》・弘安《こうあん》の役《えき》 (➡P70)

幕府軍《ばくふぐん》 VS 元・高麗軍《げんこうらいぐん》

1185年 屋島《やしま》の戦《たたか》い (➡P60)

源氏軍《げんじぐん》 VS 平氏軍《へいしぐん》

1221年 承久《じょうきゅう》の乱《らん》 (➡P68)

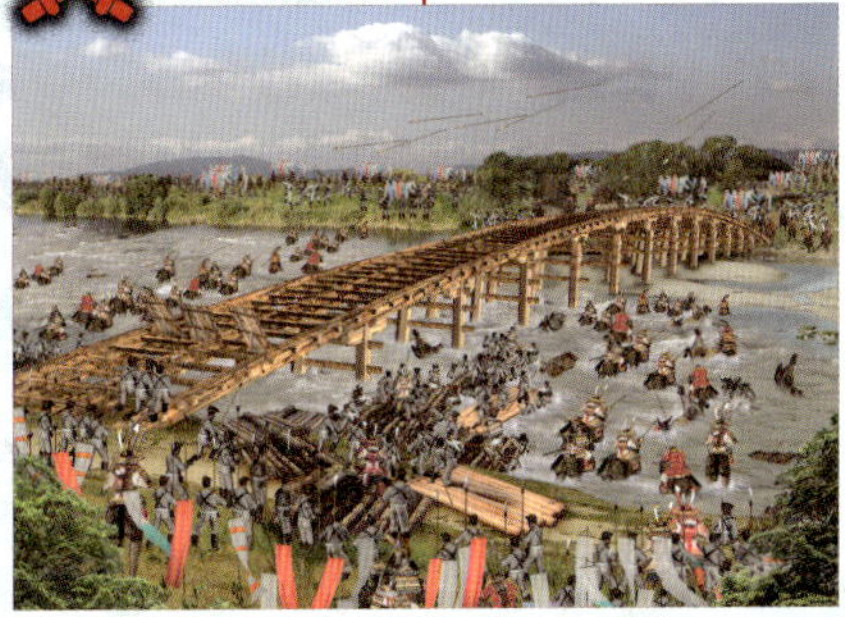

幕府軍《ばくふぐん》 VS 朝廷軍《ちょうていぐん》

1184年 源氏《げんじ》との戦《たたか》いに敗《やぶ》れ都《みやこ》を追われた平氏《へいし》は一《いち》の谷《たに》（兵庫県《ひょうごけん》）に陣《じん》を構《かま》えた。
これを攻撃《こうげき》するため源氏軍《げんじぐん》の指揮官《しきかん》・源義経《みなもとのよしつね》は兵《へい》を率《ひき》いて一《いち》の谷《たに》に向かった。
あれが平氏《へいし》の陣《じん》か…
源義経《みなもとのよしつね》
前面は海、背後《はいご》はこの急な坂…
確《たし》かに攻《せ》めるのが難《むずか》しいな
ここから攻《せ》めるのは危険《きけん》です！ほかの道を探《さが》しましょう！
だが奇襲《きしゅう》には一番の道だ！
武蔵坊弁慶《むさしぼうべんけい》
ピィ
ィィ
笛の音!?
ピィ
平氏《へいし》の陣《じん》から聞こえますな

平氏《へいし》のやつらはよほど油断《ゆだん》しているとと見える…
よし！
やはりここから平氏《へいし》を攻《せ》める！
全員、続《つづ》け！
平氏《へいし》の陣《じん》
いやぁ敦盛様《あつもりさま》の笛は何度聞いてもすばらしい！
平氏《へいし》の武将《ぶしょう》
平敦盛《たいらのあつもり》
刀を振《ふ》るうより笛の方が得意《とくい》なもので…
武士《ぶし》としてはずかしいですね…
心配いりませんここは崖《がけ》と海に囲《かこ》まれた場所ですから攻《せ》められません
刀など抜《ぬ》くこともないでしょう
それなら安心ですが…

行けぇぇ!
ド
ド
ド
ド

平《へい》氏《し》をぶっつぶせ!
崖《がけ》から源氏軍《げんじぐん》が!
義経《よしつね》だ!

宇治橋合戦《うじばしかっせん》

平氏《へいし》に逆《さか》らう源氏《げんじ》の者どもを倒《たお》す！

平重衡《たいらのしげひら》(1157～1185)

平清盛《たいらのきよもり》の五男。以仁王《もちひとおう》が挙兵《きょへい》すると、総大将《そうだいしょう》として立ち向かった。

平氏軍《へいしぐん》 戦力《せんりょく》 約《やく》2万8000騎《き》

VS

もう平氏《へいし》には従《したが》えぬ！
以仁王《もちひとおう》をお守りせねば！

源氏軍《げんじぐん》 戦力《せんりょく》 約《やく》1000騎《き》

源頼政《みなもとのよりまさ》(1104～1180)

源氏《げんじ》一族の武将《ぶしょう》。以仁王《もちひとおう》に平氏《へいし》を倒《たお》すよう説得《せっとく》して、兵《へい》を挙《あ》げた。

合戦《かっせん》タイプ　野戦《やせん》

合戦場所《かっせんばしょ》

山城《やましろ》(京都府《きょうとふ》)
宇治橋《うじばし》

合戦《かっせん》ハイライト！
源氏軍《げんじぐん》

馬筏《うまいかだ》

馬筏《うまいかだ》とは、川を渡《わた》るため、数頭の馬をぴったりと寄《よ》せ並《なら》べて筏《いかだ》のようにするもの。

重衡《しげひら》の作戦《さくせん》

馬筏《うまいかだ》をつくって宇治川《うじがわ》を渡《わた》る

反逆《はんぎゃく》した源頼政軍《みなもとのよりまさぐん》を平氏軍《へいしぐん》が撃破《げきは》する

平安《へいあん》時代末期《まっき》、平治《へいじ》の乱《らん》に勝利《しょうり》した平清盛《たいらのきよもり》が権力《けんりょく》をにぎった。源氏《げんじ》一族の源頼政《みなもとのよりまさ》は、平治《へいじ》の乱《らん》で清盛《きよもり》に味方し、出世していた。しかし清盛《きよもり》が、平氏《へいし》一門の血を引く高倉天皇《たかくらてんのう》を位《くらい》につかせたことに反対し、藤原氏《ふじわらし》の血を引く以仁王《もちひとおう》が天皇《てんのう》になるべきだと考えた。そこで頼政《よりまさ》は以仁王《もちひとおう》と、平氏《へいし》を倒《たお》す計画を立てた。

1180年、清盛《きよもり》が高倉天皇《たかくらてんのう》に位《くらい》をゆずらせて、自分の孫《まご》の安徳天皇《あんとくてんのう》を位《くらい》につかせると、以仁王《もちひとおう》は全国に散《ち》らばっていた源氏《げんじ》一族に、「平氏《へいし》を倒《たお》せ」という命令書《めいれいしょ》を出した。しかし源氏《げんじ》が集まる前に、この情報《じょうほう》が清盛《きよもり》に入った。危機《きき》を感じた以仁王《もちひとおう》は都《みやこ》を脱出《だっしゅつ》し、頼政《よりまさ》と合流した後、奈良《なら》へ向かってにげた。平《たいらの》

宇治橋合戦関連地図《うじばしかっせんかんれんちず》
❸平等院《びょうどういん》まで退《しりぞ》いた頼政《よりまさ》は、以仁王《もちひとおう》をにがすために防戦《ぼうせん》するが、負傷《ふしょう》して自害《じがい》。
平等院《びょうどういん》
鳳凰堂《ほうおうどう》
宇《う》治《じ》川《がわ》
❶以仁王《もちひとおう》を連《つ》れてのがれてきた源頼政軍《みなもとのよりまさぐん》は、宇治橋《うじばし》で橋板を落として平氏軍《へいしぐん》を待ち構《かま》えた。
源頼政《みなもとのよりまさ》
以仁王《もちひとおう》
合戦ハイライト!
宇治橋《うじばし》
約《やく》150m
平重衡《たいらのしげひら》
平維盛《たいらのこれもり》
源頼政《みなもとのよりまさ》
平重衡《たいらのしげひら》
❷攻《せ》めあぐねた平氏軍《へいしぐん》は馬筏《うまいかだ》をつくって宇治川《うじがわ》を渡《わた》り、源氏軍《げんじぐん》を撃破《げきは》。

平等院《びょうどういん》
藤原道長《ふじわらのみちなが》の子・頼通《よりみち》が建《た》てた寺院。10円硬貨《こうか》の絵柄《えがら》になっている鳳凰堂《ほうおうどう》で知られる。
宇治川《うじがわ》
宇治橋《うじばし》
平氏軍《へいしぐん》

宇治橋合戦《うじばしかっせん》
以仁王《もちひとおう》を連《つ》れた源氏軍《げんじぐん》の源頼政《みなもとのよりまさ》は、宇治橋《うじばし》の橋板を外して待ち構《かま》えていたが、平氏軍《へいしぐん》は馬《うま》筏《いかだ》を組んで宇治川《うじがわ》を渡《わた》り、源氏軍《げんじぐん》を撃破《げきは》した。

ビジュアル資料《しりょう》

自害《じがい》する頼政《よりまさ》
宇治橋《うじばし》で敗《やぶ》れた頼政《よりまさ》は、平等院《びょうどういん》までにげたが、矢を射《い》られて負傷《ふしょう》し、自害《じがい》した。

重衡《しげひら》の率《ひき》いる平氏軍《へいしぐん》は、約《やく》2万8000騎《き》でこれを追撃《ついげき》した。京都《きょうと》南部の宇治《うじ》で追いつかれた頼政《よりまさ》は、以仁王《もちひとおう》をにがした後、平氏軍《へいしぐん》を食い止めるため、宇治橋《うじばし》の橋板を外して、平氏軍《へいしぐん》が宇治川《うじがわ》を渡《わた》れないようにした。しかし平氏軍《へいしぐん》は馬を寄《よ》せて馬筏《うまいかだ》をつくり宇治川《うじがわ》を渡《わた》ってきた。頼政《よりまさ》は平等院《びょうどういん》までにげた後、自害《じがい》。以仁王《もちひとおう》もにげる途中《とちゅう》に矢が当たって亡《な》くなった。

合戦《かっせん》の結果《けっか》
平氏軍《へいしぐん》は勝利《しょうり》したが、以仁王《もちひとおう》を支持《しじ》して平氏《へいし》に反対する勢力《せいりょく》が各地《かくち》で立ち上がった。

平氏軍《へいしぐん》の大《だい》勝《しょう》利《り》
大軍《たいぐん》で一気に攻撃《こうげき》できたので勝利《しょうり》できました。
平氏軍《へいしぐん》を率《ひき》いた平重衡氏《たいらのしげひらし》

合戦《かっせん》11
1180年

富士川《ふじがわ》の戦《たたか》い

合戦《かっせん》ハイライト!
富士川《ふじがわ》
平氏軍《へいしぐん》

富士川《ふじがわ》の戦《たたか》い

1180年10月、源氏軍《げんじぐん》と平氏軍《へいしぐん》は、富士川《ふじがわ》をはさんで陣《じん》を構《かま》えた。大軍《たいぐん》の源氏軍《げんじぐん》を前に戦意《せんい》を失《うしな》っていた平氏軍《へいしぐん》の兵士《へいし》は、水鳥の大群《たいぐん》が飛《と》び立つ音を、源氏軍《げんじぐん》の夜襲《やしゅう》とかんちがいして大混乱《だいこんらん》におちいった。

平氏《へいし》に不満《ふまん》を持つ
有力武士《ぶし》たちと
一緒《いっしょ》に戦《たたか》う!

源頼朝《みなもとのよりとも》(1147〜1199)

源義朝《みなもとのよしとも》の三男。平治《へいじ》の乱後《らんご》、伊豆《いず》(現在《げんざい》の静岡県《しずおかけん》)に追放されていたが、1180年に平氏打倒《へいしだとう》の兵《へい》を挙《あ》げた。

源氏軍《げんじぐん》 戦力《せんりょく》 約《やく》4万騎《き》

VS

強い関東《かんとう》の武士《ぶし》と
戦《たたか》いたくない…
勝てるとも
思えない……

平氏軍《へいしぐん》 戦力《せんりょく》 約《やく》2000騎《き》

平維盛《たいらのこれもり》(1158〜1184?)

平重盛《たいらのしげもり》(清盛《きよもり》の長男)の子。若《わか》い頃《ころ》から出世し、源氏追討軍《げんじついとうぐん》の総大将《そうだいしょう》を命じられた。

合戦《かっせん》タイプ　野戦《やせん》

合戦場所《かっせんばしょ》

駿河《するが》(静岡県《しずおかけん》)
富士川《ふじがわ》

頼朝《よりとも》の作戦《さくせん》

東国の有力武士《ぶし》を味方につける

夜襲《やしゅう》を恐《おそ》れる平氏軍《へいしぐん》が水鳥の羽音でにげ出す

1180年、伊豆《いず》(現在《げんざい》の静岡県《しずおかけん》)の蛭島《ひるがしま》に追放されていた源頼朝《みなもとのよりとも》のもとに、以仁王《もちひとおう》の命令《めいれい》書《しょ》が届《とど》いた。頼朝《よりとも》は兵《へい》を挙《あ》げたが、石橋山《いしばしやま》の戦《たたか》いで平氏軍《へいしぐん》に敗《やぶ》れた。頼朝《よりとも》は船で安房《あわ》(現在《げんざい》の千葉県《ちばけん》)にのがれた後、北へ向かいながら、東国(関東《かんとう》)の武士《ぶし》たちを次つぎと味方につけた。数万の大軍《たいぐん》になった頼朝軍《よりともぐん》は、駿河《するが》(現在《げんざい》の静岡県《しずおかけん》)に向けて進《しん》軍《ぐん》を開始した。

一方の平氏《へいし》は、平維盛《たいらのこれもり》を総大《そうだい》将《しょう》にして源氏討伐軍《げんじとうばつぐん》を組織《そしき》したが、戦意《せんい》は低《ひく》く、途中《とちゅう》でにげ出す者が相次いだ。このため駿河《するが》に到着《とうちゃく》した頃《ころ》には、わずか2000騎《き》ほどになっていた。源氏《げんじ》軍《ぐん》と平氏軍《へいしぐん》は富士川《ふじがわ》(静岡県《しずおかけん》)をはさんで向かい合ったが、源氏《げんじ》

❖源頼朝《みなもとのよりとも》の進路

1180年10月
❷富士川《ふじがわ》の戦《たたか》い
源氏軍《げんじぐん》は富士川《ふじがわ》で平氏《へいし》軍《ぐん》を撃破《げきは》した。
国府《こくふ》
源頼朝軍《みなもとのよりともぐん》の進路
頼朝《よりとも》に味方
頼朝《よりとも》に敵対《てきたい》
武蔵《むさし》
下総《しもうさ》
比企能員《ひきよしかず》
千葉常胤《ちばつねたね》
甲斐《かい》
相模《さがみ》
大庭景親《おおばかげちか》
上総介広常《かずさのすけひろつね》
駿河《するが》
鎌倉《かまくら》
上総《かずさ》
合戦《かっせん》ハイライト！
安房《あわ》
源《みなもとのよりとも》 頼朝
黄瀬川《きせがわ》の陣《じん》
蛭島《ひるがしま》
土肥実平《どひさねひら》
北条時政《ほうじょうときまさ》
伊豆《いず》
山木兼隆《やまきかねたか》
三浦義明《みうらよしあき》

1180年8月

❶石橋山《いしばしやま》の戦《たたか》い

挙兵《きょへい》した頼朝《よりとも》は、平氏軍《へいしぐん》と戦《たたか》ったが大敗《たいはい》した。山中の洞窟《どうくつ》にかくれた頼朝《よりとも》は、平《へい》氏軍《しぐん》の梶原景時《かじわらかげとき》に見つかったが、見のがしてもらった。

富士山《ふじさん》
源氏軍《げんじぐん》

軍《ぐん》を恐《おそ》れていた平氏軍《へいしぐん》は、近くの沼《ぬま》から飛《と》び立った水鳥の羽音を夜襲《やしゅう》とかんちがいし、戦《たたか》うことなくにげ出した。

翌日《よくじつ》、黄瀬川《きせがわ》に陣《じん》を構《かま》えていた頼朝《よりとも》のもとに、頼朝《よりとも》の弟・源《みなもとの》義経《よしつね》が奥州《おうしゅう》(東北地方《とうほく》)からかけつけた。一方、敗戦《はいせん》を知った平《たいらの》清盛《きよもり》は激怒《げきど》した。しかし翌年《よくとし》、「頼朝《よりとも》の首を墓《はか》に供《そな》えよ」と言い残《のこ》して病死した。

合戦《かっせん》の結果《けっか》

頼朝《よりとも》は鎌倉《かまくら》に本拠地《ほんきょち》を定め、反対勢力《せいりょく》を次つぎと倒《たお》して東国の支配《しはい》を固《かた》めた。

源氏軍《げんじぐん》の大勝利《だいしょうり》
平氏軍《へいしぐん》は我《われ》われを恐《おそ》れて、戦《たたか》わずににげていきました！
源氏軍《げんじぐん》を率《ひき》いた源頼朝氏《みなもとのよりともし》

合戦《かっせん》12 1184年

一《いち》の谷《たに》の戦《たたか》い

合戦《かっせん》ハイライト!
鵯越《ひよどりごえ》

鵯越《ひよどりごえ》の逆落《さかお》とし
義経《よしつね》は約《やく》70騎《き》を率《ひき》いて、平氏《へいし》の陣地《じんち》が置《お》かれた一《いち》の谷《たに》の背後《はいご》にある断崖《だんがい》からかけ下り、奇襲攻撃《きしゅうこうげき》をしかけた。平氏軍《へいしぐん》が大混乱《だいこんらん》におちいったのを見た義経《よしつね》は、各所《かくじょ》に火を放った。

兄上から源氏軍《げんじぐん》の指揮《しき》を任《まか》された!必《かなら》ず勝ってみせる!

源義経《みなもとのよしつね》(1159～1189)
源頼朝《みなもとのよりとも》の弟。頼朝《よりとも》が平氏打倒《へいしだとう》の兵《へい》を挙《あ》げると参加《さんか》し、兄の源範頼《みなもとののりより》(頼朝《よりとも》の弟)とともに源氏軍《げんじぐん》の指揮《しき》を任《まか》された。

源氏軍《げんじぐん》 戦力《せんりょく》 6万騎以上《いじょう》

VS

平氏《へいし》は勢《いきお》いを盛《も》り返した!
防御《ぼうぎょ》の固《かた》い一《いち》の谷《たに》で源氏軍《げんじぐん》を迎《むか》えうつ!

平氏軍《へいしぐん》 戦力《せんりょく》 数万騎《き》

平知盛《たいらのとももり》(1152～1185)
平清盛《たいらのきよもり》の四男。清盛《きよもり》の死後、兄の宗盛《むねもり》とともに平氏軍《へいしぐん》を率《ひき》いた。

合戦《かっせん》タイプ 野戦《やせん》

合戦場所《かっせんばしょ》

摂津《せっつ》(兵庫県《ひょうごけん》)
一《いち》の谷《たに》

義経《よしつね》の作戦《さくせん》
平氏《へいし》の陣地《じんち》の背後《はいご》の崖《がけ》から奇襲《きしゅう》する

断崖《だんがい》からの奇襲攻撃《きしゅうこうげき》で平氏軍《へいしぐん》は大混乱《だいこんらん》する

木曽《きそ》(長野県《ながのけん》)で挙兵《きょへい》した源義仲《みなもとのよしなか》は、1183年、北陸《ほくりく》の倶利伽羅峠《くりからとうげ》で平氏軍《へいしぐん》を破《やぶ》った。平氏《へいし》は都《みやこ》である京都《きょうと》からにげ、義仲《よしなか》は源氏《げんじ》で最初《さいしょ》に京都《きょうと》に入った。しかし義仲《よしなか》は頼朝《よりとも》と対立し、粟津《あわづ》(滋賀県《しがけん》)で義経《よしつね》にうたれた。

都《みやこ》をのがれた平氏《へいし》は、一《いち》の谷《たに》(兵庫県《ひょうごけん》)を拠点《きょてん》に勢《いきお》いを盛《も》り返していた。海に面し、周囲《しゅうい》を断崖《だんがい》に囲《かこ》まれた一《いち》の谷《たに》は、攻《せ》めにくい場所だった。

京都《きょうと》にいた源氏軍《げんじぐん》は、軍勢《ぐんぜい》を二手に分け、一《いち》の谷《たに》をはさみうちにしようとした。源範頼《みなもとののりより》(頼朝《よりとも》の弟)軍《ぐん》は海沿《うみぞ》いに進軍《しんぐん》し、義経《よしつね》は山沿《やまぞ》いの道を進んだ。

義経《よしつね》は三草山《みくさやま》(兵庫県《ひょうごけん》)で平氏軍《へいしぐん》を破《やぶ》った後、軍勢《ぐんぜい》を三手に分けて、一《いち》の谷《たに》を攻撃《こうげき》した。義経《よしつね》は

❖一《いち》の谷《たに》の戦《たたか》い関連《かんれん》地図

丹波《たんば》
播磨《はりま》
三草山《みくさやま》
摂津《せっつ》
源 義経《みなもとのよしつね》
源 範頼《みなもとののりより》
合戦ハイライト!
源 義経《みなもとのよしつね》
一《いち》の谷《たに》
平 知盛《たいらのとももり》

2月5日

❶三草山《みくさやま》の戦《たたか》い

一《いち》の谷《たに》を西から攻《せ》めるために軍《ぐん》を進めていた義経《よしつね》は、三草山《みくさやま》(兵庫県《ひょうごけん》)に陣《じん》を構《かま》えていた平氏軍《へいしぐん》を破《やぶ》った。

義経《よしつね》の奇襲部隊《きしゅうぶたい》
平氏軍《へいしぐん》

2月7日

❷一《いち》の谷《たに》の戦《たたか》い

義経《よしつね》の軍勢《ぐんぜい》は、軍勢《ぐんぜい》を3つに分けて一《いち》の谷《たに》を攻撃《こうげき》。義経《よしつね》自身は70騎《き》を率《ひき》いて崖《がけ》からかけ下りて奇襲《きしゅう》した。

約《やく》70騎《き》を率《ひき》いて、一《いち》の谷《たに》の背後《はいご》にそびえる断崖《だんがい》「鵯越《ひよどりごえ》」から馬でかけ下りて、背後《はいご》から平氏軍《へいしぐん》を奇襲《きしゅう》した。このとき、一《いち》の谷《たに》の東側《ひがしがわ》にいた平氏軍《へいしぐん》は範頼軍《のりよりぐん》に対し有利《ゆうり》に戦《たたか》っていたが、この奇《き》襲《しゅう》で大混乱《だいこんらん》におちいり、多くの兵《へい》が船に乗って海にのがれた。

源氏軍《げんじぐん》の大勝利《だいしょうり》

急な崖《がけ》でしたが、鹿《しか》が下りるという話を聞いたので、馬でも下りられると思い、奇襲《きしゅう》を決断《けつだん》しました。
KASSEN
奇襲《きしゅう》を成功《せいこう》させた源義経氏《みなもとのよしつねし》

合戦《かっせん》の結果《けっか》

平氏《へいし》一族の多くの武将《ぶしょう》が戦死《せんし》し、平氏軍《へいしぐん》は本拠地《ほんきょち》のひとつである屋島《やしま》(香川県《かがわけん》)にのがれた。

合戦《かっせん》13
1185年

屋島《やしま》の戦《たたか》い

合戦《かっせん》ハイライト！
平氏軍《へいしぐん》
那須与一《なすのよいち》
源氏軍《げんじぐん》

海からの攻撃《こうげき》に備《そな》えている平氏《へいし》を、背後《はいご》から奇襲《きしゅう》する！

源義経《みなもとのよしつね》(1159~1189)

一《いち》の谷《たに》の戦《たたか》い後、京都周辺《きょうとしゅうへん》の安全を守っていたが、兄の範頼《のりより》が苦戦《くせん》していたので、自ら出陣《しゅつじん》した。

源氏軍《げんじぐん》 戦力《せんりょく》 約《やく》150騎《き》

VS

我《われ》らには水軍《すいぐん》がある！
だから源氏軍《げんじぐん》は海から攻撃《こうげき》してくるだろう…

平氏軍《へいしぐん》 戦力《せんりょく》 約《やく》1000騎《き》

平宗盛《たいらのむねもり》(1147~1185)

平清盛《たいらのきよもり》の三男。清盛《きよもり》の死後、平氏《へいし》一族を率《ひき》いたが、政治《せいじ》や軍事《ぐんじ》の才能《さいのう》がなかった。

合戦《かっせん》タイプ　野戦《やせん》

合戦場所《かっせんばしょ》

屋島《やしま》
讃岐《さぬき》(香川県《かがわけん》)
勝浦《かつうら》

義経《よしつね》の作戦《さくせん》

勝浦《かつうら》に上陸《じょうりく》して屋島《やしま》を背後《はいご》から攻撃《こうげき》する

平氏軍《へいしぐん》の反撃《はんげき》により義経《よしつね》は危機《きき》におちいる

一《いち》の谷《たに》の戦《たたか》いで敗《やぶ》れた平氏軍《へいしぐん》は、四国《しこく》の屋島《やしま》(香川県《かがわけん》)に拠点《きょてん》を置《お》いた。平氏《へいし》は水軍《すいぐん》をもっていたが、源氏《げんじ》は水軍《すいぐん》がなく、総大将《そうだいしょう》の源範頼《みなもとののりより》は十分な軍船《ぐんせん》を集められずにいた。範頼《のりより》の苦戦《くせん》を知った義経《よしつね》は、1185年2月、約《やく》150騎《き》を率《ひき》いて渡辺津《わたなべのつ》(現在《げんざい》の大阪府《おおさかふ》)から船に乗り、勝浦《かつうら》(徳島県《とくしまけん》)に上陸《じょうりく》した。

屋島《やしま》まで進んだ義経《よしつね》は、大軍《たいぐん》に見せるため、民家《みんか》に放火しながら平氏軍《へいしぐん》を背後《はいご》から奇襲《きしゅう》した。平氏軍《へいしぐん》は大混乱《だいこんらん》し、あわてて船に乗って海へのがれたが、源氏軍《げんじぐん》が少数であることがわかると引き返し、船の上から大量《たいりょう》の矢を射《い》てきた。義経《よしつね》は危機《きき》におちいったが、家臣《かしん》の佐藤継信《さとうつぐのぶ》が身代わりに矢を受けて義経《よしつね》の

屋島《やしま》の戦《たたか》い関連《かんれん》地図

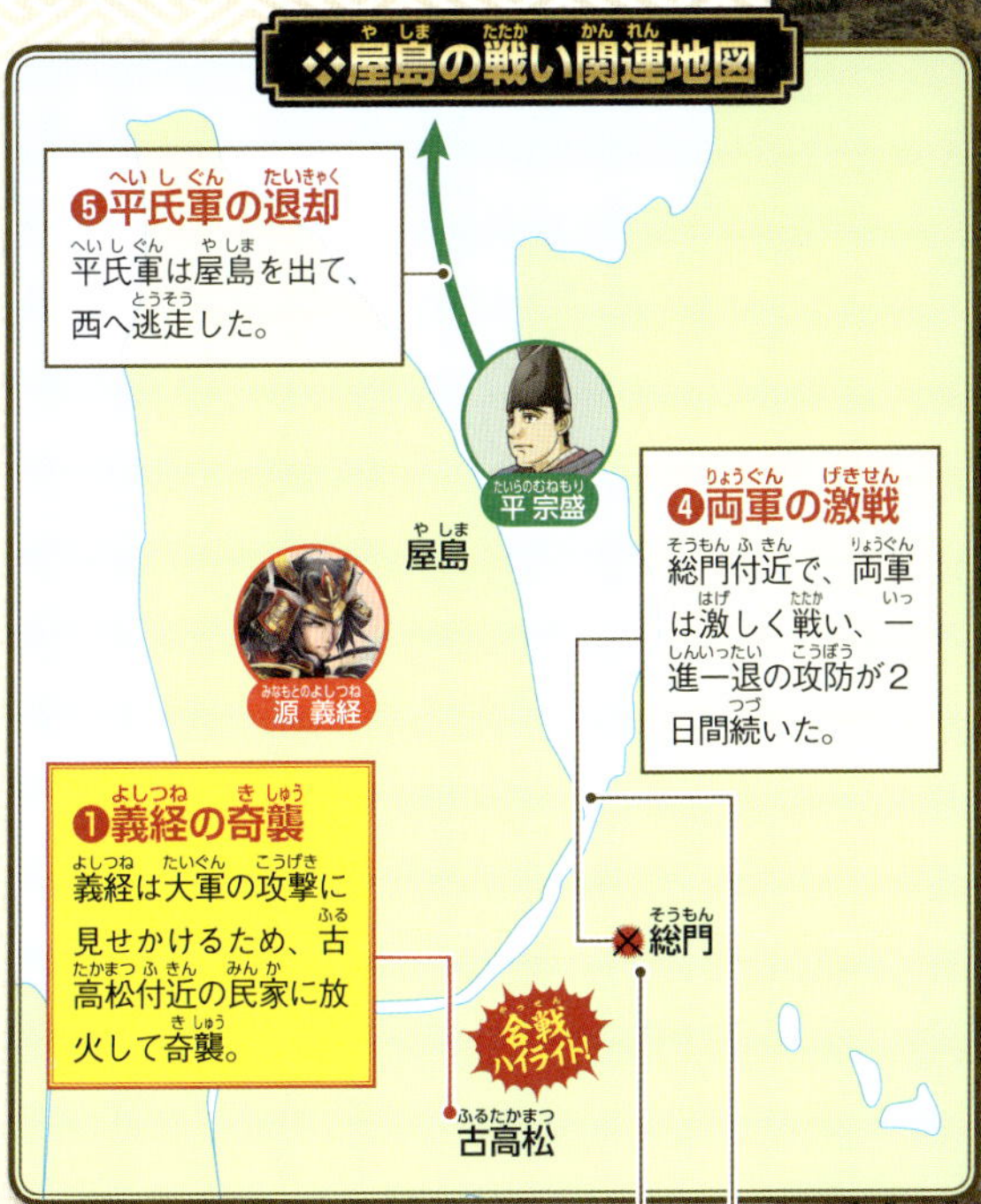
平《たいらの》宗盛《むねもり》
屋島《やしま》
源《みなもとの》義経《よしつね》
総門《そうもん》
合戦《かっせん》ハイライト!
古高松《ふるたかまつ》

❶義経《よしつね》の奇襲《きしゅう》
義経《よしつね》は大軍《たいぐん》の攻撃《こうげき》に見せかけるため、古《ふる》高松《たかまつ》付近《ふきん》の民家《みんか》に放火して奇襲《きしゅう》。

❷佐藤継信《さとうつぐのぶ》の戦死《せんし》
平氏軍《へいしぐん》はいったん船にのがれたが、引き返して激《はげ》しく弓で反撃《はんげき》。佐藤継信《さとうつぐのぶ》が義経《よしつね》の身代わりになって戦死《せんし》。

❸扇《おうぎ》の的《まと》
休戦状態《きゅうせんじょうたい》になったとき、源氏軍《げんじぐん》の弓の名手・那須与一《なすのよいち》が、平氏軍《へいしぐん》の小舟《こぶね》の先にかかげられた扇《おうぎ》の的《まと》を射《い》た。

❹両軍《りょうぐん》の激戦《げきせん》
総門《そうもん》付近《ふきん》で、両軍《りょうぐん》は激《はげ》しく戦《たたか》い、一進一退《いっしんいったい》の攻防《こうぼう》が2日間続《つづ》いた。

❺平氏軍《へいしぐん》の退却《たいきゃく》
平氏軍《へいしぐん》は屋島《やしま》を出て、西へ逃走《とうそう》した。

屋島《やしま》

屋島《やしま》の戦《たたか》い

義経《よしつね》は約《やく》150騎《き》を率《ひき》いて船で渡辺津《わたなべのつ》（現在《げんざい》の大阪府《おおさかふ》）から勝浦《かつうら》（徳島県《とくしまけん》）に上陸《じょうりく》し、平氏軍《へいしぐん》の本拠地《ほんきょち》の屋島《やしま》に近づくと、民家《みんか》に放火しながら背後《はいご》から奇襲攻撃《きしゅうこうげき》をしかけた。あわてた平氏軍《へいしぐん》は船に乗ったが、義経《よしつね》の軍勢《ぐんぜい》が少数だとわかると、引き返して反撃《はんげき》した。

命を救《すく》った。

夕方になり戦《たたか》いが一時的《いちじてき》に止まったとき、平氏軍《へいしぐん》の小舟《こぶね》が扇《おうぎ》の的《まと》をかかげて近づいてきた。源氏軍《げんじぐん》の那須与一《なすのよいち》は、約《やく》70m先にあった扇《おうぎ》を矢で射落《いお》とし、両軍《りょうぐん》からほめ称《たた》えられたという。

翌日《よくじつ》も両軍《りょうぐん》の激《はげ》しい戦《たたか》いが続《つづ》いたが、源氏軍《げんじぐん》の援軍《えんぐん》がかけつけたため、平氏軍《へいしぐん》は、これ以上《いじょう》の戦《たたか》いは無理《むり》だと判断《はんだん》し、屋島《やしま》からにげ出した。

合戦《かっせん》の結果《けっか》

四国《しこく》の本拠地《ほんきょち》を失《うしな》った平氏軍《へいしぐん》は、長門《ながと》（現在《げんざい》の山口県《やまぐちけん》）の彦島《ひこしま》にのがれた。

源氏軍《げんじぐん》の大勝利《だいしょうり》
奇襲攻撃《きしゅうこうげき》の後、少ない兵力《へいりょく》で我慢《がまん》強く戦《たたか》いました。
KASSEN
奇襲《きしゅう》を成功《せいこう》させた源義経氏《みなもとのよしつねし》

合戦《かっせん》14
1185年

壇《だん》の浦《うら》の戦《たたか》い

とうとう彦島《ひこしま》に平氏《へいし》を追いつめた! ここで平氏《へいし》をほろぼすぞ!
私《わたし》は九州《きゅうしゅう》に渡《わた》って平氏《へいし》のにげ道をふさぐぞ!

源義経《みなもとのよしつね》(1159~1189)
源氏軍《げんじぐん》の指揮官《しきかん》。一《いち》の谷《たに》の戦《たたか》いや屋島《やしま》の戦《たたか》いで平氏軍《へいしぐん》に勝利《しょうり》し、平氏軍《へいしぐん》を彦島《ひこしま》(山口県《やまぐちけん》)に追いつめた。

源範頼《みなもとののりより》(?~1193)
源頼朝《みなもとのよりとも》の弟で、義経《よしつね》の兄。義経《よしつね》と一緒《いっしょ》に源氏軍《げんじぐん》に参《さん》加《か》し、平氏軍《へいしぐん》と戦《たたか》った。

源氏軍《げんじぐん》 戦力《せんりょく》 約《やく》830隻《せき》

VS

平氏軍《へいしぐん》 戦力《せんりょく》 約《やく》500隻《せき》

知盛《とももり》、お前に指揮《しき》を任《まか》せる!
平氏《へいし》一族の意地を見せてやる!
必《かなら》ず義経《よしつね》を道連《みちづ》れにしてやる!

平宗盛《たいらのむねもり》(1147~1185)
平清盛《たいらのきよもり》の三男。兄の重盛《しげもり》の死後、平氏《へいし》を率《ひき》いた。源氏軍《げんじぐん》が京《きょう》都《と》に迫《せま》ると、都《みやこ》を捨《す》ててにげた。

平知盛《たいらのとももり》(1152~1185)
平清盛《たいらのきよもり》の四男。勇《ゆう》かんな性《せい》格《かく》で、源氏《げんじ》との戦《たたか》いでは、平氏軍《へいしぐん》を率《ひき》いて戦《たたか》った。

平教経《たいらののりつね》(1160~1185)
平清盛《たいらのきよもり》のおい。勇猛《ゆうもう》な武将《ぶしょう》で、壇《だん》の浦《うら》の戦《たたか》いでは、義経《よしつね》を追いかけ、捕《と》らえようとした。

合戦《かっせん》タイプ 水上戦《すいじょうせん》

合戦場所《かっせんばしょ》

長門《ながと》(山口県《やまぐちけん》)
壇《だん》の浦《うら》

義経《よしつね》の作戦《さくせん》
各地《かくち》の水軍《すいぐん》を味方につける

水軍《すいぐん》を結成《けっせい》した義経《よしつね》が最後《さいご》の決戦《けっせん》に挑《いど》む

屋島《やしま》の戦《たたか》いに敗《やぶ》れた平氏軍《へいしぐん》は、長門《ながと》(現在《げんざい》の山口県《やまぐちけん》)の彦島《ひこしま》を本拠地《ほんきょち》にした。義経《よしつね》は熊野《くまの》(紀《き》伊半島《いはんとう》南部)や四国《しこく》の水軍《すいぐん》を味方につけて、平氏《へいし》の水軍《すいぐん》500隻《せき》を上回る、830隻《せき》の水軍《すいぐん》を結《けっ》成《せい》し、彦島《ひこしま》に向けて出発した。この間、源範頼《みなもとののりより》は九州《きゅうしゅう》に渡《わた》り、平氏軍《へいしぐん》のにげ道をふさいだ。はさみうちにされた平氏軍《へいしぐん》は、決《けっ》戦《せん》に挑《いど》むしかなくなった。

1185年3月24日の朝、義経《よしつね》の率《ひき》いる源氏軍《げんじぐん》は、壇《だん》の浦《うら》(関門海峡《かんもんかいきょう》)で平氏軍《へいしぐん》へ攻撃《こうげき》を開始した。平氏軍《へいしぐん》は、いつもは天《てん》皇《のう》や平氏《へいし》一族が乗る唐船《からぶね》に、身分の低《ひく》い兵士《へいし》を乗せて、唐船《からぶね》を包囲《ほうい》した源氏軍《げんじぐん》を攻撃《こうげき》する作戦《さくせん》だったが、裏切《うらぎ》り者によって情《じょう》報《ほう》が伝《つた》わり、作戦《さくせん》は失敗《しっぱい》した。

❖源氏《げんじ》に追いつめられる平氏

※支配地《しはいち》は1183年のとき。

藤原秀衡《ふじわらのひでひら》の支配地《しはいち》
平泉《ひらいずみ》
源義仲《みなもとのよしなか》の支配地《しはいち》
源義仲《みなもとのよしなか》の進路
倶利伽羅峠《くりからとうげ》の戦《たたか》い
木曽《きそ》
鎌倉《かまくら》
富士川《ふじがわ》の戦《たたか》い
石橋山《いしばしやま》の戦《たたか》い
京都
粟津《あわづ》の戦《たたか》い
福原《ふくはら》
宇治《うじ》
一の谷《いちのたに》
源頼朝《みなもとのよりとも》の支配地《しはいち》
源義経《みなもとのよしつね》の進路
合戦ハイライト!
(➡P64)
壇の浦《だんのうら》
厳島
屋島《やしま》
勝浦《かつうら》
平宗盛《たいらのむねもり》の支配地《しはいち》

1180年5月

❶宇治橋合戦《うじばしかっせん》

源頼政《みなもとのよりまさ》は平氏《へいし》を倒《たお》す計画がばれてにげたが、宇治橋《うじばし》(京都府《きょうとふ》)で平氏《へいし》軍《ぐん》に追いつかれて敗《やぶ》れ、戦死《せんし》した。

1183年5月

❸倶利伽羅峠《くりからとうげ》の戦《たたか》い

源義仲《みなもとのよしなか》は牛の角にたいまつをつけて平氏軍《へいしぐん》をおそわせて勝利《しょうり》し、源氏軍《げんじぐん》の中で一番最初《さいしょ》に京都《きょうと》に入った。

1184年2月

❺一の谷《いちのたに》の戦《たたか》い

義経《よしつね》が崖《がけ》をかけおりて平氏軍《へいしぐん》の背後《はいご》を攻撃《こうげき》して勝利《しょうり》した。平氏軍《へいしぐん》は船で屋島《やしま》ににげた。

1184年1月

❹粟津《あわづ》の戦《たたか》い

源義仲《みなもとのよしなか》が京都《きょうと》で乱暴《らんぼう》をくり返したので、頼朝《よりとも》は源義経《みなもとのよしつね》たちに命じて義仲《よしなか》を殺《ころ》させた。

1185年2月

❻屋島《やしま》の戦《たたか》い

義経《よしつね》が屋島《やしま》にいる平氏軍《へいしぐん》を背後《はいご》からおそって勝利《しょうり》した。平氏軍《へいしぐん》は壇《だん》の浦《うら》へにげた。

1180年10月

❷富士川《ふじがわ》の戦《たたか》い

平氏軍《へいしぐん》は水鳥の羽音を、「敵兵《てきへい》がおそってきた」とかんちがいしてにげた。

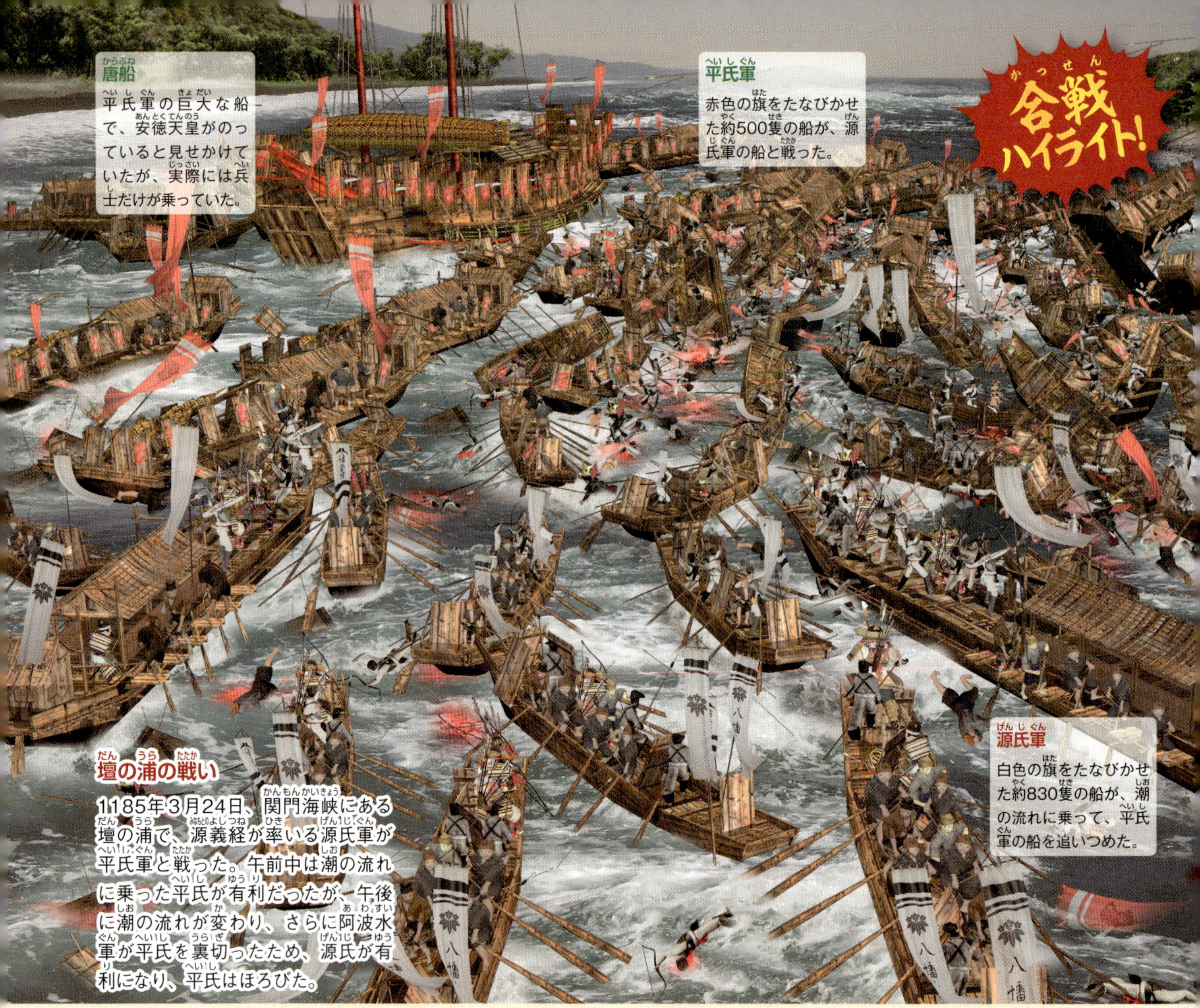
合戦《かっせん》ハイライト!
唐船《からふね》
平氏軍《へいしぐん》の巨大《きょだい》な船で、安徳天皇《あんとくてんのう》がのっていると見せかけていたが、実際《じっさい》には兵士《へいし》だけが乗っていた。
平氏軍《へいしぐん》
赤色の旗《はた》をたなびかせた約《やく》500隻《せき》の船が、源氏軍《げんじぐん》の船と戦《たたか》った。
源氏軍《げんじぐん》
白色の旗《はた》をたなびかせた約《やく》830隻《せき》の船が、潮《しお》の流れに乗って、平氏軍《へいしぐん》の船を追いつめた。

壇《だん》の浦《うら》の戦《たたか》い

1185年3月24日、関門海峡《かんもんかいきょう》にある壇《だん》の浦《うら》で、源義経《みなもとのよしつね》が率《ひき》いる源氏軍《げんじぐん》が平氏軍《へいしぐん》と戦《たたか》った。午前中は潮《しお》の流れに乗った平氏《へいし》が有利《ゆうり》だったが、午後に潮《しお》の流れが変《か》わり、さらに阿波水《あわすい》軍《ぐん》が平氏《へいし》を裏切《うらぎ》ったため、源氏《げんじ》が有利《ゆうり》になり、平氏《へいし》はほろびた。

阿波水軍《あわすいぐん》の裏切《うらぎ》りで源氏軍《げんじぐん》が勝利《しょうり》をつかむ

追いつめられた平氏軍《へいしぐん》だったが、最前線《さいぜんせん》に弓矢が得意《とくい》な兵士《へいし》をそろえて、さらに潮《しお》の流れを上手に利用《りよう》して源氏軍《げんじぐん》を激《はげ》しく攻撃《こうげき》した。圧倒《あっとう》された源氏軍《げんじぐん》は押《お》しもどされ、平氏軍《へいしぐん》は有利《ゆうり》に戦《たたか》いを進めた。

一進一退《いっしんいったい》の激《はげ》しい攻防《こうぼう》が続《つづ》く中、突然《とつぜん》、平氏軍《へいしぐん》に属《ぞく》していた阿波《あわ》(現在《げんざい》の徳島県《とくしまけん》)水軍《すいぐん》が裏切《うらぎ》り、源氏軍《げんじぐん》の味方になった。これがきっかけで、平氏軍《へいしぐん》は一気に不利《ふり》になり、さらに潮流《ちょうりゅう》も逆《ぎゃく》転《てん》して押《お》し返されていった。

敗北《はいぼく》を覚悟《かくご》した平教経《たいらののりつね》は、義経《よしつね》を道連《みちづ》れにして死のうとしたが、義経《よしつね》は8艘《そう》の船を次から次へと飛《と》び移《うつ》ってのがれたという。源氏軍《げんじぐん》の勝利《しょうり》が決定的《けっていてき》になると、平知盛《たいらのとももり》や二位尼《にいのあま》(平清盛《たいらのきよもり》の妻《つま》)など、平氏《へいし》一族は次つぎと海へ身を投げていった。こうして平氏《へいし》は滅亡《めつぼう》し、源氏《げんじ》と平氏《へいし》の戦《たたか》いは終わった。

海に散《ち》った幼《おさな》い命！

平氏軍《へいしぐん》の敗北《はいぼく》は決定的《けっていてき》となった。
母上、もうすぐ源氏軍《げんじぐん》がやってきます
もはや、これまでね
二位尼《にいのあま》
平知盛《たいらのとももり》
みかど、こっちへいらっしゃい
どこへ行くのか？
安徳天皇《あんとくてんのう》
私《わたし》と一緒《いっしょ》に海の下の都《みやこ》に参《まい》りましょう
はい…
二位尼《にいのあま》は8歳《さい》の安徳天皇《あんとくてんのう》を抱《だ》いて海に飛《と》びこんだ。
ザバーン
こうして平氏《へいし》はほろびた。

❖壇《だん》の浦《うら》の戦《たたか》い関連《かんれん》地図

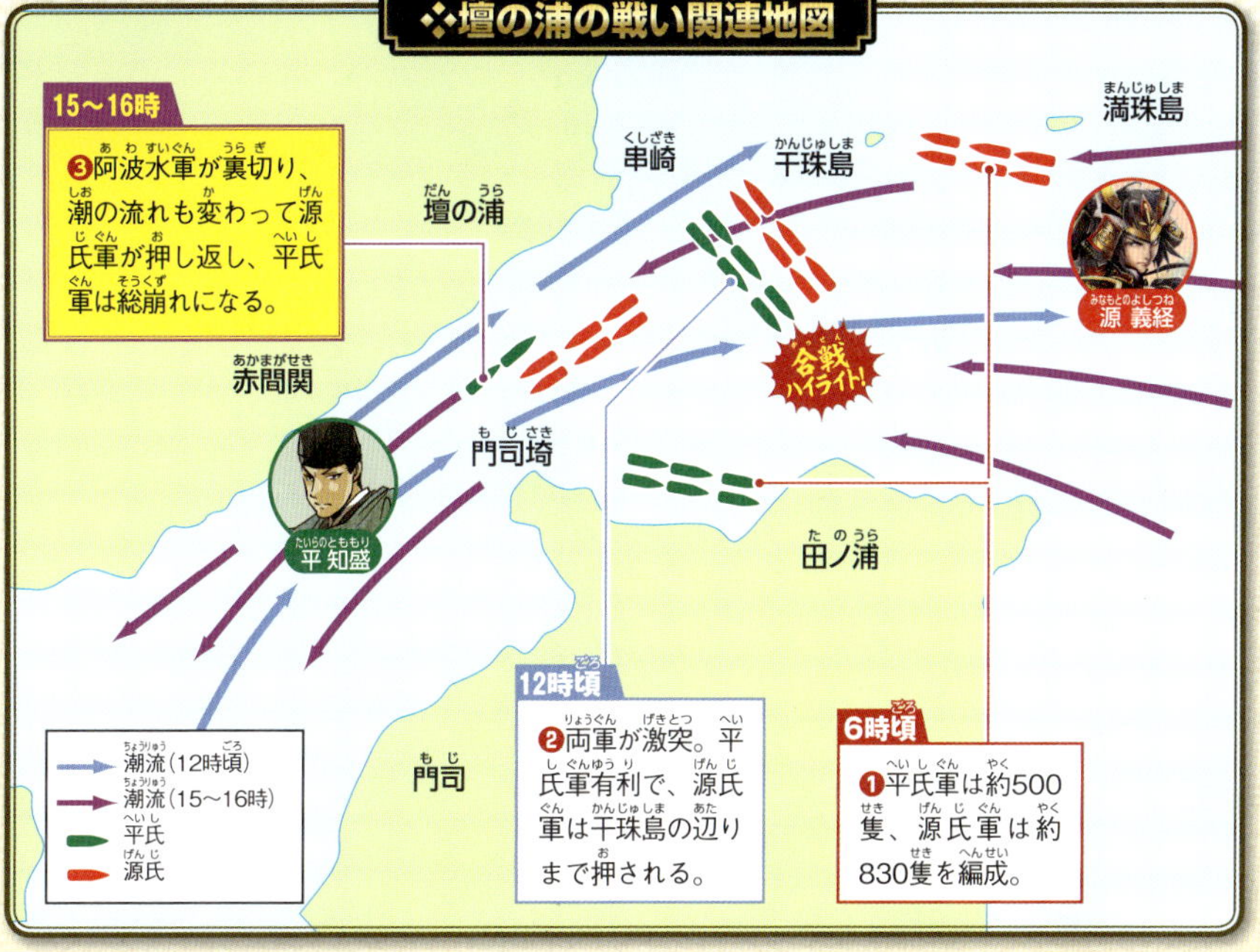
15～16時
❸阿波水軍《あわすいぐん》が裏切《うらぎ》り、潮《しお》の流れも変《か》わって源氏軍《げんじぐん》が押《お》し返し、平氏軍《へいしぐん》は総崩《そうくず》れになる。
12時頃《ごろ》
❷両軍《りょうぐん》が激突《げきとつ》。平氏軍有利《へいしぐんゆうり》で、源氏軍《げんじぐん》は干珠島《かんじゅしま》の辺《あた》りまで押《お》される。
6時頃《ごろ》
❶平氏軍《へいしぐん》は約《やく》500隻《せき》、源氏軍《げんじぐん》は約《やく》830隻《せき》を編成《へんせい》。
満珠島《まんじゅしま》
干珠島《かんじゅしま》
串崎《くしざき》
壇の浦《だんのうら》
赤間関《あかまがせき》
門司埼《もじさき》
田ノ浦《たのうら》
門司《もじ》
合戦ハイライト！
源義経《みなもとのよしつね》
平知盛《たいらのとももり》
潮流《ちょうりゅう》(12時頃《ごろ》)
潮流《ちょうりゅう》(15～16時)
平氏《へいし》
源氏《げんじ》

源義経

発見《はっけん》！

源義経《みなもとのよしつね》・平知盛像《たいらのとももりぞう》

壇《だん》の浦《うら》の戦《たたか》いの古戦場《こせんじょう》には、「八艘飛《はっそうと》び」でにげる義経像《よしつねぞう》と、いかりをかついだ知盛像《ともりぞう》が立っている(山口県《やまぐちけん》)。

合戦《かっせん》の結果《けっか》

この戦《たたか》いで平氏《へいし》はほろび、源頼朝《みなもとのよりとも》は鎌倉《かまくら》で武家政権《ぶけせいけん》の基礎《きそ》を固《かた》めた。

源氏軍《げんじぐん》の大勝利《だいしょうり》
阿波水軍《あわすいぐん》が平氏《へいし》を裏切《うらぎ》ったのが決定的《けっていてき》でした！
源氏軍《げんじぐん》の総大将《そうだいしょう》・源義経氏《みなもとのよしつねし》

下級武《ぶ》士《し》は「腹《はら》当《あて》」「腹《はら》巻《まき》」を着た!!

鎌倉《かまくら》時代以降《いこう》、合戦《かっせん》では下級武士《ぶし》が主力となり、簡単《かんたん》で手軽な「腹当《はらあて》」や「腹巻《はらまき》」などの鎧《よろい》が登場した。これらの鎧《よろい》は動きやすいため、室町《むろまち》時代以降《いこう》、上級武士《ぶし》にも使われるようになった。

腹当《はらあて》

胴体《どうたい》部分を守る「胴鎧《どうよろい》」と、下腹部《かふくぶ》を守る「草摺《くさずり》」で構成《こうせい》されている。背中《せなか》には防御《ぼうぎょ》がまったくない。下級武士用《ぶしよう》だったため、現在《げんざい》、ほとんど残《のこ》っていない。

胴鎧《どうよろい》
胸《むね》と腹《はら》を保護《ほご》する部分で、小札《こざね》(革《かわ》や鉄でできた小さな板)を糸や革《かわ》で上下につないである。

草摺《くさずり》
下腹部《かふくぶ》を守る鎧《よろい》の付属品《ふぞくひん》。腹当《はらあて》は3枚《まい》が基本《きほん》で、股上《またがみ》までの短いものだった。

腹当《はらあて》は素肌《すはだ》の上に着用することもあった。

見せ鞘《みせざや》
鐔《つば》(柄《つか》と刀身の間にはさむ部品)のない刀の鞘《さや》(刀を保護《ほご》する筒《つつ》)をおおう布袋《ぬのぶくろ》。鞘《さや》より長く、先を折《お》りたたんで下げた。

室町《むろまち》時代初期《しょき》の腹当《はらあて》を着た下級武《ぶ》士《し》。背中《せなか》からの攻撃《こうげき》に弱かった。

腹巻《はらまき》

腹当《はらあて》を背中《せなか》まで防御《ぼうぎょ》できる形に発展《はってん》させた鎧《よろい》。着るときは、背中側《せなかがわ》から体を入れて、ひもで結《むす》んで閉《と》じる。このため、着る人の体型《たいけい》に合わせて調節《ちょうせつ》できた。

現在《げんざい》に残《のこ》る腹巻《はらまき》

室町《むろまち》時代に製作《せいさく》された腹巻《はらまき》。この頃《ころ》から、上級武士《ぶし》も馬に乗って戦《たたか》うときなどに着用するようになった。このため、小札《こざね》や威毛《おどしげ》(小札《こざね》をつなぐ糸や革《かわ》)の色があざやかなタイプも登場した。

国立歴史民俗博物館所蔵

背中《せなか》のすき間の部分は弱点だった。
兜《かぶと》
腹巻《はらまき》に兜《かぶと》と大袖《おおそで》をつけた姿《すがた》。
大袖《おおそで》
草摺《くさずり》
腹巻《はらまき》の草摺《くさずり》は７枚《まい》が基本《きほん》で、長さはひざ上くらいまであった。

背板《せいた》

燻革包腹巻《ふすべがわつづみはらまき》

煙《けむり》でいぶした革《かわ》で表面をおおった腹巻《はらまき》。壊《こわ》れた腹巻《はらまき》を修理《しゅうり》して、再《ふたた》び利用《りよう》するために革《かわ》でおおったと考えられている。また、弱点の背中《せなか》をおおう背板《せいた》も登場した。

イラスト／歴史復元画家中西立太

合戦《かっせん》15
1221年

承久《じょうきゅう》の乱《らん》

合戦《かっせん》ハイライト!
朝廷軍《ちょうていぐん》

筏《いかだ》
瀬田川《せたがわ》は雨で増水《ぞうすい》していたが、幕府軍《ばくふぐん》は筏《いかだ》を組んで川を渡《わた》った。

頼朝様《よりともさま》がつくった幕府《ばくふ》を朝廷《ちょうてい》から守るのです！

北条政子《ほうじょうまさこ》(1157〜1225)

源頼朝《みなもとのよりとも》の妻《つま》で、初代執権《しょだいしっけん》・北条時政《ほうじょうときまさ》の娘《むすめ》。頼朝《よりとも》の死後、「尼将軍《あましょうぐん》」として幕府《ばくふ》の権力《けんりょく》をにぎった。

幕府軍《ばくふぐん》 戦力《せんりょく》 約《やく》19万騎《き》

VS

幕府《ばくふ》から権力《けんりょく》をうばい返す！

朝廷軍《ちょうていぐん》 戦力《せんりょく》 不明《ふめい》

後鳥羽上皇《ごとばじょうこう》(1180〜1239)

82代天皇《てんのう》。天皇《てんのう》をやめて上皇《じょうこう》になった後、朝廷《ちょうてい》の権力《けんりょく》をにぎった。

合戦《かっせん》タイプ　野戦《やせん》

合戦場所《かっせんばしょ》

近江《おうみ》(滋賀県《しがけん》)
瀬田《せた》

政子《まさこ》の作戦《さくせん》

演説《えんぜつ》で御家人《ごけにん》たちの心を落ち着かせる

大軍《たいぐん》で京都《きょうと》に攻《せ》め上り朝廷軍《ちょうていぐん》を撃破《げきは》する

平氏《へいし》の滅亡《めつぼう》後《ご》、源頼朝《みなもとのよりとも》と源義経《みなもとのよしつね》は対立した。義経《よしつね》が平泉《ひらいずみ》(岩手県《いわてけん》)の奥州藤原氏《おうしゅうふじわらし》のもとにのがれると、頼朝《よりとも》は義経《よしつね》と奥州藤原氏《おうしゅうふじわらし》を攻《せ》めほろぼした。そして日本最初《さいしょ》の本格的《ほんかくてき》な武家政権《ぶけせいけん》「鎌倉幕府《かまくらばくふ》」を開いた。頼朝《よりとも》の死後、頼朝《よりとも》の妻《つま》・北条政子《ほうじょうまさこ》の実家・北条家《ほうじょうけ》が幕府《ばくふ》の実権《じっけん》をにぎり、執権《しっけん》(将軍《しょうぐん》をたすける幕府《ばくふ》の最高職《さいこうしょく》)の地位《ちい》を独占《どくせん》した。

一方、朝廷《ちょうてい》では、幕府《ばくふ》を倒《たお》して政権《せいけん》を取りもどそうと考えた後鳥羽上皇《ごとばじょうこう》が、兵《へい》を挙《あ》げた。御家人《ごけにん》(幕府《ばくふ》に仕える武士《ぶし》)たちは朝廷《ちょうてい》の敵《てき》にされて混乱《こんらん》したが、北条政子《ほうじょうまさこ》は、「武士《ぶし》の政権《せいけん》を開いた頼朝様《よりともさま》に感謝《かんしゃ》し、幕府《ばくふ》を守るために戦《たたか》うべき」と演説《えんぜつ》し、御家人《ごけにん》たちの心をひとつにまとめた。

❖承久《じょうきゅう》の乱関連《らんかんれん》地図

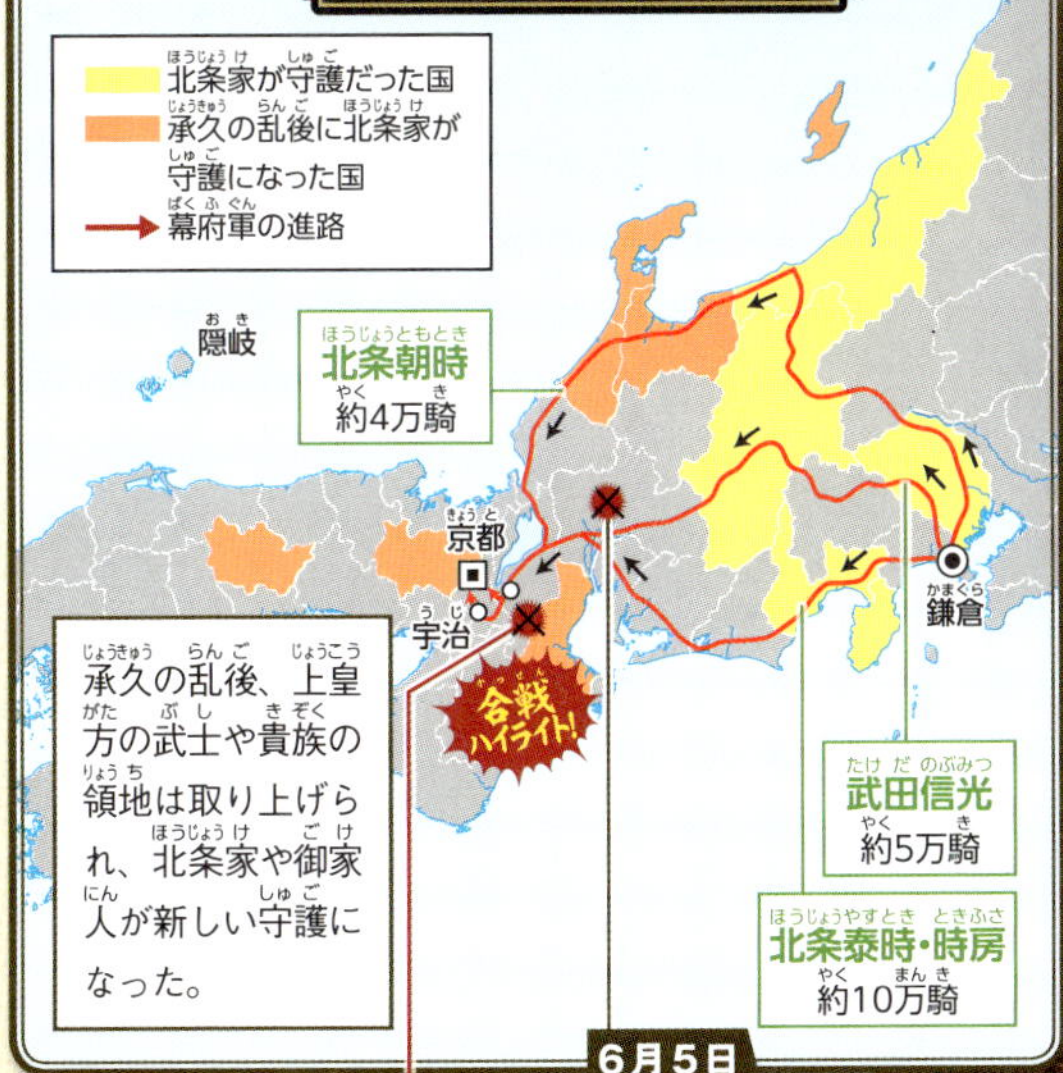
北条家《ほうじょうけ》が守護《しゅご》だった国
承久《じょうきゅう》の乱後《らんご》に北条家《ほうじょうけ》が守護《しゅご》になった国
幕府軍《ばくふぐん》の進路
隠岐《おき》
北条朝時《ほうじょうともとき》
約《やく》4万騎《き》
京都《きょうと》
宇治《うじ》
鎌倉《かまくら》
合戦《かっせん》ハイライト!
武田信光《たけだのぶみつ》
約《やく》5万騎《き》
北条泰時《ほうじょうやすとき》・時房《ときふさ》
約《やく》10万騎《まんき》

承久《じょうきゅう》の乱後《らんご》、上皇《じょうこう》方《がた》の武士《ぶし》や貴族《きぞく》の領地《りょうち》は取り上げられ、北条家《ほうじょうけ》や御家《ごけ》人《にん》が新しい守護《しゅご》になった。

6月5日

❶木曽川《きそがわ》の戦《たたか》い

幕府軍約《ばくふぐんやく》15万騎《き》と、朝廷軍約《ちょうていぐんやく》1万6000騎《き》が木曽川《きそがわ》をはさんで激突《げきとつ》。幕府軍《ばくふぐん》が圧勝《あっしょう》した。

6月13日

❷宇治《うじ》・瀬田《せた》の戦《たたか》い

幕府軍《ばくふぐん》は瀬田《せた》と宇治《うじ》で朝廷軍《ちょうていぐん》を撃破《げきは》した後、京都《きょうと》に進軍《しんぐん》した。

宇治《うじ》・瀬田《せた》の戦《たたか》い

朝廷軍《ちょうていぐん》は京都《きょうと》を守るため、京都《きょうと》南部の宇治《うじ》と、琵琶湖《びわこ》南部の瀬田橋《せたばし》で防御《ぼうぎょ》を固《かた》めた。幕府軍《ばくふぐん》は瀬田橋《せたばし》を渡《わた》れずに苦戦《くせん》したが、筏《いかだ》を組んで瀬田川《せたかわ》を渡《わた》り、朝廷軍《ちょうていぐん》を一気に撃破《げきは》した。

瀬田川《せたがわ》
瀬田橋《せたばし》
幕府軍《ばくふぐん》

御家人《ごけにん》に演説《えんぜつ》する政子《まさこ》

承久《じょうきゅう》の乱《らん》がはじまり、御家人《ごけにん》たちは朝廷《ちょうてい》の敵《てき》にされ、あわてていたが、政子《まさこ》は「頼朝様《よりともさま》の恩《おん》は山よりも高く、海よりも深い」と演説《えんぜつ》し、御家《ごけ》人《にん》たちを落ち着かせた。

合戦《かっせん》の結果《けっか》

勝利《しょうり》した幕府《ばくふ》の勢力《せいりょく》は強まり、後鳥羽上皇《ごとばじょうこう》をはじめ、合計3人の上皇《じょうこう》が追放された。

幕府軍《ばくふぐん》の大《だい》勝《しょう》利《り》
頼朝様《よりともさま》の恩《おん》を説《と》いて、御家人《ごけにん》たちの戦意《せんい》を高めることができました。
幕府《ばくふ》の実力者・北条政子《ほうじょうまさこ》氏《し》

幕府《ばくふ》は北条泰時《ほうじょうやすとき》らを指揮官《しきかん》に任命《にんめい》し、軍勢《ぐんぜい》を三手に分けて、東海道《とうかいどう》・東山道《とうさんどう》・北陸道《ほくりくどう》から京都《きょうと》に攻《せ》め上らせた。味方する武士《ぶし》が増《ふ》えて19万騎《き》の大軍《たいぐん》になった幕府軍《ばくふぐん》は、宇治《うじ》・瀬田《せた》の戦《たたか》いで朝廷軍《ちょうていぐん》を撃破《げきは》し、京都《きょうと》を占領《せんりょう》した。敗《やぶ》れた後鳥羽上皇《ごとばじょうこう》は隠岐《おき》(島根県《しまねけん》)に追放され、京都《きょうと》には朝廷《ちょうてい》を監視《かんし》する役所「六波羅探題《ろくはらたんだい》」が置《お》かれた。

1274・1281年

文永《ぶんえい》・弘安《こうあん》の役《えき》（元寇《げんこう》）

合戦《かっせん》ハイライト！

元軍《げんぐん》に攻撃《こうげき》される御家人《ごけにん》（文永《ぶんえい》の役《えき》）

文永《ぶんえい》の役《えき》のとき、元軍《げんぐん》は博多湾《はかたわん》（福岡県《ふくおかけん》）に上陸《じょうりく》し、集団戦法《しゅうだんせんぽう》で攻撃《こうげき》してきた。さらに「てつはう」と呼《よ》ばれる火薬兵器《へいき》などを使い、幕府軍《ばくふぐん》を苦しめた。

最後《さいご》まで戦《たたか》い抜《ぬ》いて、元《げん》の攻撃《こうげき》から日本を守る！

北条時宗《ほうじょうときむね》(1251～1284)

鎌倉幕府《かまくらばくふ》の８代執権《しっけん》。日本へ服従《ふくじゅう》を求《もと》める元《げん》に対して、強い姿勢《しせい》で拒否《きょひ》した。

幕府軍《ばくふぐん》

戦力《せんりょく》（文永《ぶんえい》の役《えき》）	不明《ふめい》
戦力《せんりょく》（弘安《こうあん》の役《えき》）	約《やく》6万5000人

VS

日本を征服《せいふく》してやるぞ！

元《げん》・高麗軍《こうらいぐん》

戦力《せんりょく》（文永《ぶんえい》の役《えき》）	約《やく》2万6000人
戦力《せんりょく》（弘安《こうあん》の役《えき》）	約《やく》14万人

フビライ・ハン(1215～1294)

モンゴル帝国《ていこく》の５代皇帝《こうてい》になった後、中国《ちゅうごく》に勢力《せいりょく》を広げ、「元《げん》」を建国《けんこく》した。

合戦《かっせん》タイプ　野戦《やせん》

合戦場所《かっせんばしょ》

筑前《ちくぜん》（福岡県《ふくおかけん》）
博多湾《はかたわん》

時宗《ときむね》の作戦《さくせん》

九州《きゅうしゅう》に御家人《ごけにん》を集めて防御《ぼうぎょ》を固《かた》める

集団戦法《しゅうだんせんぽう》と火薬兵器《へいき》に幕府軍《ばくふぐん》は苦しめられる

1271年、モンゴル民族《みんぞく》のフビライ・ハンは元《げん》（中国《ちゅうごく》）を建国《けんこく》すると、鎌倉幕府《かまくらばくふ》に使者を送り、元《げん》に従《したが》うように求《もと》めた。しかし、8代執権《しっけん》（幕府《ばくふ》の最高職《さいこうしょく》）・北条時宗《ほうじょうときむね》はこれを無視《むし》。怒《おこ》ったフビライは、1274年、支配《しはい》していた朝鮮《ちょうせん》半島の高麗《こうらい》の兵《へい》を従《したが》えて、約《やく》900隻《せき》の軍船《ぐんせん》で、日本への攻撃《こうげき》を開始した。

元《げん》・高麗軍《こうらいぐん》は対馬《つしま》・壱岐《いき》（長崎県《ながさきけん》）をおそった後、博多湾《はかたわん》（福岡県《ふくおかけん》）に上陸《じょうりく》した。元軍《げんぐん》は、当時の日本でひきょうとされていた集団戦法《しゅうだんせんぽう》や、空中で爆発《ばくはつ》する火薬兵器《へいき》で攻撃《こうげき》してきたため、御家人《ごけにん》（幕府《ばくふ》に仕える武士《ぶし》）たちは苦戦《くせん》した。しかし、突然《とつぜん》の暴風雨《ぼうふうう》により元《げん》・高麗軍《こうらいぐん》の軍船《ぐんせん》は大きな被害《ひがい》が出て、撤退《てったい》した。

❖元《げん》・高麗軍《こうらいぐん》の進路

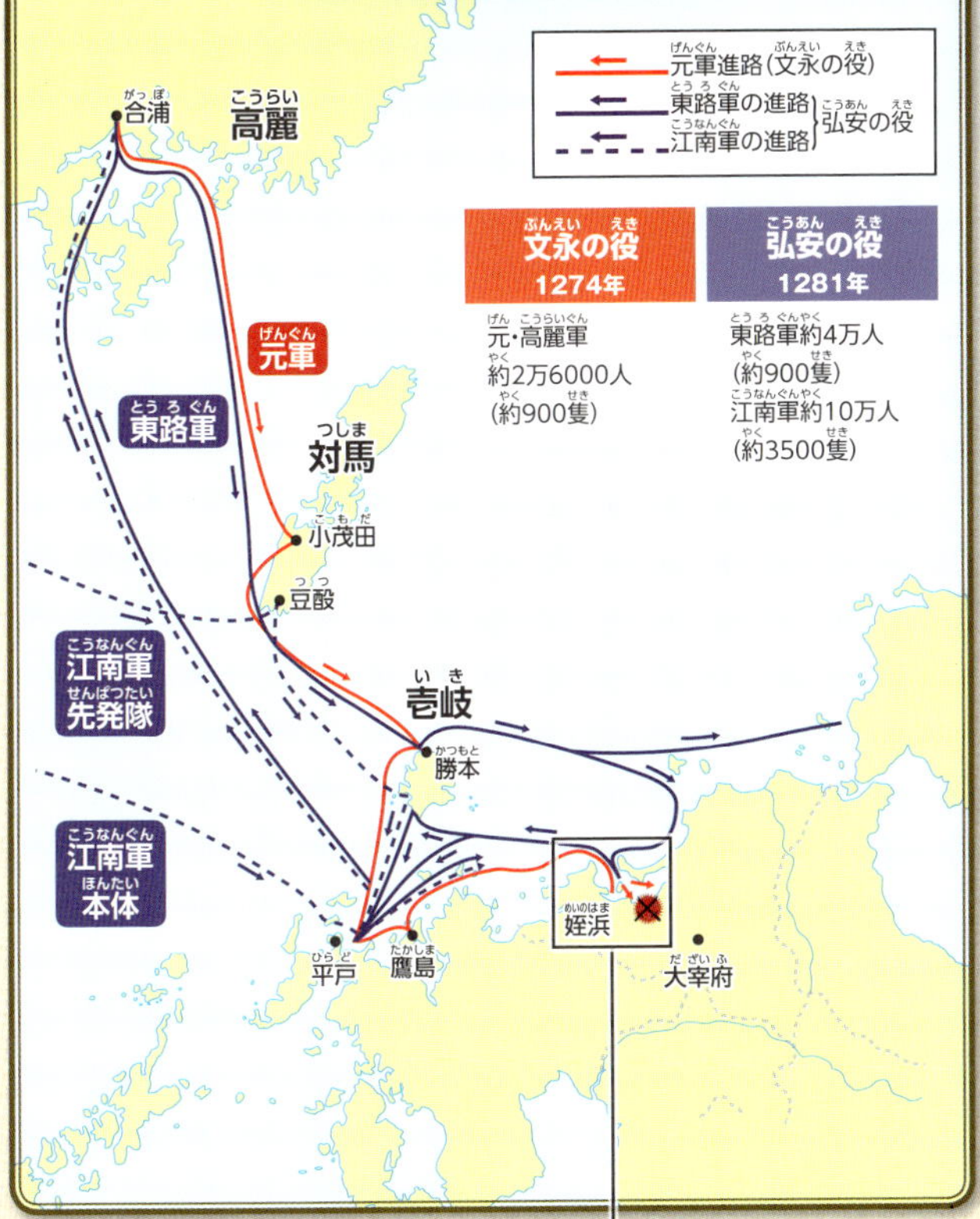
元軍《げんぐん》進路(文永《ぶんえい》の役《えき》)
東路軍《とうろぐん》の進路
江南軍《こうなんぐん》の進路
弘安《こうあん》の役《えき》
文永《ぶんえい》の役《えき》 1274年
元《げん》・高麗軍《こうらいぐん》
約《やく》2万6000人
(約900隻《せき》)

弘安《こうあん》の役《えき》 1281年
東路軍《とうろぐん》約《やく》4万人
(約《やく》900隻《せき》)
江南軍《こうなんぐん》約《やく》10万人
(約《やく》3500隻《せき》)
合浦《がっぽ》
高麗《こうらい》
元軍《げんぐん》
東路軍《とうろぐん》
対馬《つしま》
小茂田《こもだ》
豆酘《つつ》
江南軍《こうなんぐん》先発隊《せんぱつたい》
壱岐《いき》
勝本《かつもと》
江南軍《こうなんぐん》本体《ほんたい》
平戸《ひらど》
鷹島《たかしま》
姪浜《めいのはま》
大宰府《だざいふ》

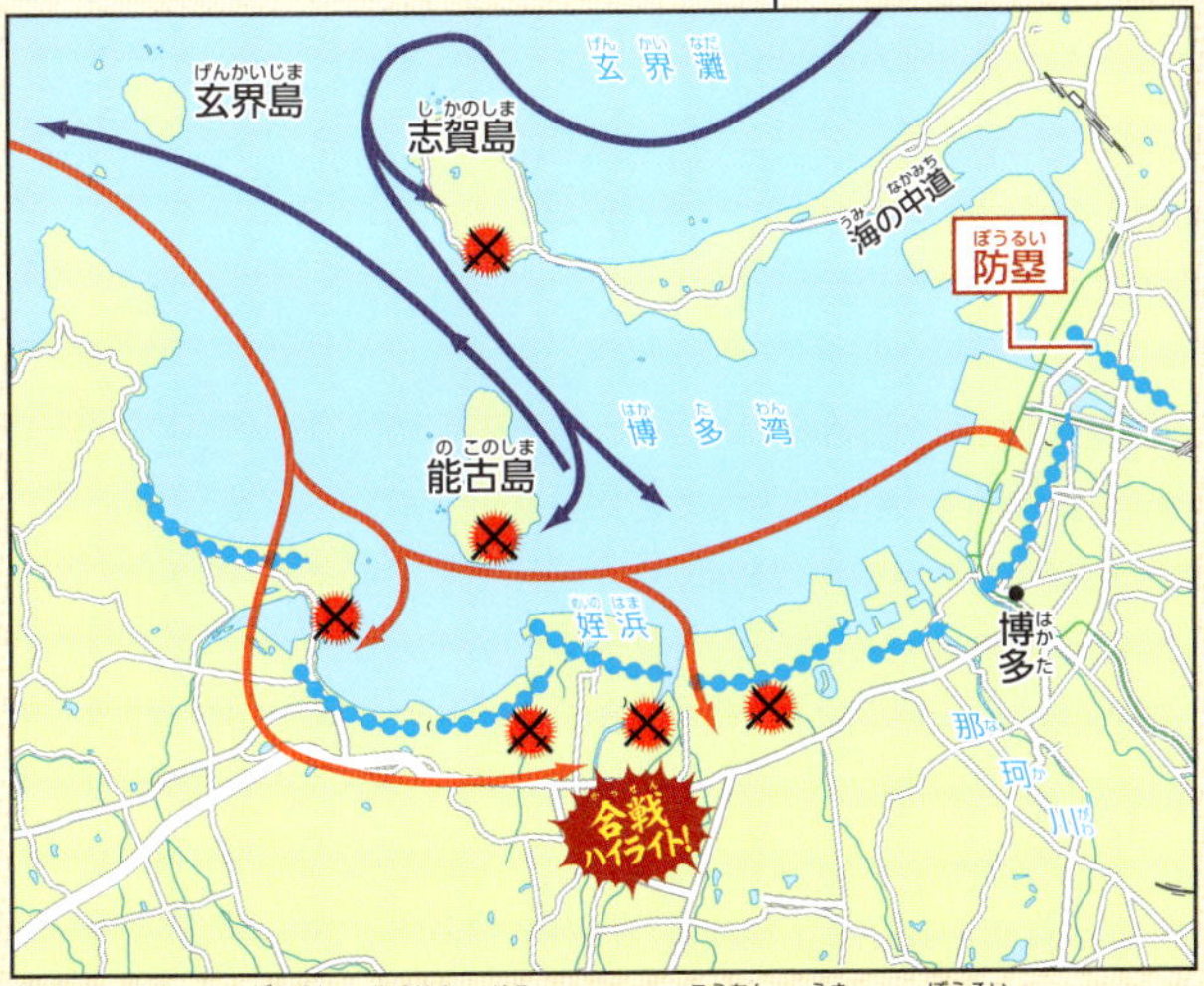
玄界島《げんかいじま》
玄界灘《げんかいなだ》
志賀島《しかのしま》
海《うみ》の中道《なかみち》
防塁《ぼうるい》
博多湾《はかたわん》
能古島《のこのしま》
姪浜《めいのはま》
博多《はかた》
那珂川
合戦ハイライト!

文永《ぶんえい》の役《えき》では元軍《げんぐん》の上陸《じょうりく》を許《ゆる》したが、弘安《こうあん》の役《えき》では防塁《ぼうるい》などを築《きず》いて元軍《げんぐん》の上陸《じょうりく》を許《ゆる》さなかった。

宮内庁三の丸尚蔵館所蔵

ビジュアル資料《しりょう》 **元軍《げんぐん》と戦《たたか》う御家人《ごけにん》(文永《ぶんえい》の役《えき》)**

『蒙古襲来絵詞《もうこしゅうらいえことば》』にえがかれている元軍《げんぐん》の火薬兵器「てつはう」。

合戦《かっせん》ハイライト!
東路軍《とうろぐん》
元《げん》に支配《しはい》されていた高麗《こうらい》の兵《へい》を中心に組織《そしき》された部隊《ぶたい》。軍船《ぐんせん》も高麗《こうらい》で建造《けんぞう》された。
博多湾《はかたわん》
防塁《ぼうるい》
幕府軍《ばくふぐん》
弘安《こうあん》の役《えき》
フビライは軍勢《ぐんぜい》を東路軍《とうろぐん》(約《やく》4万人)と江南軍《こうなんぐん》(約《やく》10万人)の二手に分けて博多湾《はかたわん》を攻撃《こうげき》した。博多湾《はかたわん》には、最初《さいしょ》に東路軍《とうろぐん》が現《あらわ》れた。

御家人《ごけにん》の活躍《かつやく》と防塁《ぼうるい》で元軍《げんぐん》の上陸《じょうりく》を防《ふせ》ぐ

文永《ぶんえい》の役《えき》の後、幕府《ばくふ》は再《ふた》び元《げん》が攻《せ》めてくると予想し、上陸《じょうりく》を食い止めるため、博多湾《はかたわん》の沿岸《えんがん》に防塁《ぼうるい》(石垣《いしがき》)を築《きず》いた。

1281年、フビライは日本への2度目の攻撃《こうげき》を開始した。フビライは軍勢《ぐんぜい》を、元《げん》・高麗兵《こうらいへい》が中心の東路軍《とうろぐん》(約《やく》4万人)と、中国《ちゅうごく》南部の兵《へい》が中心の江南軍《こうなんぐん》(約《やく》10万人)に分けて出撃《しゅつげき》させた。東路軍《とうろぐん》は文永《ぶんえい》の役《えき》のときと同じように博多湾《はかたわん》に現《あらわ》れたが、集団戦法《しゅうだんせんぽう》や火薬兵器《へいき》に慣《な》れていた御家人《ごけにん》たちは、混乱《こんらん》することなく戦《たたか》い、防塁《ぼうるい》によって上陸《じょうりく》を許《ゆる》さなかった。また夜中に敵船《てきせん》に乗りこんで攻撃《こうげき》した。

苦戦《くせん》が続《つづ》いた東路軍《とうろぐん》はいったん引き上げて、鷹島《たかしま》(長崎県《ながさきけん》)で江南軍《こうなんぐん》と合流したが、このときも暴風雨《ぼうふうう》が起こり、元《げん》・高麗軍《こうらいぐん》はほとんどの軍船《ぐんせん》が沈《しず》み、撤退《てったい》した。取り残《のこ》された元《げん》・高麗兵《こうらいへい》は全員が処刑《しょけい》された。

自分の活躍《かつやく》を絵にした!?

御家人《ごけにん》・竹崎季長《たけざきすえなが》は文永《ぶんえい》の役《えき》のとき、元軍《げんぐん》に突撃《とつげき》した。
バーン
集団《しゅうだん》で攻撃《こうげき》とはひきょうな!
何だ、あの爆発《ばくはつ》は!?
季長《すえなが》はけがをしたが、ほうびは何もなかった。
命がけで戦《たたか》ったのに!
鎌倉《かまくら》に乗りこんでほうびを勝ち取るぞ!
季長《すえなが》は幕府《ばくふ》の高官《こうかん》に会って、自分の活躍《かつやく》を説明《せつめい》した。
けがをしても戦《たたか》いました!
わかった、なんとかしよう
季長《すえなが》はほうびを与《あた》えられた。
その後、季長《すえなが》は自分の活躍《かつやく》を絵巻物《えまきもの》にした。
これで私《わたし》の活躍《かつやく》が子孫《しそん》にも伝《つた》わるな!
この『蒙古襲来絵詞《もうこしゅうらいえことば》』は貴重《きちょう》な資料《しりょう》になっている。

宮内庁三の丸尚蔵館所蔵

ビジュアル資料《しりょう》

防塁《ぼうるい》と御家人《ごけにん》(弘安《こうあん》の役《えき》)

『蒙古襲来絵詞《もうこしゅうらいえことば》』より、弘安《こうあん》の役《えき》のとき、石を積《つ》み上げて築《きず》いた「防塁《ぼうるい》」の前を通る御家人《ごけにん》・竹崎季長《たけざきすえなが》をえがいた場面。

暴風雨《ぼうふうう》で沈没《ちんぼつ》する元《げん》・高麗軍《こうらいぐん》の船

東路軍《とうろぐん》と江南軍《こうなんぐん》の軍船《ぐんせん》は、合計で約《やく》4400隻《せき》もあった。しかし幕府軍《ばくふぐん》の必死《ひっし》の防戦《ぼうせん》で上陸《じょうりく》できないまま2か月近くが経《た》ったとき、暴風雨《ぼうふうう》におそわれ、ほとんどの軍船《ぐんせん》が沈没《ちんぼつ》した。

合戦《かっせん》の結果《けっか》

幕府《ばくふ》は戦《たたか》いに勝利《しょうり》したが、ほうびとして御家人《ごけにん》に土地を与《あた》えられなかった。このため、幕府《ばくふ》に対する御家人《ごけにん》たちの不満《ふまん》が高まった。

幕府軍《ばくふぐん》の大勝利《だいしょうり》
暴風雨《ぼうふうう》にたすけられましたが、御家人《ごけにん》たちが必死《ひっし》に戦《たたか》ってくれました。
鎌倉幕府《かまくらばくふ》8代執権《しっけん》・北条時宗《ほうじょうときむね》氏《し》

合戦《かっせん》17
1333年

千早城《ちはやじょう》の戦《たたか》い

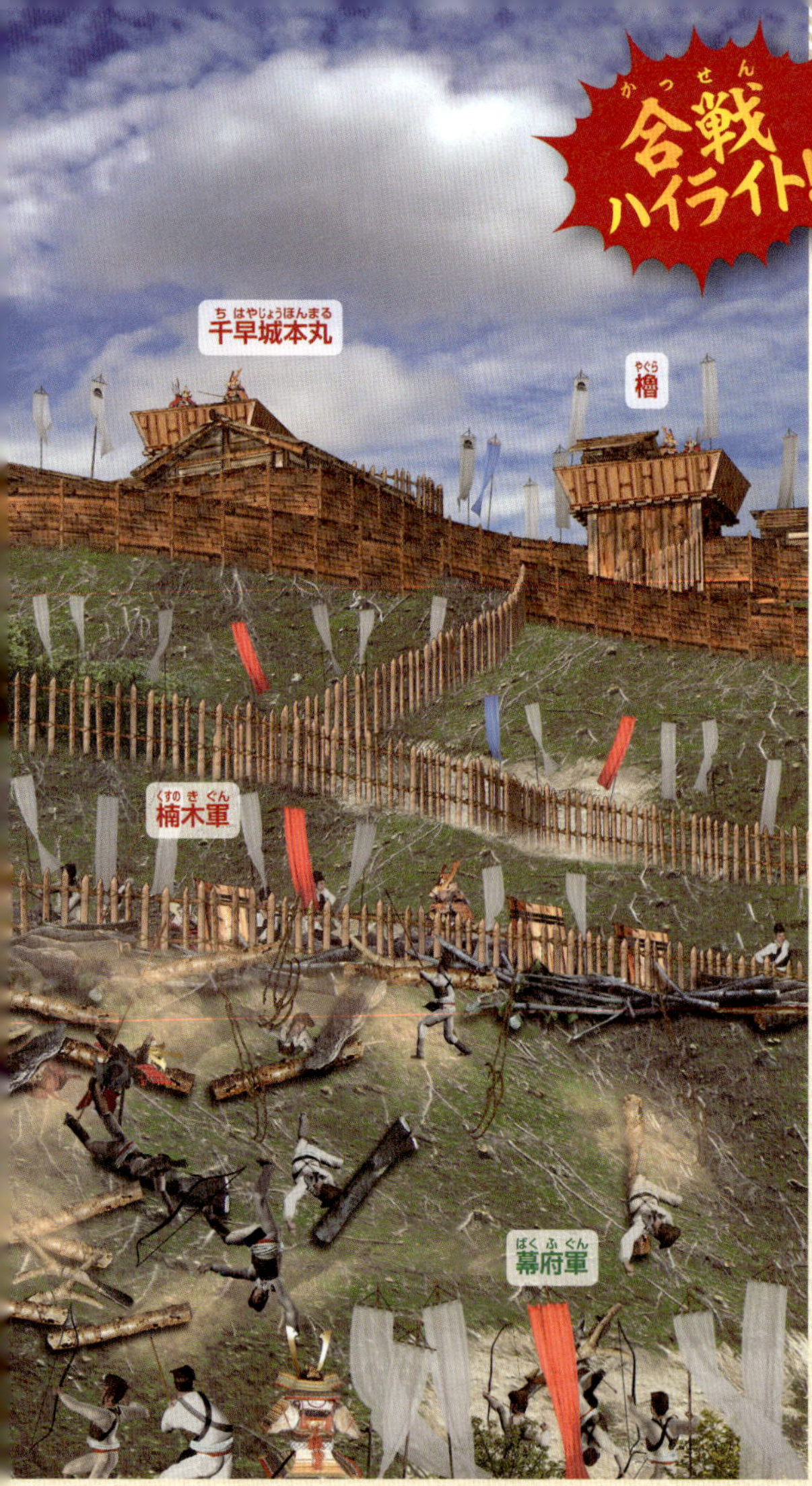

合戦《かっせん》ハイライト!
千早城本丸《ちはやじょうほんまる》
櫓《やぐら》
楠木軍《くすのきぐん》
幕府軍《ばくふぐん》

千早城《ちはやじょう》で幕府軍《ばくふぐん》を釘《くぎ》づけにすれば、各地《かくち》の倒幕勢力《とうばくせいりょく》が立ち上がる！

楠木正成《くすのきまさしげ》(1294～1336)

鎌倉幕府《かまくらばくふ》に逆《さか》らう「悪党《あくとう》」と呼《よ》ばれた武士《ぶし》。後醍醐天皇《ごだいごてんのう》をたすけて幕府《ばくふ》を倒《たお》す戦《たたか》いで活躍《かつやく》した。

楠木正成軍《くすのきまさしげぐん》 戦力《せんりょく》 約《やく》1000騎《き》

VS

幕府《ばくふ》に逆《さか》らう者は倒《たお》す！
大軍《たいぐん》で一気に攻《せ》めよ！

幕府軍《ばくふぐん》 戦力《せんりょく》 数万騎《き》

北条高時《ほうじょうたかとき》(1303～1333)

鎌倉幕府《かまくらばくふ》の14代執権《しっけん》。元弘《げんこう》の変《へん》で、後醍醐天皇《ごだいごてんのう》を追放した。

合戦《かっせん》タイプ 攻城戦《こうじょうせん》

合戦場所《かっせんばしょ》

河内《かわち》(大阪府《おおさかふ》)
千早城《ちはやじょう》

正成《まさしげ》の作戦《さくせん》

千早城《ちはやじょう》で幕府軍《ばくふぐん》を釘《くぎ》づけにする

後醍醐天皇《ごだいごてんのう》に味方した楠木正成《くすのきまさしげ》が幕府《ばくふ》と戦《たたか》う

元寇《げんこう》の後、御家人《ごけにん》(幕府《ばくふ》に仕える武士《ぶし》)の生活は苦しくなり、幕府《ばくふ》に対する不満《ふまん》が高まった。こうした中、後醍醐天皇《ごだいごてんのう》は朝廷《ちょうてい》に実権《じっけん》を取りもどすため、幕府《ばくふ》を倒《たお》す計画を立てたが失敗《しっぱい》し、隠岐《おき》(島根県《しまねけん》)に追放された。

しかし、楠木正成《くすのきまさしげ》をはじめ、後醍醐天皇《ごだいごてんのう》に味方する武士《ぶし》が各《かく》地《ち》で現《あらわ》れ、倒幕《とうばく》運動を開始した。正成《まさしげ》は、新しく成長《せいちょう》した悪党《あくとう》(幕府《ばくふ》に逆《さか》らう武士《ぶし》)と呼《よ》ばれた武士《ぶし》で、幕府軍《ばくふぐん》と戦《たたか》うために千早城《ちはやじょう》(大阪府《おおさかふ》)に立てこもった。幕府《ばくふ》の実力者・北条高時《ほうじょうたかとき》は大軍《たいぐん》で千早城《ちはやじょう》を攻《せ》めさせたが、正成《まさしげ》は、城《しろ》に攻《せ》め寄《よ》せる幕府軍《ばくふぐん》に丸太や大石を投げ下ろしたり、わら人形に甲冑《かっちゅう》を着せて敵《てき》をおびき出したりして攻撃《こうげき》した。

❖倒幕《とうばく》運動の流れ

1324年9月

❶正中《しょうちゅう》の変《へん》

後醍醐天皇《ごだいごてんのう》が臣下《しんか》の日野資朝《ひのすけとも》らと倒幕《とうばく》を計画したが、失敗《しっぱい》した。

↓

1331年5月

❷元弘《げんこう》の変《へん》

後醍醐天皇《ごだいごてんのう》が再《ふた》び倒幕《とうばく》を計画したが失敗《しっぱい》し、隠岐《おき》に追放された。

↓

1333年2月

合戦《かっせん》ハイライト!

❸千《ち》早城《はやじょう》の戦《たたか》い

後醍醐天皇《ごだいごてんのう》に味方する楠木正《くすのきまさ》成《しげ》が、千早城《ちはやじょう》に立てこもり、幕府軍《ばくふぐん》との戦《たたか》いをはじめる。

↓

1333年5月

❹六波羅探題《ろくはらたんだい》を襲撃《しゅうげき》

幕府軍《ばくふぐん》の足利尊氏《あしかがたかうじ》が、六波羅《ろくはら》探題《たんだい》(京都《きょうと》に置《お》かれた幕府《ばくふ》の役所)を攻《せ》めほろぼした。

↓

1333年5月

❺鎌倉《かまくら》の戦《たたか》い

(➡P76)

新田義貞軍《にったよしさだぐん》が鎌倉幕府《かまくらばくふ》を攻撃《こうげき》し、ほろぼす。

後醍醐天皇《ごだいごてんのう》
(1288〜1339)

96代天皇《てんのう》。正中《しょうちゅう》の変《へん》や元弘《げんこう》の変《へん》で倒幕《とうばく》を計画するが失敗《しっぱい》し、隠岐《おき》に追放されたが、楠木《くすのき》正成《まさしげ》や新田義貞《にったよしさだ》らが倒《とう》幕《ばく》運動に参加《さんか》した。

六波羅探題《ろくはらたんだい》を攻撃《こうげき》する足利尊氏《あしかがたかうじ》。

千早城《ちはやじょう》の戦《たたか》い

後醍醐天皇《ごだいごてんのう》の倒幕《とうばく》運動に賛成《さんせい》した楠木正成《くすのきまさしげ》は、千《ち》早城《はやじょう》に立てこもり、幕府軍《ばくふぐん》を迎《むか》えうった。正成《まさしげ》は丸太や大石を崖《がけ》から落とすなどの作戦《さくせん》で幕府軍《ばくふぐん》を苦しめ、約《やく》100日間、幕府軍《ばくふぐん》を釘《くぎ》づけにした。

正成《まさしげ》の意表をつく戦《たたか》い方に苦しんだ幕府軍《ばくふぐん》は、約《やく》100日間、千早城《ちはやじょう》を落とすことができず、釘《くぎ》づけにされた。この間、京都《きょうと》では御家人《ごけにん》・足利尊氏《あしかがたかうじ》が六《ろく》波羅《はら》探題《たんだい》(朝廷《ちょうてい》を監視《かんし》する役所)を攻《せ》めほろぼし、関東《かんとう》では御家《ごけ》人《にん》・新田義貞《にったよしさだ》が倒幕《とうばく》の兵《へい》を挙《あ》げ、鎌倉《かまくら》へ進撃《しんげき》を開始した。千早城《ちはやじょう》を包囲《ほうい》していた幕府軍《ばくふぐん》は、攻《せ》め落とせないまま、退却《たいきゃく》した。

楠木正成軍《くすのきまさしげぐん》の大勝利《だいしょうり》

勝つために、
ひきょうと言われる
作戦《さくせん》でも実行しました。

千早城《ちはやじょう》を守り抜《ぬ》いた楠木正成氏《くすのきまさしげし》

合戦《かっせん》の結果《けっか》

幕府軍《ばくふぐん》が千早城《ちはやじょう》で釘《くぎ》づけにされている間に、各地《かくち》で倒幕勢《とうばくせい》力《りょく》が立ち上がった。

合戦《かっせん》18
1333年

鎌倉《かまくら》の戦《たたか》い

合戦《かっせん》ハイライト！

もはや幕府《ばくふ》の命令《めいれい》は聞けぬ！鎌倉《かまくら》に攻《せ》めこんで幕府《ばくふ》をほろぼす！

新田義貞《にったよしさだ》(1301〜1338)
鎌倉《かまくら》時代末期《まっき》の武将《ぶしょう》。新田荘《にったのしょう》(現在《げんざい》の群馬県《ぐんまけん》)の出身で、幕府《ばくふ》に反抗《はんこう》し、鎌倉《かまくら》に攻《せ》めこんだ。

新田義貞軍《にったよしさだぐん》 戦力《せんりょく》 不明《ふめい》

VS

切通《きりどお》しの守りを固《かた》めて新田軍《にったぐん》を防《ふせ》ぐ！
鎌倉《かまくら》には攻《せ》めこませぬ！

幕府軍《ばくふぐん》 戦力《せんりょく》 不明《ふめい》

北条高時《ほうじょうたかとき》(1303〜1333)
鎌倉幕府《かまくらばくふ》の14代執権《しっけん》。執権《しっけん》をやめた後も幕府《ばくふ》の権力《けんりょく》をにぎった。

合戦《かっせん》タイプ 野戦《やせん》

合戦場所《かっせんばしょ》

相模《さがみ》(神奈川県《かながわけん》)
鎌倉《かまくら》

義貞《よしさだ》の作戦《さくせん》
稲村《いなむら》ケ崎《がさき》を回りこみ鎌倉《かまくら》に攻《せ》めこむ

御家人《ごけにん》の義貞《よしさだ》が鎌倉幕府《かまくらばくふ》をほろぼす

新田荘《にったのしょう》(群馬県《ぐんまけん》)を本拠地《ほんきょち》にしていた御家人《ごけにん》(幕府《ばくふ》に仕える武士《ぶし》)の新田義貞《にったよしさだ》は、幕府《ばくふ》から強引に年貢《ねんぐ》を取り立てられたことに怒《おこ》り、1333年5月、倒幕《とうばく》の兵《へい》を挙《あ》げて鎌倉《かまくら》へ向けて進撃《しんげき》を開始した。

小手指原《こてさしがはら》(埼玉県《さいたまけん》)や分倍河原《ぶばいがわら》(東京都《とうきょうと》)で幕府軍《ばくふぐん》を破《やぶ》った義貞《よしさだ》軍《ぐん》は鎌倉《かまくら》に迫った。周囲《しゅうい》を山で囲《かこ》まれた鎌倉《かまくら》に攻《せ》めこむには、極楽寺坂《ごくらくじざか》や大仏坂《だいぶつざか》などの切通《きりどお》し(山を切り開いた細い道)を通らなければならなかった。このため、義貞《よしさだ》は軍《ぐん》を三手に分けて切通《きりどお》しを突破《とっぱ》しようとしたが、幕府軍《ばくふぐん》の守りは固《かた》く、すべて撃退《げきたい》された。

そこで義貞《よしさだ》は、守りのうすい稲村《いなむら》ケ崎《がさき》を目指した。潮《しお》が満《み》ち

新田義貞軍《にったよしさだぐん》の進路

新田義貞軍《にったよしさだぐん》
切通《きりどお》し
巨福呂坂《こぶくろざか》
幕府軍《ばくふぐん》が勝利《しょうり》
鶴岡八幡宮《つるがおかはちまんぐう》
幕府軍《ばくふぐん》が勝利《しょうり》
合戦ハイライト!
新田軍《にったぐん》が勝利《しょうり》
東勝寺《とうしょうじ》
大仏坂《だいぶつざか》
幕府《ばくふ》
幕府軍《ばくふぐん》が勝利《しょうり》
極楽寺坂《ごくらくじざか》
由比ケ浜《ゆいがはま》
稲村ケ崎《いなむらがさき》

稲村ケ崎《いなむらがさき》を突破《とっぱ》する義貞《よしさだ》

稲村ケ崎《いなむらがさき》はふだん潮《しお》が満《み》ちていて通れない場所だったが、義貞《よしさだ》は潮《しお》が引いたときに回りこんで突破《とっぱ》した。

鎌倉《かまくら》に攻《せ》めこむ義貞《よしさだ》

稲村ケ崎《いなむらがさき》を突破《とっぱ》した義貞《よしさだ》は、各所《かくしょ》に火を放った後、鎌倉《かまくら》の中心部に攻《せ》めこんだ。北条高時《ほうじょうたかとき》ら北条《ほうじょう》一門は東勝寺《とうしょうじ》へのがれた後、自害《じがい》した。

ているときは通れない場所だったが、義貞《よしさだ》は潮《しお》が引いたときに一気に回りこんだ。鎌倉《かまくら》に入った義貞軍《よしさだぐん》は、各所《かくしょ》に火を放ちながら中心部に向けて進撃《しんげき》を開始。幕府《ばくふ》の実力者・北条高時《ほうじょうたかとき》は、北条《ほうじょう》一族を率《ひき》いて戦《たたか》ったが敗《やぶ》れ、東勝寺《とうしょうじ》に追いつめられて自害《じがい》した。これにより、約《やく》140年続《つづ》いた鎌倉幕府《かまくらばくふ》は滅亡《めつぼう》した。

新田義貞軍《にったよしさだぐん》の大《だい》勝《しょう》利《り》
稲村ケ崎《いなむらがざき》を突破《とっぱ》して、一気に鎌倉《かまくら》へ攻《せ》めこめたのが勝利《しょうり》につながりました。
鎌倉幕府《かまくらばくふ》をほろぼした新田義貞氏《にったよしさだし》

合戦《かっせん》の結果《けっか》

後醍醐天皇《ごだいごてんのう》は京都《きょうと》で新しい政府《せいふ》をつくり、「建武《けんむ》の新政《しんせい》」と呼《よ》ばれる天皇《てんのう》中心の政治《せいじ》を開始した。

鎌倉幕府《かまくらばくふ》の滅亡《めつぼう》後《ご》、後醍醐天皇《ごだいごてんのう》は自ら政治《せいじ》を開始したが、足利尊氏《あしかがたかうじ》と対立。
後醍醐天皇《ごだいごてんのう》
楠木正成《くすのきまさしげ》
新田義貞《にったよしさだ》
足利尊氏《あしかがたかうじ》
尊氏《たかうじ》は挙兵《きょへい》したが楠木正成《くすのきまさしげ》らに敗《やぶ》れ九州《きゅうしゅう》へにげた。
京都《きょうと》朝廷《ちょうてい》――
後醍醐天皇《ごだいごてんのう》
足利尊氏《あしかがたかうじ》と和睦《わぼく》しろとは何を言い出す！勝ったばかりだというのに！
天皇《てんのう》の側近《そっきん》
坊門清忠《ぼうもんきよただ》
負けたとはいえ尊氏《たかうじ》に味方する者は大勢《おおぜい》います
いずれさらなる大軍《たいぐん》を引き連《つ》れてもどってきます そうなれば勝ち目はありません
楠木正成《くすのきまさしげ》
そんな大げさな
正成《まさしげ》…

尊氏《たかうじ》の裏切《うらぎ》りは断《だん》じて許《ゆる》されない
ゆえに和睦《わぼく》などもってのほか…
早く尊氏《たかうじ》を倒《たお》して参《まい》れ
よいな正成《まさしげ》
ほどなく尊氏《たかうじ》は攻《せ》めてきた。正成《まさしげ》は新田義貞《にったよしさだ》とともに湊川《みなとがわ》(兵庫県《ひょうごけん》)で足利軍《あしかがぐん》を待ち構《かま》えた。
足利尊氏《あしかがたかうじ》
兵《へい》を海から上陸《じょうりく》させ
まず新田軍《にったぐん》から攻撃《こうげき》しよう
正成《まさしげ》と義貞《よしさだ》を離《はな》すのだ!
湊川《みなとがわ》
新田軍《にったぐん》
足利軍《あしかがぐん》
楠木軍《くすのきぐん》
正成《まさしげ》の陣《じん》
正成《まさしげ》の弟 楠木正季《くすのきまさすえ》
正季《まさすえ》
はい

予想どおり尊氏《たかうじ》は大軍《たいぐん》でもどってきた
これが…おそらく最後《さいご》の戦《たたか》いだ
覚悟《かくご》はいいか
…はい
オオオオオ
上陸《じょうりく》しろ！新田軍《にったぐん》の背後《はいご》をおそえ！
足利軍《あしかがぐん》が上陸《じょうりく》してきたぞ！
食い止めろ！
オオオオオ
しまった！足利軍《あしかがぐん》の攻撃《こうげき》で新田軍《にったぐん》が離《はな》れていく！
こちらが孤立《こりつ》してしまう！

正成様《まさしげさま》っ！こちらにも足利軍《あしかがぐん》が攻《せ》めてきました！
もはやこれまでか…
兄上！
行きましょう
最後《さいご》の戦《たたか》いに
…よし
行こう！
戦《たたか》い抜《ぬ》くぞ！
この命果《は》てるまで！
はい！

合戦《かっせん》19
1336年

湊川《みなとがわ》の戦《たたか》い

合戦《かっせん》ハイライト!

足利軍《あしかがぐん》と戦《たたか》う正成《まさしげ》
正成《まさしげ》はわずか700騎《き》の決死隊《けっしたい》を率《ひき》いて、数万人の足利軍《あしかがぐん》に戦《たたか》いを挑《いど》み、激《はげ》しく戦《たたか》った。しかし傷《きず》を負って力尽《ちからつ》きた正成《まさしげ》は自害《じがい》した。

九州《きゅうしゅう》の武士《ぶし》を味方につけた!
京都《きょうと》を目指して進軍《しんぐん》だ!

足利尊氏《あしかがたかうじ》(1305~1358)
後醍醐天皇《ごだいごてんのう》に味方して倒幕運動《とうばく》に参加《さんか》したが、1335年に後醍醐《ごだいご》天皇《てんのう》と対立して反乱《はんらん》を起こした。

足利尊氏軍《あしかがたかうじぐん》 戦力《せんりょく》 約《やく》5万人

VS

この戦《たたか》い、
必《かなら》ず負ける…

楠木《くすのき》・新田軍《にったぐん》 戦力《せんりょく》 約《やく》2万5000人

新田義貞《にったよしさだ》(1301~1338)
鎌倉幕府《かまくらばくふ》をほろぼした武将《ぶしょう》。後醍醐天皇方《ごだいごてんのうがた》として足利尊氏《あしかがたかうじ》と戦《たたか》った。

楠木正成《くすのきまさしげ》(1294~1336)
足利尊氏《あしかがたかうじ》が反乱《はんらん》を起こすと、後醍醐天皇《ごだいごてんのう》のために戦《たたか》った。

合戦《かっせん》タイプ 野戦《やせん》

合戦場所《かっせんばしょ》
摂津《せっつ》(兵庫県《ひょうごけん》)
湊川《みなとがわ》

尊氏《たかうじ》の作戦《さくせん》
水軍《すいぐん》を利用《りよう》して新田軍《にったぐん》を攻撃《こうげき》する

新田軍《にったぐん》が退却《たいきゃく》したため楠木軍《くすのきぐん》は包囲《ほうい》される

鎌倉幕府《かまくらばくふ》の滅亡《めつぼう》後《ご》、後醍醐天《ごだいごてん》皇《のう》は新しい政治《せいじ》(建武《けんむ》の新政《しんせい》)をはじめたが、武士《ぶし》よりも公家《くげ》(朝廷《ちょうてい》に仕える貴族《きぞく》)を重く用いたため、武士《ぶし》の不満《ふまん》は高まった。足利尊氏《あしかがたかうじ》は、天皇《てんのう》に反乱《はんらん》を起こすことを決意し、九州《きゅうしゅう》の武《ぶ》士《し》たちを味方につけた後、京都《きょうと》を目指して進軍《しんぐん》した。

後醍醐天皇《ごだいごてんのう》から尊氏《たかうじ》を倒《たお》すように命じられた楠木正成《くすのきまさしげ》は、尊《たか》氏《うじ》と和解《わかい》するように提案《ていあん》したが、公家《くげ》から反対され、新田義《にったよし》貞《さだ》とともに湊川《みなとがわ》(兵庫県《ひょうごけん》)へ向かうように命じられた。正成《まさしげ》は戦《せん》死《し》を覚悟《かくご》していたという。

湊川《みなとがわ》に陣《じん》を構《かま》えた楠木《くすのき》・新田《にった》軍《ぐん》に対し、尊氏軍《たかうじぐん》は水軍《すいぐん》を利用《りよう》して新田軍《にったぐん》の背後《はいご》から攻撃《こうげき》をしかけた。新田軍《にったぐん》はにげ道を断《た》た

湊川《みなとがわ》の戦《たたか》い関連《かんれん》地図

足利尊氏《あしかがたかうじ》の進路
楠木正成《くすのきまさしげ》の進路
後醍醐天皇《ごだいごてんのう》の進路
延暦寺《えんりゃくじ》
京都《きょうと》
山城《やましろ》
摂津《せっつ》
足利尊氏《あしかがたかうじ》
楠木正成《くすのきまさしげ》
合戦ハイライト!
河内《かわち》
大和《やまと》
和泉《いずみ》
千早城《ちはやじょう》
吉野《よしの》
後醍醐天皇《ごだいごてんのう》

❷室町幕府《むろまちばくふ》の成立《せいりつ》

京都《きょうと》に入った尊氏《たかうじ》は、建武式目《けんむしきもく》という新しい法律《ほうりつ》を発表し、武士《ぶし》による政治《せいじ》を復活《ふっかつ》させた。

❶湊川《みなとがわ》の戦《たたか》い

後醍醐天皇《ごだいごてんのう》から出撃《しゅつげき》を命じられた正成《まさしげ》と義貞《よしさだ》が、湊川《みなとがわ》で尊氏軍《たかうじぐん》に撃破《げきは》される。

❸南朝《なんちょう》の成立《せいりつ》

尊氏《たかうじ》が京都《きょうと》に入ると、後醍醐天皇《ごだいごてんのう》は延暦寺《えんりゃくじ》にのがれた後、吉野《よしの》に入り、南朝《なんちょう》を開いた。

れることを恐《おそ》れて退却《たいきゃく》。このため楠木軍《くすのきぐん》は戦場《せんじょう》で孤立《こりつ》した。総攻撃《そうこうげき》を受けた正成《まさしげ》は、一族とともに自害《じがい》した。

その後、新田軍《にったぐん》を破《やぶ》って京都《きょうと》に入った尊氏《たかうじ》は、室町幕府《むろまちばくふ》を開いた。後醍醐天皇《ごだいごてんのう》は京都《きょうと》を脱出《だっしゅつ》した後、吉野《よしの》（奈良県《ならけん》）へのがれ、京都《きょうと》の朝廷《ちょうてい》（北朝《ほくちょう》）に対抗《たいこう》するために南朝《なんちょう》を開いた。

足利尊氏軍《あしかがたかうじぐん》の大勝利《だいしょうり》

新田軍《にったぐん》をはさみうちにして楠木軍《くすのきぐん》を孤立《こりつ》させることができました。
室町幕府《むろまちばくふ》を開いた足利尊氏《あしかがたかうじ》氏《し》

合戦《かっせん》の結果《けっか》

後醍醐天皇《ごだいごてんのう》が開いた南朝《なんちょう》は、約《やく》60年間続《つづ》いた後、3代将《しょう》軍《ぐん》・足利義満《あしかがよしみつ》の時代に、北朝《ほくちょう》と統一《とういつ》された。

合戦《かっせん》20
1467年

応仁《おうにん》の乱《らん》

中立
義視《よしみ》と義尚《よしひさ》のどちらを将軍《しょうぐん》にするべきか…
必《かなら》ず宗全《そうぜん》を倒《たお》す！
私《わたし》は兄から後継者《こうけいしゃ》に指名された！

足利義政《あしかがよしまさ》(1436〜1490)
室町幕府《むろまちばくふ》の８代将軍《しょうぐん》。弟の義視《よしみ》を後継者《こうけいしゃ》に決めたが、妻《つま》の富子《とみこ》が義尚《よしひさ》を生んだため、後継者争《こうけいしゃあらそ》いが起きた。
※1468年以降《いこう》、義政《よしまさ》は東軍《とうぐん》。

細川勝元《ほそかわかつもと》(1430〜1473)
室町幕府《むろまちばくふ》の管領《かんれい》。山名宗全《やまなそうぜん》と対立して応仁《おうにん》の乱《らん》を起こし、東軍《とうぐん》の総大将《そうだいしょう》となった。
※1467年時点の対立関係《かんけい》。

足利義視《あしかがよしみ》(1439〜1491)
足利義政《あしかがよしまさ》の弟。幼《おさな》い頃《ころ》に僧《そう》になったが、義政《よしまさ》に頼《たの》まれて僧《そう》をやめ、後継者《こうけいしゃ》になった。

東軍《とうぐん》　戦力《せんりょく》　約《やく》16万人

VS

西軍《せいぐん》　戦力《せんりょく》　約《やく》11万人

勝元《かつもと》を倒《たお》し、義尚様《よしひささま》を将軍《しょうぐん》にする！
母上は私《わたし》が将軍《しょうぐん》になることを望《のぞ》んでいる！

山名宗全《やまなそうぜん》(1404〜1473)
西日本の９か国の守護《しゅご》になった大名《だいみょう》。義尚《よしひさ》を将軍《しょうぐん》にするため、応仁《おうにん》の乱《らん》では西軍《せいぐん》の総大将《そうだいしょう》になった。

足利義尚《あしかがよしひさ》
(1465〜1489)
足利義政《あしかがよしまさ》と日野富子《ひのとみこ》の子。応仁《おうにん》の乱《らん》の最中《さいちゅう》に９代将軍《しょうぐん》になった。

足利将軍家系図《あしかがしょうぐんけけいず》

義政《よしまさ》の弟
義政《よしまさ》の妻《つま》
日野富子《ひのとみこ》
足利義視《あしかがよしみ》
足利義政《あしかがよしまさ》
義政《よしまさ》の子
対立
足利義尚《あしかがよしひさ》

合戦《かっせん》タイプ　野戦《やせん》

合戦場所《かっせんばしょ》

山城《やましろ》(京都府《きょうとふ》)
京都《きょうと》

両軍《りょうぐん》の作戦《さくせん》

相手の勢力《せいりょく》を京都《きょうと》で攻撃《こうげき》する

同時に起きた後継者《こうけいしゃ》争《あらそ》いが合戦《かっせん》に発展《はってん》する

室町幕府《むろまちばくふ》は守護《しゅご》(地方の軍事《ぐんじ》・警察《けいさつ》を担当《たんとう》する役職《やくしょく》)の権限《けんげん》を強めて全国の武士《ぶし》をまとめようとした。そのため守護《しゅご》の勢力《せいりょく》は強くなり、やがて領地《りょうち》で独自《どくじ》に政治《せいじ》をおこなう「守護大名《しゅごだいみょう》」に成長《せいちょう》した。守護大名《しゅごだいみょう》は、勢力《せいりょく》を広げるため、管領《かんれい》(幕府《ばくふ》の最高職《さいこうしょく》)との結《むす》びつきを強めた。

幕府《ばくふ》の政治《せいじ》は管領《かんれい》を中心におこなわれたため、８代将軍《しょうぐん》・足《あし》利《かが》義政《よしまさ》は、政治《せいじ》に興味《きょうみ》を失《うしな》っていった。そして弟の義視《よしみ》を後継《あとつ》ぎに指名すると、管領《かんれい》の細川勝《ほそかわかつ》元《もと》を補佐役《ほさやく》にした。しかしその翌年《よくとし》、義政《よしまさ》の妻《つま》・日野富子《ひのとみこ》が義《よし》尚《ひさ》を産《う》んだ。義尚《よしひさ》を将軍《しょうぐん》にしたかった富子《とみこ》は、有力守護大名《しゅごだいみょう》の山名宗全《やまなそうぜん》を味方につけた。こうして勝元《かつもと》と宗全《そうぜん》は対立した。

合戦《かっせん》ハイライト!

相国寺《しょうこくじ》の戦《たたか》い

応仁《おうにん》の乱《らん》で起きた最大規模《さいだいきぼ》の戦闘《せんとう》。1467年10月3日、西軍《せいぐん》の宗全《そうぜん》が、東軍《とうぐん》の拠点《きょてん》だった相国寺《しょうこくじ》に軍勢《ぐんぜい》を送りこみ、総攻撃《そうこうげき》をしかけた。相国寺《しょうこくじ》は炎上《えんじょう》し、西軍《せいぐん》に占領《せんりょう》されたが、翌日《よくじつ》、東軍《とうぐん》が反撃《はんげき》して相国寺《しょうこくじ》をうばい返し、引き分けに終わった。

将軍家《しょうぐんけ》で後継者争《こうけいしゃあらそ》いが続《つづ》く一方、管領《かんれい》の畠山家《はたけやまけ》や斯波家《しばけ》でも後継者争《こうけいしゃあらそ》いが起きていた。両家の内部は、勝元派《かつもとは》と宗全派《そうぜんは》に分かれて対立し、1467年1月、京都《きょうと》の上御霊神社《かみごりょうじんじゃ》を舞台《ぶたい》に畠山家《はたけやまけ》どうしの戦《たたか》いが起きた。山名方《やまながた》(西軍《せいぐん》)が勝利《しょうり》したこの戦《たたか》いは、その後11年にも及《およ》ぶ応仁《おうにん》の乱《らん》の最初《さいしょ》の戦《たたか》いになった。

4か月後、勝元《かつもと》は味方の守護《しゅご》大名《だいみょう》たちを京都《きょうと》に集めて、山名方《やまながた》(西軍《せいぐん》)の守護大名《しゅごだいみょう》を攻撃《こうげき》。この「上京《かみぎょう》の戦《たたか》い」は引き分けに終わったが、これ以降《いこう》、両軍《りょうぐん》は全面的《ぜんめんてき》な戦争《せんそう》に突入《とつにゅう》した。

❖応仁《おうにん》の乱《らん》勢力図《せいりょくず》

東軍《とうぐん》(細川方《ほそかわがた》)に味方した地方
西軍《せいぐん》(山名方《やまながた》)に味方した地方
(1467年1～5月)
京都《きょうと》

❖応仁《おうにん》の乱《らん》で焼《や》けた京都《きょうと》

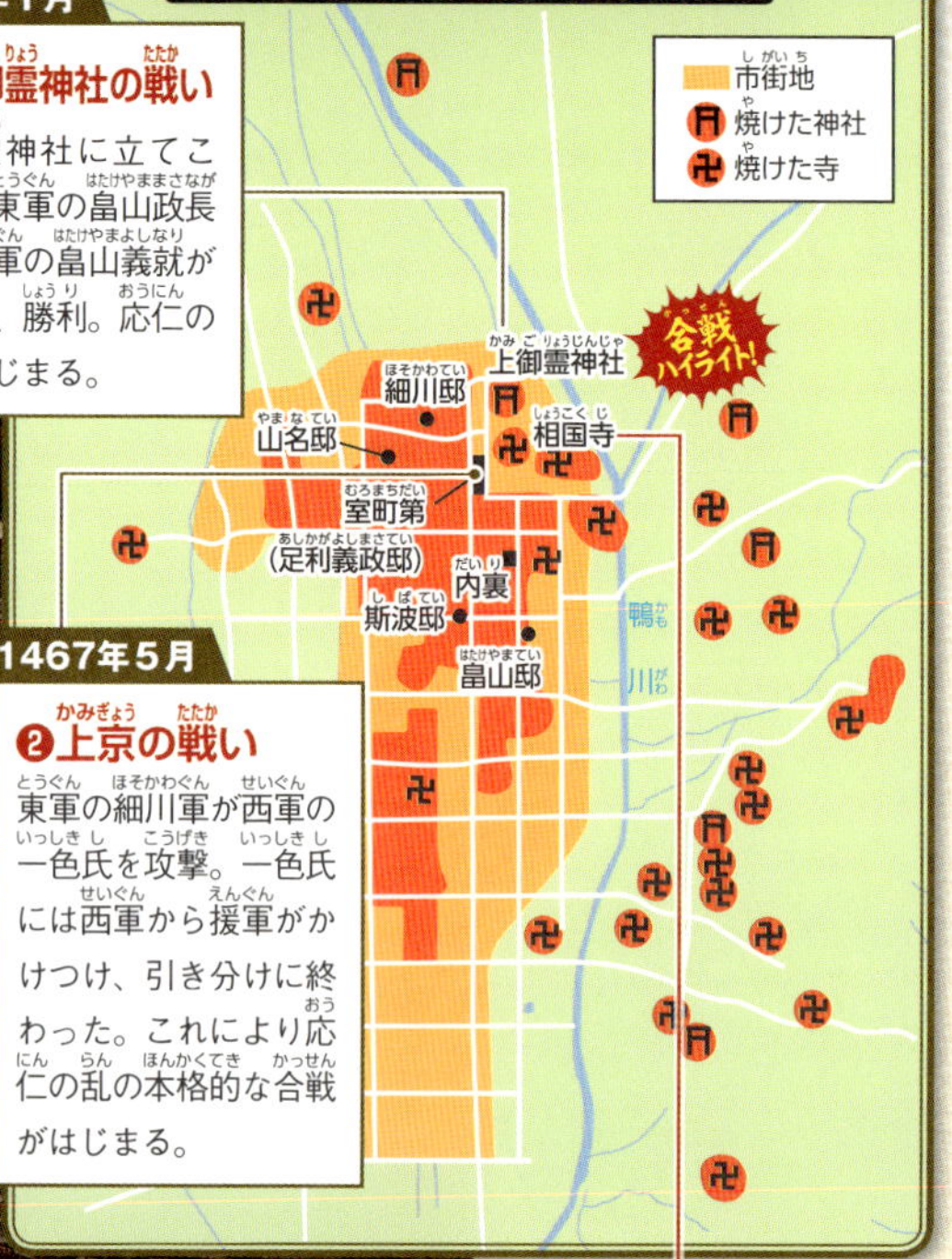

1467年1月

❶上御霊神社《かみごりょう》の戦《たたか》い

上御霊《かみごりょう》神社に立てこもった東軍《とうぐん》の畠山政長《はたけやままさなが》を、西軍《せいぐん》の畠山義就《はたけやまよしなり》が攻撃《こうげき》し、勝利《しょうり》。応仁《おうにん》の乱《らん》がはじまる。

1467年5月

❷上京《かみぎょう》の戦《たたか》い

東軍《とうぐん》の細川軍《ほそかわぐん》が西軍《せいぐん》の一色氏《いっしきし》を攻撃《こうげき》。一色氏《いっしきし》には西軍《せいぐん》から援軍《えんぐん》がかけつけ、引き分けに終わった。これにより応《おう》仁《にん》の乱《らん》の本格的《ほんかくてき》な合戦《かっせん》がはじまる。

1467年10月

❸相国寺《しょうこくじ》の戦《たたか》い

大内氏《おおうちし》を味方につけた西軍《せいぐん》が、東軍《とうぐん》の拠点《きょてん》・相国寺《しょうこくじ》を攻撃《こうげき》。応仁《おうにん》の乱《らん》で最大規模《さいだいきぼ》の戦《たたか》いになったが、引き分けに終わった。

応仁《おうにん》の乱《らん》をきっかけに戦乱《せんらん》が全国に広がる

上京《かみぎょう》の戦《たたか》い後、東軍《とうぐん》は義政《よしまさ》を味方につけて戦《たたか》いを有利《ゆうり》に進めていた。しかし、西軍《せいぐん》は、中国《ちゅうごく》地方の有力守護大名《しゅごだいみょう》・大内氏《おおうちし》を味方につけると、1467年10月、東軍《とうぐん》の拠点《きょてん》・相国寺《しょうこくじ》に総攻《そうこう》撃《げき》をしかけて焼《や》きうちにした。さらに足利将軍邸《あしかがしょうぐんてい》も攻撃《こうげき》したが、東軍《とうぐん》の反撃《はんげき》によって、引き分けに終わった。戦乱《せんらん》が続《つづ》いた京都《きょうと》は、焼《や》け野原になった。

翌年《よくとし》には東軍《とうぐん》の代表だった足《あし》利義視《かがよしみ》が西軍《せいぐん》へ寝返《ねがえ》るなど、混《こん》乱《らん》が続《つづ》いたが、戦《たたか》いは止まることなく各地《かくち》に広がり、地方の守《しゅ》護大名《ごだいみょう》たちは東軍《とうぐん》・西軍《せいぐん》に分かれて争《あらそ》いはじめた。その後、勝《かつ》元《もと》と宗全《そうぜん》のふたりが病死し、両《りょう》軍《ぐん》とも戦意《せんい》を失《うしな》うと、日野富子《ひのとみこ》の仲立《なかだ》ちによって、11年に及《およ》んだ応仁《おうにん》の乱《らん》は終わった。しかし地方では守護大名《しゅごだいみょう》による争《あらそ》いが続《つづ》き、実力で領土《りょうど》を広げていく「戦国《せんごく》時代」がはじまった。

いいかげんすぎ!?
応仁《おうにん》の乱《らん》がはじまったとき、足利義視《あしかがよしみ》は東軍《とうぐん》の細川勝元《ほそかわかつもと》のもとにいた。
私《わたし》は将軍《しょうぐん》になれるか？
私《わたし》を信《しん》じてください！
細川勝元《ほそかわかつもと》
しかし翌年《よくとし》、義視《よしみ》は西軍側《せいぐんがわ》の日野《ひの》一族と対立する。
日野《ひの》一族が恐《おそ》ろしい…
不安《ふあん》だ…
義視《よしみ》は突然《とつぜん》にげだし、西軍《せいぐん》の山名宗全《やまなそうぜん》を頼《たよ》った。
私《わたし》は将軍《しょうぐん》になれるか？
私《わたし》を信《しん》じてください！
山名宗全《やまなそうぜん》
義政《よしまさ》は激怒《げきど》した。
勝元《かつもと》、義視《よしみ》を倒《たお》せ！
はっ！
義尚様《よしひさざま》は私《わたし》がお守りします！
こうして義視《よしみ》は東軍《とうぐん》から西軍《せいぐん》に移《うつ》った。
足利義政《あしかがよしまさ》

活躍《かつやく》する足軽《あしがる》

応仁《おうにん》の乱《らん》では、足軽《あしがる》と呼《よ》ばれる、軽い身なりで敵《てき》と戦《たたか》う下級武士《ぶし》が活躍《かつやく》した。

焼《や》け野原になった京都《きょうと》

応仁《おうにん》の乱《らん》は、京都《きょうと》の神社や寺院などがおもな戦場《せんじょう》になり、その多くが焼失《しょうしつ》した。わずか1年の間に、京都《きょうと》の中心部のほとんどが焼《や》け野原になった。

合戦《かっせん》の結果《けっか》

室町幕府《むろまちばくふ》は権力《けんりょく》を失《うしな》い、戦乱《せんらん》は京都《きょうと》から全国各地《かくち》に広がっていった。

両軍《りょうぐん》の引き分け

私《わたし》たちは乱《らん》が終わる前に死にました…
西軍総大将《せいぐんそうだいしょう》・山名宗全氏《やまなそうぜんし》
東軍総大将《とうぐんそうだいしょう》・細川勝元氏《ほそかわかつもとし》

合戦《かっせん》おもしろコラム

兜《かぶと》の種《しゅ》類《るい》と歴《れき》史《し》!!

古墳《こふん》時代

眉《ま》庇《びさし》付《つき》兜《かぶと》

多くが鉄製《てつせい》で、額《ひたい》への攻撃《こうげき》を防《ふせ》ぐ眉庇《まびさし》が特徴《とくちょう》。受鉢《うけばち》には動物の毛などで飾《かざ》りがつけられていたと考えられている。後頭部や首を守る錣《しころ》もついている。

国立歴史民俗博物館所蔵

平安《へいあん》時代 中期以降《ちゅうきいこう》

星《ほし》兜《かぶと》

「星」と呼《よ》ばれる先のとがった鋲《びょう》が特徴《とくちょう》。頭頂部《とうちょうぶ》には髻《もとどり》（束《たば》ねた髪《かみ》）を出す穴《あな》が開いている。敵《てき》の矢や刀を防《ふせ》ぐ「吹返《ふきかえ》し」がついている。

国立歴史民俗博物館所蔵

南北朝《なんぼくちょう》 時代以降《いこう》

筋《すじ》兜《かぶと》

星兜《ほしかぶと》の星をたたきつぶして筋《すじ》にして、表面を平らにした兜《かぶと》。兜《かぶと》の矧板《はぎいた》（鉄板）の数（間数《けんすう》）により、「十六間筋兜《じゅうろっけんすじかぶと》」、「三十二間筋兜《さんじゅうにけんすじかぶと》」などと呼《よ》ばれる。

国立歴史民俗博物館所蔵

鉄板を留《と》める鋲《びょう》の形が時代によって変化《へんか》した

日本にはじめて兜《かぶと》が登場したのは*古墳《こふん》時代である。この時代の兜《かぶと》のうち、代表的《だいひょうてき》なものが眉庇付兜《まびさしつきかぶと》である。矧板《はぎいた》（細長い鉄板）を鋲《びょう》（笠型《かさがた》の頭部がついた釘《くぎ》）で打ちつけて鉢《はち》の形にする。豪族《ごうぞく》などの支配者《しはいしゃ》が着用していたと考えられている。

飛鳥《あすか》・奈良《なら》時代にどのような兜《かぶと》が使用されていたのか不明《ふめい》であるが、平安《へいあん》時代中期には大きな矧板《はぎいた》に、大きな鋲《びょう》を打ちつけてつくった「星兜《ほしかぶと》」が登場した。敵《てき》の矢などを防《ふせ》ぐ「吹返《ふきかえ》し」は、錣《しころ》の両端《りょうたん》が反り返ったもので、周《まわ》りを広く見ることができた。

その後、星兜《ほしかぶと》の矧板《はぎいた》は増《ふ》え、星は小さくなった。南北朝《なんぼくちょう》時代には、小さくなった星をたたきつぶして筋《すじ》にした「筋兜《すじかぶと》」が登場し、広まった。戦国《せんごく》時代になると、星兜《ほしかぶと》・筋兜《すじかぶと》以外《いがい》のさまざまな兜《かぶと》がつくられ、戦場《せんじょう》で目立つための「変《か》わり兜《かぶと》」（➡P224）なども製作《せいさく》された。

＊古墳《こふん》が多くつくられた3世紀《せいき》後半から600年頃《ごろ》までの時代。

3章

織田《おだ》信長《のぶなが》の時代

戦《せん》国《ごく》の革《かく》命《めい》児《じ》・織《お》田《だ》信《のぶ》長《なが》が登場!!

全国各地《かくち》の大名《だいみょう》が激《はげ》しく争《あらそ》っていた戦国《せんごく》時代、織田信長《おだのぶなが》は桶狭間《おけはざま》の戦《たたか》いで今川義元《いまがわよしもと》を倒《たお》すと、次つぎと有力大名《だいみょう》をほろぼしていった。天下統一《とういつ》を目前にした信長《のぶなが》だったが、家臣《かしん》の明智光秀《あけちみつひで》によって本能寺《ほんのうじ》で倒《たお》された。

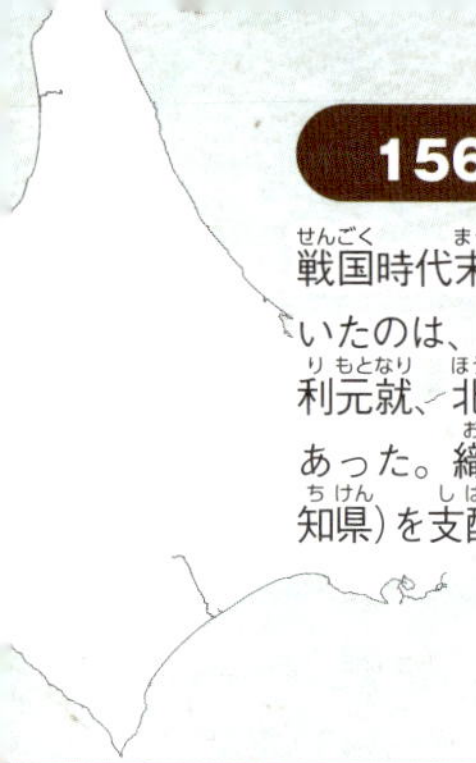

1560年頃《ごろ》の勢力図《せいりょくず》

戦国《せんごく》時代末期《まっき》に強い勢力《せいりょく》をほこっていたのは、上杉謙信《うえすぎけんしん》や武田信玄《たけだしんげん》、毛利元就《もうりもとなり》、北条氏康《ほうじょううじやす》、今川義元《いまがわよしもと》などであった。織田信長《おだのぶなが》は尾張《おわり》(現在《げんざい》の愛知県《あいちけん》)を支配《しはい》する弱小大名《だいみょう》であった。

1577年 手取川《てどりがわ》の戦《たたか》い (➡P152)

上杉謙信軍《うえすぎけんしんぐん》 VS 織田信長軍《おだのぶながぐん》

1561年 川中島《かわなかじま》の戦《たたか》い(第4次) (➡P108)

武田信玄軍《たけだしんげんぐん》 VS 上杉謙信軍《うえすぎけんしんぐん》

1546年 河越夜戦《かわごえやせん》 (➡P96)

北条氏康軍《ほうじょううじやすぐん》 VS 上杉《うえすぎ》・足利軍《あしかがぐん》

1575年 長篠《ながしの》の戦《たたか》い (➡P136)

織田《おだ》・徳川軍《とくがわぐん》 VS 武田勝頼軍《たけだかつよりぐん》

1572年 三方ケ原《みかたがはら》の戦《たたか》い (➡P122)

武田信玄軍《たけだしんげんぐん》 VS 徳川家康軍《とくがわいえやすぐん》

1582年 備中高松城《びっちゅうたかまつじょう》の戦《たたか》い (➡P164)

織田信長軍《おだのぶながぐん》 vs 毛利輝元軍《もうりてるもとぐん》

1570年 姉川《あねがわ》の戦《たたか》い (➡P114)

織田《おだ》・徳川軍《とくがわぐん》 vs 浅井《あざい》・朝倉軍《あさくらぐん》

1555年 厳島《いつくしま》の戦《たたか》い (➡P98)

毛利元就軍《もうりもとなりぐん》 vs 陶晴賢軍《すえはるかたぐん》

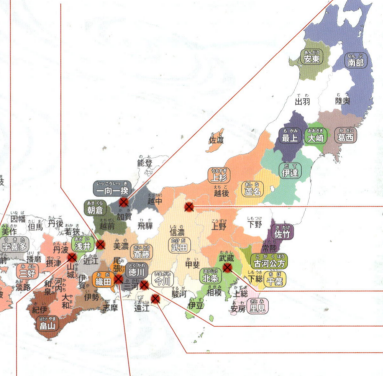

1582年 本能寺《ほんのうじ》の変《へん》 (➡P172)

明智光秀軍《あけちみつひでぐん》 vs 織田信長軍《おだのぶながぐん》

1560年 桶狭間《おけはざま》の戦《たたか》い (➡P100)

織田信長軍《おだのぶながぐん》 vs 今川義元軍《いまがわよしもとぐん》

1560年5月
今川義元《いまがわよしもと》が尾張《おわり》に進軍《しんぐん》を開始。
今川館《いまがわやかた》
遠江《とおとうみ》
三河《みかわ》
桶狭間《おけはざま》
尾張《おわり》
清洲城《きよすじょう》
大高城《おおたかじょう》
今川義元《いまがわよしもと》
織田信長《おだのぶなが》
それを知った信長《のぶなが》は清洲城《きよすじょう》から出撃《しゅつげき》した。
進軍《しんぐん》7日目、今川軍《いまがわぐん》は桶狭間《おけはざま》で休息していた。
織田《おだ》の砦《とりで》を落とし、無事《ぶじ》に大高城《おおたかじょう》に兵糧《ひょうろう》を運ぶことができた！
これで尾張《おわり》は私《わたし》のものになったも同然《どうぜん》！
今日は前祝《まえいわ》いといこう！
同じ頃《ころ》、信長《のぶなが》は桶狭間《おけはざま》の近くまで進軍《しんぐん》していた。
信長様《のぶながさま》やはりもどりましょう！
わが軍勢《ぐんぜい》では少なすぎて今川《いまがわ》の大軍《たいぐん》にかないません
絶対《ぜったい》に負けますよ
何度も言わせるな！

今川《いまがわ》の兵《へい》は長旅で疲《つか》れているはずだ！
たとえ我《わ》が軍《ぐん》の兵《へい》が少なくても十分に戦《たたか》える！
そうはいいましても…
心配《しんぱい》しすぎだ
信長様《のぶながさま》っ
今川軍《いまがわぐん》が桶狭間《おけはざま》で本隊《ほんたい》を休息させていますっ！
義元《よしもと》もそこにいるのだな？
はい！
それなら不意《ふい》を突《つ》いて攻撃《こうげき》できるぞ
勝てるかも！

だからそう言ったであろう!
フンッ
ポッ
雨だ!
これは強くなるぞ
ザァァァァ
この雨で敵《てき》に気づかれず近づける…
運は我《われ》らにある
今川《いまがわ》義元《よしもと》をうち取るぞ!
義元《よしもと》の本陣《ほんじん》
いやはや…すごい通り雨だったな
雨も上がりましたし出発しますか?
そうするか

！
ん？
義《よし》元《もと》っ！
その首この信《のぶ》長《なが》がいただく！
織《お》田《だ》信《のぶ》長《なが》！
いつのまにっ

河越夜戦《かわごえやせん》

合戦《かっせん》ハイライト!

河越夜戦《かわごえやせん》
北条氏《ほうじょうし》が守る河越城《かわごえじょう》は、上杉《うえすぎ》憲政《のりまさ》、上杉朝定《うえすぎともさだ》、足利晴氏《あしかがはるうじ》の約《やく》8万人の大軍《たいぐん》に包囲《ほうい》されていたが、北条氏康《ほうじょううじやす》は上杉《うえすぎ》・足利軍《あしかがぐん》を油断《ゆだん》させた後、奇襲攻撃《きしゅうこうげき》をしかけて勝利《しょうり》した。

河越城《かわごえじょう》を救《すく》うには、憲政《のりまさ》たちをだますしかない!

北条氏康《ほうじょううじやす》(1515〜1571)
北条早雲《ほうじょうそううん》の孫《まご》。父の北条氏綱《ほうじょううじつな》とともに上杉氏《うえすぎし》や足利氏《あしかがし》と争《あらそ》い、関東《かんとう》で勢力《せいりょく》を広げる。

北条氏康軍《ほうじょううじやすぐん》 戦力《せんりょく》 約《やく》1万1000人

VS

河越城《かわごえじょう》を大軍《たいぐん》で包囲《ほうい》だ!
氏康《うじやす》は降伏《こうふく》するはず!

上杉《うえすぎ》・足利軍《あしかがぐん》 戦力《せんりょく》 約《やく》8万人

上杉憲政《うえすぎのりまさ》(?〜1579)
戦国《せんごく》時代の武将《ぶしょう》で、室町幕府《むろまちばくふ》の関東管領《かんとうかんれい》(関東《かんとう》を治《おさ》める役職《やくしょく》)。

合戦《かっせん》タイプ 野戦《やせん》

合戦場所《かっせんばしょ》

武蔵《むさし》(埼玉県《さいたまけん》)
河越城《かわごえじょう》

氏康《うじやす》の作戦《さくせん》
降伏《こうふく》したふりをして憲政《のりまさ》を油断《ゆだん》させる

夜襲《やしゅう》をしかけて大軍《たいぐん》を大混乱《だいこんらん》におとしいれる

1493年、室町幕府《むろまちばくふ》の役人だった北条早雲《ほうじょうそううん》は、足利氏《あしかがし》から伊豆《いず》(現在《げんざい》の静岡県《しずおかけん》)をうばい取った。このように戦国《せんごく》時代では、実力のある武将《ぶしょう》が守護大名《しゅごだいみょう》(地方を支配《しはい》した領主《りょうしゅ》)を倒《たお》して権力《けんりょく》をにぎった。こうした武将《ぶしょう》は戦国大名《せんごくだいみょう》と呼《よ》ばれた。早雲《そううん》は「最初《さいしょ》の戦国大名《せんごくだいみょう》」といわれる。

早雲《そううん》の孫《まご》・北条氏康《ほうじょううじやす》は、父の氏綱《うじつな》とともに関東《かんとう》で上杉氏《うえすぎし》や足利氏《あしかがし》と戦《たたか》い、勢力《せいりょく》を広げた。北条氏《ほうじょうし》を止めたかった上杉朝定《うえすぎともさだ》は、上杉憲政《うえすぎのりまさ》や足利晴氏《あしかがはるうじ》と手を結《むす》び、1545年、約《やく》8万人の大軍《たいぐん》で、氏康方《うじやすがた》の河越城《かわごえじょう》(埼玉県《さいたまけん》)を包囲《ほうい》した。

約《やく》3000人の城兵《じょうへい》しかいなかった河越城《かわごえじょう》は危機《きき》におちいった。約《やく》8000人を率《ひき》いて河越《かわごえ》

❖関東《かんとう》での北条氏《ほうじょうし》の戦《たたか》い

平井城《ひらいじょう》
憲政敗走路《のりまさはいそうろ》
上杉朝定《うえすぎともさだ》
晴氏敗走路《はるうじはいそうろ》
古河御所《こがごしょ》
足利晴氏《あしかがはるうじ》
河越城《かわごえじょう》
上杉憲政《うえすぎのりまさ》
北条氏康《ほうじょううじやす》
小田原城《おだわらじょう》

1546年

❻河越夜戦《かわごえやせん》

北条氏康《ほうじょううじやす》が上杉《うえすぎ》憲政《のりまさ》・足利晴氏《あしかがはるうじ》らに勝利《しょうり》。

1525年

❷白子原《しらこはら》の戦《たたか》い

上杉朝興《うえすぎともおき》が北条氏綱《ほうじょううじつな》に勝利《しょうり》。

1530年

❸小沢原《おざわがはら》の戦《たたか》い

氏康《うじやす》が上杉朝興《うえすぎともおき》に勝利《しょうり》。

1524年

❶高輪原《たかなわはら》の戦《たたか》い

北条氏綱《ほうじょううじつな》が江戸城《えどじょう》（東《とう》京都《きょうと》）を拠点《きょてん》にする上《うえ》杉朝興《すぎともおき》に勝利《しょうり》。

1536～1545年

❹河東《かとう》の乱《らん》

北条氏綱《ほうじょううじつな》・氏康《うじやす》と駿《する》河《が》（現在《げんざい》の静岡県《しずおかけん》）の今川義元《いまがわよしもと》の争《あらそ》い。氏《うじ》康《やす》は不利《ふり》になり、義《よし》元《もと》と仲直《なかなお》りした。

1538年

❺国府台《こうのだい》の戦《たたか》い（第1次）

北条氏綱《ほうじょううじつな》・氏康《うじやす》が下総《しもうさ》（現在《げんざい》の千葉県《ちばけん》）の足利義明《あしかがよしあき》に勝利《しょうり》。

城《じょう》に向かった氏康《うじやす》は「城兵《じょうへい》の命を救《すく》ってくれるなら、領地《りょうち》を差《さ》し出す」という内容《ないよう》の手紙を憲政《のりまさ》らに送った。これを信《しん》じた憲政《のりまさ》らは、いったん兵《へい》を引き上げた。

翌年《よくとし》、敵《てき》が完全《かんぜん》に油断《ゆだん》しているのを確信《かくしん》した氏康《うじやす》は上杉軍《うえすぎぐん》に突然《とつぜん》、夜襲《やしゅう》をしかけた。上杉《うえすぎ》・足利軍《あしかがぐん》は大混乱《だいこんらん》におちいって敗《やぶ》れ、憲政《のりまさ》と晴氏《はるうじ》は戦場《せんじょう》からにげたが、朝定《ともさだ》はうち取られた。

北条氏康軍《ほうじょううじやすぐん》の大勝利《だいしょうり》

敵《てき》は大軍《たいぐん》だったが、夜襲《やしゅう》で大混乱《だいこんらん》させたのが勝利《しょうり》につながりました。

夜襲《やしゅう》を成功《せいこう》させた北条氏康氏《ほうじょううじやすし》

合戦《かっせん》の結果《けっか》

関東《かんとう》において、上杉氏《うえすぎし》、足利《あしかが》氏《し》の勢力《せいりょく》は急速に弱まり、氏《うじ》康《やす》の支配《しはい》が一気に進んだ。

1555年

厳島《いつくしま》の戦《たたか》い

合戦《かっせん》ハイライト!
陶軍《すえぐん》

村上水軍《むらかみすいぐん》
陶軍《すえぐん》の船を焼《や》きはらい、陶軍《すえぐん》が厳島《いつくしま》からにげられないようにした。

陶軍《すえぐん》を攻撃《こうげき》する毛利軍《もうりぐん》
厳島《いつくしま》(広島県《ひろしまけん》)に上陸《じょうりく》した毛利軍《もうりぐん》は、陶軍《すえぐん》の背後《はいご》から奇襲攻撃《きしゅうこうげき》をしかけて勝利《しょうり》した。

陶晴賢《すえはるかた》が大内家《おおうちけ》を乗っ取った! もう大内家《おおうちけ》には従《したが》わぬ! 晴賢《はるかた》を倒《たお》す!

毛利元就《もうりもとなり》(1497〜1571)
安芸《あき》(現在《げんざい》の広島県《ひろしまけん》)出身の戦国大《せんごくだい》名《みょう》。大内氏《おおうちし》、尼子氏《あまごし》らをほろぼして、中国《ちゅうごく》地方10か国を支配《しはい》した。

毛利元就軍《もうりもとなりぐん》 戦力《せんりょく》 約《やく》5000人《にん》

VS

大内家《おおうちけ》は私《わたし》が動かす! 逆《さか》らう元就《もとなり》は許《ゆる》さん!

陶晴賢軍《すえはるかたぐん》 戦力《せんりょく》 約《やく》2万人《まんにん》

陶晴賢《すえはるかた》(1521〜1555)
周防《すおう》(現在《げんざい》の山口県《やまぐちけん》)を支配《しはい》する大内義隆《おおうちよしたか》の家臣《かしん》。義隆《よしたか》を裏切《うらぎ》って自害《じがい》させ、実権《じっけん》をにぎった。

合戦《かっせん》タイプ 野戦《やせん》

合戦場所《かっせんばしょ》

安芸《あき》(広島県《ひろしまけん》)
厳島《いつくしま》

元就《もとなり》の作戦《さくせん》
陶軍《すえぐん》を厳島《いつくしま》におびき出して奇襲攻撃《きしゅうこうげき》する

暴風雨《ぼうふうう》の中で上陸《じょうりく》し敵《てき》の背後《はいご》から攻撃《こうげき》する

陶晴賢《すえはるかた》は、主君だった周防《すおう》(現在《げんざい》の山口県《やまぐちけん》)の戦国大名《せんごくだいみょう》・大《おお》内義隆《うちよしたか》を裏切《うらぎ》り、自害《じがい》に追いこんだ。安芸《あき》(現在《げんざい》の広島県《ひろしまけん》)の小《しょう》大名《だいみょう》だった毛利元就《もうりもとなり》は晴賢《はるかた》と対立し、戦《たたか》うことを決意。しかし毛利軍《もうりぐん》の数倍の兵力《へいりょく》をもつ陶軍《すえぐん》とまともに戦《たたか》っても勝ち目はなかった。そこで元就《もとなり》は、平地がせまく、大軍《たいぐん》が動きにくい厳島《いつくしま》(広島県《ひろしまけん》)に陶軍《すえぐん》をおびき出そうと考えた。元就《もとなり》は宮尾城《みやおじょう》の建設《けんせつ》をはじめると、「今、宮尾城《みやおじょう》を攻《こう》撃《げき》されたら勝ち目はない」といううわさを広めさせた。さらに自分の家臣《かしん》に「元就《もとなり》を裏切《うらぎ》る」という手紙を書かせ、晴賢《はるかた》に送った。これを見た晴賢《はるかた》は、1555年、約《やく》2万人の大軍《たいぐん》を率《ひき》いて厳島《いつくしま》に上陸《じょうりく》した。

❖厳島《いつくしま》の戦《たたか》い関連《かんれん》地図

9月28日
❷毛利軍《もうりぐん》と村上《むらかみ》水軍《すいぐん》が合流。
毛利元就《もうりもとなり》
10月1日早朝
❺元就《もとなり》は陶軍《すえぐん》を背後《はいご》から攻撃《こうげき》。
安芸《あき》
9月30日夜
❸村上水軍《むらかみすいぐん》が厳島《いつくしま》に向けて出発。
宮尾城《みやおじょう》
合戦《かっせん》ハイライト!
大元浦《おおもとうら》
厳島神社《いつくしまじんじゃ》
包ケ浦《つつみがうら》
厳島《いつくしま》
大江浦《おおえのうら》
陶晴賢《すえはるかた》
9月21日
❶陶軍《すえぐん》が厳島《いつくしま》に上陸《じょうりく》して宮尾城《みやおじょう》に迫《せま》る。
10月1日
❻負けた陶晴賢《すえはるかた》は大江《おおえの》浦《うら》までにげて自害《じがい》。

厳島神社《いつくしまじんじゃ》
毛利軍《もうりぐん》
陶軍《すえぐん》の背後《はいご》から奇襲攻撃《きしゅうこうげき》した。
宮尾城《みやおじょう》

9月30日夜

❹元就《もとなり》は暴風《ぼうふう》雨《う》の中、陶軍《すえぐん》に気づかれないように厳島《いつくしま》の包ケ浦《つつみがうら》に上陸《じょうりく》。

一方、元就《もとなり》は村上水軍《むらかみすいぐん》を味方につけると、陶軍《すえぐん》に気づかれないよう、暴風雨《ぼうふうう》の夜、厳島《いつくしま》へ上陸《じょうりく》した。翌日《よくじつ》の早朝、元就《もとなり》らが陶軍《すえぐん》の背後《はいご》から奇襲《きしゅう》をしかけると、陶軍《すえぐん》は大混乱《だいこんらん》におちいった。さらに村上水軍《むらかみすいぐん》によって船は破壊《はかい》され、にげ道はふさがれていた。にげ場を失《うしな》った晴賢《はるかた》は、自害《じがい》した。

毛利元就軍《もうりもとなりぐん》の大《だい》勝《しょう》利《り》
暴風雨《ぼうふうう》の中、敵《てき》に気づかれずに厳島《いつくしま》に上陸《じょうりく》できたのが勝利《しょうり》につながりました。
奇襲攻撃《きしゅうこうげき》を成功《せいこう》させた毛利元就《もうりもとなり》氏《し》

合戦《かっせん》の結果《けっか》

陶晴賢《すえはるかた》を失《うしな》った大内家《おおうちけ》の勢力《せいりょく》は急速におとろえた。勢《いきお》いに乗った元就《もとなり》は大内家《おおうちけ》を滅亡《めつぼう》に追いこんだ。

合戦《かっせん》23

1560年

桶狭間《おけはざま》の戦《たたか》い

「敦盛《あつもり》」を舞《ま》う信長《のぶなが》

清洲城《きよすじょう》にいた信長《のぶなが》は、丸根砦《まるねとりで》と鷲津砦《わしづとりで》が攻撃《こうげき》されたことを知ると飛《と》び起き、「敦盛《あつもり》」という曲で踊《おど》った後、わずかな家臣《かしん》とともに出撃《しゅつげき》した。

義元《よしもと》をうつ！
天がわしに
味方をしている！

織田信長《おだのぶなが》(1534～1582)

戦国《せんごく》時代の武将《ぶしょう》。父・織田信秀《おだのぶひで》から織田家《おだけ》を継《つ》ぎ、尾張《おわり》(現在《げんざい》の愛知県《あいちけん》)を統一《とういつ》する。

織田信長軍《おだのぶながぐん》 戦力《せんりょく》 約《やく》2000人

VS

今川義元軍《いまがわよしもとぐん》 戦力《せんりょく》 約《やく》2万5000人

難《むずか》しい任務《にんむ》だが、
大高城《おおだかじょう》へ兵糧《ひょうろう》を運びこむ！

松平元康《まつだいらもとやす》(1542～1616)

後の徳川家康《とくがわいえやす》。岡崎城《おかざきじょう》(愛知県《あいちけん》)城主《じょうしゅ》・松平広忠《まつだいらひろただ》の子で、幼《おさな》い頃《ころ》に今川家《いまがわけ》の人質《ひとじち》になった。

私《わたし》の目的地《もくてきち》は京都《きょうと》！
信長《のぶなが》など相手に
しているひまはない！

今川義元《いまがわよしもと》
(1519～1560)

東海《とうかい》地方一帯《いったい》を支配《しはい》する戦国大名《せんごくだいみょう》。北条《ほうじょう》氏康《うじやす》、武田信玄《たけだしんげん》と同盟《どうめい》を結《むす》んだ後、大軍《たいぐん》を率《ひき》いて西へ進軍《しんぐん》を開始した。

合戦《かっせん》タイプ 野戦《やせん》

合戦場所《かっせんばしょ》

尾張《おわり》(愛知県《あいちけん》)
桶狭間《おけはざま》

信長《のぶなが》の作戦《さくせん》

精鋭《せいえい》部隊《ぶたい》で義元《よしもと》の本陣《ほんじん》を攻《せ》める

「敦盛《あつもり》」を舞《ま》った後に清洲城《きよすじょう》から出撃《しゅつげき》する

1560年、東海《とうかい》地方を支配《しはい》する今川義元《いまがわよしもと》は、京都《きょうと》に入るため、約《やく》2万5000人の大軍《たいぐん》を率《ひき》いて西へ進撃《しんげき》を開始し、尾張《おわり》(現在《げんざい》の愛知県《あいちけん》)に入った。

尾張《おわり》には、義元《よしもと》が拠点《きょてん》にする鳴海城《なるみじょう》と大高城《おおだかじょう》があったが、尾《お》張《わり》の大半を支配《しはい》する織田信長《おだのぶなが》は、これらの城《しろ》への補給路《ほきゅうろ》を断《た》つために鷲津砦《わしづとりで》・丸根砦《まるねとりで》を築《きず》いていた。尾張《おわり》に入った今川軍《いまがわぐん》の武将《ぶしょう》・松平元康《まつだいらもとやす》は、大高城《おおだかじょう》に食《しょく》料《りょう》を運び入れることに成功《せいこう》すると、鷲津砦《わしづとりで》・丸根砦《まるねとりで》への攻撃《こうげき》を開始した。その知らせを清洲城《きよすじょう》(愛知県《あいちけん》)で受けた信長《のぶなが》は、「*人《じん》間《かん》五十年、下天《げてん》のうちを比《くら》ぶれば夢幻《ゆめまぼろし》の如《ごと》くなり」という「敦《あつ》盛《もり》」を舞《ま》った後、わずかな家来とともに城《しろ》を飛《と》び出した。

＊「人間界の50年間は、神が住む天上界と比《くら》べたら、夢《ゆめ》や幻《まぼろし》のように、はかない」という意味。

❖桶狭間《おけはざま》の戦《たたか》い関連《かんれん》地図

5月12日

❶義元《よしもと》が出発

5月12日、2万5000人の兵《へい》を率《ひき》いて今川軍《いまがわぐん》が出発。

5月17日

❷沓掛城《くつかけじょう》に到着《とうちゃく》

前日、岡崎城《おかざきじょう》を出発した今《いま》川軍《がわぐん》は、5月17日に沓掛《くつかけ》城《じょう》に到着《とうちゃく》し、本陣《ほんじん》を置《お》く。

5月18日

❸丸根砦《まるねとりで》、鷲津砦《わしづとりで》の落城《らくじょう》

今川方《いまがわかた》の松平元康《まつだいらもとやす》は、大高城《おおだかじょう》に食料《しょくりょう》を運び入れた後、丸根砦《まるねとりで》と鷲津砦《わしづとりで》を攻撃《こうげき》して落とす。

5月18日

❹今川軍《いまがわぐん》、沓掛城《くつかけじょう》を出発

丸根砦《まるねとりで》、鷲津砦《わしづとりで》を落とした今川《いまがわ》軍《ぐん》は、本陣《ほんじん》を大高城《おおだかじょう》に移動《いどう》させるため沓掛城《くつかけじょう》を出発。

5月19日

❺信長《のぶなが》の出陣《しゅつじん》

丸根砦《まるねとりで》と鷲津砦《わしづとりで》が攻撃《こうげき》されたことを知った信長《のぶなが》は、19日の早朝、わずかな家臣《かしん》と一緒《いっしょ》に清洲城《きよすじょう》を出発。午前8時頃《ごろ》、熱田《あつた》神宮に到着《とうちゃく》し、必勝《ひっしょう》を祈《いの》った後、集まった兵《へい》とともに善照寺砦《ぜんしょうじとりで》へ向かった。

5月19日

❻精鋭部隊《せいえいぶたい》を組織《そしき》

中島砦《なかしまとりで》に到着《とうちゃく》した信長《のぶなが》は、義元《よしもと》が桶狭間《おけはざま》で休息中という知らせを受けると、優《すぐ》れた兵《へい》2000人を選《えら》び、精鋭部隊《せいえいぶたい》を組織《そしき》。

5月19日

❼桶狭間《おけはざま》の戦《たたか》い

精鋭部隊《せいえいぶたい》を率《ひき》いて中島《なかしま》砦《とりで》から出撃《しゅつげき》した織田軍《おだぐん》は、桶狭間《おけはざま》で休息中の義元《よしもと》の本陣《ほんじん》を急襲《きゅうしゅう》し、義元《よしもと》をうち取った。

桶狭間《おけはざま》の戦《たたか》いは、桶狭間《おけはざま》から少し離《はな》れた田楽狭間《でんがくはざま》でおこなわれたという説《せつ》も有力。合戦《かっせん》場所や進撃路《しんげきろ》については諸説《しょせつ》ある。

織田軍《おだぐん》にうたれる義元《よしもと》

暴風雨《ぼうふうう》の中、今川軍《いまがわぐん》に気づかれることなく義元《よしもと》の本陣《ほんじん》に近づいた織田軍《おだぐん》の精鋭部隊《せいえいぶたい》は、義元《よしもと》を急襲《きゅうしゅう》し、うち取った。これまでの説《せつ》では、「信長《のぶなが》は暴風雨《ぼうふうう》の中、まわり道を通って奇襲《きしゅう》した」とされてきたが、最近《さいきん》では、雨上がりの中、今川軍《いまがわぐん》の正面を急襲《きゅうしゅう》したという説《せつ》も有力となっている。

桶狭間《おけはざま》で休息中の義元《よしもと》を奇襲攻撃《きしゅうこうげき》する

清洲城《きよすじょう》を出発した信長《のぶなが》は、熱田神宮《あつたじんぐう》(愛知県《あいちけん》)に到着《とうちゃく》すると、集まった兵《へい》とともに善照寺砦《ぜんしょうじとりで》に向かった。そこで信長《のぶなが》は鷲津砦《わしづとりで》と丸根砦《まるねとりで》が攻《せ》め落とされたことを知った。さらに軍《ぐん》を進め中島砦《なかしまとりで》に着いたとき、信長《のぶなが》に、「義元《よしもと》が桶狭間《おけはざま》で休息している」という情報《じょうほう》が伝《つた》えられた。

信長《のぶなが》は優《すぐ》れた兵《へい》を約《やく》2000人選《えら》び出して精鋭部隊《せいえいぶたい》を編成《へんせい》すると、「少数の兵《へい》だからといって、多数の敵《てき》を恐《おそ》れるな。勝敗《しょうはい》の運は天にある」と言い、桶狭間《おけはざま》に向けて進軍《しんぐん》した。ちょうどそのとき大雨が降《ふ》り出したため、織田軍《おだぐん》は気づかれることなく義元《よしもと》の本陣《ほんじん》まで近づくことができた。雨が上がったとき、信長《のぶなが》は「それ、かかれ、かかれ」と叫《さけ》んで突撃《とつげき》を命じた。信長《のぶなが》も馬を下りて、若武者《わかむしゃ》たちと一緒《いっしょ》に敵《てき》を突《つ》き倒《たお》しながら進んだ。

織田軍《おだぐん》の奇襲《きしゅう》に、今川軍《いまがわぐん》は大《だい》

突撃《とつげき》を命じる信長《のぶなが》

義元《よしもと》が桶狭間《おけはざま》で休息していることを知った信長《のぶなが》は、精鋭部隊《せいえいぶたい》を率《ひき》いて義元《よしもと》の本陣《ほんじん》への突撃《とつげき》を命じた。突然《とつぜん》の豪雨《ごうう》で、今川軍《いまがわぐん》は織田軍《おだぐん》の接近《せっきん》に気づけなかった。

ビジュアル資料《しりょう》

槍《やり》で突《つ》かれる義元《よしもと》

義元《よしもと》は必死《ひっし》で戦《たたか》いながらにげたが、織田軍《おだぐん》に追いつかれ、槍《やり》で突《つ》かれてうち取られた。

信長《のぶなが》の軍旗《ぐんき》

永楽通宝《えいらくつうほう》という貨幣《かへい》がデザインされている。

混乱《こんらん》した。義元《よしもと》は輿《こし》に乗ってにげようとしたが、それを乗り捨《す》て、約《やく》300騎《き》の護衛隊《ごえいたい》に守られながら戦場《せんじょう》からにげた。織田《おだ》軍《ぐん》の激《はげ》しい追撃《ついげき》によって、護衛《ごえい》隊《たい》はしだいに人数が減《へ》り、ついに50騎《き》ほどになった。そこに織《お》田軍《だぐん》がおそいかかり、義元《よしもと》をうち取った。大将《たいしょう》を失《うしな》った今川軍《いまがわぐん》は総崩《そうくず》れとなった。

織田信長軍《おだのぶながぐん》の大勝利《だいしょうり》

大軍《たいぐん》相手の無理《むり》な戦《たたか》いだったが、豪雨《ごうう》が降《ふ》るなど、幸運も重なりました。

義元《よしもと》をうち取った織田信長《おだのぶなが》氏《し》

合戦《かっせん》の結果《けっか》

小大名《しょうだいみょう》だった信長《のぶなが》は、この勝《しょう》利《り》によって天下に名を知られるようになった。義元《よしもと》の人質《ひとじち》だった松平元康《まつだいらもとやす》は独立《どくりつ》した。

1561年、武田信玄《たけだしんげん》は上杉謙信《うえすぎけんしん》と川中島《かわなかじま》で4度目の合戦《かっせん》を迎《むか》えた。
海津城《かいづじょう》 武田《たけだ》の陣《じん》
キツツキ戦法《せんぽう》で攻《せ》めましょう
信玄《しんげん》の軍師《ぐんし》
山本勘助《やまもとかんすけ》
軍《ぐん》を二隊《たい》に分け 別働隊《べつどうたい》は妻女山《さいじょさん》の背後《はいご》から攻撃《こうげき》 上杉軍《うえすぎぐん》が山を下りてきたら 八幡原《はちまんばら》で待ち構《かま》える本隊《ほんたい》が攻撃《こうげき》するのです
八幡原《はちまんばら》
海津城《かいづじょう》 (武田《たけだ》の陣《じん》)
妻女山《さいじょさん》 (上杉《うえすぎ》の陣《じん》)
①
②
キツツキは餌《えさ》を捕《と》るとき 木の反対側《はんたいがわ》をつついて 穴《あな》から出す…
なるほど 名案《めいあん》じゃ
謙信《けんしん》の背後《はいご》を襲《おそ》い 山から押《お》し出せ！
武田信玄《たけだしんげん》
——その夜 妻女山《さいじょさん》 上杉《うえすぎ》の陣《じん》

武田《たけだ》の陣《じん》から上がる炊事《すいじ》の煙《けむり》がいつもより多いな…
上杉謙信《うえすぎけんしん》
兵《へい》に持たせるために飯《めし》を多めに炊《た》いている…？
山を降《お》りるぞ
えっ
おそらく信玄《しんげん》は軍《ぐん》を二手に分け、今晩《こんばん》、別働隊《べつどうたい》にここを攻撃《こうげき》させる
敵《てき》に知られぬようかがり火をたき少人数の兵《へい》だけ残《のこ》せ！
裏《うら》をかいて先に山を下り本隊《ほんたい》をうつ！
翌日《よくじつ》の早朝 八幡原《はちまんばら》の 武田《たけだ》の本陣《ほんじん》
すでに別働隊《べつどうたい》が妻女山《さいじょさん》で上杉《うえすぎ》を攻撃《こうげき》しているはずです！
霧《きり》もようやく晴れてきたな
我《わ》が軍《ぐん》の勝利《しょうり》も…
！

ま…まさか
なぜここに!?
かかれっ!

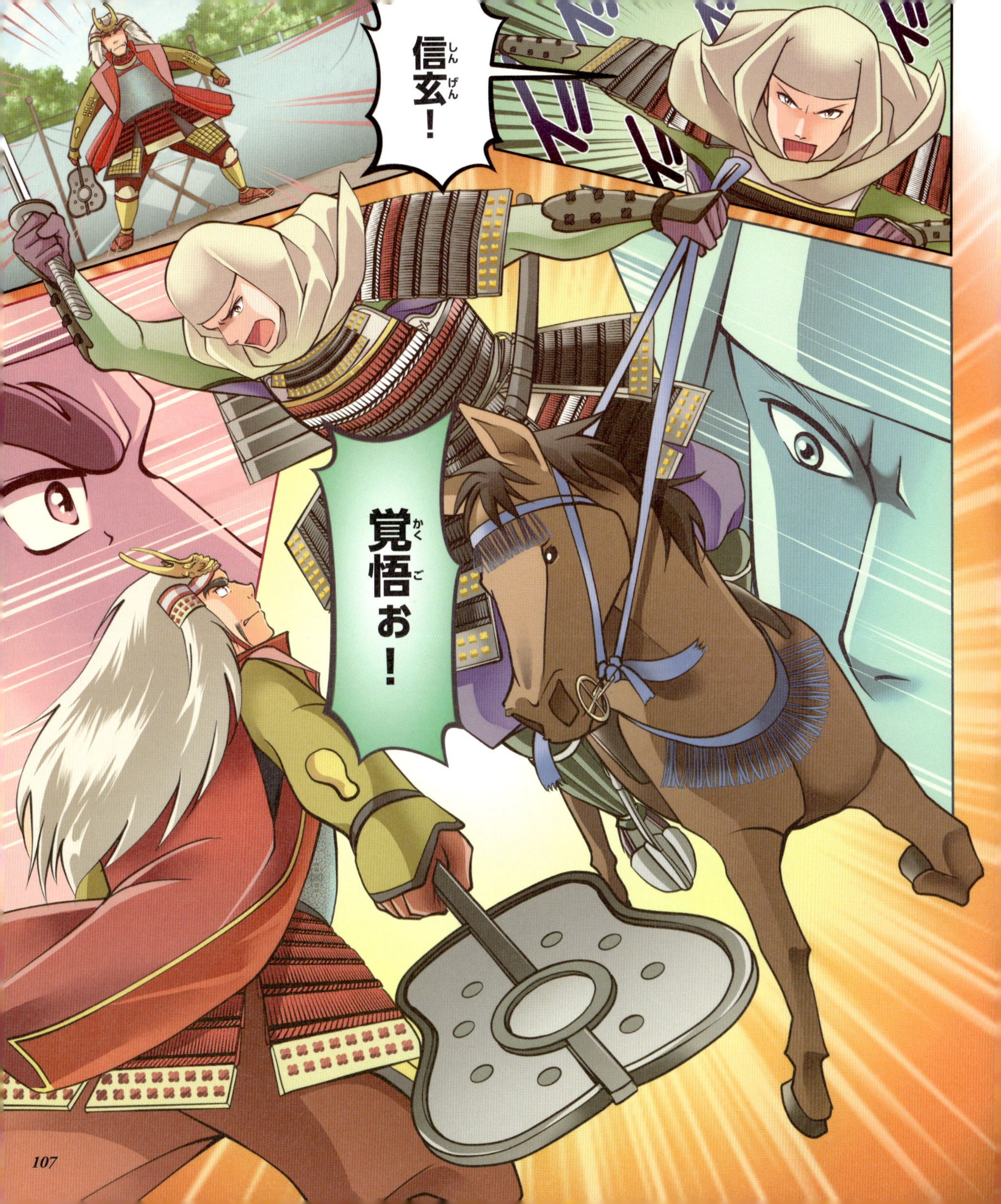
信玄《しんげん》！
覚悟《かくご》お！

合戦《かっせん》24 1561年

川中島《かわなかじま》の戦《たたか》い（第4次）

謙信《けんしん》が川中島《かわなかじま》に進出したか…今度こそ勝負を着ける！

武田信玄《たけだしんげん》(1521〜1573)

甲斐《かい》(現在《げんざい》の山梨県《やまなしけん》)の戦国大名《せんごくだいみょう》。父・武田信虎《たけだのぶとら》を追放して武田家《たけだけ》を継《つ》ぎ、信濃《しなの》(現在《げんざい》の長野県《ながのけん》)に進出した。

武田信玄軍《たけだしんげんぐん》 戦力《せんりょく》 約《やく》2万1000人

VS

信玄《しんげん》が越後《えちご》に攻《せ》めてくる前に、倒《たお》しておかねば！

上杉謙信軍《うえすぎけんしんぐん》 戦力《せんりょく》 約《やく》1万8000人

上杉謙信《うえすぎけんしん》(1530〜1578)

越後《えちご》(現在《げんざい》の新潟県《にいがたけん》)の戦国大名《せんごくだいみょう》。上杉憲政《うえすぎのりまさ》を保護《ほご》し、関東管領《かんとうかんれい》と上杉家《うえすぎけ》を受け継《つ》いだ。

合戦《かっせん》タイプ　野戦《やせん》

合戦場所《かっせんばしょ》

信濃《しなの》(長野県《ながのけん》)
川中島《かわなかじま》

信玄《しんげん》の作戦《さくせん》

妻女山《さいじょさん》の上杉軍《うえすぎぐん》の陣地《じんち》を背後《はいご》から襲撃《しゅうげき》

川中島《かわなかじま》での決戦《けっせん》を避《さ》け続《つづ》けた信玄《しんげん》と謙信《けんしん》

最強《さいきょう》の戦国大名《せんごくだいみょう》といわれる甲斐《かい》(現在《げんざい》の山梨県《やまなしけん》)の武田信玄《たけだしんげん》と、越後《えちご》(現在《げんざい》の新潟県《にいがたけん》)の上杉謙信《うえすぎけんしん》は、川中島《かわなかじま》(長野県《ながのけん》)で合計5回も戦《たたか》った。

1553年におこなわれた最初《さいしょ》の戦《たたか》いでは、両軍《りょうぐん》は小規模《しょうきぼ》な戦《たたか》いを続《つづ》け、謙信《けんしん》がやや有利《ゆうり》に戦《たたか》いを進め、信玄《しんげん》は決戦《けっせん》を避《さ》けて退却《たいきゃく》した。その2年後、川中島《かわなかじま》に出陣《しゅつじん》した両軍《りょうぐん》は、犀川《さいがわ》をはさんで3か月以上《いじょう》向かい合ったが、今川義元《いまがわよしもと》の仲立《なかだ》ちで和解《わかい》した。さらにその2年後、上野原《うえのはら》で両軍《りょうぐん》は小規模《しょうきぼ》な戦《たたか》いをしたが、このときも決戦《けっせん》を避《さ》けて撤退《てったい》した。この上野原《うえのはら》の戦《たたか》い後、幕府《ばくふ》から信濃《しなの》(現在《げんざい》の長野県《ながのけん》)の守護《しゅご》(地方の長官《ちょうかん》)に任命《にんめい》された信玄《しんげん》は、謙信《けんしん》との決戦《けっせん》に備《そな》えて

❖第1次〜第5次川中島《かわなかじま》の戦《たたか》い

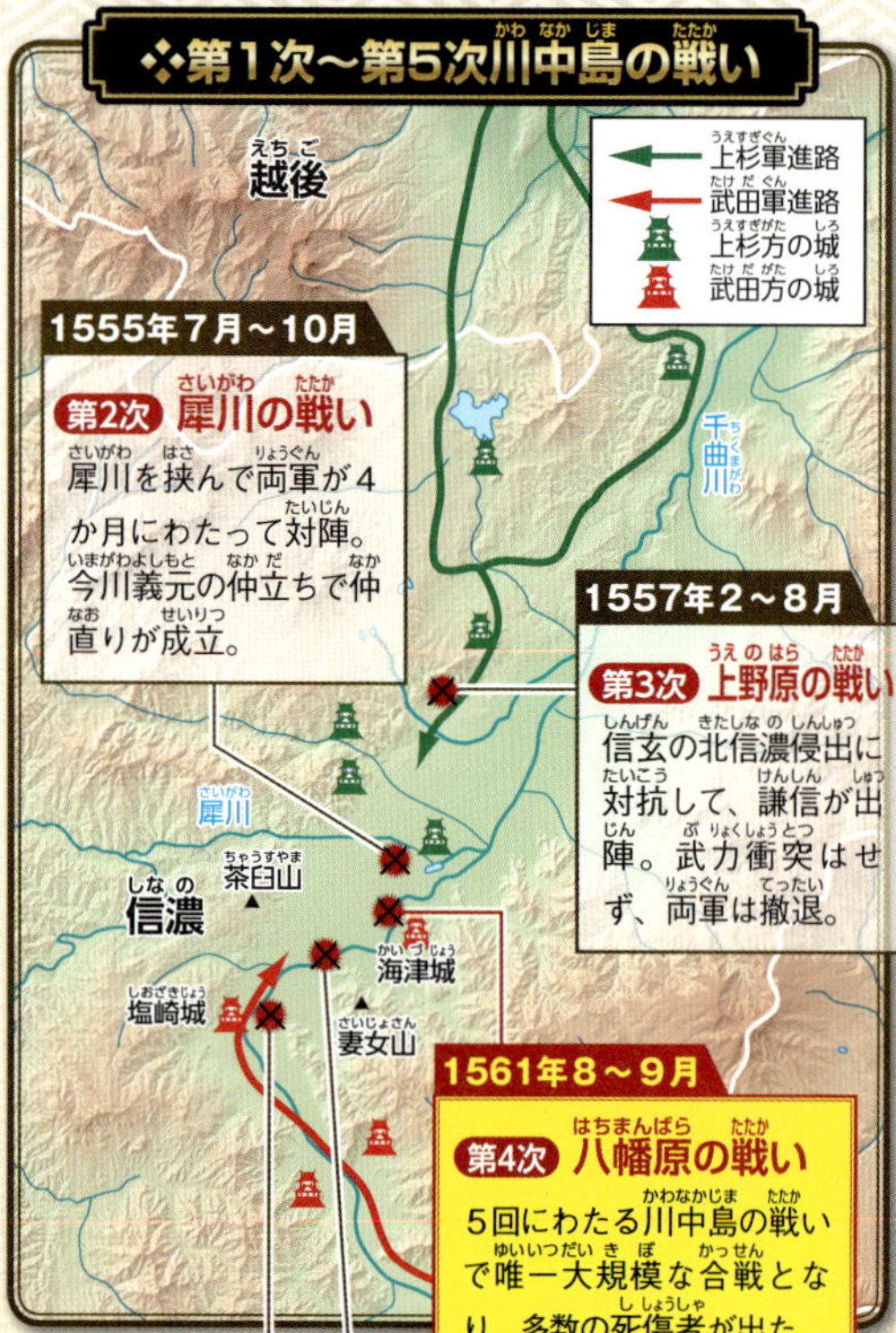

上杉軍《うえすぎぐん》進路
武田軍《たけだぐん》進路
上杉方《うえすぎがた》の城《しろ》
武田方《たけだがた》の城《しろ》
越後《えちご》
千曲川《ちくまがわ》
犀川《さいがわ》
茶臼山《ちゃうすやま》
信濃《しなの》
海津城《かいづじょう》
塩崎城《しおざきじょう》
妻女山《さいじょさん》

1555年7月〜10月
第2次 犀川《さいがわ》の戦《たたか》い
犀川《さいがわ》を挟《はさ》んで両軍《りょうぐん》が4か月にわたって対陣《たいじん》。今川義元《いまがわよしもと》の仲立《なかだ》ちで仲直《なかなお》りが成立《せいりつ》。

1557年2〜8月
第3次 上野原《うえのはら》の戦《たたか》い
信玄《しんげん》の北信濃《きたしなの》侵出《しんしゅつ》に対抗《たいこう》して、謙信《けんしん》が出陣《しゅつじん》。武力衝突《ぶりょくしょうとつ》はせず、両軍《りょうぐん》は撤退《てったい》。

1561年8〜9月
第4次 八幡原《はちまんばら》の戦《たたか》い
5回にわたる川中島《かわなかじま》の戦《たたか》いで唯一大規模《ゆいいつだいきぼ》な合戦《かっせん》となり、多数の死傷者《ししょうしゃ》が出た。

1553年8〜9月
第1次 布施《ふせ》の戦《たたか》い
謙信《けんしん》、信玄《しんげん》が北信濃《きたしなの》に出兵《しゅっぺい》して対陣《たいじん》。信玄《しんげん》が決戦《けっせん》を避《さ》けたため両軍《りょうぐん》は撤退《てったい》。

1564年8月
第5次 塩崎《しおざき》の対陣《たいじん》
謙信《けんしん》が川中島《かわなかじま》に出陣《しゅつじん》し、信玄《しんげん》は塩崎城《しおざきじょう》に布陣《ふじん》するが、対決せず撤退《てったい》。

川中島《かわなかじま》に布陣《ふじん》する武田軍《たけだぐん》と上杉軍《うえすぎぐん》

1561年8月、謙信《けんしん》は約《やく》1万8000人を率《ひき》いて越後《えちご》から川中島《かわなかじま》に入り、妻女山《さいじょさん》に陣《じん》を構《かま》えた。これに対し、信玄《しんげん》は約《やく》2万1000人を率《ひき》いて海津城《かいづじょう》に入った。

妻女山《さいじょさん》
謙信《けんしん》が陣《じん》を構《かま》えた山。海津城《かいづじょう》を見下ろせた。
海津城《かいづじょう》
信玄《しんげん》が謙信《けんしん》との決戦《けっせん》に備《そな》えて築《きず》いていた城《しろ》。
武田軍《たけだぐん》

川中島《かわなかじま》に海津城《かいづじょう》を築《きず》いた。

1561年、信玄《しんげん》の勢《いきお》いを食い止めようと考えた謙信《けんしん》は、約《やく》1万8000人の大軍《たいぐん》を率《ひき》いて川中島《かわなかじま》に入ると、海津城《かいづじょう》を見下ろせる位置《いち》にあった妻女山《さいじょさん》に陣《じん》を構《かま》えた。謙信《けんしん》の出陣《しゅつじん》を知った信玄《しんげん》は、約《やく》2万1000人の大《たい》軍《ぐん》を率《ひき》いて甲府《こうふ》(山梨県《やまなしけん》)を出発。川中島《かわなかじま》に入ると、茶臼山《ちゃうすやま》に陣《じん》を構《かま》えて謙信《けんしん》の様子をうかがった後、海津城《かいづじょう》に入った。

上杉謙信《うえすぎけんしん》

ビジュアル資料《しりょう》

妻女山《さいじょさん》の謙信《けんしん》の陣《じん》

関東《かんとう》地方へ進撃《しんげき》しようと考えていた謙信《けんしん》は、自分の留守中《るすちゅう》に信玄《しんげん》から攻《せ》めこまれたくなかった。このため信玄《しんげん》を倒《たお》す決意をした謙信《けんしん》は、川中島《かわなかじま》に進出し、妻女山《さいじょさん》に陣《じん》を構《かま》えた。

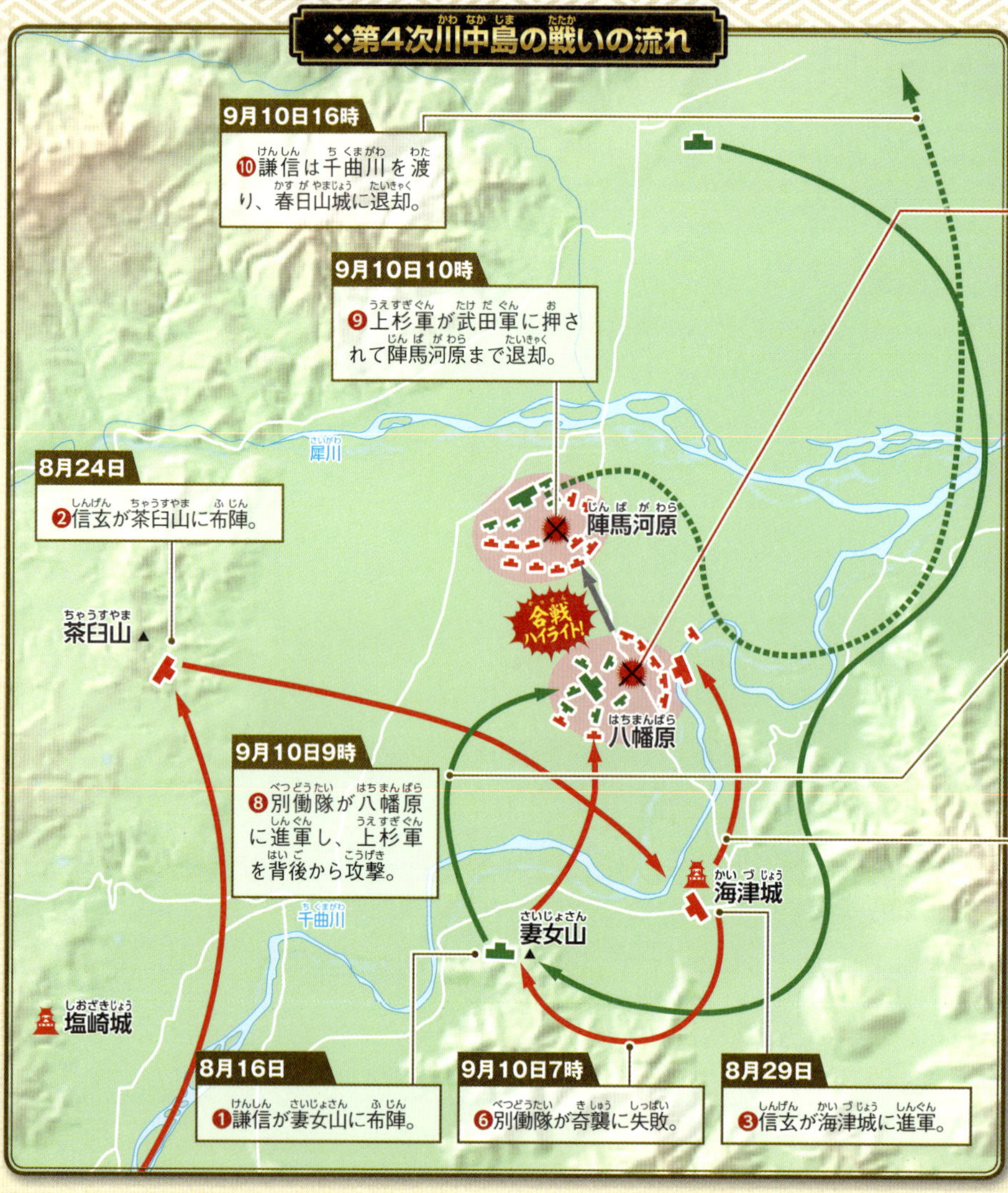

9月10日8時

⑦八幡原《はちまんぱら》で両軍《りょうぐん》が決戦《けっせん》。上杉軍優勢《うえすぎぐんゆうせい》で、武田信繁《たけだのぶしげ》、山本勘助《やまもとかんすけ》が戦死《せんし》。

9月9日深夜

④夜襲《やしゅう》を見破《みやぶ》った謙信《けんしん》が妻女山《さいじょさん》を下山。

9月10日4時

⑤信玄《しんげん》が八幡原《はちまんぱら》に進軍《しんぐん》。

作戦《さくせん》を見破《みやぶ》った謙信《けんしん》が信玄《しんげん》の本陣《ほんじん》を襲撃《しゅうげき》する

信玄《しんげん》の軍師《ぐんし》・山本勘助《やまもとかんすけ》は、別《べつ》働《どう》隊《たい》をつくって妻女山《さいじょさん》の背後《はいご》から夜襲《やしゅう》し、山を下りてにげてくる上杉軍《うえすぎぐん》を武田軍本隊《たけだぐんほんたい》が攻撃《こうげき》するという作戦《さくせん》を提案《ていあん》した。この作戦《さくせん》を採用《さいよう》した信玄《しんげん》は、出陣《しゅつじん》の準備《じゅんび》をさせた。妻女山《さいじょさん》の謙信《けんしん》は、海津城《かいづじょう》から立ち上る炊飯《すいはん》の煙《けむり》がいつもより多いと感じ、夜《や》襲《しゅう》を見破《みやぶ》った。謙信《けんしん》は松明《たいまつ》に火を灯《とも》し、軍旗《ぐんき》をかかげ、軍《ぐん》がいるように見せかけて妻女山《さいじょさん》を下りた。武田軍《たけだぐん》の別働隊《べつどうたい》が夜襲《やしゅう》したとき、妻女山《さいじょさん》は空だった。

翌朝《よくあさ》、霧《きり》が晴れたとき、八幡《はちまん》原《ばら》の信玄《しんげん》の目の前には、上杉軍《うえすぎぐん》が迫《せま》っていた。謙信《けんしん》は新しい部《ぶ》隊《たい》を次つぎと突撃《とつげき》させて信玄《しんげん》の本陣《ほんじん》に深く切りこみ、ついに自ら刀を振《ふ》りかざして信玄《しんげん》に切りかかったという。信玄《しんげん》は危機《きき》におちいったが、そこへ妻女山《さいじょさん》から別働隊《べつどうたい》がかけつけた。はさみうちされることになった上杉軍《うえすぎぐん》

合戦《かっせん》ハイライト!

信玄《しんげん》と謙信《けんしん》の一騎《いっき》うち
妻女山《さいじょさん》を下りて八幡原《はちまんばら》に布陣《ふじん》していた上杉軍《うえすぎぐん》は、武田軍《たけだぐん》が現《あらわ》れると先制攻撃《せんせいこうげき》を開始。武田軍《たけだぐん》を圧倒《あっとう》する謙信《けんじん》は、信玄《しんげん》の本陣《ほんじん》に突撃《とつげき》した。信玄《じんげん》は軍配《ぐんばい》で謙信《けんしん》の刀を受け止めたと伝《つた》えられる。

は退却《たいきゃく》し、謙信《けんしん》も戦場《せんじょう》をのがれた。こうして両軍《りょうぐん》とも大きな被《ひ》害《がい》を出しながら、戦《たたか》いは引き分けに終わった。

3年後、信玄《しんげん》と謙信《けんしん》は川中島《かわなかじま》に5度目の出陣《しゅつじん》をしたが、戦《たたか》うことはなかった。

両軍《りょうぐん》の引き分け
別働隊《べつどうたい》がもどるまでは勝っていた!
別働隊《べつどうたい》がもどってからは勝っていた!
武田信玄氏《たけだしんげんし》
上杉謙信氏《うえすぎけんしんし》

合戦《かっせん》の結果《けっか》

両軍《りょうぐん》合わせて約《やく》8000人の戦死者《せんししゃ》が出たため、信玄《しんげん》、謙《けん》信《しん》とも勢力《せいりょく》がおとろえ、天下をねらうことが難《むずか》しくなった。

合戦《かっせん》25
1570年

金《かね》ケ《が》崎《さき》の戦《たたか》い

合戦《かっせん》ハイライト!
天筒山城《てづつやまじょう》
朝倉軍《あさくらぐん》

朝倉軍《あさくらぐん》の追撃《ついげき》を食い止める織田軍《おだぐん》

信長《のぶなが》は朝倉方《あさくらがた》の天筒山城《てづつやまじょう》と金《かね》ケ《が》崎城《さきじょう》を落とし、越前《えちぜん》に攻《せ》め入ろうとしたとき、浅《あざ》井《い》長政《ながまさ》の裏切《うらぎ》りを知り、急いで京都《きょうと》へ撤《てっ》退《たい》した。朝倉軍《あさくらぐん》の追撃《ついげき》は、木下藤吉郎《きのしたとうきちろう》(後の豊臣秀吉《とよとみひでよし》)が命がけで食い止めた。

長政《ながまさ》に信長《のぶなが》を裏切《うらぎ》らせよう!
しかたない、信長《のぶなが》を裏切《うらぎ》る!

浅井長政《あざいながまさ》(1545~1573)

近江《おうみ》(現在《げんざい》の滋賀県《しがけん》)の戦国大名《せんごくだいみょう》。信長《のぶなが》と同《どう》盟《めい》を結《むす》び、妹・お市《いち》の方《かた》と結婚《けっこん》した。

朝倉義景《あさくらよしかげ》(1533~1573)

越前《えちぜん》(現在《げんざい》の福井県《ふくいけん》)の戦国大名《せんごくだいみょう》。浅井長政《あざいながまさ》と組んで信長《のぶなが》と戦《たたか》った。

朝倉《あさくら》・浅井軍《あざいぐん》

戦力《せんりょく》 不明《ふめい》

VS

大軍《たいぐん》で義景《よしかげ》を一気に倒《たお》す!

織田信長軍《おだのぶながぐん》

戦力《せんりょく》 約《やく》3万人

織田信長《おだのぶなが》(1534~1582)

美濃《みの》(現在《げんざい》の岐阜県《ぎふけん》)を攻《せ》め取った後、京都《きょうと》に入り、足利義昭《あしかがよしあき》を将軍《しょうぐん》にして政治《せいじ》の実権《じっけん》をにぎった。

合戦《かっせん》タイプ 攻城戦《こうじょうせん》

合戦場所《かっせんばしょ》

越前《えちぜん》(福井県《ふくいけん》)
金《かね》ケ《が》崎城《さきじょう》

義景《よしかげ》の作戦《さくせん》

長政《ながまさ》を裏切《うらぎ》らせて信長《のぶなが》をはさみうち

長政《ながまさ》に攻撃《こうげき》される前に信長《のぶなが》は戦場《せんじょう》からにげる

織田信長《おだのぶなが》は桶狭間《おけはざま》の戦《たたか》いに勝《しょう》利《り》した後、美濃《みの》(現在《げんざい》の岐阜県《ぎふけん》)の斎藤氏《さいとうし》をほろぼし、勢力《せいりょく》を広げた。そして妹・お市《いち》の方《かた》を近江《おうみ》(現在《げんざい》の滋賀県《しがけん》)の浅井長政《あざいながまさ》に嫁《とつ》がせて同盟《どうめい》を結《むす》ぶと、軍勢《ぐんぜい》を率《ひき》いて京都《きょうと》に入り、足利義昭《あしかがよしあき》を将軍《しょうぐん》にした。

政治《せいじ》の実権《じっけん》をにぎった信長《のぶなが》は、越前《えちぜん》(現在《げんざい》の福井県《ふくいけん》)の朝倉《あさくら》義景《よしかげ》に、将軍《しょうぐん》にあいさつをするように求《もと》めた。義景《よしかげ》がこの命令《めいれい》を無視《むし》したので、信長《のぶなが》は大軍《たいぐん》を率《ひき》いて越前《えちぜん》に攻《せ》めこんだ。信長《のぶなが》は朝倉方《あさくらがた》の城《しろ》を次つぎと落とし、金《かね》ケ《が》崎城《さきじょう》(福井県《ふくいけん》)を包囲《ほうい》して降伏《こうふく》させた。

このまま一気に義景《よしかげ》の本拠地《ほんきょち》である一乗谷《いちじょうだに》に攻《せ》めこもうとしたとき、「浅井長政《あざいながまさ》が裏切《うらぎ》った」

4月28日

❸金ケ崎《かねがさき》の戦《たたか》い

信長《のぶなが》は天筒山城《てづつやまじょう》を落とした後、金ケ崎城《かねがさきじょう》を包囲《ほうい》して降伏《こうふく》させる。その直後、浅井《あざい》長政《ながまさ》の裏切《うらぎ》りを知る。

❖金ケ崎《かねがさき》の戦《たたか》い関連《かんれん》地図

合戦《かっせん》ハイライト!
金ケ崎城《かねがさきじょう》への進軍路《しんぐんろ》
金ケ崎城《かねがさきじょう》からの退却路《たいきゃくろ》
敦《つる》賀《が》湾《わん》
金ケ崎城《かねがさきじょう》
国吉城《くによしじょう》
天筒山城《てづつやまじょう》
小谷城《おだにじょう》
琵琶湖《びわこ》
岐阜城《ぎふじょう》
京《きょう》

4月24日
❷信長軍《のぶながぐん》、国吉《くによし》城《じょう》に到着《とうちゃく》。

4月20日
❶越前《えちぜん》の朝倉氏《あさくらし》を攻略《こうりゃく》するため、信長《のぶなが》が3万の大軍《たいぐん》を率《ひき》いて京都《きょうと》を出陣《しゅつじん》。

4月30日
❹信長《のぶなが》はわずかな家臣《かしん》を従《したが》えて金ケ崎《かねがさき》を脱出《だっしゅつ》。
4月30日夜に京都《きょうと》へもどる。

金ケ崎城《かねがさきじょう》
木下藤吉郎隊《きのしたとうきちろうたい》

という知らせが届《とど》いた。背後《はいご》から浅井軍《あざいぐん》に攻撃《こうげき》されると勝ち目はないため、信長《のぶなが》は、わずかな家臣《かしん》を連《つ》れて、急いで戦場《せんじょう》からにげ出した。

朝倉軍《あさくらぐん》は追撃《ついげき》を開始したが、織田軍《おだぐん》の木下藤吉郎《きのしたとうきちろう》(後の豊臣秀吉《とよとみひでよし》)や明智光秀《あけちみつひで》らが最後尾《さいこうび》で、命がけで敵《てき》を食い止めたので、信長《のぶなが》は無事《ぶじ》に京都《きょうと》に帰り着くことができた。

織田信長軍《おだのぶながぐん》の敗北《はいぼく》

長政《ながまさ》が裏切《うらぎ》るとは、まったく予想していませんでした。
戦場《せんじょう》から脱出《だっしゅつ》した織田信長氏《おだのぶながし》

合戦《かっせん》の結果《けっか》

京都《きょうと》から岐阜城《ぎふじょう》にもどった信長《のぶなが》は、浅井《あざい》・朝倉連合軍《あさくられんごうぐん》との戦《たたか》いの準備《じゅんび》を進めた。

合戦《かっせん》26

1570年

姉川《あねがわ》の戦《たたか》い

合戦《かっせん》ハイライト！

浅井長政軍《あざいながまさぐん》
横山城《よこやまじょう》からかけつけた織田軍《おだぐん》

姉川《あねがわ》の戦《たたか》い
裏切《うらぎ》った浅井長政《あざいながまさ》を倒《たお》すため、信長《のぶなが》は大軍《たいぐん》を率《ひき》いて北近江《きたおうみ》に侵攻《じんこう》し、横山城《よこやまじょう》を包囲《ほうい》。徳川家康《とくがわいえやす》も援《えん》軍《ぐん》として加《くわ》わった。長政《ながまさ》は横山城《よこやまじょう》を救《すく》うため朝倉軍《あさくらぐん》とともに出撃《しゅつげき》。両軍《りょうぐん》は姉川《あねがわ》をはさんで激突《げきとつ》した。

裏切《うらぎ》り者の長政《ながまさ》をうつ！
私《わたし》も参加《さんか》します！

徳川家康《とくがわいえやす》(1542～1616)
桶狭間《おけはざま》の戦《たたか》い後、今川《いまがわ》家から独立《どくりつ》し、信長と同盟《どうめい》を結《むす》んだ。

織田信長《おだのぶなが》(1534～1582)
美濃《みの》(現在《げんざい》の岐阜県《ぎふけん》)を攻《せ》め取り、岐阜城《ぎふじょう》を本《ほん》拠地《きょち》に構《かま》えた。

織田《おだ》・徳川軍《とくがわぐん》 戦力《せんりょく》 約《やく》2万5000人

VS

信長《のぶなが》を迎《むか》えうつ！
援軍《えんぐん》を送ります！

浅井《あざい》・朝倉軍《あさくらぐん》 戦力《せんりょく》 約《やく》1万3000人

朝倉義景《あさくらよしかげ》(1533～1573)
信長《のぶなが》と戦《たたか》うため、長政《ながまさ》と同盟《どうめい》を組んだ。

浅井長政《あざいながまさ》(1545～1573)
義景《よしかげ》と一緒《いっしょ》に信長《のぶなが》と戦《たたか》う決意をした。

合戦《かっせん》タイプ 野戦《やせん》

合戦場所《かっせんばしょ》

姉川《あねがわ》
近江《おうみ》(滋賀県《しがけん》)

信長《のぶなが》の作戦《さくせん》
横山城《よこやまじょう》を包囲《ほうい》して長政《ながまさ》を引きずり出す

織田《おだ》・徳川軍《とくがわぐん》が兵力《へいりょく》で敵《てき》を圧倒《あっとう》する

金《かね》ケ崎《がさき》の戦《たたか》いから約《やく》2か月後、織田信長《おだのぶなが》は自分を裏切《うらぎ》った浅井長政《あざいながまさ》を攻《せ》めるため、約《やく》2万人の軍勢《ぐんぜい》を率《ひき》いて岐阜城《ぎふじょう》(岐阜《ぎふ》県《けん》)を出発し、長政《ながまさ》の拠点《きょてん》・小谷《おだに》城《じょう》(滋賀県《しがけん》)へ向かった。しかし小谷城《おだにじょう》の防御力《ぼうぎょりょく》は高く、簡単《かんたん》に攻《せ》め落とすことはできなかった。そこで信長《のぶなが》は、長政《ながまさ》を小谷《おだに》城《じょう》から出撃《しゅつげき》させるため、小谷城《おだにじょう》の南にあった浅井方《あざいがた》の横山城《よこやまじょう》を包囲《ほうい》した。信長《のぶなが》と同盟《どうめい》を結《むす》んでいた徳川家康《とくがわいえやす》も、約《やく》5000人を連《つ》れて織田軍《おだぐん》に合流した。

長政《ながまさ》は横山城《よこやまじょう》を救《すく》うため、約《やく》5000人の兵《へい》を率《ひき》いて小谷城《おだにじょう》を出撃《しゅつげき》。朝倉義景《あさくらよしかげ》からの援軍《えんぐん》約《やく》8000人を加《くわ》え、小谷城《おだにじょう》のふもとを流れる姉川《あねがわ》まで進軍《しんぐん》した。信長《のぶなが》も姉川《あねがわ》まで軍《ぐん》を進め

姉川《あねがわ》の戦《たたか》い関連《かんれん》地図《ちず》

浅井長政《あざいながまさ》
織田《おだ》・徳川軍《とくがわぐん》
浅井《あざい》・朝倉軍《あさくらぐん》
織田《おだ》・徳川軍《とくがわぐん》進路
浅井《あざい》・朝倉軍《あさくらぐん》進路
朝倉景健《あさくらかげたけ》
姉川《あねがわ》
榊原康政《さかきばらやすまさ》
合戦ハイライト!
徳川家康《とくがわいえやす》
織田信長《おだのぶなが》
横山城《よこやまじょう》

❷榊原康政《さかきばらやすまさ》の突撃《とつげき》

徳川軍《とくがわぐん》の武将《ぶしょう》・榊原《さかきばら》康政《やすまさ》に横側《よこがわ》から突撃《とつげき》された朝倉軍《あさくらぐん》は総崩《そうくず》れになった。

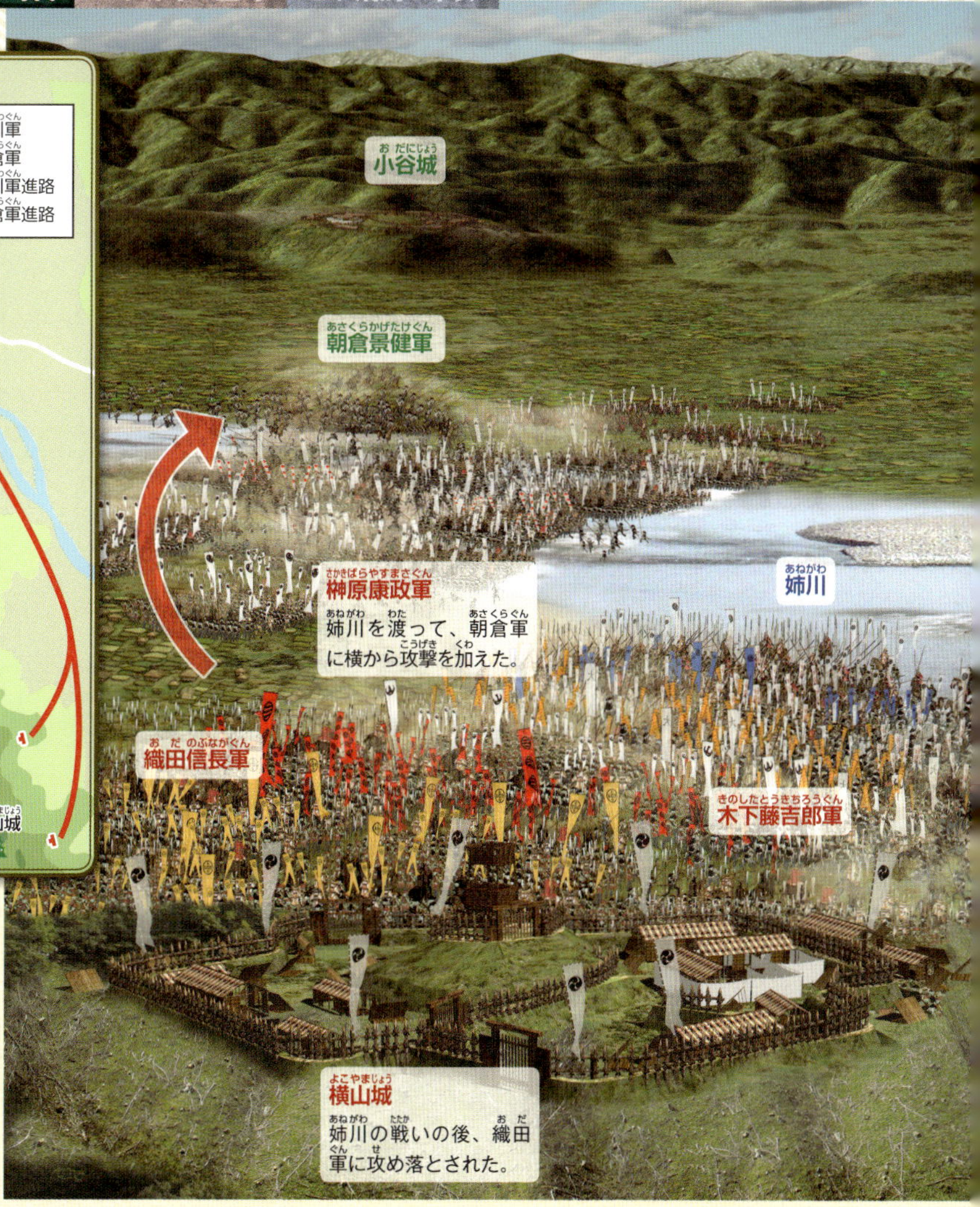

小谷城《おだにじょう》
朝倉景健軍《あさくらかげたけぐん》
榊原康政軍《さかきばらやすまさぐん》
姉川《あねがわ》を渡《わた》って、朝倉《あさくら》軍に横から攻撃《こうげき》を加《くわ》えた。
姉川《あねがわ》
織田信長軍《おだのぶながぐん》
木下藤吉郎軍《きのしたとうきちろうぐん》
横山城《よこやまじょう》
姉川《あねがわ》の戦《たたか》いの後、織田《おだ》軍《ぐん》に攻《せ》め落とされた。

❶信長《のぶなが》の出陣《しゅつじん》

約《やく》2万人の大軍《たいぐん》を率《ひき》いて岐阜城《ぎふじょう》を出た信長《のぶなが》は、浅井方《あざいがた》の横山城《よこやまじょう》を包囲《ほうい》。

た。姉川《あねがわ》をはさんでにらみ合った両軍《りょうぐん》は、ついに戦闘《せんとう》を開始。最初《さいしょ》は浅井《あざい》・朝倉軍《あさくらぐん》が有利《ゆうり》だったが、織田軍《おだぐん》には横山城《よこやまじょう》を包囲《ほうい》していた軍勢《ぐんぜい》も加《くわ》わり、さらに徳川軍《とくがわぐん》の武将《ぶしょう》・榊原康政《さかきばらやすまさ》が姉川《あねがわ》を渡《わた》って朝倉軍《あさくらぐん》の右側《みぎがわ》から攻《せ》めると、勝利《しょうり》は決定的《けっていてき》となった。浅井《あざい》・朝倉軍《あさくらぐん》は総崩《そうくず》れとなり、長政《ながまさ》は小谷城《おだにじょう》へにげ帰った。信《のぶ》長《なが》は追撃《ついげき》をあきらめ、退却《たいきゃく》した。

織田《おだ》・徳川軍《とくがわぐん》の勝利《しょうり》

朝倉軍《あさくらぐん》の隊列《たいれつ》が長くのびていたので、横から攻撃《こうげき》しました。

突撃《とつげき》を成功《せいこう》させた榊原康政氏《さかきばらやすまさし》

合戦《かっせん》の結果《けっか》

織田《おだ》・徳川軍《とくがわぐん》は勝利《しょうり》したが被害《ひがい》も大きく、小谷城《おだにじょう》へにげる長政《ながまさ》を追撃《ついげき》できなかった。

合戦《かっせん》27
1570年

石山合戦《いしやまかっせん》（第1次）

合戦《かっせん》ハイライト！
石山本願寺《いしやまほんがんじ》
竹束《たけたば》
織田軍《おだぐん》

顕如《けんにょ》から石山本願寺《いしやまほんがんじ》をうばい取る！

織田信長《おだのぶなが》(1534～1582)

岐阜城《ぎふじょう》と京都《きょうと》を本拠地《ほんきょち》に、浅井《あざい》・朝倉軍《あさくらぐん》をはじめとする反信長勢力《はんのぶながせいりょく》との対決を続《つづ》けた。

織田信長軍《おだのぶながぐん》 戦力《せんりょく》 約《やく》1万5000人

VS

仏《ほとけ》の敵《てき》、信長《のぶなが》を倒《たお》せ！

石山本願寺軍《いしやまほんがんじぐん》 戦力《せんりょく》 約《やく》1万人

顕如《けんにょ》(1543～1592)

浄土真宗《じょうどしんしゅう》の僧《そう》。石山本願寺《いしやまほんがんじ》の最高職《さいこうしょく》を受け継《つ》ぎ、信長《のぶなが》との対決を決意した。

合戦《かっせん》タイプ 攻城戦《こうじょうせん》

合戦場所《かっせんばしょ》

摂津《せっつ》(大阪府《おおさかふ》)
石山本願寺《いしやまほんがんじ》

信長《のぶなが》の作戦《さくせん》

顕如《けんにょ》を追放して石山本願寺《いしやまほんがんじ》を入手する

顕如《けんにょ》は信長《のぶなが》の要求《ようきゅう》を拒否《きょひ》して戦《たたか》いを挑《いど》む

戦国《せんごく》時代、浄土真宗《じょうどしんしゅう》（一向宗《いっこうしゅう》）の信者《しんじゃ》たちは、戦国大名《せんごくだいみょう》の支配《しはい》に反対し、一向一揆《いっこういっき》を起こして激《はげ》しく抵抗《ていこう》した。一向宗《いっこうしゅう》の信者《しんじゃ》に強い影響力《えいきょうりょく》をもっていたのが、顕如《けんにょ》を指導者《しどうしゃ》とする石山本願寺《いしやまほんがんじ》（大阪府《おおさかふ》）だった。石山本願寺《いしやまほんがんじ》があった場所は、古代から水上交通の拠点《きょてん》だった。この地を手に入れたいと考えた信長《のぶなが》は、顕如《けんにょ》に「石山本願寺《いしやまほんがんじ》から出ろ」と命令《めいれい》した。ちょうどこの時期、信長《のぶなが》と対立していた三好氏《みよしし》が石山本《いしやまほん》願寺《がんじ》近くに福島城《ふくしまじょう》と野田城《のだじょう》を築《きず》いて、信長《のぶなが》に戦《たたか》いを挑《いど》んだ。信《のぶ》長《なが》に怒《おこ》っていた顕如《けんにょ》は「信長《のぶなが》を倒《たお》すため、命をかけて戦《たたか》うべき」という内容《ないよう》の手紙を信者《しんじゃ》たちに送り、三好軍《みよしぐん》に参加《さんか》した。

織田軍《おだぐん》と本願寺軍《ほんがんじぐん》との激《はげ》しい

❖石山合戦関連地図《いしやまかっせんかんれん》

福島城《ふくしまじょう》
野田城《のだじょう》
合戦ハイライト!
織田信長《おだのぶなが》
顕如《けんにょ》
石山本願寺《いしやまほんがんじ》
天王寺砦《てんのうじとりで》
織田軍《おだぐん》
本願寺軍《ほんがんじぐん》

1570年

❶石山合戦《いしやまかっせん》（第1次）

顕如《けんにょ》が織田軍《おだぐん》を攻撃《こうげき》し、石山合戦《いしやまかっせん》がはじまった。

1576・1578年

❸木津川口《きづがわぐち》の戦《たたか》い

（➡P142）

石山本願寺《いしやまほんがんじ》に味方する毛利水軍《もうりすいぐん》と織田水軍《おだすいぐん》が激突《げきとつ》した。

1576年

❷天王寺《てんのうじ》の戦《たたか》い

（➡P140）

本願寺軍《ほんがんじぐん》に包囲《ほうい》された天《てん》王寺砦《のうじとりで》を救《すく》うため、信長《のぶなが》が先頭に立って戦《たたか》った。

水堀《みずぼり》
築山《つきやま》

石山本願寺《いしやまほんがんじ》を攻《せ》める織田軍《おだぐん》

石山本願寺《いしやまほんがんじ》の周囲《しゅうい》には石垣《いしがき》はなかったが、深い水堀《みずぼり》がめぐらされ、防御力《ぼうぎょりょく》が高かった。鉄砲《てっぽう》が得意《とくい》な雑賀衆《さいかしゅう》が本願《ほんがん》寺軍《じぐん》に加《くわ》わったため、織田軍《おだぐん》は竹束《たけたば》や築山《つきやま》で鉄砲《てっぽう》を防《ふせ》ぎながら戦《たたか》った。

戦《たたか》いが続《つづ》く中、近江《おうみ》（現在《げんざい》の滋《し》賀県《がけん》）では、浅井《あざい》・朝倉連合軍《あさくられんごうぐん》が京都《きょうと》を目指して進軍《しんぐん》を開始した。はさみうちにされることを恐《おそ》れた信長《のぶなが》は、石山本願寺《いしやまほんがんじ》から撤退《てったい》して京都《きょうと》へもどり、いったん顕如《けんにょ》と和解《わかい》した。しかし、その後も両者は何度も激《はげ》しい戦《たたか》いを続《つづ》けた。この戦《たたか》いは石山合戦《いしやまかっせん》と呼《よ》ばれ、10年間も続《つづ》いた。

両軍《りょうぐん》の引き分け
浅井《あざい》・朝倉軍《あさくらぐん》が攻《せ》めてきたので、しかたなく顕如《けんにょ》と仲直《なかなお》りしました。
勝利《しょうり》できなかった織田信長氏《おだのぶながし》

合戦《かっせん》の結果《けっか》

信長《のぶなが》が本願寺《ほんがんじ》から京都《きょうと》にもどると、信長《のぶなが》を恐《おそ》れた浅井《あざい》・朝《あさ》倉軍《くらぐん》は延暦寺《えんりゃくじ》（滋賀県《しがけん》）に立てこもった。

合戦《かっせん》28
1571年

比叡山焼《ひえいざんや》きうち

浅井《あざい》・朝倉《あさくら》に
味方する比叡山《ひえいざん》の
連中《れんちゅう》は許《ゆる》せん!
皆殺《みなごろ》しだ!

織田信長《おだのぶなが》(1534~1582)

京都《きょうと》に入って足利義昭《あしかがよしあき》を将軍《しょうぐん》にし、政治《せいじ》の実権《じっけん》をにぎった。石山本願寺《いしやまほんがんじ》など、対抗《たいこう》する仏教勢力《ぶっきょうせいりょく》と激《はげ》しい戦《たたか》いを開始した。

織田信長軍《おだのぶながぐん》 戦力《せんりょく》 約《やく》3万人

VS

仏《ほとけ》の敵《てき》、信長《のぶなが》の
味方はできぬ!

比叡山軍《ひえいざんぐん》 戦力《せんりょく》 約《やく》4000人

延暦寺《えんりゃくじ》の僧《そう》

延暦寺《えんりゃくじ》は比叡山《ひえいざん》にある天台宗《てんだいしゅう》の寺院。僧《そう》たちの中には武装《ぶそう》した「僧兵《そうへい》」もいた。

合戦《かっせん》ハイライト!
根本中堂《こんぽんちゅうどう》
延暦寺《えんりゃくじ》の中心的《ちゅうしんてき》な建物《たてもの》。
織田軍《おだぐん》

合戦《かっせん》タイプ 攻城戦《こうじょうせん》

合戦場所《かっせんばしょ》

近江《おうみ》(滋賀県《しがけん》)
比叡山《ひえいざん》

信長《のぶなが》の作戦《さくせん》

比叡山《ひえいざん》を包囲《ほうい》して僧《そう》を皆殺《みなごろ》しにする

魔王《まおう》・信長《のぶなが》が比叡山《ひえいざん》の建物《たてもの》を焼《や》きはらう

織田信長《おだのぶなが》が石山合戦《いしやまかっせん》をはじめると、そのすきをねらって、浅井長政《あざいながまさ》と朝倉義景《あさくらよしかげ》は京都《きょうと》に向けて進軍《しんぐん》を開始した。浅井《あざい》・朝倉《あさくら》軍《ぐん》は宇佐山城《うさやまじょう》(滋賀県《しがけん》)で織田軍《おだぐん》を撃破《げきは》したが、信長《のぶなが》が京都《きょうと》にもどってきたので、比叡山《ひえいざん》の延暦寺《えんりゃくじ》(滋賀県《しがけん》)に立てこもった。

信長《のぶなが》は比叡山《ひえいざん》を包囲《ほうい》し、延暦寺《えんりゃくじ》の僧《そう》に「浅井《あざい》・朝倉《あさくら》の味方をするなら寺を焼《や》く」と伝《つた》えた。しかし延暦寺《えんりゃくじ》はこれを無視《むし》。信長《のぶなが》は比叡山《ひえいざん》の包囲《ほうい》を続《つづ》けたが、反信長勢力《はんのぶながせいりょく》が各地《かくち》で兵《へい》を挙《あ》げたため、しかたなく浅井《あざい》・朝倉軍《あさくらぐん》と和解《わかい》した(志賀《しが》の陣《じん》)。

信長《のぶなが》は、志賀《しが》の陣《じん》で浅井《あざい》・朝倉《あさくら》に味方した延暦寺《えんりゃくじ》に激《はげ》しく怒《おこ》り、翌年《よくとし》、約《やく》3万人の大軍《たいぐん》で比《ひ》

比叡山焼《ひえいざんや》きうちの流れ

❶志賀《しが》の陣《じん》

1570年の志賀《しが》の陣《じん》で、浅井《あざい》・朝倉軍《あさくらぐん》が比叡山《ひえいざん》へにげこんだとき、信長《のぶなが》は「浅井《あざい》・朝倉《あさくら》の味方をするな」と延暦寺《えんりゃくじ》に伝《つた》えたが無視《むし》された。

↓

❷比叡山焼《ひえいざんや》きうち

志賀《しが》の陣《じん》の翌年《よくとし》、信長《のぶなが》は約《やく》3万人の大軍《たいぐん》で比叡山《ひえいざん》を包囲《ほうい》した後、一気に火攻《ひぜ》めにして、女性《じょせい》や子どもを含《ふく》む約《やく》3000人を皆殺《みなごろ》しにした。

比叡山焼《ひえいざんや》きうち

1571年9月12日、信長《のぶなが》から総攻撃《そうこうげき》を命じられた織田《おだ》軍《ぐん》は、比叡山《ひえいざん》の建物《たてもの》に火《ひ》を放ちながら攻撃《こうげき》を開始。比叡山《えいざん》にいた僧《そう》だけでなく、住民《じゅうみん》も皆殺《みなごろ》しにした。

叡山《えいざん》を包囲《ほうい》し、一気に攻撃《こうげき》した。このとき織田軍《おだぐん》は、500以上《いじょう》の建物《たてもの》を焼《や》きはらい、僧《そう》だけでなく、女性《じょせい》や子どもまで、約《やく》3000人を殺《ころ》したという。

比叡山焼《ひえいざんや》きうちを知った武田《たけだ》信玄《しんげん》は、信長《のぶなが》に抗議《こうぎ》する手紙を送ったが、信長《のぶなが》は「魔王《まおう》(仏教《ぶっきょう》に逆《さか》らう王)信長《のぶなが》」と署名《しょめい》した手紙を返事として送った。

織田信長軍《おだのぶながぐん》の大勝利《だいしょうり》
私《わたし》に逆《さか》らう者は、たとえ僧《そう》であっても許《ゆる》しません。

焼《や》きうちを実行した織田信長《おだのぶなが》氏《し》

合戦《かっせん》の結果《けっか》

延暦寺《えんりゃくじ》の勢力《せいりょく》は完全《かんぜん》に消え去ったが、焼《や》きうちを怒《おこ》った武田信玄《たけだしんげん》は、信長《のぶなが》への攻撃《こうげき》を決意した。

1572年、武田《たけだ》信玄《しんげん》は徳川《とくがわ》家康《いえやす》の領地《りょうち》・遠江《とおとうみ》に進軍《しんぐん》を開始。
甲斐《かい》
二俣城《ふたまたじょう》
遠江《とおとうみ》
三河《みかわ》
浜松城《はままつじょう》
二俣城《ふたまたじょう》を落とした後浜松城《はままつじょう》へ向かった。
え？浜松城《はままつじょう》を攻《せ》めないのですか？
籠城《ろうじょう》されたら落とすのはやっかいだ…だから城《しろ》の外へ誘《さそ》い出す！
家康《いえやす》はまだ若《わか》い 必《かなら》ず私《わたし》の誘《さそ》いに乗る
武田《たけ》信玄《だしんげん》
家康《いえやす》の城《しろ》 浜松城《はままつじょう》——
なんだと！武田軍《たけだぐん》が城《しろ》の前を通過《つうか》して西へ向かっただと！
徳川《とくがわ》家康《いえやす》
いかがしますか？
この戦《たたか》いのために信長様《のぶながさま》から援軍《えんぐん》まで来ているというのに！

なめるなっ！
我《わ》が城《しろ》の前を通らせるものかっ！
追いかけろっ！
出陣《しゅつじん》だ！
若造《わかぞう》が！
罠《わな》にかかったわ！
迎《むか》えうて！
殿《との》！
にげてください！
武田軍《たけだぐん》は強すぎます！
全軍撤退《ぜんぐんてったい》っ！
にげろっ！

合戦《かっせん》29
1572年

三方《みかた》ケ原《がはら》の戦《たたか》い

合戦《かっせん》タイプ　野戦《やせん》

私《わたし》は京都《きょうと》へ向かい、
信長《のぶなが》を倒《たお》す！
家康《いえやす》も、たたきつぶす！

武田信玄《たけだしんげん》(1521〜1573)
甲斐《かい》(現在《げんざい》の山梨県《やまなしけん》)の戦国大名《せんごくだいみょう》。対立した信長《のぶなが》を倒《たお》すため、大軍《たいぐん》を率《ひき》いて西へ進軍《しんぐん》を開始した。

武田信玄軍《たけだしんげんぐん》　戦力《せんりょく》　約《やく》2万7000人

VS

通り過《す》ぎるのを
だまって見ている
わけにいかない！

徳川家康軍《とくがわいえやすぐん》　戦力《せんりょく》　約《やく》1万1000人

徳川家康《とくがわいえやす》(1542〜1616)
浜松城《はままつじょう》(静岡県《しずおかけん》)を本拠地《ほんきょち》に、東海《とうかい》地方を支配《しはい》。信長《のぶなが》と同盟《どうめい》を結《むす》んでいたため、信玄《しんげん》と対立した。

合戦場所《かっせんばしょ》

三方ケ原《みかたがはら》
遠江《とおとうみ》(静岡県《しずおかけん》)

信玄《しんげん》**の作戦**《さくせん》
家康《いえやす》を怒《おこ》らせて
城《しろ》からおびき出す

余裕《よゆう》を見せる信玄《しんげん》に怒《おこ》った家康《いえやす》が突撃《とつげき》する

1572年、甲斐《かい》(現在《げんざい》の山《やま》梨県《なしけん》)の武田信玄《たけだしんげん》は京都《きょうと》に入るため、約《やく》2万7000人の大軍《たいぐん》を率《ひき》いて西へ進軍《しんぐん》を開始した。武田軍《たけだぐん》は徳川家康《とくがわいえやす》が支配《しはい》する遠《とお》江《とうみ》(現在《げんざい》の静岡県《しずおかけん》)に攻《せ》めこんだ。家康《いえやす》は信長《のぶなが》に援軍《えんぐん》を求《もと》めたが、信長《のぶなが》は浅井《あざい》・朝倉軍《あさくらぐん》や石山《いしやま》本願寺《ほんがんじ》などと戦《たたか》っていたため、3000の兵《へい》しか送れなかった。

家康方《いえやすがた》の城《しろ》を落とした信玄《しんげん》は、浜松城《はままつじょう》から家康《いえやす》をおびき出すため、浜松城《はままつじょう》のすぐ北にある三方ケ原《みかたがはら》をわざとゆっくり通り過《す》ぎた。これに怒《おこ》った家康《いえやす》は、家臣《かしん》の反対を押《お》し切って浜松城《はままつじょう》から出撃《しゅつげき》し、武田軍《たけだぐん》を背後《はいご》から攻撃《こうげき》しようとした。しかしこの出撃《しゅつげき》を読んでいた信玄《しんげん》は、軍勢《ぐんぜい》を引き返し、徳川軍《とくがわぐん》を待ち構《かま》え

❖三方《みかた》ケ原《がはら》の戦《たたか》い関連《かんれん》地図

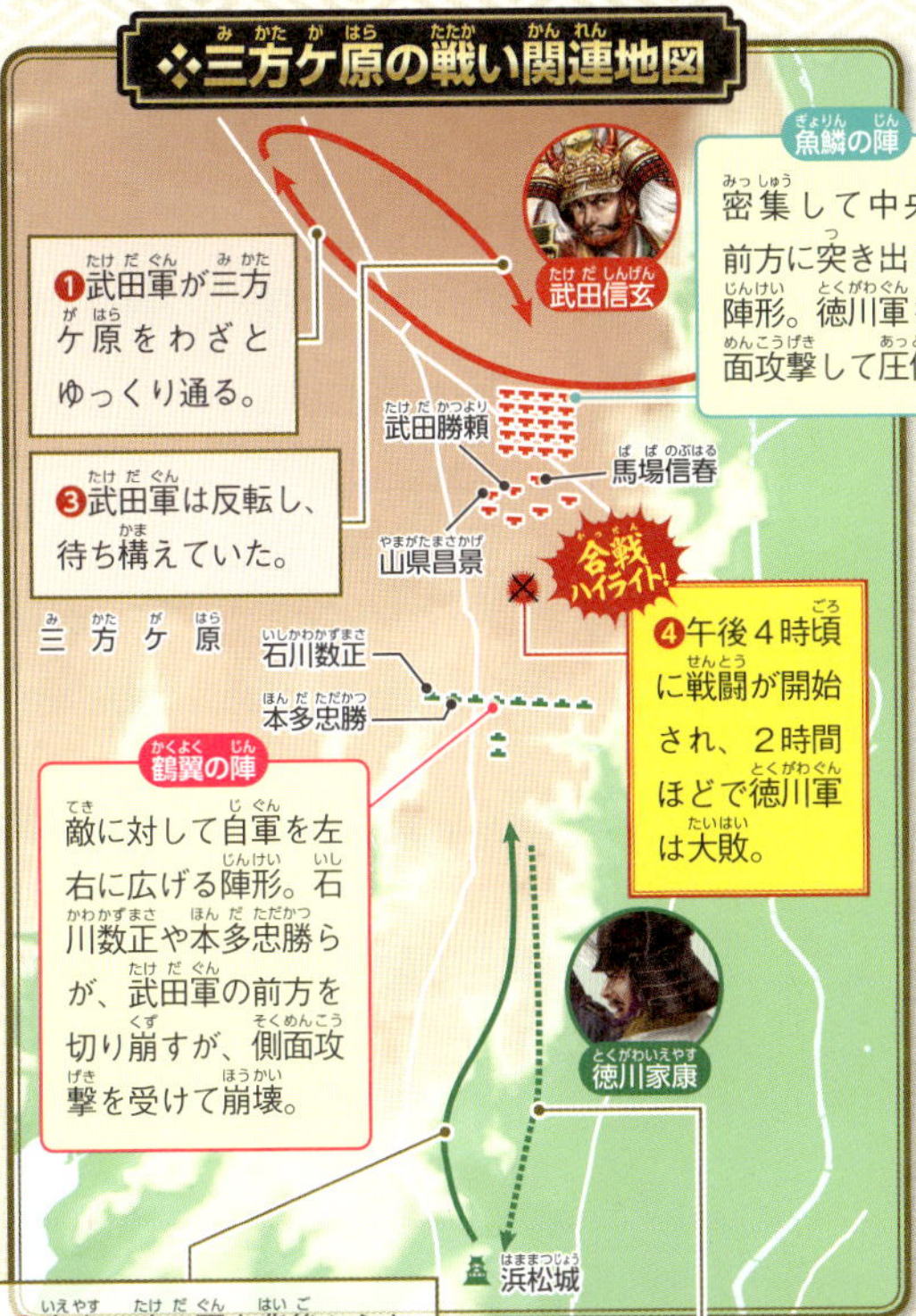
武田信玄《たけだしんげん》
魚鱗《ぎょりん》の陣《じん》
密集《みっしゅう》して中央が前方に突《つ》き出した陣形《じんけい》。徳川軍《とくがわぐん》を側面攻撃《めんこうげき》して圧倒《あっとう》。
❶武田軍《たけだぐん》が三方《みかた》ケ原《がはら》をわざとゆっくり通る。
武田勝頼《たけだかつより》
馬場信春《ばばのぶはる》
❸武田軍《たけだぐん》は反転し、待ち構《かま》えていた。
山県昌景《やまがたまさかげ》
合戦ハイライト!
❹午後4時頃《ごろ》に戦闘《せんとう》が開始され、2時間ほどで徳川軍《とくがわぐん》は大敗《たいはい》。
三《み》方《かた》ケ《が》原《はら》
石川数正《いしかわかずまさ》
本多忠勝《ほんだただかつ》
鶴翼《かくよく》の陣《じん》
敵《てき》に対して自軍《じぐん》を左右に広げる陣形《じんけい》。石《いし》川数正《かわかずまさ》や本多忠勝《ほんだただかつ》らが、武田軍《たけだぐん》の前方を切り崩《くず》すが、側面攻《そくめんこう》撃《げき》を受けて崩壊《ほうかい》。
徳川家康《とくがわいえやす》
浜松城《はままつじょう》

❷家康《いえやす》は武田軍《たけだぐん》を背後《はいご》からおそうため、浜松城《はままつじょう》から武田《たけだ》軍《ぐん》を追撃《ついげき》。

❺家康《いえやす》は浜松城《はままつじょう》へにげ帰る。

合戦《かっせん》ハイライト!

攻撃《こうげき》を命じる信玄《しんげん》

作戦《さくせん》どおり家康《いえやす》を三方ケ原《みかたがはら》におびき出した信玄《しんげん》は、攻撃命令《こうげきめいれい》を出した。武田軍《たけだぐん》の激《はげ》しい攻撃《こうげき》により、徳川軍《とくがわぐん》は撃破《げきは》され、家康《いえやす》は戦場《せんじょう》からにげ出した。

た。両軍《りょうぐん》は三方ケ原《みかたがはら》で激突《げきとつ》したが、2時間ほどで徳川軍《とくがわぐん》は大《たい》敗《はい》。家康《いえやす》は恐怖《きょうふ》で大便《だいべん》をもらしながら浜松城《はままつじょう》へにげ帰った。

浜松城《はままつじょう》に着いた家康《いえやす》は、門を開け放ち、門の前で火をたき、太鼓《たいこ》を鳴り響《ひび》かせた。追撃《ついげき》してきた武田軍《たけだぐん》は「罠《わな》かもしれない」と考え、退却《たいきゃく》した。これにより家康《いえやす》の命はたすかった。

武田信玄軍《たけだしんげんぐん》の大《だい》勝《しょう》利《り》
家康《いえやす》をおびき出した時点で、私《わたし》の勝《しょう》利《り》は決まりました。
徳川軍《とくがわぐん》に圧勝《あっしょう》した武田信玄氏《たけだしんげんし》

合戦《かっせん》の結果《けっか》

信玄《しんげん》は家康《いえやす》の領地《りょうち》である三河《みかわ》（愛知県《あいちけん》）を攻《せ》めるが、その最中《さいちゅう》に病気になり、甲斐《かい》に帰る途中《とちゅう》に病死した。

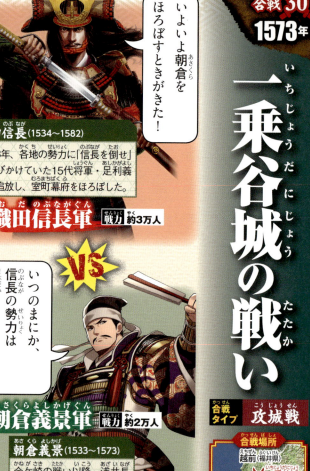

一乗谷城《いちじょうだにじょう》の戦《たたか》い

合戦《かっせん》タイプ　攻城戦《こうじょうせん》

合戦《かっせん》場所《ばしょ》
越前《えちぜん》（福井県《ふくいけん》）
一乗谷城《いちじょうだにじょう》

合戦《かっせん》ハイライト！
一乗谷城《いちじょうだにじょう》
一乗城山《いちじょうしろやま》に築《きず》かれた山城《やまじろ》。
柴田勝家軍《しばたかついえぐん》
一乗谷《いちじょうだに》へ侵攻《しんこう》し、
町を焼《や》き払《はら》った。

いよいよ朝倉《あさくら》を
ほろぼすときがきた！

織田信長《おだのぶなが》（1534〜1582）

1573年、各地《かくち》の勢力《せいりょく》に「信長《のぶなが》を倒《たお》せ」と呼《よ》びかけていた15代将軍《しょうぐん》・足利義昭《あしかがよしあき》を追放し、室町幕府《むろまちばくふ》をほろぼした。

織田信長軍《おだのぶながぐん》　戦力《せんりょく》　約《やく》3万人

VS

いつのまにか、
信長《のぶなが》の勢力《せいりょく》は
巨大《きょだい》になっていた…

朝倉義景軍《あさくらよしかげぐん》　戦力《せんりょく》　約《やく》2万人

朝倉義景《あさくらよしかげ》（1533〜1573）

金ケ崎《かねがさき》の戦《たたか》い以降《いこう》、浅井長政《あざいながまさ》や石山本願寺《いしやまほんがんじ》などと一緒《いっしょ》に信長《のぶなが》に対抗《たいこう》を続《つづ》けた。

信長《のぶなが》の作戦《さくせん》

小谷城《おだにじょう》を包囲《ほうい》して義景《よしかげ》をおびき出す

にげる朝倉軍《あさくらぐん》を追撃《ついげき》し滅亡《めつぼう》にまで追いこむ

武田《たけだ》信玄《しんげん》は徳川《とくがわ》家康《いえやす》を撃破《げきは》して京都《きょうと》へ向かおうとしたが、その途中《とちゅう》で病死した。強敵《きょうてき》・信玄《しんげん》が死んで危機《きき》を脱《だっ》した信長《のぶなが》は、自分に反抗《はんこう》を続《つづ》けてきた将軍《しょうぐん》・足利義昭《あしかがよしあき》を追放し、室町幕府《むろまちばくふ》をほろぼした。続《つづ》いて信長《のぶなが》は、浅《あざ》井《い》長政《ながまさ》と朝倉《あさくら》義景《よしかげ》を倒《たお》すため、約《やく》3万人を率《ひき》いて岐阜城《ぎふじょう》（岐阜《ぎふ》県《けん》）を出発し、近江《おうみ》（現在《げんざい》の滋賀《しが》県《けん》）に攻《せ》めこんだ。

信長《のぶなが》は、義景《よしかげ》を越前《えちぜん》（現在《げんざい》の福《ふく》井《い》県《けん》）からおびき出すことをねらい、長政《ながまさ》の本拠地《ほんきょち》・小谷城《おだにじょう》を包囲《ほうい》した。信長《のぶなが》の作戦《さくせん》どおり、義《よし》景《かげ》は長政《ながまさ》をたすけるため約《やく》2万人を率《ひき》いて出撃《しゅつげき》し、小谷城《おだにじょう》の北《きた》側《がわ》に陣《じん》を構《かま》えた。信長《のぶなが》が朝倉軍《あさくらぐん》の陣地《じんち》に夜襲《やしゅう》をしかけて撃破《げきは》すると、勝ち目がないと感じた

❖一乗谷城《いちじょうだにじょう》の戦《たたか》い関連《かんれん》地図

8月18日
❹柴田勝家《しばたかついえ》は一乗谷《いちじょうだに》に乗りこみ、街《まち》を焼《や》きはらう。
一乗谷城《いちじょうだにじょう》
合戦《かっせん》ハイライト!
8月20日
❺親類《しんるい》の裏切《うらぎ》りによって、義景《よしかげ》は自害《じがい》。
六坊賢松寺《ろくぼうけんしょうじ》
龍門寺《りゅうもんじ》
8月18日
❸信長《のぶなが》は龍門《りゅうもん》寺《じ》に陣《じん》を置《お》き柴田勝家《しばたかついえ》に追撃《ついげき》させる。
8月8日
❶信長《のぶなが》は約《やく》3万人を率《ひき》いて岐阜城《ぎふじょう》を出発し、小谷城《おだにじょう》を目指した。
敦賀城《つるがじょう》
小谷城《おだにじょう》
岐阜城《ぎふじょう》
信長《のぶなが》の侵攻路《しんこうろ》

8月13日

❷小谷城《おだにじょう》の近くに陣《じん》を置《お》いた朝倉軍《あさくらぐん》に、信長《のぶなが》が夜襲《やしゅう》をしかけて撃破《げきは》する。義景《よしかげ》は一乗《いちじょう》谷《だに》に向けて撤退《てったい》。

朝倉館《あさくらやかた》
一乗谷《いちじょうだに》の中心にあり、朝倉《あさくら》一族が住んでいた。

炎上《えんじょう》する一乗谷《いちじょうだに》

近江《おうみ》（現在《げんざい》の滋賀県《しがけん》）で織田軍《おだぐん》に敗《やぶ》れた義景《よしかげ》は、一乗谷城《いちじょうだにじょう》の城下町《じょうかまち》・一乗《いちじょう》谷《だに》（福井県《ふくいけん》）まで撤退《てったい》したが、追撃《ついげき》を命じられた柴田勝家《しばたかついえ》は一乗谷《いちじょうだに》に乗りこむと、街《まち》を焼《や》きはらった。

義景《よしかげ》は退却《たいきゃく》を開始した。

信長《のぶなが》は朝倉軍《あさくらぐん》を追撃《ついげき》し、大打《だいだ》撃《げき》を与《あた》えながら越前《えちぜん》に攻《せ》めこんだ。龍門寺《りゅうもんじ》に陣《じん》を置《お》いた信長《のぶなが》は家臣《かしん》の柴田勝家《しばたかついえ》に命じて、義景《よしかげ》がにげこんだ一乗谷《いちじょうだに》を攻撃《こうげき》させた。勝家《かついえ》は一乗谷《いちじょうだに》に攻《せ》めこみ、街《まち》を焼《や》きはらった。義景《よしかげ》は六坊《ろくぼう》賢松寺《けんしょうじ》（福井県《ふくいけん》）までにげたが、親類《しんるい》に裏切《うらぎ》られて自害《じがい》した。

合戦《かっせん》の結果《けっか》

朝倉氏《あさくらし》をほろぼした信長《のぶなが》は、すぐに小谷城《おだにじょう》に引き返し、浅《あざ》井氏《いし》を攻《せ》めほろぼす準備《じゅんび》をはじめた。

織田信長軍《おだのぶながぐん》の大勝利《だいしょうり》

信長様《のぶながさま》から一乗谷《いちじょうだに》へ一気に攻《せ》めこむように命じられました。
KASSEN

一乗谷《いちじょうだに》を攻《せ》めた柴田勝家氏《しばたかついえし》

合戦《かっせん》31
1573年

小谷城《おだにじょう》の戦《たたか》い

合戦《かっせん》ハイライト!

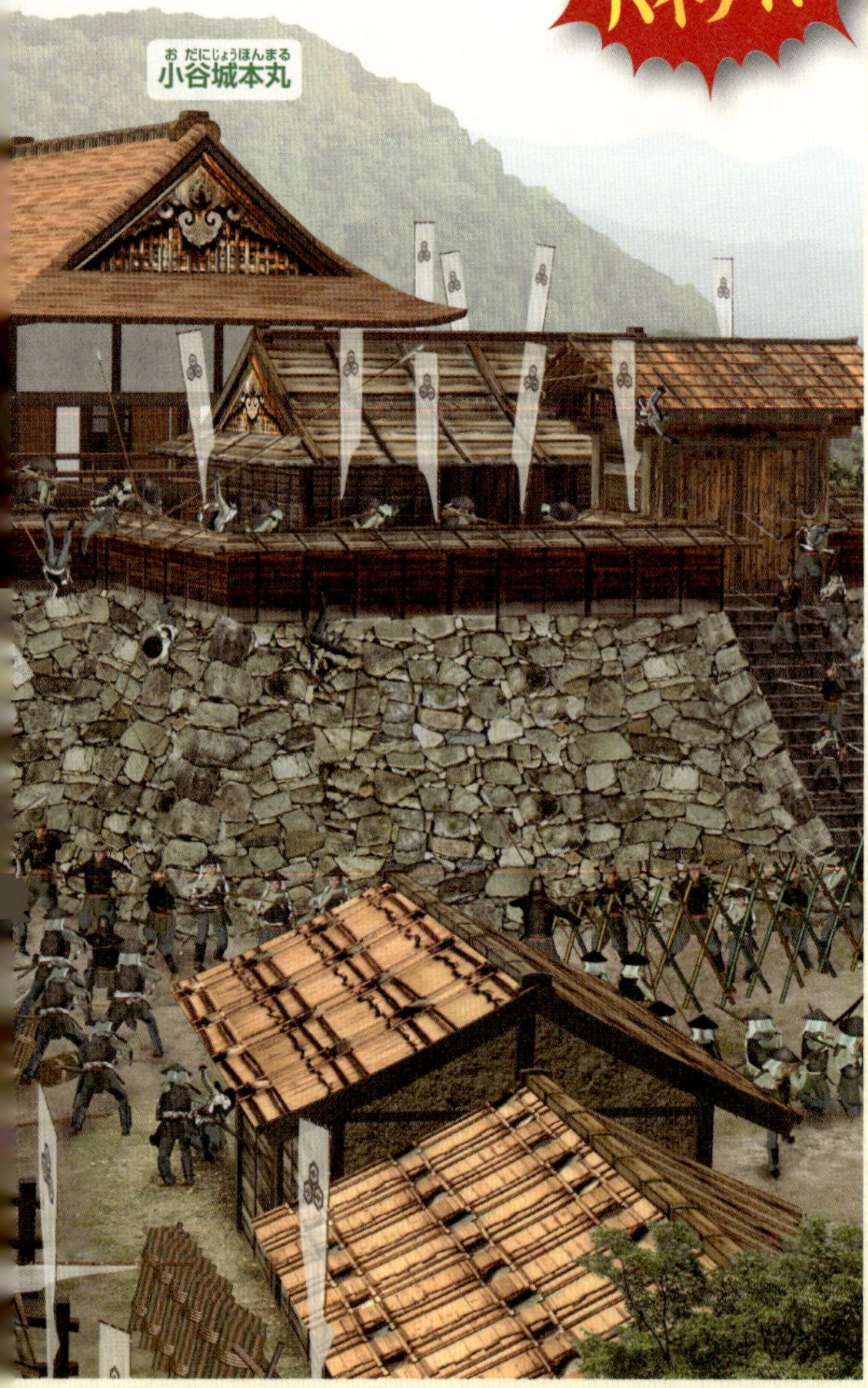
小谷城本丸《おだにじょうほんまる》

私《わたし》を裏切《うらぎ》った長政《ながまさ》を許《ゆる》すわけにはいかない!

織田信長《おだのぶなが》(1534~1582)

反信長勢力《はんのぶながせいりょく》であった比叡山延暦寺《ひえいざんえんりゃくじ》や足利義昭《あしかがよしあき》、朝倉義景《あさくらよしかげ》などを次つぎとほろぼした。

織田信長軍《おだのぶながぐん》 戦力《せんりょく》 約《やく》3万人

VS

妻《つま》のお市《いち》は城《しろ》からにがすが…
私《わたし》は最期《さいご》まで信長《のぶなが》と戦《たたか》う!

浅井長政軍《あざいながまさぐん》 戦力《せんりょく》 約《やく》5000人

浅井長政《あざいながまさ》(1545~1573)

朝倉氏《あさくらし》がほろびた後、本拠地《ほんきょち》の小谷城《おだにじょう》に立てこもり、信長《のぶなが》を迎《むか》えうった。

合戦《かっせん》タイプ 攻城戦《こうじょうせん》

合戦場所《かっせんばしょ》

小谷城《おだにじょう》
近江《おうみ》(滋賀県《しがけん》)

秀吉《ひでよし》の作戦《さくせん》
京極丸《きょうごくまる》を落として本丸《ほんまる》を孤立《こりつ》させる

長政《ながまさ》はお市《いち》をにがして最期《さいご》まで戦《たたか》い続《つづ》ける

一乗谷《いちじょうだに》(福井県《ふくいけん》)で朝倉氏《あさくらし》をほろぼした織田信長《おだのぶなが》は、その約《やく》1週間後、近江《おうみ》(現在《げんざい》の滋賀県《しがけん》)にもどると、小谷城《おだにじょう》の近くに陣《じん》を構《かま》えて攻撃《こうげき》を開始した。

小谷城《おだにじょう》は本丸《ほんまる》のほか、中丸《なかまる》や京極丸《きょうごくまる》、小丸《こまる》など、数多くの曲《くる》輪《わ》(城内《しろうち》の区画)が連《つら》なった山城《やまじろ》で、曲輪《くるわ》どうしで連絡《れんらく》を取り合い、敵《てき》の攻撃《こうげき》を防《ふせ》ぐつくりになっており、本丸《ほんまる》は浅井長政《あざいながまさ》が守り、小丸《こまる》は長政《ながまさ》の父・久政《ひさまさ》が守っていた。信長《のぶなが》の家臣《かしん》・羽柴《はしば》秀吉《ひでよし》(後の豊臣秀吉《とよとみひでよし》)は、本丸《ほんまる》と小丸《こまる》の間にあった京極丸《きょうごくまる》に夜襲《やしゅう》をしかけて占領《せんりょう》。連絡《れんらく》が取れなくなった本丸《ほんまる》と小丸《こまる》は不利《ふり》な状《じょう》況《きょう》になった。小丸《こまる》が攻《せ》め落とされると、長政《ながまさ》の本丸《ほんまる》は孤立《こりつ》し、敗北《はいぼく》は確実《かくじつ》になった。

京極丸《きょうごくまる》
織田軍《おだぐん》

小谷城《おだにじょう》の戦《たたか》い

織田軍《おだぐん》の武将《ぶしょう》・羽柴秀吉《はしばひでよし》は、小谷城《おだにじょう》の京極丸《きょうごくまる》を夜襲《やしゅう》によって攻《せ》め落とした。これにより長政《ながまさ》の本丸《ほんまる》は孤立《こりつ》し、織田軍《おだぐん》に激《はげ》しい攻撃《こうげき》を受けた。

小谷城《おだにじょう》の全体図

小谷城《おだにじょう》は、小谷山《おだにやま》(標高《ひょうこう》495m)から南の尾根《おね》に沿《そ》って、多くの曲輪《くるわ》(城内《しろうち》の区画)が連《つら》なる山城《やまじろ》だった。

小谷城《おだにじょう》から落ちのびるお市《いち》の方《かた》

長政《ながまさ》は小谷城《おだにじょう》が落ちる前、妻《つま》のお市《いち》の方《かた》と3人の娘《むすめ》たちを、お市《いち》の兄・信長《のぶなが》のもとに送り届《とど》けた。

信長《のぶなが》は長政《ながまさ》に使者を送り、「城《しろ》を明け渡《わた》して忠誠《ちゅうせい》を尽《つ》くすなら命をたすける」と伝《つた》えたが、長《なが》政《まさ》はこれを断《ことわ》り、妻《つま》・お市《いち》の方《かた》と3人の娘《むすめ》たちを信長《のぶなが》のもとに送り届《とど》けた。説得《せっとく》をあきらめた信長《のぶなが》は、総攻撃《そうこうげき》を命じた。長政《ながまさ》はわずか500人の城兵《じょうへい》とともに最期《さいご》まで戦《たたか》い抜《ぬ》いたが、本丸《ほんまる》を占領《せんりょう》されると、自害《じがい》した。こうして浅井氏《あざいし》は滅亡《めつぼう》した。

合戦《かっせん》の結果《けっか》

浅井氏《あざいし》の領地《りょうち》だった近江《おうみ》北部は、この戦《たたか》いで大活躍《だいかつやく》した羽《は》柴秀吉《しばひでよし》に与《あた》えられた。

織田信長軍《おだのぶながぐん》の大勝利《だいしょうり》

夜中に小谷山《おだにやま》をよじ登って、京極丸《きょうごくまる》を奇襲《きしゅう》しました。
京極丸《きょうごくまる》を落とした羽柴秀吉氏《はしばひでよしうじ》

伊勢長島一揆《いせながしまいっき》(第3次)

合戦《かっせん》ハイライト!
屋長島城《やながしまじょう》
九鬼水軍《くきすいぐん》

一向一揆《いっこういっき》に参加《さんか》した者は全員殺《ころ》す!

織田信長《おだのぶなが》(1534~1582)

石山本願寺《いしやまほんがんじ》をはじめ、信長《のぶなが》に反抗《はんこう》する一向一揆《いっこういっき》が各地《かくち》で起きたが、全滅《ぜんめつ》させる覚悟《かくご》で戦《たたか》いに挑《いど》んだ。

織田信長軍《おだのぶながぐん》 戦力《せんりょく》 約《やく》8万人

VS

仏《ほとけ》の敵《てき》、信長《のぶなが》と戦《たたか》う!

一向一揆軍《いっこういっきぐん》 戦力《せんりょく》 10万人以上《いじょう》

下間頼旦《しもつまらいたん》(?~1574)

戦国《せんごく》時代の武将《ぶしょう》で、石山本願寺《いしやまほんがんじ》の僧侶《そうりょ》。長島《ながしま》での一揆《いっき》を指導《しどう》するため、顕如《けんにょ》から派遣《はけん》された。

合戦《かっせん》タイプ 攻城戦《こうじょうせん》

合戦場所《かっせんばしょ》

長島《ながしま》
伊勢《いせ》(三重県《みえけん》)

信長《のぶなが》の作戦《さくせん》

川と陸《りく》から包囲《ほうい》してひとり残《のこ》らず殺《ころ》す

長島《ながしま》を完全《かんぜん》に包囲《ほうい》して兵糧攻《ひょうろうぜ》めで追いつめる

1570年、石山合戦《いしやまかっせん》がはじまると、「信長《のぶなが》と戦《たたか》え」という顕《けん》如《にょ》の呼《よ》びかけに応《おう》じて、各地《かくち》の浄土真宗《じょうどしんしゅう》(一向宗《いっこうしゅう》)の信者《しんじゃ》たちが一揆《いっき》(反乱《はんらん》)を起こした。伊勢《いせ》(現在《げんざい》の三重県《みえけん》)の長島《ながしま》でも激《はげ》しい一向一揆《いっこういっき》が起こり、信長《のぶなが》の弟・織田信興《おだのぶおき》の守る小木江城《こきえじょう》を攻《せ》め、信興《のぶおき》を自害《じがい》に追いこんだ。翌年《よくとし》、信長《のぶなが》は一揆軍《いっきぐん》を攻撃《こうげき》したが、勝利《しょうり》できずに撤退《てったい》した(第1次伊勢長島一揆《いせながしまいっき》)。

1573年、信長《のぶなが》は数万の大《たい》軍《ぐん》を率《ひき》いて長島《ながしま》を攻《せ》めたが、勝《しょう》利《り》することができず、撤退中《てったいちゅう》に攻撃《こうげき》を受けて大きな被害《ひがい》を出した(第2次伊勢長島一揆《いせながしまいっき》)。

翌年《よくとし》、長島《ながしま》の一揆軍《いっきぐん》を攻《せ》めほろぼすことを決意した信長《のぶなが》は、長男の信忠《のぶただ》を総指揮官《そうしきかん》に任命《にんめい》

伊勢《いせ》長島《ながしま》一揆《いっき》（第3次）関連《かんれん》地図
❶陸《りく》から攻《せ》める織田軍《おだぐん》が松ノ木砦《まつのきとりで》を破《やぶ》り、その後も小木江城《こきえじょう》などの拠点《きょてん》を破《やぶ》る。
小木江城《こきえじょう》
松ノ木砦《まつのきとりで》
大鳥居城《おおとりいじょう》
篠橋城《しのはしじょう》
下間頼旦《しもつまらいたん》
長島城《ながしまじょう》
屋長島城《やながしまじょう》
合戦ハイライト!
中江城《なかえじょう》
織田信長《おだのぶなが》
木《き》曽《そ》川《がわ》
❸一揆軍《いっきぐん》は長島《ながしま》・屋長島《やながしま》・中《なか》江《え》・篠橋《しのはし》・大鳥居《おおとりい》の５つの城《しろ》へにげこんだが、兵糧《ひょうろう》攻《ぜ》めによって次つぎに陥落《かんらく》。
❷九鬼嘉隆《くきよしたか》の水軍《すいぐん》が木曽川《きそがわ》などをさかのぼって攻撃《こうげき》。
一向一揆軍《いっこういっきぐん》
水軍《すいぐん》（織田軍《おだぐん》）
織田信長軍《おだのぶながぐん》

織田軍《おだぐん》

一揆軍《いっきぐん》を焼《や》き殺《ころ》す織田軍《おだぐん》
長島《ながしま》の一揆軍《いっきぐん》を全滅《ぜんめつ》させるため、信長《のぶなが》は屋長島城《やながしまじょう》などに一揆軍《いっきぐん》を追いつめると、城《しろ》の周囲《しゅうい》を何重もの柵《さく》で囲《かこ》んで、にげられないようにした後、火を放ち、約《やく》2万人を焼《や》き殺《ころ》した。

し、約《やく》8万人の大軍《たいぐん》で長島《ながしま》を攻《こう》撃《げき》させた。信長《のぶなが》は海賊《かいぞく》の九鬼嘉《くきよし》隆《たか》率《ひき》いる水軍《すいぐん》にも攻撃《こうげき》させ、長《なが》島《しま》を完全《かんぜん》に包囲《ほうい》。そして一揆軍《いっきぐん》を屋長島城《やながしまじょう》などに追いつめ、兵《ひょう》糧《ろう》攻《ぜ》めを開始した。食料《しょくりょう》がなくなった一揆軍《いっきぐん》は半数以上《いじょう》が飢《う》え死《じ》にし、残《のこ》った者は降伏《こうふく》したが、信長《のぶなが》は許《ゆる》さず、城《しろ》から出た者を鉄砲《てっぽう》で皆殺《みなごろ》しにした。さらに城《しろ》の周囲《しゅうい》を柵《さく》で囲《かこ》んで火を放ち、一揆軍《いっきぐん》全員を焼《や》き殺《ころ》した。

織田信長軍《おだのぶながぐん》の大勝利《だいしょうり》
一向宗《いっこうしゅう》の信者《しんじゃ》は、仏《ほとけ》しか信《しん》じず、私《わたし》には従《したが》わない。殺《ころ》すしかないのです…
一揆軍《いっきぐん》を皆殺《みなごろ》しにした織田信長氏《おだのぶながし》

合戦《かっせん》の結果《けっか》
長島《ながしま》の一揆軍《いっきぐん》は完全《かんぜん》にほろび、石山本願寺《いしやまほんがんじ》の勢力《せいりょく》は弱まった。

戦場《せんじょう》で矢《や》を防《ふせ》ぐ「母衣《ほろ》」!!

母衣《ほろ》とは、矢《や》を防《ふせ》ぐために甲冑《かっちゅう》の背中《せなか》につける布《ぬの》のこと。馬に乗って駆《か》けると、風によってふくらむため、背後《はいご》からの矢を防《ふせ》ぐことができた。戦国《せんごく》時代に鉄砲《てっぽう》が広まると役に立たなくなったが、大将《たいしょう》の近くに仕える近習《きんじゅ》や使番《つかいばん》などだけが着用を許《ゆる》され、名誉《めいよ》の軍装《ぐんそう》となった。

源平合戦《げんぺいがっせん》の武将《ぶしょう》たちの母衣《ほろ》

一《いち》の谷《たに》の戦《たたか》いをえがいた錦絵《にしきえ》には、武士《ぶし》たちが母衣《ほろ》を身につけている。

戦国《せんごく》時代の母衣《ほろ》

敵《てき》と味方を区別《くべつ》しやすくするため、赤や黄、青などのあざやかな色の母衣《ほろ》や、母衣籠《ほろかご》を指物《さしもの》で飾《かざ》った母衣《ほろ》などがつくられるようになった。

指物《さしもの》を母衣串《ほろくし》の先に差《さ》しこんで母衣《ほろ》を飾《かざ》る武士《ぶし》も多く登場した。

指物《さしもの》

武士《ぶし》が自分や自分の部隊《ぶたい》を示《しめ》すための目印《めじるし》にする旗《はた》や飾《かざ》り。

母衣籠《ほろかご》

竹やクジラの髭《ひげ》などを材料《ざいりょう》に組み立てた。

母衣布《ほろぬの》

母衣籠《ほろかご》の上にかぶせる。上質《じょうしつ》の絹《きぬ》が使用された。

室町時代以前《いぜん》は、背中《せなか》につけた棒《ぼう》に母衣《ほろ》を固定《こてい》することもあった。

母衣串《ほろくし》

指物《さしもの》を差《さ》しこんだ状態《じょうたい》の母衣籠《ほろかご》。

イラスト／歴史復元画家中西立太

母衣《ほろ》の使い方

風でふくらませるだけでなく、右の絵のように腕《うで》に母衣《ほろ》をかかげて矢を防《ふせ》ぐこともあったという。

鳥羽毛母衣《とりうもうほろ》

鳥の羽を使った母衣《ほろ》も登場した。絵の武士《ぶし》は、関《せき》ケ原《がはら》の戦《たたか》いで主君・長束《なつか》正家《まさいえ》を守るために戦死《せんし》した松田秀宣《まつだひでのぶ》。

母衣《ほろ》をまとった使番《つかいばん》

使番《つかいばん》は戦場《せんじょう》で情報《じょうほう》を集めたり伝《つた》えたりする役職《やくしょく》で、前線と本陣《ほんじん》の間を行き来した。織田信長《おだのぶなが》が馬廻《うままわり》(大将《たいしょう》を守る騎馬武者《きばむしゃ》)から使番《つかいばん》を選《えら》び出し、「黒母衣衆《くろほろしゅう》」「赤母衣衆《あかほろしゅう》」と名づけたことが有名で、豊臣秀吉《とよとみひでよし》の「黄母衣衆《きほろしゅう》」なども知られる。江戸《えど》時代には、側近《そっきん》を表す名誉職《めいよしょく》として母衣衆《ほろしゅう》を残《のこ》す藩《はん》もあった。

豊臣秀吉《とよとみひでよし》の使番《つかいばん》「黄母衣衆《きほろしゅう》」

徳川家康《とくがわいえやす》の使番《つかいばん》

「五」の字は家康《いえやす》の近《きん》習《じゅ》や使番《つかいばん》がつける。

1575年、武田勝頼《たけだかつより》が三河《みかわ》の長篠城《ながしのじょう》を包囲《ほうい》した。
武田信玄の子《たけだしんげんのこ》
武田勝頼《たけだかつより》
長篠城《ながしのじょう》
三河《みかわ》
（愛知県《あいちけん》）
ぐぬぬ
徳川家康《とくがわいえやす》
家康《いえやす》は同盟《どうめい》を組む織田信長《おだのぶなが》にたすけを求《もと》めた。
ズザザッ
よし！
柵《さく》も鉄砲《てっぽう》も指示《しじ》どおりに準備《じゅんび》できたな！
織田信長《おだのぶなが》
よいか！鉄砲《てっぽう》は敵《てき》をよく近づけてうたねばならん！
必《かなら》ず私《わたし》の合図に従《したが》え！
はい！

武田軍《たけだぐん》
勝頼様《かつよりさま》！敵《てき》は大量《たいりょう》の鉄砲《てっぽう》で待ち構《かま》えています！突撃《とつげき》はおやめください！
だまれ
武田《たけだ》の騎馬隊《きばたい》が鉄砲《てっぽう》などに負けるものかっ！
出撃《しゅつげき》だ！
織田軍《おだぐん》を撃破《げきは》しろ！
よしっ 来るぞ
まだだ
もう少し
今だっ！
うてぇ！

まさか！
すごい！
見たか！
これが鉄砲《てっぽう》の威力《いりょく》だ！

合戦《かっせん》33
1575年

長《なが》篠《し》の《の》戦《たたか》い

合戦《かっせん》ハイライト!
武田騎馬隊《たけだきばたい》
連吾川《れんごがわ》
馬防柵《ばぼうさく》

大量《たいりょう》の鉄砲《てっぽう》で武田《たけだ》をたたく！
長篠城《ながしのじょう》の味方を救出《きゅうしゅつ》せねば！

織田信長《おだのぶなが》(1534～1582)

岐阜城《ぎふじょう》(岐阜県《ぎふけん》)を本拠地《ほんきょち》に、浅井氏《あざいし》や朝倉氏《あさくらし》をほろぼし、近畿《きんき》地方を支配《しはい》した。

徳川家康《とくがわいえやす》(1542～1616)

浜松城《はままつじょう》(静岡県《しずおかけん》)を拠点《きょてん》に、東海《とうかい》地方を支配《しはい》。信長《のぶなが》と同盟《どうめい》を結《むす》んでいた。

織田《おだ》・徳川軍《とくがわぐん》

戦力《せんりょく》 約《やく》3万8000人

VS

長篠城《ながしのじょう》を取り返す！

武田勝頼軍《たけだかつよりぐん》

戦力《せんりょく》 約《やく》1万5000人

武田勝頼《たけだかつより》(1546～1582)

武田信玄《たけだしんげん》の後を継《つ》ぎ、甲斐《かい》(現在《げんざい》の山梨《やまなし》県《けん》)を支配《しはい》。家康《いえやす》への攻撃《こうげき》を続《つづ》けていた。

合戦《かっせん》タイプ　野戦《やせん》

合戦場所《かっせんばしょ》

設楽原《したらがはら》
三河《みかわ》(愛知県《あいちけん》)

信長《のぶなが》の作戦《さくせん》

武田騎馬隊《たけだきばたい》の突撃《とつげき》を馬防柵《ばぼうさく》と鉄砲《てっぽう》で破《やぶ》る

長篠城《ながしのじょう》を救《すく》うため信長《のぶなが》は大軍《たいぐん》で出陣《しゅつじん》する

甲斐《かい》(現在《げんざい》の山梨県《やまなしけん》)の武田信玄《たけだしんげん》が死ぬと、徳川家康《とくがわいえやす》は武田方《たけだがた》の長篠城《ながしのじょう》(愛知県《あいちけん》)をうばい取った。この頃《ころ》、武田方《たけだがた》の奥平信昌《おくだいらのぶまさ》が裏切《うらぎ》り、家康《いえやす》の味方になった。家康《いえやす》は信昌《のぶまさ》に長篠城《ながしのじょう》を守らせた。

信昌《のぶまさ》の裏切《うらぎ》りを知って怒《おこ》った勝頼《かつより》(信玄《しんげん》の子)は、1575年、約《やく》1万5000人を率《ひき》いて長篠城《ながしのじょう》を包囲《ほうい》。自らの兵力《へいりょく》では長篠城《ながしのじょう》を救《すく》えないと考えた家康《いえやす》は織田信長《おだのぶなが》にたすけを求《もと》めた。

信長《のぶなが》は約《やく》3万人を率《ひき》いて岐阜《ぎふ》城《じょう》を出発すると、徳川軍《とくがわぐん》約《やく》8000人と合流し、長篠城《ながしのじょう》の西に広がる設楽原《したらがはら》に陣《じん》を構《かま》えた。そして、陣地《じんち》の前に堀《ほり》と土塁《どるい》(土で築《きず》いた堤防《ていぼう》)を築《きず》き、全長2kmにも及《およ》ぶ馬防柵《ばぼうさく》(馬の突進《とっしん》を

長篠《ながしの》の戦《たたか》い
家康方《いえやすがた》の長篠城《ながしのじょう》が武田軍《たけだぐん》に包囲《ほうい》されたため、信長《のぶなが》は援軍《えんぐん》を率《ひき》いて設楽原《したらがはら》に馬防柵《ばぼうさく》を築《きず》き、3000丁の鉄砲《てっぽう》を用意して待ち構《かま》えた。武田騎馬隊《たけだきばたい》は馬防柵《ばぼうさく》に向けて突撃《とつげき》をしかけた。

防《ふせ》ぐ柵《さく》）を設《もう》け、武田軍《たけだぐん》を待ち構《かま》えた。一方の勝頼《かつより》は、信長《のぶなが》の出撃《しゅつげき》を知ると、重臣《じゅうしん》の馬場信春《ばばのぶはる》や山県昌景《やまがたまさかげ》の反対を押《お》し切り、約《やく》1万2000人を率《ひき》いて設楽《したら》原《はら》に向かった。

戦《たたか》いの前日、信長《のぶなが》は家康《いえやす》の家《か》臣《しん》・酒井忠次《さかいただつぐ》を呼《よ》び、4000人の別働隊《べつどうたい》を組織させた。翌朝《よくあさ》、別働隊は長篠城《ながしのじょう》を監視《かんし》していた鳶ケ巣山砦《とびがすやまとりで》をはじめ、武田方《たけだがた》の砦《とりで》を次つぎと攻《せ》め落とし、長篠《ながしの》城《じょう》を落城《らくじょう》の危機《きき》から救《すく》った。

酒井忠次《さかいただつぐ》に作戦《さくせん》を授《さず》ける信長《のぶなが》
戦《たたか》いの前日、信長《のぶなが》は家康《いえやす》の家臣《かしん》・酒井忠次《さかいただつぐ》を呼《よ》び、長篠城《ながしのじょう》を見張《みは》っていた武田軍《たけだぐん》の鳶ケ巣《とびがす》山砦《やまとりで》を奇襲攻撃《きしゅうこうげき》するように命じた。

合戦《かっせん》ハイライト!
武田騎馬隊《たけだきばたい》
馬防柵《ばぼうさく》
織田《おだ》・徳川軍《とくがわぐん》

鉄砲《てっぽう》で攻撃《こうげき》される武田騎馬隊《たけだきばたい》

織田軍《おだぐん》は、馬防柵《ばぼうさく》で突撃《とつげき》を防《ふせ》ぎながら3000丁の鉄砲《てっぽう》を途切《とぎ》れなく射撃《しゃげき》した。これにより、戦国《せんごく》時代に最強《さいきょう》といわれた武田騎馬隊《たけだきばたい》を撃破《げきは》した。

鉄砲《てっぽう》を効果的《こうかてき》に使用し武田騎馬隊《たけだきばたい》を撃破《げきは》する

酒井忠次《さかいただつぐ》の別働隊《べつどうたい》に背後《はいご》を押《お》さえられたことで、勝頼《かつより》は退却《たいきゃく》路《ろ》を失《うしな》い、はさみうちされる形になった。あせった勝頼《かつより》は、正面の織田《おだ》・徳川軍《とくがわぐん》の陣地《じんち》を突破《とっぱ》しようと考え、戦国《せんごく》時代最強《さいきょう》の部隊《ぶたい》といわれた武田軍《たけだぐん》の騎馬隊《きばたい》に突撃《とつげき》を命じた。

当時の鉄砲《てっぽう》「火縄銃《ひなわじゅう》」は強力だったが、1分間に1発ほどしか発射《はっしゃ》できなかったため、使いにくい兵器《へいき》だった。そこで信長《のぶなが》は3000丁もの大量《たいりょう》の鉄砲《てっぽう》を用意し、馬防柵《ばぼうさく》で馬の突進《とっしん》を防《ふせ》ぎながら、交替《こうたい》で絶《た》え間なく射《しゃ》撃《げき》させた。突撃《とつげき》をくり返した武《たけ》田《だ》の騎馬隊《きばたい》は銃弾《じゅうだん》を受けて次つぎと倒《たお》れていった。鉄砲隊《てっぽうたい》に続《つづ》いて織田《おだ》・徳川軍《とくがわぐん》の長槍隊《ながやりたい》が激《はげ》しい攻撃《こうげき》を加《くわ》えると、武田軍《たけだぐん》は総崩《そうくず》れとなり、1万人以上《いじょう》が戦《せん》死《し》した。勝頼《かつより》はわずかな家臣《かしん》とともに戦場《せんじょう》を抜《ぬ》け出し、甲斐《かい》にのがれた。

戦死《せんし》を覚悟《かくご》していた!?
信長《のぶなが》が大軍《たいぐん》を率《ひき》いて設楽原《したらがはら》に進出すると、武田軍《たけだぐん》の武将《ぶしょう》たちは会議《かいぎ》を開いた。
撤退《てったい》するべきです
私《わたし》もそう思います
山県昌景《やまがたまさかげ》
馬場信春《ばばのぶはる》
我《わ》が騎馬隊《きばたい》は最強《さいきょう》だ!
それともお前たちは信長《のぶなが》が恐《こわ》いのか? 臆病者《おくびょうもの》め!
武田勝頼《たけだかつより》
な、何をおっしゃいます!
もう一度、考え直してください!
ならぬ! 決戦《けっせん》だ!
我《われ》らは戦場《せんじょう》で死ぬな…
今晩《こんばん》でお別《わか》れだ…
昌景《まさかげ》や信春《のぶはる》らは、盃《さかずき》を交わして戦《たたか》う前に別《わか》れをおしんだ。

長篠《ながしの》の戦《たたか》い関連《かんれん》地図
馬場信春《ばばのぶはる》
武田軍退路《たけだぐんたいろ》
武田勝頼《たけだかつより》
包囲時《ほういじ》の勝頼本陣《かつよりほんじん》
決戦時《けっせんじ》の勝頼《かつより》
羽柴秀吉《はしばひでよし》
織田信長《おだのぶなが》
徳川家康《とくがわいえやす》
長篠城《ながしのじょう》
鳶ケ巣山砦《とびがすやまとりで》
山県昌景《やまがたまさかげ》
酒井忠次隊《さかいただつぐたい》
設楽原《したらがはら》
合戦《かっせん》ハイライト!
連吾川《れんごがわ》
船着山《ふなつけさん》
豊川《とよがわ》
織田《おだ》・徳川連合軍《とくがわれんごうぐん》
織田信長本陣《おだのぶながほんじん》
織田軍《おだぐん》
徳川家康本陣《とくがわいえやすほんじん》
徳川軍《とくがわぐん》
馬防柵《ばぼうさく》
武田軍《たけだぐん》
武田勝頼本陣《たけだかつよりほんじん》
武田軍《たけだぐん》
武田方《たけだがた》の砦《とりで》

鉄砲隊《てっぽうたい》を指揮《しき》する信長《のぶなが》

信長《のぶなが》は、鉄砲隊《てっぽうたい》による攻撃《こうげき》を続《つづ》けて、長槍隊《ながやりたい》に攻撃《こうげき》させた。武田軍《たけだぐん》は総崩《そうくず》れとなり、勝頼《かつより》は戦場《せんじょう》から逃走《とうそう》した。

合戦《かっせん》の結果《けっか》

信長《のぶなが》の勢力《せいりょく》は天下がねらえるほど強力になり、武田家《たけだけ》の勢力《せいりょく》は急速におとろえた。

織田《おだ》・徳川軍《とくがわぐん》の大勝利《だいしょうり》
防御用《ぼうぎょよう》の馬防柵《ばぼうさく》と、攻撃用《こうげきよう》の鉄砲《てっぽう》を効果的《こうかてき》に使うことができました。
武田騎馬隊《たけだきばたい》を撃破《げきは》した織田信長氏《おだのぶながし》

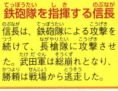

天王寺《てんのうじ》の戦《たたか》い

合戦《かっせん》ハイライト！

何としても天王寺砦《てんのうじとりで》を救《すく》う！

織田信長《おだのぶなが》(1534～1582)

長篠《ながしの》の戦《たたか》いに勝利《しょうり》し、勢力《せいりょく》を強化。対立が続《つづ》いていた石山本願寺《いしやまほんがんじ》への攻撃《こうげき》を再開《さいかい》した。

織田信長軍《おだのぶながぐん》

戦力《せんりょく》 約《やく》3000人

VS

信長《のぶなが》を一撃《いちげき》で倒《たお》す！

石山本願寺軍《いしやまほんがんじぐん》

戦力《せんりょく》 約《やく》1万5000人

雑賀孫一《さいかまごいち》(1534?～1589?)

紀伊《きい》(現在《げんざい》の和歌山県《わかやまけん》)を拠点《きょてん》に活動した鉄砲集団《てっぽうしゅうだん》「雑賀衆《さいかしゅう》」の指《し》導者《どうしゃ》。石山本願寺《いしやまほんがんじ》に味方した。

合戦《かっせん》タイプ　野戦《やせん》

合戦場所《かっせんばしょ》

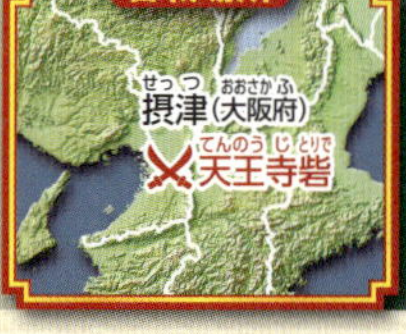
摂津《せっつ》(大阪府《おおさかふ》)
天王寺砦《てんのうじとりで》

信長《のぶなが》の作戦《さくせん》

大軍《たいぐん》の本願寺軍《ほんがんじぐん》に突撃《とつげき》をしかける

天王寺砦《てんのうじとりで》を救《すく》うため敵《てき》の大軍《たいぐん》に突撃《とつげき》する

織田信長《おだのぶなが》との戦《たたか》いで勢《いきお》いを失《うしな》っていた石山本願寺《いしやまほんがんじ》(大阪府《おおさかふ》)は、1576年、中国《ちゅうごく》地方を支《し》配《はい》する毛利輝元《もうりてるもと》と同盟《どうめい》を結《むす》び、勢力《せいりょく》を回復《かいふく》。この勢《いきお》いを止めるため、信長《のぶなが》は明智光秀《あけちみつひで》らに命じて石山本願寺《いしやまほんがんじ》を攻撃《こうげき》させた。

これに対し石山本願寺軍《いしやまほんがんじぐん》は、雑賀孫一《さいかまごいち》の率《ひき》いる雑賀衆《さいかしゅう》を味方につけた。雑賀衆《さいかしゅう》は紀伊《きい》(現在《げんざい》の和歌山県《わかやまけん》)を拠点《きょてん》にする鉄砲集《てっぽうしゅう》団《だん》で、数千の鉄砲《てっぽう》で織田軍《おだぐん》に反《はん》撃《げき》した。織田軍《おだぐん》は敗北《はいぼく》し、光秀《みつひで》の立てこもる天王寺砦《てんのうじとりで》(大阪府《おおさかふ》)は本願寺軍《ほんがんじぐん》に包囲《ほうい》された。

光秀《みつひで》からたすけを求《もと》められた信長《のぶなが》は、すぐに京都《きょうと》を出発したが、急だったので約《やく》3000人の兵《へい》しか集まらなかった。それでも信長《のぶなが》は、「目の前で天王寺《てんのうじ》

❖天王寺《てんのうじ》の戦《たたか》い関連《かんれん》地図

❸信長《のぶなが》の追撃《ついげき》
光秀《みつひで》の軍勢《ぐんぜい》と合流した信長《のぶなが》は本願寺《ほんがんじ》軍《ぐん》に突撃《とつげき》して撃破《げきは》し、石山本願寺《いしやまほんがんじ》まで追いつめた。
顕如《けんにょ》
石山本願寺《いしやまほんがんじ》
❷信長《のぶなが》が救出《きゅうしゅつ》
京都《きょうと》からかけつけた信長《のぶなが》が本願寺軍《ほんがんじぐん》に突撃《とつげき》し、天王寺《てんのうじ》砦《とりで》の光秀《みつひで》を救出《きゅうしゅつ》。
雑賀孫一《さいかまごいち》
合戦ハイライト!
天王寺砦《てんのうじとりで》
織田信長《おだのぶなが》
石山本願寺軍《いしやまほんがんじぐん》

❶天王寺砦《てんのうじとりで》が包囲《ほうい》される

雑賀衆《さいかしゅう》を味方につけた本願寺軍《ほんがんじぐん》が、明智光秀《あけちみつひで》の守る天《てん》王寺砦《のうじとりで》を包囲《ほうい》。

天王寺砦《てんのうじとりで》に突撃《とつげき》する信長《のぶなが》

明智光秀《あけちみつひで》が守る天王寺砦《てんのうじとりで》が、石山本《いしやまほん》願寺軍《がんじぐん》に包囲《ほうい》されたため、信長《のぶなが》は約《やく》3000人を率《ひき》いて、約《やく》1万5000人の石山本願寺軍《いしやまほんがんじぐん》に突撃《とつげき》した。信長《のぶなが》は足を鉄砲《てっぽう》でうたれたが、ひるむことなく戦《たたか》い、勝利《しょうり》した。

砦《とりで》が攻《せ》め落とされたなら、世間の笑《わら》い者になる」と言い、自ら軍《ぐん》の先頭に立って、約《やく》1万5000人の本願寺軍《ほんがんじぐん》に突撃《とつげき》をしかけた。信長《のぶなが》は鉄砲《てっぽう》で足をうたれて負傷《ふしょう》したが、攻撃《こうげき》を続《つづ》け、天《てん》王寺砦《のうじとりで》にかけこんだ。光秀《みつひで》の軍《ぐん》勢《ぜい》と合流した信長《のぶなが》は、家臣《かしん》の反対を押《お》し切り、再《ふたた》び本願寺軍《ほんがんじぐん》に突撃《とつげき》をしかけて撃破《げきは》。本願寺軍《ほんがんじぐん》を石山本願寺《いしやまほんがんじ》に追いつめた。

織田信長軍《おだのぶながぐん》の大勝利《だいしょうり》

鉄砲《てっぽう》で攻撃《こうげき》されても恐《おそ》れずに突撃《とつげき》したのが勝利《しょうり》につながりました。

明智光秀《あけちみつひで》を救《すく》った織田信長氏《おだのぶながし》

合戦《かっせん》の結果《けっか》

野戦《やせん》では信長《のぶなが》に勝てないと思った本願寺軍《ほんがんじぐん》は石山本願寺《いしやまほんがんじ》に立てこもるようになった。

合戦《かっせん》35

1576・1578年

木《き》津《づ》川《がわ》口《ぐち》の戦《たたか》い（第1次・第2次）

合戦《かっせん》タイプ　水上戦《すいじょうせん》

合戦《かっせん》ハイライト！
村上水軍《むらかみすいぐん》
小早《こはや》
小型《こがた》の軍船《ぐんせん》。動きがすばやく、攻撃《こうげき》力《りょく》は高かったが、防御力《ぼうぎょりょく》は弱かった。
関船《せきぶね》
中型《ちゅうがた》の軍船《ぐんせん》。安宅船《あたけぶね》より攻撃力《こうげきりょく》や防御力《ぼうぎょりょく》はなかったが、動きは速かった。

石山本願寺《いしやまほんがんじ》へ食料《しょくりょう》を運びこませるな！
村上水軍《むらかみすいぐん》を木津川口《きづがわぐち》で撃破《げきは》します！

織田信長《おだのぶなが》(1534〜1582)
近畿《きんき》地方の大部分を支《し》配《はい》していたが、反抗《はんこう》する石山本願寺《いしやまほんがんじ》の勢力《せいりょく》と戦《たたか》い続《つづ》けていた。

九鬼嘉隆《くきよしたか》(1542〜1600)
志摩《しま》（現在《げんざい》の三重県《みえけん》）出身で、九鬼水軍《くきすいぐん》を率《ひき》いて信長《のぶなが》に仕えた。

織田信長軍《おだのぶながぐん》

戦力《せんりょく》（第1次）	約《やく》300隻《せき》
戦力《せんりょく》（第2次）	鉄甲船《てっこうせん》6隻《せき》

VS

村上水軍《むらかみすいぐん》の力を見せてやる！

毛利《もうり》・村上軍《むらかみぐん》

戦力《せんりょく》（第1次）	約《やく》700隻《せき》
戦力《せんりょく》（第2次）	約《やく》600隻《せき》

村上武吉《むらかみたけよし》(1533〜1604)
村上水軍《むらかみすいぐん》の指導者《しどうしゃ》。厳《いつく》島《しま》の戦《たたか》いで毛利元就《もうりもとなり》に味方し、木津川口《きづがわぐち》の戦《たたか》い（第2次）に参加《さんか》。

村上元吉《むらかみもとよし》(1553〜1600)
村上武吉《むらかみたけよし》の長男で、木《き》津川口《づがわぐち》の戦《たたか》い（第1次）に参加《さんか》した。

合戦場所《かっせんばしょ》

摂津《せっつ》（大阪府《おおさかふ》）
木津川口《きづがわぐち》

村上軍《むらかみぐん》の作戦《さくせん》
小早《こはや》で敵船《てきせん》に近づき焙烙《ほうろく》や火矢で攻撃《こうげき》する

毛利《もうり》・村《むら》上《かみ》水《すい》軍《ぐん》が火攻《ひぜ》めで勝利《しょうり》する

石山本願寺《いしやまほんがんじ》（大阪府《おおさかふ》）の軍勢《ぐんぜい》は、天王寺《てんのうじ》の戦《たたか》いで敗《やぶ》れた後、寺に立てこもって戦《たたか》うようになった。しかし、石山本願寺《いしやまほんがんじ》は織田《おだ》軍《ぐん》に包囲《ほうい》されてしまったため、武器《ぶき》や食料《しょくりょう》を手に入れられなくなっていた。石山本願寺《いしやまほんがんじ》があった場所は、古代から水上交通の拠点《きょてん》で、海上から船で物を輸送《ゆそう》するのに便利《べんり》だった。石山本願《いしやまほんがん》寺《じ》は中国《ちゅうごく》地方の毛利輝元《もうりてるもと》と同盟《どうめい》を結《むす》び、瀬戸内海《せとないかい》で最強《さいきょう》の水軍《すいぐん》といわれた村上水軍《むらかみすいぐん》と協力《きょうりょく》して、武器《ぶき》や食料《しょくりょう》を石山本願寺《いしやまほんがんじ》に運び入れようとした。

これを止めようとした信長《のぶなが》は、和泉《いずみ》（現在《げんざい》の大阪府《おおさかふ》）の水軍《すいぐん》を中心に、織田水軍《おだすいぐん》を組織《そしき》し、九鬼嘉隆《くきよしたか》を総大将《そうだいしょう》にした。嘉隆《よしたか》の率《ひき》いる約《やく》300隻《せき》の織田水軍《おだすいぐん》

火矢で攻撃《こうげき》する村上水軍《むらかみすいぐん》

村上水軍《むらかみすいぐん》は小早《こはや》で安宅船《あたけぶね》に近づき、火矢や焙烙《ほうろく》などで火攻《ひぜ》めにした。

焙烙《ほうろく》

焙烙《ほうろく》とは、球形の陶器《とうき》に火薬をつめた爆弾《ばくだん》で、導火線《どうかせん》に火をつけて、布《ぬの》や縄《なわ》などを使って敵《てき》に投げこんだ。

織田水軍《おだすいぐん》

安宅船《あたけぶね》

大型《おおがた》の軍船《ぐんせん》。船体の上部に矢や鉄砲《てっぽう》を放《はな》つための矢倉《やぐら》があり、攻撃力《こうげきりょく》は高かったが、速度は速くなかった。

木津川口《きづがわぐち》の戦《たたか》い(第1次)

村上水軍《むらかみすいぐん》は小型船《こがたせん》の小早《こはや》や、中型船《ちゅうがたせん》の関船《せきぶね》ですばやく動きながら織田水軍《おだすいぐん》の大型船《おおがたせん》を火攻《ひぜ》めにした。

織田信長軍《おだのぶながぐん》の大《だい》敗《はい》北《ぼく》
今のままでは村上水軍《むらかみすいぐん》に勝てぬ！嘉隆《よしたか》に燃《も》えない船をつくらせる！

敗戦《はいせん》の報告《ほうこく》を受けた織田信長氏《おだのぶながし》

は、約《やく》700隻《せき》の毛利《もうり》・村上水軍《むらかみすいぐん》と木津川口《きづがわぐち》(大阪湾《おおさかわん》に注ぐ木津川《きづがわ》の河口《かこう》)で激突《げきとつ》した。

村上水軍《むらかみすいぐん》は、小早《こはや》と呼《よ》ばれる快速船《かいそくせん》で織田水軍《おだすいぐん》の攻撃《こうげき》をかいくぐり、焙烙《ほうろく》(手投げ弾《だん》)を投げこんだり、火矢を射《い》たりして、織田水軍《おだすいぐん》の大型船《おおがたせん》「安宅船《あたけぶね》」を火攻《ひぜ》めにした。これにより織田水軍《おだすいぐん》は壊滅《かいめつ》し、武器《ぶき》と食料《しょくりょう》は石山本願寺《いしやまほんがんじ》に送り届《とど》けられた。

木津川口《きづがわぐち》での敗戦《はいせん》の報告《ほうこく》を受けた信長《のぶなが》は、嘉隆《よしたか》に「焙烙《ほうろく》や火矢で攻撃《こうげき》されても燃《も》えない船をつくれ」と命令《めいれい》した。

合戦《かっせん》ハイライト!
鉄甲船《てっこうせん》
表面を鉄板でおおった大型《おおがた》の軍船《ぐんせん》。全長約《やく》22mあり、3門の大砲《たいほう》を装備《そうび》していた。
村上水軍《むらかみすいぐん》

木津川口《きづがわぐち》の戦《たたか》い(第2次)
信長《のぶなが》の命令《めいれい》で嘉隆《よしたか》が建造《けんぞう》した巨大《きょだい》な鉄甲船《てっこうせん》は、大砲《たいほう》で村上水《むらかみすい》軍《ぐん》の軍船《ぐんせん》を破壊《はかい》し、圧勝《あっしょう》した。

嘉隆《よしたか》の鉄甲船《てっこうせん》が村上水軍《むらかみすいぐん》を撃破《げきは》する

信長《のぶなが》から「燃《も》えない船」をつくるように命じられた嘉隆《よしたか》は、船体を鉄板でおおった、全長約《やく》22mの巨大戦艦《きょだいせんかん》「鉄甲船《てっこうせん》」を6隻《せき》建造《けんぞう》した。鉄甲船《てっこうせん》には大砲《たいほう》が装《そう》備《び》されていた。

1578年、毛利水軍《もうりすいぐん》は村《むら》上《かみ》武吉《たけよし》の率《ひき》いる村上水軍《むらかみすいぐん》と協力《きょうりょく》して、武器《ぶき》や食料《しょくりょう》を運びこむため石山本願寺《いしやまほんがんじ》に向かった。嘉隆《よしたか》に率《ひき》いられた鉄甲船《てっこうせん》6隻《せき》は、木《き》津川口《づがわぐち》で、毛利《もうり》・村上軍《むらかみぐん》と再《ふたた》び激突《げきとつ》した。鉄甲船《てっこうせん》は焙烙《ほうろく》や火矢での攻撃《こうげき》をはね返し、敵《てき》の大将《たいしょう》が乗る船に近づくと、大砲《たいほう》で破《は》壊《かい》した。鉄甲船《てっこうせん》の防御力《ぼうぎょりょく》と破壊《はかい》力《りょく》を目の当たりにした毛利《もうり》・村《むら》上水軍《かみすいぐん》は、近づくこともできずに退却《たいきゃく》した。こうして信長《のぶなが》は大《おお》坂湾《さかわん》を完全《かんぜん》に支配《しはい》した。

一方、武器《ぶき》や食料《しょくりょう》が途絶《とだ》えた石山本願寺《いしやまほんがんじ》は、しだいに弱くなり、木津川口《きづがわぐち》の戦《たたか》い(第2次)から2年後、信長《のぶなが》に降伏《こうふく》した。

石山合戦《いしやまかっせん》、その後…

1580年、信長《のぶなが》に降伏《こうふく》した顕如《けんにょ》は石山本願寺《いしやまほんがんじ》を出た。
しかたない…信者《しんじゃ》たちを守るためだ…
しかし、顕如《けんにょ》の子・教如《きょうにょ》たちは石山本願寺《いしやまほんがんじ》に立てこもった。
最後《さいご》まで信長《のぶなが》と戦《たたか》うぞ!
結局《けっきょく》、教如《きょうにょ》たちも降伏《こうふく》した。
教如《きょうにょ》たちが石山本願寺《いしやまほんがんじ》を出ると、原因不明《げんいんふめい》の火事が起きた。
ああ、石山本願寺《いしやまほんがんじ》が燃《も》える…
こうして石山合戦《いしやまかっせん》は終わった。
その3年後、豊臣秀吉《とよとみひでよし》は、この地に大坂城《おおさかじょう》を築《きず》きはじめた。
ここは城《しろ》を築《きず》くには最高《さいこう》の場所じゃ!

木津川口《きづがわぐち》の戦《たたか》い(第2次)関連《かんれん》地図

❷6隻《せき》の織田水軍《おだすいぐん》の鉄甲船《てっこうせん》が木津川《きづがわ》を封鎖《ふうさ》。村上水軍《むらかみすいぐん》の焙烙《ほうろく》・火矢を防《ふせ》いで勝利《しょうり》。
❶毛利方《もうりがた》の村上《むらかみ》水軍約《すいぐんやく》600隻《せき》が大坂湾《おおさかわん》に進撃《しんげき》。
石山本願寺《いしやまほんがんじ》
淀川
木津川
上町台地《うえまちだいち》
大坂湾《おおさかわん》
九鬼嘉隆《くきよしたか》
織田水軍《おだすいぐん》
毛利《もうり》・村上水軍《むらかみすいぐん》
合戦ハイライト!
村上武吉《むらかみたけよし》
本願寺軍《ほんがんじぐん》
織田軍《おだぐん》
現在《げんざい》の地形

降伏《こうふく》を決意する顕如《けんにょ》
村上水軍《むらかみすいぐん》の敗北《はいぼく》により、石山本願寺《いしやまほんがんじ》は食料《しょくりょう》や武器《ぶき》を手に入れることが難《むずか》しくなった。木津川口《きづがわぐち》の戦《たたか》い(第2次)から2年後、顕如《けんにょ》は信長《のぶなが》に降伏《こうふく》した。

合戦《かっせん》の結果《けっか》

この敗戦《はいせん》により、石山本願寺《いしやまほんがんじ》は食料《しょくりょう》や武器《ぶき》の入手が難《むずか》しくなり、2年後に降伏《こうふく》。10年に及《およ》ぶ石山合戦《いしやまかっせん》が終わった。

織田信長軍《おだのぶながぐん》の大勝利《だいしょうり》
鉄甲船《てっこうせん》の建造《けんぞう》に成功《せいこう》したことが勝利《しょうり》につながりました。
織田水軍《おだすいぐん》を率《ひき》いた九鬼嘉隆《くきよしたか》氏

合戦《かっせん》36
1577年

和歌川《わかがわ》の戦《たたか》い

織田軍《おだぐん》
合戦《かっせん》ハイライト!

信長《のぶなが》に雑賀衆《さいかしゅう》の力を見せてやる!

雑賀孫一《さいかまごいち》(1534?〜1589?)

紀伊《きい》(現在《げんざい》の和歌山県《わかやまけん》)の鉄砲集団《てっぽうしゅうだん》「雑賀衆《さいかしゅう》」の指導者《しどうしゃ》。石山合戦《いしやまかっせん》で本願《ほんがん》寺軍《じぐん》に味方し、信長《のぶなが》と戦《たたか》い続《つづ》けた。

雑賀衆《さいかしゅう》 戦力《せんりょく》 約《やく》2000人

VS

雑賀衆《さいかしゅう》をほろぼしてやる!

織田信長軍《おだのぶながぐん》 戦力《せんりょく》 約《やく》10万人

織田信長《おだのぶなが》(1534〜1582)

天王寺《てんのうじ》の戦《たたか》いに勝利《しょうり》し、石山《いしやま》本願寺《ほんがんじ》を追いつめた。その後、雑賀衆《さいかしゅう》への攻撃《こうげき》を開始。

合戦《かっせん》タイプ 野戦《やせん》

合戦場所《かっせんばしょ》

和歌川《わかがわ》
紀伊《きい》(和歌山県《わかやまけん》)

孫一《まごいち》の作戦《さくせん》

川底《かわぞこ》に罠《わな》をしかけて鉄砲《てっぽう》で攻撃《こうげき》する

わずか2000の兵《へい》で10万の大軍《たいぐん》を迎《むか》えうつ

紀伊《きい》(現在《げんざい》の和歌山県《わかやまけん》)の鉄砲《てっぽう》集団《しゅうだん》「雑賀衆《さいかしゅう》」は、石山本願寺《いしやまほんがんじ》(大阪府《おおさかふ》)の味方になり、織田信《おだのぶ》長《なが》を何度も苦しめてきた。1577年、信長《のぶなが》は雑賀衆《さいかしゅう》を攻《せ》めほろぼそうとして、約《やく》10万人の大《たい》軍《ぐん》を率《ひき》いて紀伊《きい》に攻《せ》めこんだ。

これに対する雑賀衆《さいかしゅう》の兵力《へいりょく》は、わずか2000人ほど。まともに戦《たたか》っても勝ち目はないと考えた雑賀衆《さいかしゅう》の指導者《しどうしゃ》・雑賀孫《さいかまご》一《いち》は、本拠地《ほんきょち》の雑賀城《さいかじょう》(和歌山《わかやま》県《けん》)の近くを流れる和歌川《わかがわ》の水をせき止め、川底《かわぞこ》に壺《つぼ》や桶《おけ》などをうめると、再《ふたた》び川に水を流した。そして川岸に馬防柵《ばぼうさく》を築《きず》いて鉄砲隊《てっぽうたい》を並《なら》べて待ち構《かま》えた。

織田軍《おだぐん》は、馬に乗って和歌川《わかがわ》を渡《わた》ろうとしたが、馬の足が壺《つぼ》や桶《おけ》に入って動けなくなった。

❖和歌川《わかがわ》の戦《たたか》いの流れ

❶信長《のぶなが》の出撃《しゅつげき》

1577年2月、石山《いしやま》本願寺《ほんがんじ》に味方をする雑賀衆《さいかしゅう》を倒《たお》すため、信長《のぶなが》は約《やく》10万人の大軍《たいぐん》で紀伊《きい》に攻《せ》めこんだ。

❷罠《わな》をしかける

孫一《まごいち》が率《ひき》いる雑賀衆《さいかしゅう》は、和歌川《わかがわ》の途中《とちゅう》で馬を動けなくさせるため、川の底《そこ》に壺《つぼ》や桶《おけ》などをうめて、待ち構《かま》えた。

❸和歌川《わかがわ》の戦《たたか》い

わなにかかった織田《おだ》軍《ぐん》の騎馬隊《きばたい》が川の途《と》中《ちゅう》で止まったとき、雑賀衆《さいかしゅう》は鉄砲《てっぽう》でねらいうちにした。

和歌川《わかがわ》の戦《たたか》い

織田軍《おだぐん》が攻《せ》めてくる前、雑賀衆《さいかしゅう》は和歌《わか》川《がわ》の底《そこ》に壺《つぼ》などをうめ、川岸には馬の突撃《とつげき》を防《ふせ》ぐ馬防柵《ばぼうさく》を築《きず》いていた。川を渡《わた》ろうとした騎馬隊《きばたい》が足を取られたとき、雑賀衆《さいかしゅう》は鉄砲《てっぽう》でねらいうちにした。

和歌川《わかがわ》
雑賀衆《さいかしゅう》

雑賀衆《さいかしゅう》は、川の途中《とちゅう》で動きが止まった織田軍《おだぐん》を鉄砲《てっぽう》でねらいうちし、大きな被害《ひがい》を与《あた》えた。

その後も雑賀衆《さいかしゅう》は、紀伊《きい》の険《けわ》しい山地を利用《りよう》して待ち伏《ぶ》せ攻《こう》撃《げき》をするなど、織田軍《おだぐん》を約《やく》1か月間、苦しめた。長期戦《ちょうきせん》になるのを避《さ》けたかった信長《のぶなが》は、しかたなく和解《わかい》して、撤退《てったい》した。

雑賀衆《さいかしゅう》の勝利《しょうり》

雑賀衆《さいかしゅう》の鉄砲《てっぽう》の腕前《うでまえ》を、十分に発揮《はっき》できる作戦《さくせん》を実行できました。
雑賀衆《さいかしゅう》を率《ひき》いた
雑賀孫一氏《さいかまごいちし》

合戦《かっせん》の結果《けっか》

戦《たたか》いから半年後、信長《のぶなが》は再《ふたた》び雑賀衆《さいかしゅう》を攻《せ》めたが失敗《しっぱい》した。1580年に石山本願寺《いしやまほんがんじ》が信《のぶ》長《なが》に降伏《こうふく》すると、孫一《まごいち》と雑賀《さいか》衆《しゅう》は信長《のぶなが》の味方になった。

信貴山城《しぎさんじょう》の戦《たたか》い

合戦《かっせん》ハイライト！

落城《らくじょう》する信貴山城《しぎさんじょう》

信貴山城《しぎさんじょう》は防御力《ぼうぎょりょく》の高い山城《やまじろ》だったが、織田信忠《おだのぶただ》が率《ひき》いる約《やく》4万人の織田軍《おだぐん》が総攻撃《そうこうげき》をしかけたことで落城《らくじょう》した。

織田軍《おだぐん》

父の名にかけて、久秀《ひさひで》を倒《たお》す！

織田信忠《おだのぶただ》(1557～1582)

織田信長《おだのぶなが》の長男。岐阜城主《ぎふじょうしゅ》となり、信長《のぶなが》の後継者《こうけいしゃ》として戦場《せんじょう》に向かうことが多くなった。

織田信長軍《おだのぶながぐん》 戦力《せんりょく》 約《やく》4万人

VS

信長《のぶなが》に命令《めいれい》されるのは、もういやだ！

松永久秀軍《まつながひさひでぐん》 戦力《せんりょく》 約《やく》8000人

松永久秀《まつながひさひで》(1510～1577)

もとは三好氏《みよしし》の家臣《かしん》だったが、信長《のぶなが》に仕えた。その後、三好氏《みよしし》と一緒《いっしょ》に信長《のぶなが》に反乱《はんらん》を起こしたが許《ゆる》された。しかし再《ふた》び裏切《うらぎ》り、信貴山城《しぎさんじょう》に立てこもった。

合戦《かっせん》タイプ **攻城戦《こうじょうせん》**

合戦場所《かっせんばしょ》

信貴山城《しぎさんじょう》
大和《やまと》(奈良県《ならけん》)

信長《のぶなが》の作戦《さくせん》

圧倒的《あっとうてき》な兵力《へいりょく》で信貴山城《しぎさんじょう》を攻撃《こうげき》する

信長《のぶなが》を裏切《うらぎ》った久秀《ひさひで》が信貴山城《しぎさんじょう》で敗北《はいぼく》する

松永久秀《まつながひさひで》は、近畿《きんき》地方を支配《しはい》する三好氏《みよしし》の家臣《かしん》だった。1568年に織田信長《おだのぶなが》が京都《きょうと》に入ると、降伏《こうふく》して信長《のぶなが》の家臣《かしん》になったが、その4年後、久秀《ひさひで》は信長《のぶなが》に反乱《はんらん》を起こして敗《やぶ》れた。降伏《こうふく》した久秀《ひさひで》は信長《のぶなが》に許《ゆる》された。

ところが1577年、石山本《いしやまほん》願寺《がんじ》の攻撃《こうげき》に参加《さんか》していた久秀《ひさひで》は、突然《とつぜん》、織田軍《おだぐん》を飛《と》び出し、本拠地《ほんきょち》の信貴山城《しぎさんじょう》(奈良県《ならけん》)に立てこもり、再《ふた》び信長《のぶなが》に反逆《はんぎゃく》した。久秀《ひさひで》の能力《のうりょく》を認《みと》めていた信《のぶ》長《なが》は使者を送り、「思うことがあるなら申してみよ」と伝《つた》えたが、久秀《ひさひで》は無視《むし》した。久秀《ひさひで》は大和《やまと》(現在《げんざい》の奈良県《ならけん》)の支配《しはい》を信《のぶ》長《なが》に認《みと》めてもらえなかったことが不満《ふまん》だったといわれる。

怒《おこ》った信長《のぶなが》は、長男の信忠《のぶただ》を

信貴山城《しぎさんじょう》の戦《たたか》いの流れ

❶久秀《ひさひで》が裏切《うらぎ》る

石山合戦《いしやまかっせん》で織田軍《おだぐん》に参加《さんか》していた久秀《ひさひで》が、突然《とつぜん》、織田軍《おだぐん》から離《はな》れて信貴山城《しぎさんじょう》に立てこもる。

❷信長《のぶなが》が説得《せっとく》する

信長《のぶなが》は久秀《ひさひで》に使者を送り、「思うことがあるなら申してみよ」と説得《せっとく》。しかし久秀《ひさひで》は無視《むし》した。

❸久秀《ひさひで》の敗北《はいぼく》

織田軍《おだぐん》は信貴山城《しぎさんじょう》を落城寸前《らくじょうすんぜん》に追いこむ。信長《のぶなが》は「平蜘蛛《ひらぐも》を渡《わた》せば命をたすける」と伝《つた》えたが、久秀《ひさひで》は平蜘蛛《ひらぐも》を破壊《はかい》し、自害《じがい》。

信貴山城《しぎさんじょう》

総大将《そうだいしょう》に命じて、約《やく》4万人の大《たい》軍《ぐん》で信貴山城《しぎさんじょう》を攻撃《こうげき》させた。信《し》貴山城《ぎさんじょう》は防御力《ぼうぎょりょく》の高い山城《やまじろ》だったので、信忠《のぶただ》は苦戦《くせん》したが、総《そう》攻撃《こうげき》をしかけて、落城《らくじょう》に追いこんだ。このとき久秀《ひさひで》は、平蜘蛛《ひらぐも》と呼《よ》ばれる茶釜《ちゃがま》（茶道《ちゃどう》で使う湯をわかす釜《かま》）を信長《のぶなが》に渡《わた》したくなかったので、平蜘蛛《ひらぐも》を壊《こわ》してから自害《じがい》したという。

織田信長軍《おだのぶながぐん》の大勝利《だいしょうり》

大軍《たいぐん》で一気に総攻撃《そうこうげき》をしかけたことで、強固《きょうこ》な信貴山城《しぎさんじょう》を落城《らくじょう》させられました。

織田軍《おだぐん》を率《ひき》いた織田信忠氏《おだのぶただし》

合戦《かっせん》の結果《けっか》

久秀《ひさひで》に勝利《しょうり》した信長《のぶなが》は、天下統一《とういつ》へ向けて、羽柴秀吉《はしばひでよし》を中《ちゅう》国《ごく》地方へ派遣《はけん》し、毛利氏《もうりし》との戦《たたか》いを本格的《ほんかくてき》にはじめた。

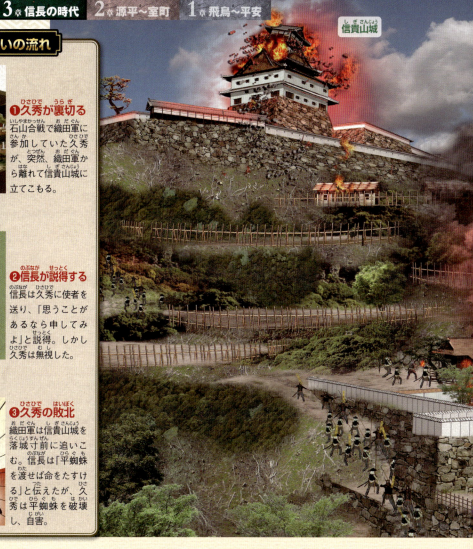

七尾城《ななおじょう》の戦《たたか》い（第2次）

合戦《かっせん》ハイライト！

上杉軍《うえすぎぐん》

畠山家《はたけやまけ》は混乱《こんらん》している！　このすきに能登《のと》を手に入れる！

上杉謙信《うえすぎけんしん》(1530～1578)

越後《えちご》(現在《げんざい》の新潟県《にいがたけん》)の戦国大名《せんごくだいみょう》。合戦《かっせん》に強く、武田信玄《たけだしんげん》や北条氏康《ほうじょううじやす》と戦《たたか》いをくり広げた。

上杉謙信軍《うえすぎけんしんぐん》　戦力《せんりょく》　約《やく》2万人

VS

強固《きょうこ》な七尾城《ななおじょう》は謙信《けんしん》が攻《せ》めても落ちぬ！

畠山春王丸軍《はたけやまはるおうまるぐん》　戦力《せんりょく》　約《やく》1万5000人

長続連《ちょうつぐつら》(?～1577)

畠山家《はたけやまけ》に仕えた武将《ぶしょう》。畠山家《はたけやまけ》の内部争《あらそ》いの中で権力《けんりょく》をにぎった。

合戦《かっせん》タイプ　**攻城戦《こうじょうせん》**

合戦場所《かっせんばしょ》

能登《のと》(石川県《いしかわけん》)
七尾城《ななおじょう》

謙信《けんしん》の作戦《さくせん》

内部工作で畠山家《はたけやまけ》の重臣《じゅうしん》を裏切《うらぎ》らせる

七尾城《ななおじょう》を包囲《ほうい》した後兵糧攻《ひょうろうぜ》めで追いつめる

能登《のと》(現在《げんざい》の石川県《いしかわけん》)は畠山家《はたけやまけ》が支配《しはい》していたが、後継者争《こうけいしゃあらそ》いなどが続《つづ》き、畠山家《はたけやまけ》の勢力《せいりょく》は弱まっていた。やがて5歳《さい》の畠山《はたけやま》春王丸《はるおうまる》が畠山家《はたけやまけ》を継《つ》いだが、実権《じっけん》は家臣《かしん》の長続連《ちょうつぐつら》などがにぎっていた。

畠山家《はたけやまけ》内部の混乱《こんらん》を知った越後《えちご》(現在《げんざい》の新潟県《にいがたけん》)の上杉謙信《うえすぎけんしん》は、領土《りょうど》を拡大《かくだい》する好機《こうき》と考え、約《やく》2万人の大軍《たいぐん》で能登《のと》に攻《せ》めこんだ。謙信《けんしん》は畠山方《はたけやまがた》の城《しろ》を次つぎと落としたが、本拠地《ほんきょち》の七尾城《ななおじょう》(石川県《いしかわけん》)は落とせなかった。このとき関東《かんとう》の北条氏《ほうじょうし》が上杉領内《うえすぎりょうない》に攻《せ》めてきたため、謙信《けんしん》は七尾城攻略《ななおじょうこうりゃく》の拠点《きょてん》として石動山城《せきどうざんじょう》を築《きず》いた後、撤退《てったい》した。

翌年《よくとし》、謙信《けんしん》は約《やく》2万人を率《ひき》いて再《ふたた》び七尾城《ななおじょう》を包囲《ほうい》し、兵糧攻《ひょうろうぜ》

❖七尾城《ななおじょう》の戦《たたか》い関連《かんれん》地図

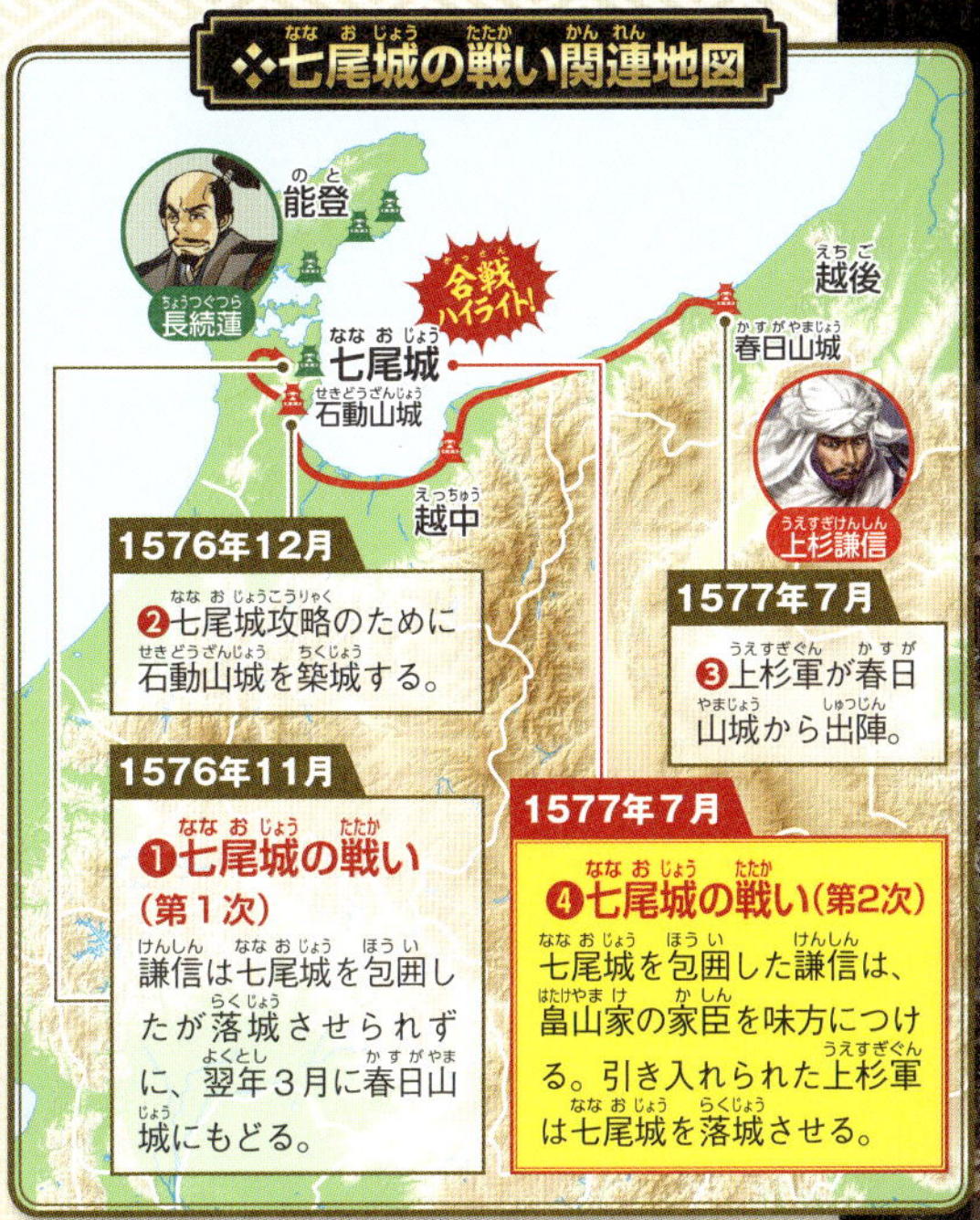
能登《のと》
長続連《ちょうつぐつら》
合戦《かっせん》ハイライト！
七尾城《ななおじょう》
石動山城《せきどうざんじょう》
越中《えっちゅう》
越後《えちご》
春日山城《かすがやまじょう》
上杉謙信《うえすぎけんしん》
1576年12月
❷七尾城攻略《ななおじょうこうりゃく》のために石動山城《せきどうざんじょう》を築城《ちくじょう》する。
1577年7月
❸上杉軍《うえすぎぐん》が春日《かすが》山城《やまじょう》から出陣《しゅつじん》。
1576年11月
❶七尾城《ななおじょう》の戦《たたか》い（第1次）
謙信《けんしん》は七尾城《ななおじょう》を包囲《ほうい》したが落城《らくじょう》させられずに、翌年《よくとし》3月に春日山《かすがやま》城《じょう》にもどる。
1577年7月
❹七尾城《ななおじょう》の戦《たたか》い（第2次）
七尾城《ななおじょう》を包囲《ほうい》した謙信《けんしん》は、畠山家《はたけやまけ》の家臣《かしん》を味方につける。引き入れられた上杉軍《うえすぎぐん》は七尾城《ななおじょう》を落城《らくじょう》させる。

七尾城《ななおじょう》

七尾城《ななおじょう》に侵攻《しんこう》する上杉軍《うえすぎぐん》

1577年9月15日、謙信《けんしん》が味方につけた畠山家《はたけやまけ》の家臣《かしん》が、上杉軍《うえすぎぐん》を七尾城内《ななおじょうない》に引き入れた。七尾城《ななおじょう》は落城《らくじょう》し、長続連《ちょうつぐつら》らは殺《ころ》された。

ビジュアル資料《しりょう》

漢詩をよむ謙信《けんしん》

1577年9月13日、謙信《けんしん》は七尾城内《ななおじょうない》から「畠山家《はたけやまけ》を裏切《うらぎ》る」という手紙を受け取った。勝利《しょうり》を確信《かくしん》した謙信《けんしん》は宴会《えんかい》を開き、「満月《まんげつ》の夜、能登《のと》を手に入れた」という意味の漢詩をよんだ。

めを開始した。七尾城《ななおじょう》には、兵士《へいし》と領民《りょうみん》合わせて約《やく》1万5000人が立てこもっていたが、城内《じょうない》では食料《しょくりょう》が不足《ふそく》し、病気が広まり、春王丸《はるおうまる》は病死した。ここで謙信《けんしん》は、畠山家《はたけやまけ》の家臣《かしん》とひそかに連絡《れんらく》を取り、寝返《ねがえ》るように説得《せっとく》した。これに応《おう》じた家臣《かしん》が、上杉軍《うえすぎぐん》を城内《じょうない》に引き入れたため、七尾城《ななおじょう》はついに落城《らくじょう》した。

上杉謙信軍《うえすぎけんしんぐん》の大勝利《だいしょうり》
畠山家《はたけやまけ》の重臣《じゅうしん》への裏切《うらぎ》り工作が成功《せいこう》しました。
KASSEN
七尾城《ななおじょう》を落城《らくじょう》させた上杉謙信氏《うえすぎけんしんし》

合戦《かっせん》の結果《けっか》

七尾城《ななおじょう》は落城《らくじょう》したが、それを知らない織田軍《おだぐん》の援軍《えんぐん》が北へ向かっていた。これを倒《たお》すため、謙信《けんしん》は南へ進軍《しんぐん》した。

合戦《かっせん》39
1577年

手《て》取《どり》川《がわ》の戦《たたか》い

合戦《かっせん》タイプ　野戦《やせん》

合戦場所《かっせんばしょ》

加賀《かが》(石川県《いしかわけん》)
手取川《てどりがわ》

七尾城《ななおじょう》の救援《きゅうえん》にこちらに向かっている織田軍《おだぐん》を迎《むか》えうつ！

上杉謙信《うえすぎけんしん》(1530～1578)

越後《えちご》(現在《げんざい》の新潟県《にいがたけん》)の戦国大名《せんごくだいみょう》。七尾城《ななおじょう》の戦《たたか》いに勝利《しょうり》したことで、北陸《ほくりく》地方の大半を支配下《しはいか》に置《お》いた。

上杉謙信軍《うえすぎけんしんぐん》　戦力《せんりょく》　約《やく》2万人

VS

七尾城《ななおじょう》を謙信《けんしん》から救《すく》うぞ！

織田信長軍《おだのぶながぐん》　戦力《せんりょく》　約《やく》3万人

柴田勝家《しばたかついえ》(?～1583)

織田信長《おだのぶなが》の若《わか》い頃《ころ》から仕えた武将《ぶしょう》。信長《のぶなが》から北陸《ほくりく》地方の平定を任《まか》された。

合戦《かっせん》ハイライト!

攻撃《こうげき》を命じる謙信《けんしん》

織田軍《おだぐん》が手取川《てどりがわ》を渡《わた》って退却《たいきゃく》をはじめたことを知った謙信《けんしん》は、すぐに攻撃命令《こうげきめいれい》を出し、勝利《しょうり》した。

謙信《けんしん》の作戦《さくせん》

織田軍《おだぐん》が川を渡《わた》るときに攻撃《こうげき》を開始

七尾城《ななおじょう》を落とした後に織田軍《おだぐん》を撃破《げきは》する

七尾城《ななおじょう》の戦《たたか》い(第2次)のとき、上杉謙信軍《うえすぎけんしんぐん》に七尾城《ななおじょう》を包囲《ほうい》された長続連《ちょうつぐつら》は、織田信長《おだのぶなが》にたすけを求《もと》めた。信長《のぶなが》は、すぐに援軍《えんぐん》を送ることを決め、柴田勝《しばたかつ》家《いえ》を総大将《そうだいしょう》に任命《にんめい》すると、羽柴《はしば》秀吉《ひでよし》などの有力武将《ぶしょう》とともに約《やく》3万人を送りこんだ。しかし能《の》登《と》(石川県《いしかわけん》)に向かう途中《とちゅう》、秀吉《ひでよし》は勝家《かついえ》と対立し、信長《のぶなが》に無断《むだん》で織田軍《おだぐん》から離《はな》れてしまった。

一方の謙信《けんしん》は、織田軍《おだぐん》が到着《とうちゃく》する前に七尾城《ななおじょう》を攻め落とし、そのまま南へ軍《ぐん》を進めた。加賀《かが》(現在《げんざい》の石川県《いしかわけん》)の松任城《まっとうじょう》を攻《せ》め落とした謙信《けんしん》は、この城《しろ》に入って態勢《たいせい》を整えた。

北へ進軍《しんぐん》していた勝家《かついえ》は、松《まっ》任城《とうじょう》の南を流れる手取川《てどりがわ》を渡《わた》ったところで、七尾城《ななおじょう》が落城《らくじょう》した

❖手取川《てどりがわ》の戦《たたか》い関連《かんれん》地図

上杉軍《うえすぎぐん》の進路
織田軍《おだぐん》の進路
能登《のと》
七尾城《ななおじょう》
上杉謙信《うえすぎけんしん》
合戦ハイライト!
松任城《まっとうじょう》
越中《えっちゅう》
加賀《かが》
飛騨《ひだ》
越前《えちぜん》
柴田勝家《しばたかついえ》
近江《おうみ》
小谷城《おだにじょう》

1577年9月

❷七尾城《ななおじょう》の戦《たたか》い(第2次)

謙信《けんしん》は、畠山《はたけやま》家の家臣《かしん》を裏《うら》切《ぎ》らせて、七尾城《ななおじょう》を落城《らくじょう》させる。そのまま南へ向かい、松任城《まっとうじょう》を落とした。

1577年9月

❸手取川《てどりがわ》の戦《たたか》い

七尾城《ななおじょう》の落城《らくじょう》を知って退却《たいきゃく》を開始した織田軍《おだぐん》に、上杉軍《うえすぎぐん》がおそいかかって勝利《しょうり》する。

1577年8月

❶織田軍《おだぐん》の北上

七尾城《ななおじょう》からたすけを求《もと》められた信長《のぶなが》は、柴田勝家《しばたかついえ》を総大将《そうだいしょう》として、約《やく》3万人の援《えん》軍《ぐん》を送りこんだ。

ことと、謙信《けんしん》がすぐ近くで待ち構《かま》えていることを知った。あわてた勝家《かついえ》は全軍《ぜんぐん》に退却《たいきゃく》を指示《しじ》したが、謙信《けんしん》はそのすきを見のがさず、一気に攻撃《こうげき》をしかけた。織田《おだ》軍の兵士《へいし》たちは急いでにげたが、ちょうど大雨が降《ふ》って増《ぞう》水《すい》していた手取川《てどりがわ》に追い落とされ、多くがおぼれ死んだ。織田《おだ》軍《ぐん》に圧勝《あっしょう》した謙信《けんしん》は、ひとまず春日山城《かすがやまじょう》(新潟県《にいがたけん》)に帰った。

上杉謙信軍《うえすぎけんしんぐん》の大《だい》勝《しょう》利《り》

織田軍《おだぐん》のすきを見のがさずに攻撃《こうげき》できました。案外《あんがい》、織田軍《おだぐん》は弱かったです。
KASSEN
織田軍《おだぐん》に圧勝《あっしょう》した上杉謙信《うえすぎけんしん》氏《し》

合戦《かっせん》の結果《けっか》

謙信《けんしん》は織田軍《おだぐん》を追撃《ついげき》せず、越《えち》後《ご》に帰った。翌年《よくとし》、謙信《けんしん》は病死し、信長《のぶなが》は救《すく》われた。

合戦《かっせん》ハイライト!
織田軍《おだぐん》
織田軍《おだぐん》
柵《さく》
長治《ながはる》の援軍《えんぐん》が食料《しょくりょう》を届《とど》けられないように、秀吉《ひでよし》は三木城《みきじょう》全体を柵《さく》で囲《かこ》んだ。
三木城《みきじょう》の戦《たたか》い
秀吉《ひでよし》は別所長治《べっしょながはる》が立てこもる三木城《みきじょう》を包囲《ほうい》し、三木城《みきじょう》を見下ろせる場所に本陣《ほんじん》を構《かま》えると、兵糧攻《ひょうろうぜ》めの作戦《さくせん》を取った。長治《ながはる》は2年近く持ちこたえたが、食料《しょくりょう》が尽《つ》きて降伏《こうふく》した。

裏切《うらぎ》り者の長治《ながはる》を倒《たお》せ!三木城《みきじょう》への補給路《ほきゅうろ》を断《た》ち、兵糧攻《ひょうろうぜ》めだ!

羽柴秀吉《はしばひでよし》(1537~1598)

後の豊臣秀吉《とよとみひでよし》。信長《のぶなが》に仕えて活躍《かつやく》し、出世を重ねた。1577年から、信長《のぶなが》に中国《ちゅうごく》地方の平定を任《まか》された。

織田信長軍《おだのぶながぐん》 戦力《せんりょく》 約《やく》5000人

VS

農民《のうみん》出身の秀吉《ひでよし》に従《したが》えるか!

別所長治軍《べっしょながはるぐん》 戦力《せんりょく》 約《やく》7500人

別所長治《べっしょながはる》(1558~1580)

播磨《はりま》(現在《げんざい》の兵庫県《ひょうごけん》)の戦国大名《せんごくだいみょう》。信長《のぶなが》に従《したが》っていたが反逆《はんぎゃく》し、三木城《みきじょう》に立てこもった。

合戦《かっせん》40

1578年

三木城《みきじょう》の戦《たたか》い

合戦《かっせん》タイプ　攻城戦《こうじょうせん》

合戦場所《かっせんばしょ》

播磨《はりま》(兵庫県《ひょうごけん》)
三木城《みきじょう》

秀吉《ひでよし》の作戦《さくせん》

三木城《みきじょう》を包囲《ほうい》して兵糧攻《ひょうろうぜ》めにする

三木城《みきじょう》への補給路《ほきゅうろ》をねばり強く攻撃《こうげき》する

近畿《きんき》地方の大部分を支配下《しはいか》に置《お》いた織田信長《おだのぶなが》は、羽柴秀吉《はしばひでよし》に命じて、毛利輝元《もうりてるもと》が支配《しはい》する中国《ちゅうごく》地方を攻撃《こうげき》させた。中国攻《ちゅうごくぜ》めのため、秀吉《ひでよし》が播磨《はりま》(現在《げんざい》の兵庫県《ひょうごけん》)に進軍《しんぐん》すると、姫路城《ひめじじょう》(兵庫県《ひょうごけん》)の城主《じょうしゅ》だった黒田官兵衛《くろだかんべえ》は、秀吉《ひでよし》の軍師《ぐんし》になり、自分の城《しろ》を秀吉《ひでよし》に差《さ》し出した。官兵衛《かんべえ》は毛利方《もうりがた》だった播磨《はりま》の大名《だいみょう》たちを説得《せっとく》し、信長《のぶなが》の味方にさせた。

しかし1578年、信長方《のぶながかた》についたはずの別所長治《べっしょながはる》が突然《とつぜん》、反乱《はんらん》を起こし、三木城《みきじょう》(兵庫県《ひょうごけん》)に立てこもった。秀吉《ひでよし》は三木城《みきじょう》を包囲《ほうい》し、兵糧攻《ひょうろうぜ》めを開始したが、高砂城《たかさごじょう》や魚住城《うおずみじょう》に運びこまれた食料《しょくりょう》が、三木城《みきじょう》に届《とど》けられていた。秀吉《ひでよし》はこれらの補給路《ほきゅうろ》を攻撃《こうげき》し、さらに三木城《みきじょう》を見下

三木城《みきじょう》の戦《たたか》い関連《かんれん》地図
①三木城《みきじょう》を包囲《ほうい》
秀吉《ひでよし》が三木城《みきじょう》を包囲《ほうい》し、兵糧攻《ひょうろうぜ》めを開始。
長治《ながはる》の補給路《ほきゅうろ》
④新補給路《しんほきゅうろ》を攻撃《こうげき》
織田軍《おだぐん》が新しい補給路《ほきゅうろ》の中継《ちゅうけい》地点だった丹生山砦《たんじょうさんとりで》を攻撃《こうげき》。三木城《みきじょう》は再《ふた》び孤立《こりつ》した。
軍師《ぐんし》・黒田官兵衛《くろだかんべえ》から秀吉《ひでよし》にゆずられ、中国攻《ちゅうごくぜ》めの本拠地《ほんきょち》にした。
羽柴秀吉《はしばひでよし》
姫路城《ひめじじょう》
合戦ハイライト!
三木城《みきじょう》
丹生山砦《たんじょうさんとりで》
高砂城《たかさごじょう》
魚住城《うおずみじょう》
別所長治《べっしょながはる》
花隈城《はなくまじょう》
瀬戸内海《せとないかい》

②補給路《ほきゅうろ》を攻撃《こうげき》

織田軍《おだぐん》は三木城《みきじょう》に食料《しょくりょう》を補給《ほきゅう》していた高砂城《たかさごじょう》・魚住城《うおずみじょう》などを攻撃《こうげき》し、補給路《ほきゅうろ》を断《た》つ。

③新しい補給路《ほきゅうろ》の完成《かんせい》

信長《のぶなが》に反逆《はんぎゃく》した荒木村重《あらきむらしげ》(➡P156)によって、花隈城《はなくまじょう》から三木城《みきじょう》へ新しい補給路《ほきゅうろ》がつくられる。

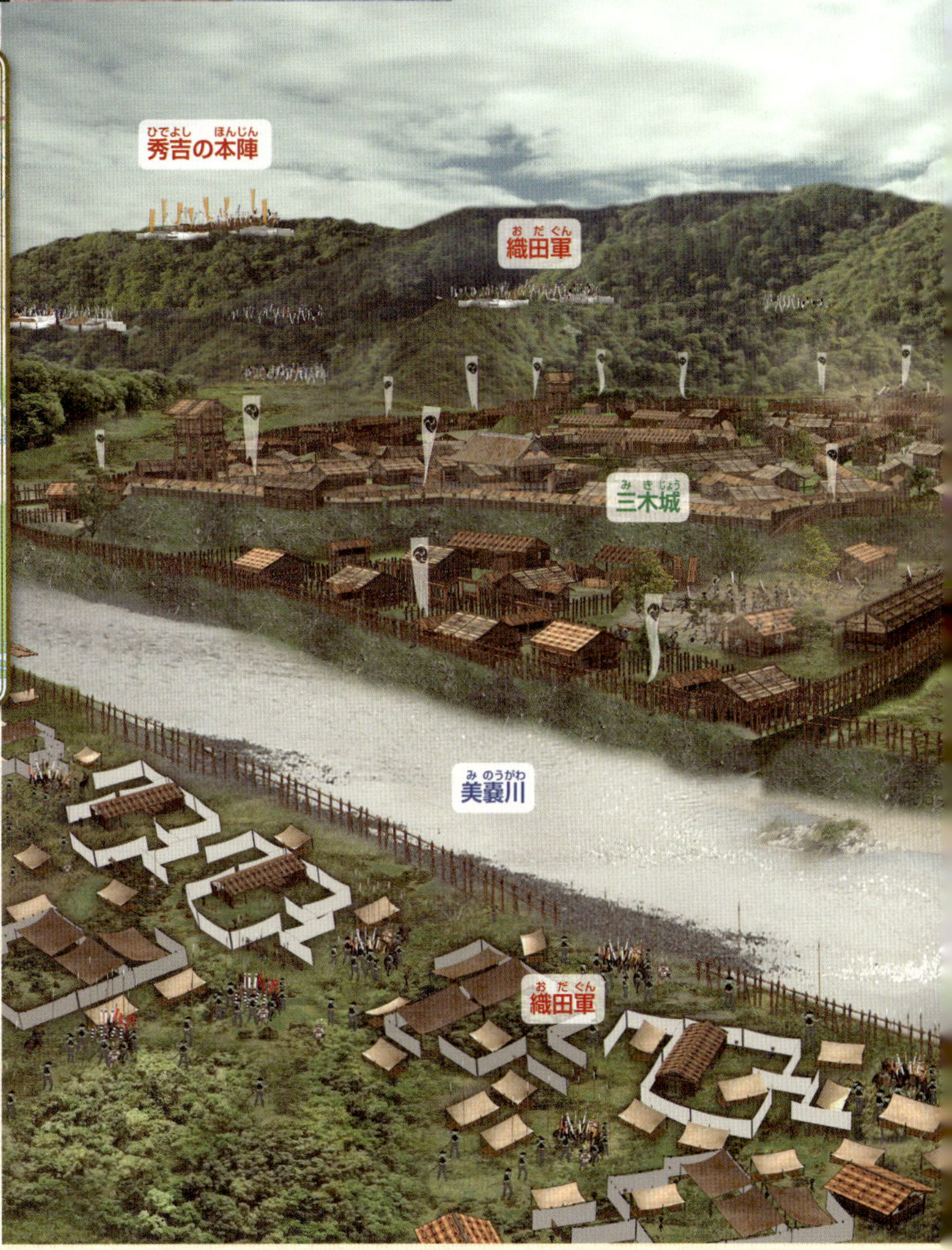

秀吉《ひでよし》の本陣《ほんじん》
織田軍《おだぐん》
三木城《みきじょう》
美嚢川《みのうがわ》
織田軍《おだぐん》

三木《みき》の干殺《ひごろ》し

補給路《ほきゅうろ》が断《た》たれた三木城《みきじょう》では、兵士《へいし》は飢《う》えに苦しんだ。この作戦《さくせん》は、後に「三木《みき》の干殺《ひごろ》し」と呼《よ》ばれた。

ろせる場所に本陣《ほんじん》を構《かま》え、三木《みき》城《じょう》の周囲《しゅうい》を柵《さく》で囲《かこ》んだ。

兵糧攻《ひょうろうぜ》めが続《つづ》く中、荒木村重《あらきむらしげ》が信長《のぶなが》に反乱《はんらん》を起こし、花隈城《はなくまじょう》(兵庫県《ひょうごけん》)から新しい補給路《ほきゅうろ》がつくられたが、秀吉《ひでよし》はこれも攻撃《こうげき》してつぶした。長治《ながはる》は2年近くもちこたえたが、城内《じょうない》では食料《しょくりょう》が完全《かんぜん》になくなった。長治《ながはる》は城《じょう》兵《へい》の命をたすけることを条件《じょうけん》に降伏《こうふく》し、自害《じがい》した。

織田信長軍《おだのぶながぐん》の大勝利《だいしょうり》
ねばり強く兵糧攻《ひょうろうぜ》めを続《つづ》けたのが勝利《しょうり》につながりました。
中国攻《ちゅうごくぜ》めの司令官《しれいかん》・羽柴秀吉氏《はしばひでよしし》

合戦《かっせん》の結果《けっか》

播磨《はりま》の最大勢力《さいだいせいりょく》であった長治《ながはる》を倒《たお》したことで、播磨《はりま》のほかの武将《ぶしょう》も秀吉《ひでよし》に降伏《こうふく》した。

合戦《かっせん》41
1578年

有岡城《ありおかじょう》の戦《たたか》い

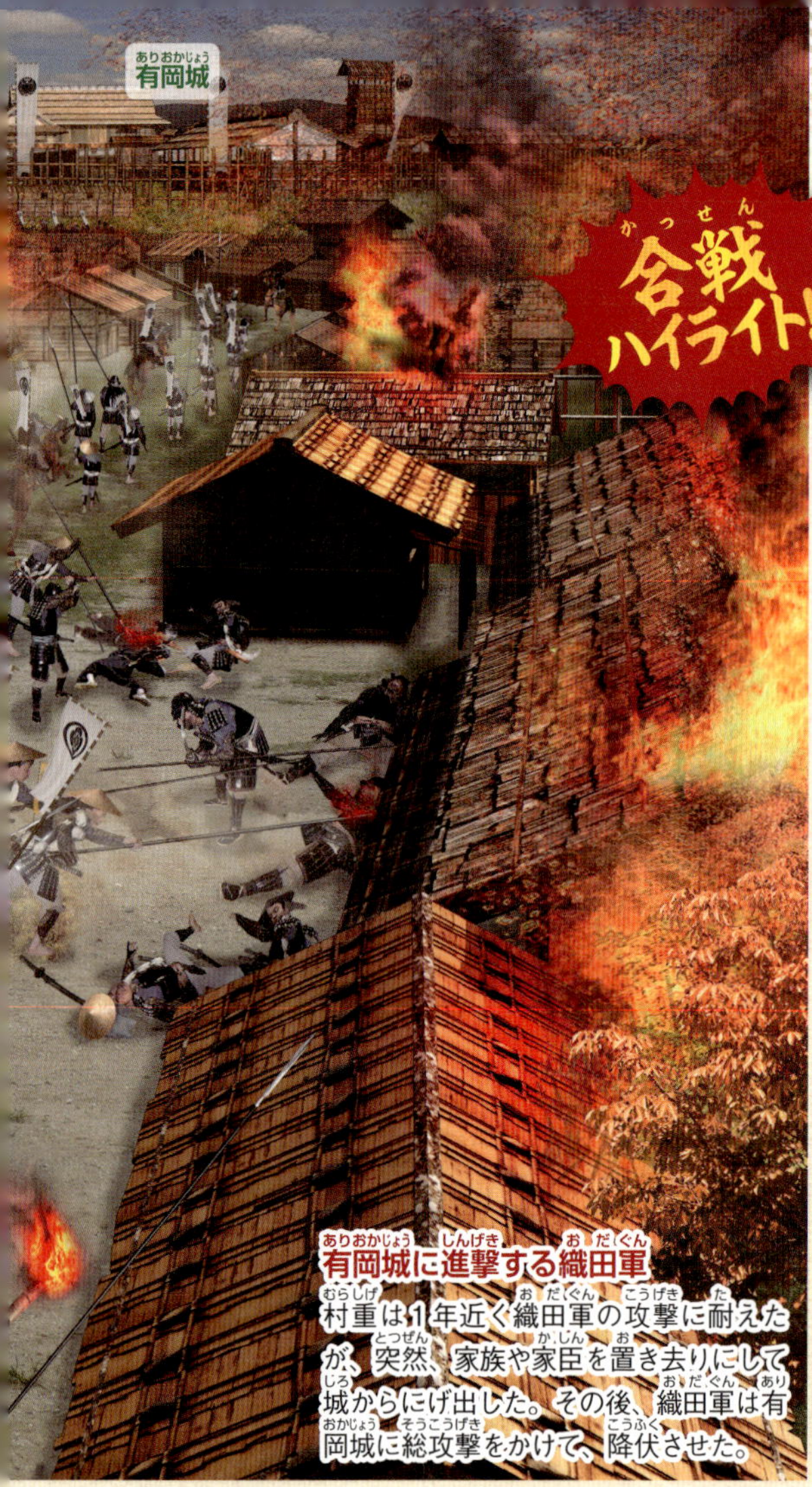
有岡城
合戦《かっせん》ハイライト！

有岡城《ありおかじょう》に進撃《しんげき》する織田軍《おだぐん》
村重《むらしげ》は1年近く織田軍《おだぐん》の攻撃《こうげき》に耐《た》えたが、突然《とつぜん》、家族や家臣《かしん》を置《お》き去りにして城《じろ》からにげ出した。その後、織田軍《おだぐん》は有岡城《ありおかじょう》に総攻撃《そうこうげき》をかけて、降伏《こうふく》させた。

説得《せっとく》を聞き入れたら許《ゆる》してやったのだが…しかたない、村重《むらしげ》を倒《たお》す！

織田信長《おだのぶなが》(1534〜1582)
近畿《きんき》地方を支配下《しはいか》に置《お》いて勢力《せいりょく》を拡大《かくだい》。羽柴秀吉《はしばひでよし》に命じて中国《ちゅうごく》地方の平定を命じた。

織田信長軍《おだのぶながぐん》 戦力《せんりょく》 約《やく》5万人

VS

信長《のぶなが》に疑《うたが》われたら、許《ゆる》してもらえぬ…

荒木村重軍《あらきむらしげぐん》 戦力《せんりょく》 約《やく》1万人

荒木村重《あらきむらしげ》(1535〜1586)
信長《のぶなが》に仕えた武将《ぶしょう》で、有岡城《ありおかじょう》の城主《じょうしゅ》。織田軍《おだぐん》として石山合戦《いしやまかっせん》に参加《さんか》しているとき、突然《とつぜん》、信長《のぶなが》を裏切《うらぎ》った。

合戦《かっせん》タイプ 攻城戦《こうじょうせん》

合戦場所《かっせんばしょ》

播磨《はりま》(兵庫県《ひょうごけん》)
有岡城《ありおかじょう》

信長《のぶなが》の作戦《さくせん》
有岡城《ありおかじょう》を包囲《ほうい》して兵糧攻《ひょうろうぜ》めにする

村重《むらしげ》は家族を捨《す》てて有岡城《ありおかじょう》からにげ出す

荒木村重《あらきむらしげ》は、池田城《いけだじょう》(大阪府《おおさかふ》)の城主《じょうしゅ》・池田氏《いけだし》の家臣《かしん》だったが、後に織田信長《おだのぶなが》の家臣《かしん》となった。村重《むらしげ》は信長《のぶなが》から摂津《せっつ》(現在《げんざい》の大阪府《おおさかふ》〜兵庫県《ひょうごけん》)の支配《しはい》を任《まか》され、有岡城《ありおかじょう》(兵庫県《ひょうごけん》)の城主《じょうしゅ》となった。三木城《みきじょう》の戦《たたか》いがはじまると、村重《むらしげ》は秀吉《ひでよし》が率《ひき》いる織田軍《おだぐん》に加《くわ》わったが、突然《とつぜん》、有岡城《ありおかじょう》に帰って反乱《はんらん》を起こした。

おどろいた信長《のぶなが》は使者を送って考え直すように説得《せっとく》したが、村重《むらしげ》は無視《むし》した。秀吉《ひでよし》も軍師《ぐんし》・黒田官兵衛《くろだかんべえ》を説得《せっとく》に向かわせたが失敗《しっぱい》し、官兵衛《かんべえ》は捕《と》らえられ、ろうやに閉《と》じこめられた。信長《のぶなが》は、「是非《ぜひ》に及《およ》ばず(しかたがない)」と言い、約《やく》5万人の大軍《たいぐん》で有岡城《ありおかじょう》を包囲《ほうい》すると、兵糧攻《ひょうろうぜ》めを開始した。

❖信長《のぶなが》に対して起きた反乱《はんらん》

日本海
若狭湾《わかさわん》
琵琶湖《びわこ》
瀬戸内海《せとないかい》
1578年
❷三木城《みきじょう》の戦《たたか》い
別所長治《べっしょながはる》が反乱《はんらん》を起こし、三《み》木城《きじょう》に立てこもったが、秀吉《ひでよし》の兵糧攻《ひょうろうぜ》めで２年後に落城《らくじょう》。
高山右近《たかやまうこん》は荒木村重《あらきむらしげ》の配下だったが、反《はん》乱《らん》に参加《さんか》せず、信長《のぶなが》に従《したが》った。
合戦ハイライト！
三木城《みきじょう》
有岡城《ありおかじょう》
高槻城《たかつきじょう》
信貴山城《しぎさんじょう》
1578年
❸有岡城《ありおかじょう》の戦《たたか》い
荒木村重《あらきむらしげ》が信長《のぶなが》に反逆《はんぎゃく》し、有岡城《ありおかじょう》に立てこもったが、１年後に村重《むらしげ》が城《しろ》から逃亡《とうぼう》して落城《らくじょう》。
1577年
❶信貴山城《しぎさんじょう》の戦《たたか》い
松永久秀《まつながひさひで》が信長《のぶなが》を裏切《うらぎ》り、信《し》貴山城《ぎさんじょう》に立てこもったが、織《お》田軍《だぐん》の猛攻撃《もうこうげき》で落城《らくじょう》。

有岡城《ありおかじょう》から脱出《だっしゅつ》する村重《むらしげ》

にげた村重《むらしげ》はたすかったが、城《しろ》に残《のこ》った家族《かしん》や家臣《かしん》はすべて処《しょ》刑《けい》された。

織田軍《おだぐん》

村重《むらしげ》は1年近く織田軍《おだぐん》の攻撃《こうげき》に耐《た》えたが、突然《とつぜん》、家族や家臣《かしん》を置《お》き去りにして有岡城《ありおかじょう》からにげ出した。これを知った信長《のぶなが》は総攻撃《そうこうげき》をしかけ、有岡城《ありおかじょう》を落城《らくじょう》させた。官兵衛《かんべえ》は救出《きゅうしゅつ》されたが、足が不自由《ふじゆう》になっていた。信長《のぶなが》は有岡城《ありおかじょう》に残《のこ》っていた村《むら》重《しげ》の家族や家臣《かしん》など約《やく》670人を捕《と》らえ、すべて処刑《しょけい》した。

織田信長軍《おだのぶながぐん》の大勝利《だいしょうり》

大軍《たいぐん》で包囲《ほうい》し、兵糧攻《ひょうろうぜ》めにすれば、有岡城《ありおかじょう》は落とせると思っていました。

有岡城《ありおかじょう》を落とした織田信長氏《おだのぶながし》

合戦《かっせん》の結果《けっか》

生き残《のこ》った村重《むらしげ》は毛利氏《もうりし》を頼《たよ》ったが、勢力《せいりょく》は失《うしな》った。続《ぞく》発《はっ》していた信長《のぶなが》への反乱《はんらん》も一《いち》段落《だんらく》した。

高天神城《たかてんじんじょう》の戦《たたか》い（第2次）

合戦《かっせん》タイプ　攻城戦《こうじょうせん》

合戦場所《かっせんばしょ》
遠江《とおとうみ》（静岡県《しずおかけん》）
高天神城《たかてんじんじょう》

家康《いえやす》の作戦《さくせん》
高天神城《たかてんじんじょう》を包囲《ほうい》して兵糧攻《ひょうろうぜ》めにする

勝頼《かつより》の援軍《えんぐん》がないまま城兵《じょうへい》は皆殺《みなごろ》しにされる

徳川家康《とくがわいえやす》が支配下《しはいか》に置《お》いていた高天神城《たかてんじんじょう》は、遠江《とおとうみ》（現在《げんざい》の静岡《しずおか》県《けん》）の東部に築《きず》かれた山城《やまじろ》で、険《けわ》しい崖《がけ》に囲《かこ》まれていたため、防御力《ぼうぎょりょく》が高かった。

１５７４年、甲斐《かい》（現在《げんざい》の山《やま》梨《なし》県《けん》）の武田勝頼《たけだかつより》は、約《やく》２万５０００人の大軍《たいぐん》で高天神城《たかてんじんじょう》を攻《こう》撃《げき》。家康《いえやす》は織田信長《おだのぶなが》の援軍《えんぐん》を待って武田軍《たけだぐん》と戦《たたか》おうとしたが、信長《のぶなが》は援軍《えんぐん》を送れず、高天《たかてん》神城《じんじょう》は勝頼《かつより》にうばわれた（高天《たかてん》神城《じんじょう》の戦《たたか》い［第1次］）。翌年《よくとし》、長篠《ながしの》の戦《たたか》いで武田軍《たけだぐん》を破《やぶ》った家《い》康《やす》は高天神城《たかてんじんじょう》をうばい返そうと攻撃《こうげき》を続《つづ》けたが、城主《じょうしゅ》・岡部元《おかべもと》信《のぶ》に反撃《はんげき》されて失敗《しっぱい》した。

まともに攻《せ》めても落とせないと考えた家康《いえやす》は、１５８０年、城《しろ》の周囲《しゅうい》に６つの砦《とりで》を築《きず》いて包《ほう》

合戦《かっせん》ハイライト！

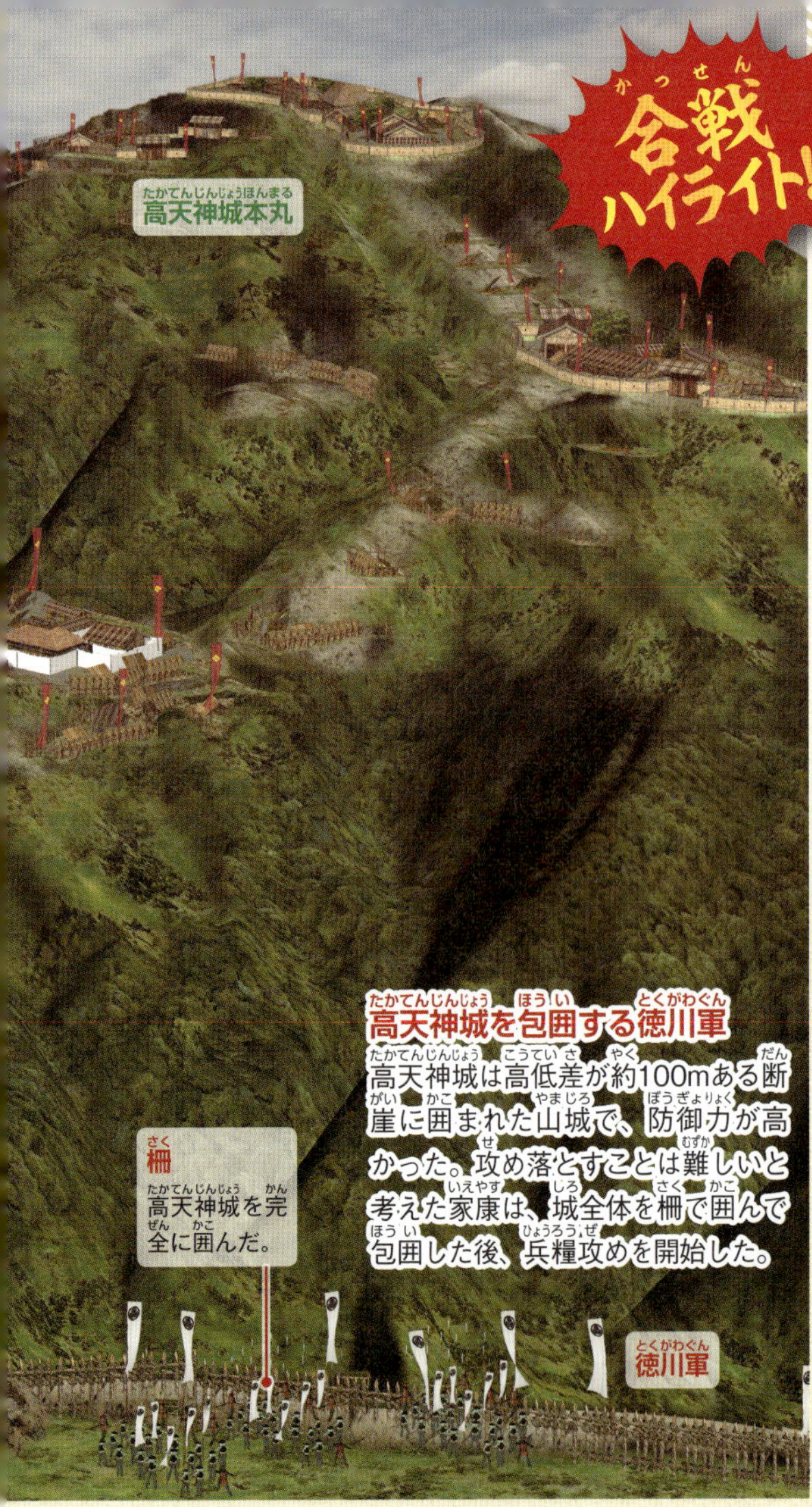
高天神城本丸《たかてんじんじょうほんまる》
柵《さく》
高天神城《たかてんじんじょう》を完全《かんぜん》に囲《かこ》んだ。
徳川軍《とくがわぐん》

高天神城《たかてんじんじょう》を包囲《ほうい》する徳川軍《とくがわぐん》
高天神城《たかてんじんじょう》は高低差《こうていさ》が約《やく》100mある断崖《だんがい》に囲《かこ》まれた山城《やまじろ》で、防御力《ぼうぎょりょく》が高かった。攻《せ》め落とすことは難《むずか》しいと考えた家康《いえやす》は、城《しろ》全体を柵《さく》で囲《かこ》んで包囲《ほうい》した後、兵糧攻《ひょうろうぜ》めを開始した。

勝頼《かつより》にうばわれた
高天神城《たかてんじんじょう》を取りもどす！

徳川家康《とくがわいえやす》（1542〜1616）
信長《のぶなが》と強固《きょうこ》な同盟関係《どうめいかんけい》を結《むす》び、東海《とうかい》地方に勢力《せいりょく》を拡大《かくだい》。高天神《たかてんじん》城《じょう》をめぐって武田勝頼《たけだかつより》と争《あらそ》った。

徳川家康軍《とくがわいえやすぐん》　戦力《せんりょく》　約《やく》5000人

VS

高天神城《たかてんじんじょう》は
渡《わた》さぬ！

武田勝頼軍《たけだかつよりぐん》　戦力《せんりょく》　約《やく》1000人

岡部元信《おかべもとのぶ》（?〜1581）
もとは今川家《いまがわけ》の家臣《かしん》で、後に武田《たけだ》信玄《しんげん》に仕えた。信玄《しんげん》の死後、勝頼《かつより》に仕え、高天神城《たかてんじんじょう》の城主《じょうしゅ》となった。

❖高天神城《たかてんじんじょう》をめぐる争《あらそ》い

❶高天神城《たかてんじんじょう》の戦《たたか》い(第1次)

1574年、勢力《せいりょく》の拡大《かくだい》をねらう勝頼《かつより》は、約《やく》2万5000人の大軍《たいぐん》で家康方《いえやすがた》の高天神城《たかてんじんじょう》を攻撃《こうげき》し、攻《せ》め落とした。

❷高天神城《たかてんじんじょう》の戦《たたか》い(第2次)

家康《いえやす》は高天神城《たかてんじんじょう》を包囲《ほうい》して兵糧《ひょうろう》攻《ぜ》めを開始。耐《た》えられなくなり、城《しろ》から飛《と》び出した武田軍《たけだぐん》を徳川軍《とくがわぐん》が撃破《げきは》した。

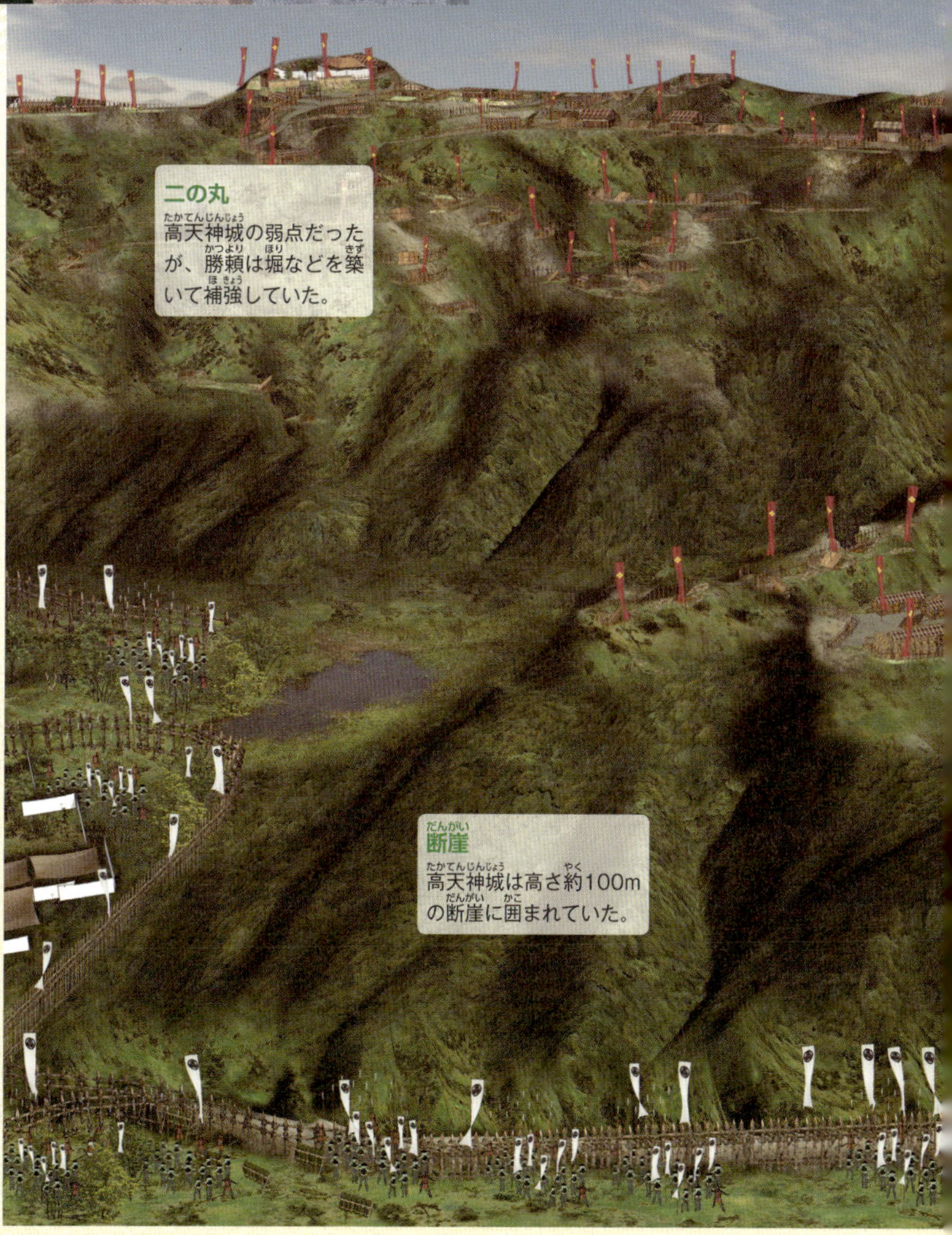
二の丸
高天神城《たかてんじんじょう》の弱点だったが、勝頼《かつより》は堀《ほり》などを築《きず》いて補強《ほきょう》していた。
断崖《だんがい》
高天神城《たかてんじんじょう》は高さ約《やく》100mの断崖《だんがい》に囲《かこ》まれていた。

囲《い》し、兵糧《ひょうろう》攻《ぜ》めを進めた。高天《たかてん》神城内《じんじょうない》では兵《へい》たちが飢《う》えに苦しんだが、勝頼《かつより》は関東《かんとう》の北条氏《ほうじょうし》と争《あらそ》っていたため、援軍《えんぐん》を送ることができなかった。2年に及《およ》ぶ兵糧《ひょうろう》攻《ぜ》めによって、城内《じょうない》では多くの兵《へい》が飢《う》え死にした。敗北《はいぼく》を覚悟《かくご》した元信《もとのぶ》は、生き残《のこ》った兵《へい》たちを率《ひき》いて城《しろ》から突撃《とつげき》したが、徳川軍《とくがわぐん》に次つぎとうち取られ、高天神城《たかてんじんじょう》は落城《らくじょう》した。

徳川家康軍《とくがわいえやすぐん》の大《だい》勝《しょう》利《り》
完璧《かんぺき》な兵糧《ひょうろう》攻《ぜ》めができ、勝頼《かつより》の援軍《えんぐん》もなかったので勝利《しょうり》できました。
高天神城《たかてんじんじょう》をうばい返した徳川家康氏《とくがわいえやすし》

合戦《かっせん》の結果《けっか》

高天神城《たかてんじんじょう》を見殺《みごろ》しにした勝頼《かつより》は家臣《かしん》の信頼《しんらい》を失《うしな》い、武田家《たけだけ》の勢力《せいりょく》はさらにおとろえた。

合戦《かっせん》43
1581年

鳥取城《とっとりじょう》の戦《たたか》い

合戦《かっせん》ハイライト!
秀吉《ひでよし》の本陣《ほんじん》

鳥取城《とっとりじょう》は攻《せ》めるのが難《むずか》しいから兵糧《ひょうろう》攻《ぜ》めにするぞ!

羽柴秀吉《はしばひでよし》(1537~1598)

後の豊臣秀吉《とよとみひでよし》。信長《のぶなが》に仕え、1577年から中国《ちゅうごく》攻《ぜ》めの司令官《しれいかん》となり、三木城《みきじょう》の戦《たたか》いに勝利《しょうり》した。

織田信長軍《おだのぶながぐん》 戦力《せんりょく》 約《やく》2万人

VS

命が尽《つ》きるまで鳥取城《とっとりじょう》を守る!
秀吉《ひでよし》には従《したが》わぬ!

毛利輝元軍《もうりてるもとぐん》 戦力《せんりょく》 約《やく》4000人

吉川経家《きっかわつねいえ》(1547~1581)

吉川元春《きっかわもとはる》の一族で、元春《もとはる》らの命令《めいれい》により、死を覚悟《かくご》して鳥取城《とっとりじょう》の城主《じょうしゅ》となった。

合戦《かっせん》タイプ 攻城戦《こうじょうせん》

合戦場所《かっせんばしょ》

鳥取城《とっとりじょう》
因幡《いなば》(鳥取県《とっとりけん》)

秀吉《ひでよし》の作戦《さくせん》
鳥取城《とっとりじょう》を包囲《ほうい》して兵糧攻《ひょうろうぜ》めにする

秀吉《ひでよし》は米を買い占《し》めて補給基地《ほきゅうきち》を攻《せ》め落とす

三木城《みきじょう》の戦《たたか》いから半年後、羽柴秀吉《はしばひでよし》は因幡《いなば》(現在《げんざい》の鳥取県《とっとりけん》)の鳥取城《とっとりじょう》を攻撃《こうげき》した。鳥取城主《とっとりじょうしゅ》・山名豊国《やまなとよくに》はすぐに降伏《こうふく》したが、豊国《とよくに》の家臣《かしん》たちは城《しろ》に残《のこ》って抵抗《ていこう》し、中国《ちゅうごく》地方を支配《しはい》する毛利《もうり》家《け》の重臣《じゅうしん》・吉川元春《きっかわもとはる》に新しい城主《じょうしゅ》を送るよう求《もと》めた。これにより、吉川《きっかわ》一族の吉川経家《きっかわつねいえ》が鳥取《とっとり》城《じょう》の城主《じょうしゅ》になった。

標高《ひょうこう》263mの山上に築《きず》かれた鳥取城《とっとりじょう》は、防御力《ぼうぎょりょく》の高い山城《やまじろ》で、攻《せ》め落とすことは難《むずか》しかった。兵糧《ひょうろう》攻《ぜ》めを決意した秀吉《ひでよし》は周辺《しゅうへん》の米を高い値段《ねだん》で買い占《し》めた。さらに全長12㎞に及《およ》ぶ包囲《ほうい》網《もう》を築《きず》くと、鳥取城《とっとりじょう》の補給基地《ほきゅうきち》だった雁金城《かりがねじょう》を攻《せ》め落とし、鳥《とっ》取城《とりじょう》を孤立《こりつ》させた。また秀吉《ひでよし》は、周辺《しゅうへん》の農民《のうみん》を攻撃《こうげき》して、鳥《とっ》

❖鳥取城《とっとりじょう》の戦《たたか》い関連《かんれん》地図

経家《つねいえ》の補給路《ほきゅうろ》
❶鳥取城《とっとりじょう》を包囲《ほうい》
秀吉《ひでよし》は鳥取城《とっとりじょう》だけでなく、補《ほ》給基地《きゅうきち》だった丸山城《まるやまじょう》や雁金城《かりがねじょう》も包囲《ほうい》した。
丸山城《まるやまじょう》
鳥取城《とっとりじょう》の補給基地《ほきゅうきち》
鳥取城《とっとりじょう》の補給基地《ほきゅうきち》
雁金城《かりがねじょう》
鳥取城《とっとりじょう》
羽柴秀吉《はしばひでよし》
吉川経家《きっかわつねいえ》
合戦ハイライト!
❷雁金城《かりがねじょう》を攻撃《こうげき》
丸山城《まるやまじょう》から鳥取城《とっとりじょう》への補給基地《ほきゅうきち》だった雁金城《かりがねじょう》を攻撃《こうげき》して落とし、補給路《ほきゅうろ》を断《た》った。
❸鳥取城《とっとりじょう》の落城《らくじょう》
食料《しょくりょう》が尽《つ》きた鳥取城内《とっとりじょうない》では、兵《へい》が飢《う》えで苦しんだ。経家《つねいえ》は自分の命と引き換《か》えに兵《へい》の命を救《すく》うことを条件《じょうけん》に、降伏《こうふく》した。

鳥取城《とっとりじょう》

鳥取城《とっとりじょう》を包囲《ほうい》する秀吉《ひでよし》の軍勢《ぐんぜい》
鳥取城《とっとりじょう》を大軍《たいぐん》で包囲《ほうい》した秀吉《ひでよし》は、1日中太鼓《たいこ》を打ち鳴らして城内《じょうない》の兵《へい》を疲《つか》れさせた。また食料《しょくりょう》や衣服《いふく》の売買をさせるなど、わざと城外《じょうがい》を楽しそうに演出《えんしゅつ》して、敵《てき》の戦意《せんい》を失《うしな》わせた。

取城《とりじょう》へ追いこんだ。城内《じょうない》の人数は4000人ほどに増《ふ》え、食料《しょくりょう》はあっという間になくなり、多くが飢《う》え死にしていった。城《しろ》の外では秀吉《ひでよし》がにぎやかな市場を開いて、城兵《じょうへい》の戦意《せんい》を失《うしな》わせた。

経家《つねいえ》は約《やく》4か月間もちこたえたが、敗北《はいぼく》を認《みと》めると、自分の命と引き換《か》えに城兵《じょうへい》の命を救《すく》ってくれるよう、秀吉《ひでよし》に申し入れた。秀吉《ひでよし》は経家《つねいえ》を許《ゆる》そうとしたが、経家《つねいえ》は断《ことわ》って自害《じがい》した。

合戦《かっせん》の結果《けっか》

勝利《しょうり》した秀吉《ひでよし》は因幡《いなば》を支配《しはい》下に置《お》き、備中《びっちゅう》（現在《げんざい》の岡山《おかやま》県《けん》）への侵攻《しんこう》を開始した。

織田信長軍《おだのぶながぐん》の大勝利《だいしょうり》
鳥取城《とっとりじょう》を完璧《かんぺき》に包囲《ほうい》して兵糧攻《ひょうろうぜ》めができました。
中国攻《ちゅうごくぜ》めの司令官《しれいかん》・
羽柴秀吉氏《はしばひでよしし》
KASSEN

合戦《かっせん》44
1582年

天目山《てんもくざん》の戦《たたか》い

合戦《かっせん》ハイライト！

織田軍《おだぐん》

自害《じがい》する勝頼《かつより》

天目山《てんもくざん》を目指してにげていた勝頼《かつより》一行約《やく》40人は、織田軍《おだぐん》の滝川一益隊《たきがわかずますたい》に追いつかれた。敗北《はいぼく》を覚悟《かくご》した勝頼《かつより》は、切腹《せっぷく》して命を絶《た》った。

父から武田氏《たけだし》をほろぼす大役《たいやく》を任《まか》された！

織田信忠《おだのぶただ》(1557〜1582)

織田信長《おだのぶなが》の長男。岐阜城主《ぎふじょうしゅ》。信長《のぶなが》の後継者《こうけいしゃ》として甲州《こうしゅう》攻《ぜ》めに総大将《そうだいしょう》として参加《さんか》。

織田信長軍《おだのぶながぐん》 戦力《せんりょく》 約《やく》3万人

VS

武田《たけだ》の意地を見せてやる！

武田勝頼軍《たけだかつよりぐん》 戦力《せんりょく》 不明《ふめい》

武田勝頼《たけだかつより》(1546〜1582)

長篠《ながしの》の戦《たたか》いや、高天神城《たかてんじんじょう》の戦《たたか》い(第2次)の敗北《はいぼく》で家臣《かしん》の信頼《しんらい》を失《うしな》った。

合戦《かっせん》タイプ 野戦《やせん》

合戦場所《かっせんばしょ》

天目山《てんもくざん》
甲斐《かい》(山梨県《やまなしけん》)

信長《のぶなが》の作戦《さくせん》

信忠《のぶただ》に大軍《たいぐん》を指揮《しき》させ一気に武田《たけだ》をほろぼす

勝頼《かつより》の家臣《かしん》の裏切《うらぎ》りを攻撃《こうげき》の好機《こうき》と判断《はんだん》する

長篠《ながしの》の戦《たたか》いに敗《やぶ》れ、高天神城《たかてんじんじょう》の戦《たたか》い(第2次)で味方を見殺《みごろ》しにした甲斐《かい》(現在《げんざい》の山梨県《やまなしけん》)の武田勝頼《たけだかつより》は、家臣《かしん》の信頼《しんらい》を失《うしな》っていた。そんな中、福島城《ふくしまじょう》(長野県《ながのけん》)の城主《じょうしゅ》・木曽義昌《きそよしまさ》が、武田家《たけだけ》を裏切《うらぎ》って織田信長《おだのぶなが》についた。武田家《たけだけ》をほろぼす機会《きかい》と判断《はんだん》した信長《のぶなが》は、長男の信忠《のぶただ》を総大将《そうだいしょう》にして、約《やく》3万人の大軍《たいぐん》を武田領《たけだりょう》内《ない》に侵攻《しんこう》させた。さらに徳川家康《とくがわいえやす》に命じて、駿河《するが》(現在《げんざい》の静岡県《しずおかけん》)方面から攻《せ》めこませた。

一方の勝頼《かつより》は、上原城《うえはらじょう》(長野県《ながのけん》)に入り、木曽義昌《きそよしまさ》を攻撃《こうげき》したが敗北《はいぼく》し、本拠地《ほんきょち》の新府城《しんぷじょう》(山梨県《やまなしけん》)に撤退《てったい》した。信忠《のぶただ》率《ひき》いる織田軍《おだぐん》は高遠城《たかとおじょう》(長野県《ながのけん》)を攻《せ》め落とし、徳川軍《とくがわぐん》も新府城《しんぷじょう》に迫《せま》った。勝ち目はないと判断《はんだん》した勝頼《かつより》

甲州《こうしゅうぜ》攻め関連《かんれん》地図

織田軍《おだぐん》進路
武田軍《たけだぐん》進路
織田方《おだがた》の城《しろ》
武田方《たけだがた》の城《しろ》
上原城《うえはらじょう》
信濃《しなの》
高遠城《たかとおじょう》
福島城《ふくしまじょう》
武田勝頼《たけだかつより》
合戦ハイライト!
新府城《しんぷじょう》
天目山《てんもくざん》
木曽川
天竜川
甲斐《かい》
織田信忠《おだのぶただ》
徳川家康《とくがわいえやす》
三河《みかわ》
駿河《するが》
遠江《とおとうみ》
富士川《ふじかわ》

2月16日
❶鳥居峠《とりいとうげ》の戦《たたか》い
武田家《たけだけ》を裏切《うらぎ》った木曽義昌《きそよしまさ》を武田軍《たけだぐん》が攻《せ》めたが敗北《はいぼく》。

3月2日
❷高遠城《たかとおじょう》の戦《たたか》い
勝頼《かつより》の弟・仁科盛信《にしなもりのぶ》が守る高遠城《たかとおじょう》を織田《おだ》信忠《のぶただ》の大軍《たいぐん》が攻《せ》め落とす。

3月11日
❸天目山《てんもくざん》の戦《たたか》い
勝頼《かつより》一行は天目山《てんもくざん》を目指してにげたが、織田軍《おだぐん》に追いつかれて自害《じがい》。

武田勝頼《たけだかつより》

は、新府城《しんぷじょう》を捨《す》てて東へにげたが、家臣《かしん》に裏切《うらぎ》られたり、味方の兵《へい》がにげたりして、従《したが》う者はわずか40人ほどになった。勝頼《かつより》は天目山《てんもくざん》（山梨県《やまなしけん》）を目指したが、その山道で織田軍《おだぐん》の滝川一益《たきがわかずます》隊《たい》に追いつかれると、敗北《はいぼく》を覚悟《かくご》して切腹《せっぷく》した。

勝頼《かつより》の死後、信長《のぶなが》は甲斐《かい》に入り、富士山《ふじさん》などを見物しながら安土城《あづちじょう》（滋賀県《しがけん》）に帰った。

織田信長軍《おだのぶながぐん》の大勝利《だいしょうり》

勝頼《かつより》に追いついたとき、敵兵《てきへい》が少なすぎて勝負になりませんでした。

勝頼《かつより》を自害《じがい》に追いこんだ滝川一益《たきがわかずます》氏

合戦《かっせん》の結果《けっか》

この戦《たたか》いで名門の武田家《たけだけ》はほろびた。信長《のぶなが》は中部《ちゅうぶ》地方も支配《しはい》し、圧倒的《あっとうてき》な勢力《せいりょく》を築《きず》いた。

1582年

備中高松城《びっちゅうたかまつじょう》の戦《たたか》い

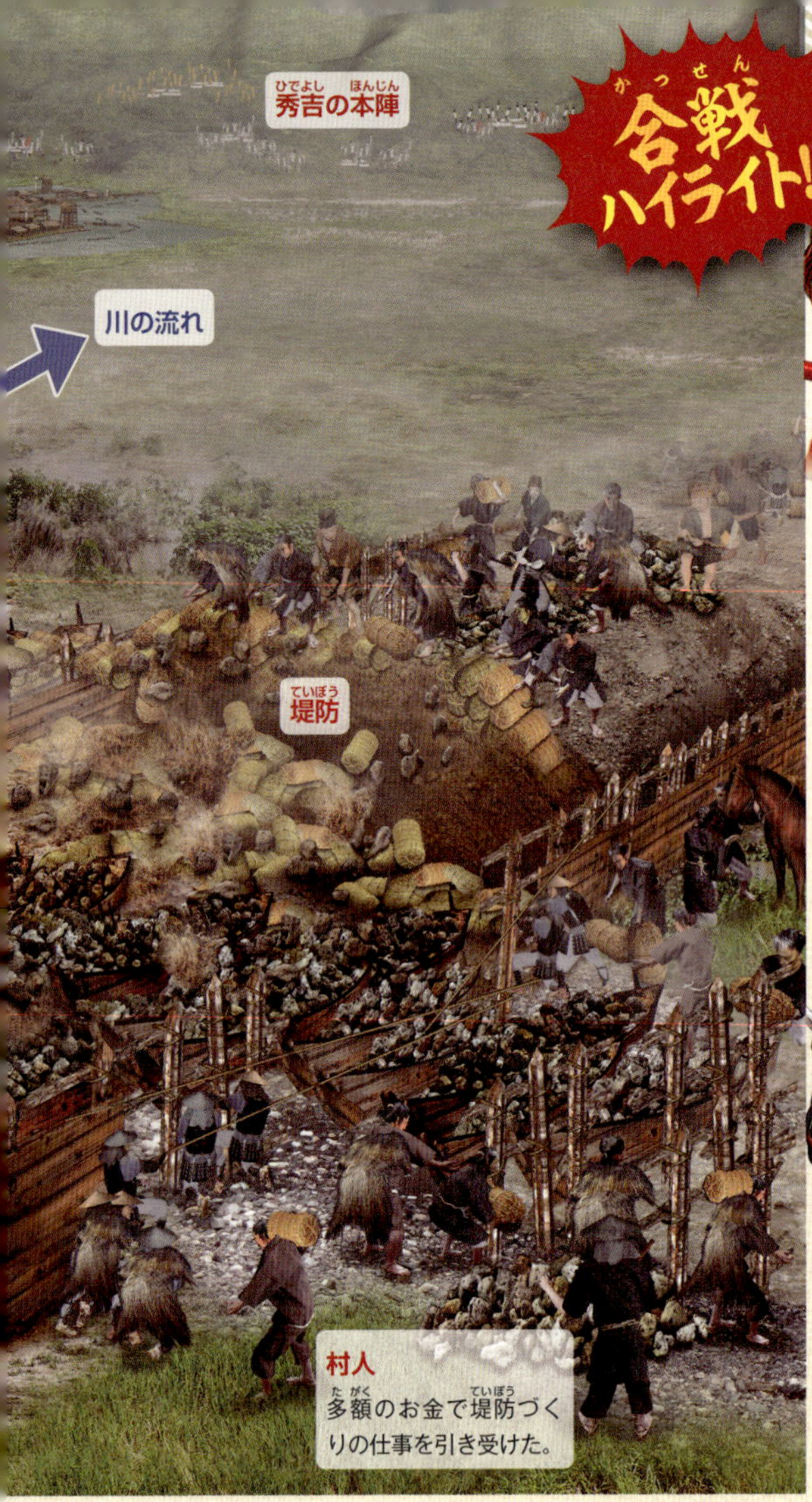
秀吉《ひでよし》の本陣《ほんじん》
川の流れ
堤防《ていぼう》
村人
多額《たがく》のお金で堤防《ていぼう》づくりの仕事を引き受けた。

合戦《かっせん》ハイライト!

一気に備中《びっちゅう》に攻《せ》めこむぞ!
高松城《たかまつじょう》は水攻《みずぜ》めがよいかと…

黒田官兵衛《くろだかんべえ》(1546~1604)
織田信長《おだのぶなが》に仕えた武将《ぶしょう》。秀吉《ひでよし》が中国攻《ちゅうごくぜ》めを任《まか》されると、軍師《ぐんし》として活躍《かつやく》した。

羽柴秀吉《はしばひでよし》(1537~1598)
後の豊臣秀吉《とよとみひでよし》。信長《のぶなが》の家臣《かしん》で中国攻《ちゅうごくぜ》めの司令官《しれいかん》となった。

織田信長軍《おだのぶながぐん》 戦力《せんりょく》 約《やく》3万人

VS

高松城《たかまつじょう》で秀吉《ひでよし》を食い止める!
宗治《むねはる》をたすけなければ!

毛利輝元軍《もうりてるもとぐん》 戦力《せんりょく》 約《やく》5000人

小早川隆景《こばやかわたかかげ》(1533~1597)
毛利元就《もうりもとなり》の三男。兄の吉川元春《きっかわもとはる》とともに毛利《もうり》家を支《ささ》えた。

清水宗治《しみずむねはる》(1537~1582)
備中高松城《びっちゅうたかまつじょう》の城主《じょうしゅ》。小《こ》早川隆景《ばやかわたかかげ》の配下として毛利家《もうりけ》に尽《つ》くした。

合戦《かっせん》タイプ 攻城戦《こうじょうせん》

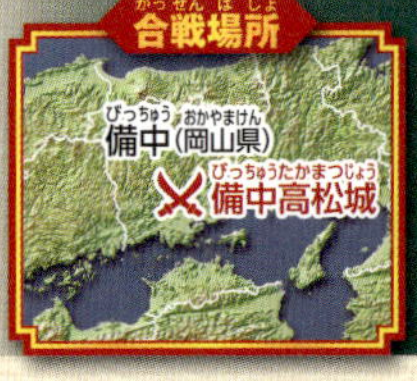
合戦場所《かっせんばしょ》
備中《びっちゅう》(岡山県《おかやまけん》)
備中高松城《びっちゅうたかまつじょう》

秀吉《ひでよし》の作戦《さくせん》
高松城《たかまつじょう》の周囲《しゅうい》に堤防《ていぼう》を築《きず》いて水攻《みずぜ》めにする

わずか12日間で全長3kmの堤防《ていぼう》を築《きず》く

鳥取城《とっとりじょう》を落とした羽柴秀吉《はしばひでよし》は、毛利領《もうりりょう》の東の端《はし》にある備中《びっちゅう》(現在《げんざい》の岡山県《おかやまけん》)の高松城《たかまつじょう》を約《やく》3万人の大軍《たいぐん》で包囲《ほうい》し、攻撃《こうげき》を開始した。高松城《たかまつじょう》は、毛利方《もうりがた》の武将《ぶしょう》・清水宗治《しみずむねはる》が城主《じょうしゅ》をつとめ、約《やく》5000人の兵《へい》が立てこもっていた。高松城《たかまつじょう》は周囲《しゅうい》を山に囲《かこ》まれた沼地《ぬまち》にあり、城《しろ》の南を流れる足守川《あしもりがわ》は天然《てんねん》の水堀《みずぼり》になっていたため、防御力《ぼうぎょりょく》が高かった。簡単《かんたん》に落とせないと感じた秀吉《ひでよし》は織田信長《おだのぶなが》に使者を送り、援軍《えんぐん》を送ってほしいと伝《つた》えた。

苦戦《くせん》する秀吉《ひでよし》に対し、軍師《ぐんし》・黒《くろ》田官兵衛《だかんべえ》は、高松城《たかまつじょう》の周囲《しゅうい》を堤《てい》防《ぼう》で囲《かこ》んで水を流しこむ「水攻《みずぜ》め」を提案《ていあん》した。この案《あん》に賛成《さんせい》した秀吉《ひでよし》は、周辺《しゅうへん》の村から数千人を集め、わずか12日間で全長3

❖備中高松城《びっちゅうたかまつじょう》の戦《たたか》い関連《かんれん》地図

合戦《かっせん》ハイライト!
水没地域《すいぼつちいき》
高松城《たかまつじょう》
黒田官兵衛《くろだかんべえ》
羽柴秀吉《はしばひでよし》
清水宗治《しみずむねはる》
吉川元春《きっかわもとはる》
足守川《あしもりがわ》
❶秀吉《ひでよし》が堤防《ていぼう》を築《きず》く
黒田官兵衛《くろだかんべえ》の提案《ていあん》により、備中高松《びっちゅうたかまつ》城《じょう》を水攻《みずぜ》めにするため、周囲《しゅうい》に堤防《ていぼう》を築《きず》き、足守川《あしもりがわ》の水を引き入れた。
❷毛利軍《もうりぐん》が到着《とうちゃく》する
備中高松城《びっちゅうたかまつじょう》を救《すく》うため、小《こ》早川隆景《ばやかわたかかげ》や吉川元春《きっかわもとはる》らが率《ひき》いる毛利軍《もうりぐん》が到着《とうちゃく》したが、城《しろ》は水没《すいぼつ》していたため、手を出せなかった。
小早川隆景《こばやかわたかかげ》

備中高松城《びっちゅうたかまつじょう》
堤防《ていぼう》の工事
秀吉《ひでよし》は近くの村人に多額《たがく》のお金を渡《わた》して、堤防《ていぼう》を工事させた。全長3kmに及《およ》ぶ堤防《ていぼう》は、わずか12日間で完成《かんせい》したといわれる。

km にも及《およ》ぶ堤防《ていぼう》を築《きず》かせると、足守川《あしもりがわ》の水を堤防内《ていぼうない》に流しこませた。これにより、高松城《たかまつじょう》の周《しゅう》囲《い》は湖のようになり、城《しろ》は完全《かんぜん》に孤立《こりつ》。毛利輝元《もうりてるもと》は約《やく》4万人を率《ひき》いて備中《びっちゅう》に入り、小早川隆景《こばやかわたかかげ》らを高松城《たかまつじょう》に差《さ》し向けたが、水《みず》攻《ぜ》めにされた高松城《たかまつじょう》に近づくことができなかった。高松城内《たかまつじょうない》では食料《しょくりょう》が少なくなり、城兵《じょうへい》の戦《せん》意《い》も失《うしな》われていた。輝元《てるもと》には秀《ひで》吉《よし》と和解《わかい》するしか道は残《のこ》されていなかった。

だが、高松城《たかまつじょう》を包囲《ほうい》していた秀吉《ひでよし》のもとに、京都《きょうと》の本能寺《ほんのうじ》で信長《のぶなが》が明智光秀《あけちみつひで》におそわれて自《じ》害《がい》したことが伝《つた》えられた。

水没《すいぼつ》した備中高松城《びっちゅうたかまつじょう》
堤防《ていぼう》を築《きず》いた後、川の水を流しこむと、備《び》中高松城《ちゅうたかまつじょう》の周囲《しゅうい》は水びたしになった。

合戦《かっせん》ハイライト!
吉川元春《きっかわもとはる》の陣《じん》
備中高松城《びっちゅうたかまつじょう》
黒田官兵衛《くろだかんべえ》
羽柴秀吉《はしばひでよし》

孤立《こりつ》する備中高松城《びっちゅうたかまつじょう》

秀吉《ひでよし》の水攻《みずぜ》めによって、備中高松《びっちゅうたかまつ》城《じょう》は水没《すいぼつ》し、援軍《えんぐん》の毛利軍《もうりぐん》は近づくことができなかった。このとき、秀吉《ひでよし》のもとに、信長《のぶなが》が本能寺《ほんのうじ》で死んだという知らせが届《とど》いたため、秀吉《ひでよし》は清水宗治《しみずむねはる》の切腹《せっぷく》を条件《じょうけん》に毛《もう》利側《りがわ》と和解《わかい》し、京都《きょうと》へ向かった。

一刻《いっこく》も早く光秀《みつひで》を倒《たお》すために毛利《もうり》と和解《わかい》する

信長《のぶなが》の死を知った秀吉《ひでよし》は泣《な》き崩《くず》れたというが、軍師《ぐんし》・官兵衛《かんべえ》は、「すぐに京都《きょうと》にもどって光《みつ》秀《ひで》を倒《たお》すべき」と提案《ていあん》した。そこで秀吉《ひでよし》は、信長《のぶなが》の死を隠《かく》したまま、「城主《じょうしゅ》・清水宗治《しみずむねはる》を切腹《せっぷく》させれば、城兵《じょうへい》の命をたすける」という条件《じょうけん》で和解《わかい》を申し入れた。輝元《てるもと》はこれを受け入れた。

宗治《むねはる》は小舟《こぶね》の上で、両軍《りょうぐん》の兵《へい》士《し》が見守る中、切腹《せっぷく》した。その直後、毛利軍《もうりぐん》へ本能寺《ほんのうじ》の変《へん》が知らされたが、秀吉《ひでよし》を攻撃《こうげき》することはなかった。毛利軍《もうりぐん》の追撃《ついげき》がないことを確認《かくにん》した秀吉《ひでよし》は、軍《ぐん》勢《ぜい》を率《ひき》いて京都《きょうと》へ向かった。

秀吉《ひでよし》は毛利軍《もうりぐん》へ向かう密使《みっし》（秘密《ひみつ》の使《つか》い）をとらえ、信長《のぶなが》が光秀《みつひで》にうたれたことを知った。

隆景《たかかげ》の深い考え!!
宗治《むねはる》の切腹《せっぷく》直後、毛利《もうり》の陣《じん》に本能寺《ほんのうじ》の変《へん》が知らされた。
信長《のぶなが》は本能寺《ほんのうじ》で殺《ころ》されていたぞ！
なんと！
小早川隆景《こばやかわたかかげ》
吉川元春《きっかわもとはる》
秀吉《ひでよし》は我《われ》らをだましていた！許《ゆる》せん！追撃《ついげき》だ！
ま、待て！
和睦《わぼく》を約束《やくそく》したのだ！約束《やくそく》を破《やぶ》れば信用《しんよう》を失《うしな》う！
…わかった
次に天下を取るのは秀吉《ひでよし》だな…今のうちに恩《おん》を売っておこう…

発見《はっけん》！

秀吉《ひでよし》が築《きず》いた堤防跡《ていぼうあと》

秀吉《ひでよし》が、備中高松城《びっちゅうたかまつじょう》を水攻《みずぜ》めしたときに築《きず》いた堤防《ていぼう》の一部が、現在《げんざい》も残《のこ》っている。備中高松城《びっちゅうたかまつじょう》の跡《あと》は、ほとんど残《のこ》っていない(岡山県《おかやまけん》)。

切腹《せっぷく》する宗治《むねはる》

城兵《じょうへい》の命をたすけるため、宗治《むねはる》は毛利軍《もうりぐん》や秀吉《ひでよし》らが見守る中、小舟《こぶね》の上で切腹《せっぷく》した。

小早川隆景《こばやかわたかかげ》の陣《じん》

合戦《かっせん》の結果《けっか》

秀吉《ひでよし》は急いで毛利家《もうりけ》と和解《わかい》したことで、信長《のぶなが》の家臣団《かしんだん》の中で、いち早く京都《きょうと》にもどることができた。

織田信長軍《おだのぶながぐん》の大勝利《だいしょうり》
早く京都《きょうと》へ向かい、信長様《のぶながさま》を裏切《うらぎ》った明智光秀《あけちみつひで》を倒《たお》さねば！
毛利軍《もうりぐん》と和解《わかい》した羽柴秀吉氏《はしばひでよしし》
KASSEN

1582年、明智《あけち》光秀《みつひで》が主君・信長《のぶなが》を裏切《うらぎ》り、本能寺《ほんのうじ》を攻撃《こうげき》した。
ゴォオオオオ
明智光秀《あけちみつひで》
信長《のぶなが》の首を取るのだ！
…信長様《のぶながさま》お許《ゆる》しを
これが世のためです
敵《てき》は誰《だれ》だ！
織田信長《おだのぶなが》
明智軍《あけちぐん》のようです！
森蘭丸《もりらんまる》
光秀《みつひで》だとっ…

信長様《のぶながさま》っ
うわぁ！

蘭丸《らんまる》！
ここもすぐ火がまわる
お前は残《のこ》っている者を連れてにげろ！
信長様《のぶながさま》もにげてください！
私《わたし》の運はここで尽《つ》きた
是非《ぜひ》に及《およ》ばず
そんなっ！
私《わたし》も一緒《いっしょ》に
許《ゆる》さぬ
にげろ
お待ちくだっ…
信長様《のぶながさま》っ

この首だけは
誰《だれ》にもやらぬ
パタン…
ゴオオオオオ
信長様《のぶながさま》ああ！

合戦《かっせん》46
1582年

本《ほん》能《のう》寺《じ》の変《へん》

合戦《かっせん》ハイライト！
桂川《かつらがわ》

京都《きょうと》へ進軍《しんぐん》する明智軍《あけちぐん》

1582年6月1日夜、光秀《みつひで》は丹波亀山《たんばかめやま》城《じょう》を出発したが、中国《ちゅうごく》地方には向かわず、京都《きょうと》へ向けて進軍《しんぐん》した。光秀《みつひで》は桂川《かつらがわ》を渡《わた》ったところで、「敵《てき》は本能《ほんのう》寺《じ》にあり」と叫《さけ》んだと伝《つた》えられる。

敵《てき》は、本能寺《ほんのうじ》にあり！

明智光秀《あけちみつひで》(1528?～1582)

信長《のぶなが》の家臣《かしん》で、数かずの手柄《てがら》により丹波《たんば》(現在《げんざい》の京都府《きょうとふ》)を与《あた》えられた。

明智光秀軍《あけちみつひでぐん》 戦力《せんりょく》 約《やく》1万3000人

VS

京都《きょうと》では本能寺《ほんのうじ》に泊《と》まるか…

織田信長軍《おだのぶながぐん》 戦力《せんりょく》 約《やく》100人

織田信長《おだのぶなが》(1534～1582)

秀吉《ひでよし》からたすけを求《もと》められ、中国《ちゅうごく》攻《ぜ》めを指揮《しき》することを決意。本拠地《ほんきょち》の安土《あづち》城《じょう》(滋賀県《しがけん》)を出発し、京都《きょうと》に入った。

合戦《かっせん》タイプ 攻城戦《こうじょうせん》

合戦場所《かっせんばしょ》

山城《やましろ》(京都府《きょうとふ》)
本能寺《ほんのうじ》

光秀《みつひで》の作戦《さくせん》

大軍《たいぐん》で本能寺《ほんのうじ》の信長《のぶなが》をおそう

中国《ちゅうごく》地方へ向かわずに本能寺《ほんのうじ》へ進撃《しんげき》する

1582年5月、織田信長《おだのぶなが》は武田勝頼《たけだかつより》との戦《たたか》いで手柄《てがら》を立てた徳川家康《とくがわいえやす》などを、安土城《あづちじょう》(滋《し》賀《が》県《けん》)でもてなすため、家臣《かしん》の明智光秀《あけちみつひで》に準備《じゅんび》をさせた。信長《のぶなが》が家康《いえやす》らをもてなしていたとき、備中高松城《びっちゅうたかまつじょう》を攻《せ》めていた羽《は》柴秀吉《しばひでよし》から、援軍《えんぐん》を求《もと》める手紙が届《とど》けられた。信長《のぶなが》は自ら出陣《しゅつじん》して毛利《もうり》家《け》を倒《たお》すことを決めたが、光秀《みつひで》を呼《よ》び出し、自分より先に出発して秀吉《ひでよし》をたすけるように命令《めいれい》した。光秀《みつひで》は本拠地《ほんきょち》の丹波亀山城《たんばかめやまじょう》(京都府《きょうとふ》)に入り、出《しゅつ》撃《げき》の準備《じゅんび》をはじめた。

5月29日、信長《のぶなが》はわずかな家《か》臣《しん》を連《つ》れて安土城《あづちじょう》を出発し、京《きょう》都《と》の本能寺《ほんのうじ》に入った。本能寺《ほんのうじ》は、信長《のぶなが》が京都《きょうと》で宿泊所《しゅくはくじょ》にしていた寺院だった。6月1日、信長《のぶなが》は

明智軍《あけちぐん》の侵攻路《しんこうろ》
❶6月1日午後4時頃《ごろ》、丹波亀《たんばかめ》山城《やまじょう》から出陣《しゅつじん》。
大軍《たいぐん》のため別働隊《べつどうたい》を組織《そしき》し、別《べつ》の山道を進ませた。
❹光秀《みつひで》は2日午前4時頃《ごろ》、本能寺《ほんのうじ》に到着《とうちゃく》。
織田信長《おだのぶなが》
本能寺《ほんのうじ》
嵐山《あらしやま》
四条大路《しじょうおおじ》
七条大路《しちじょうおおじ》
丹波亀山城《たんばかめやまじょう》
明智光秀《あけちみつひで》
沓掛《くつかけ》
桂川《かつらがわ》
❷午後11時頃《ごろ》、全軍《ぜんぐん》が沓掛《くつかけ》で小休止。
❸午前0時過《す》ぎ、桂川《かつらがわ》を渡《わた》ったところで、光秀《みつひで》は「敵《てき》は本能寺《ほんのうじ》にあり」と宣言《せんげん》したという。

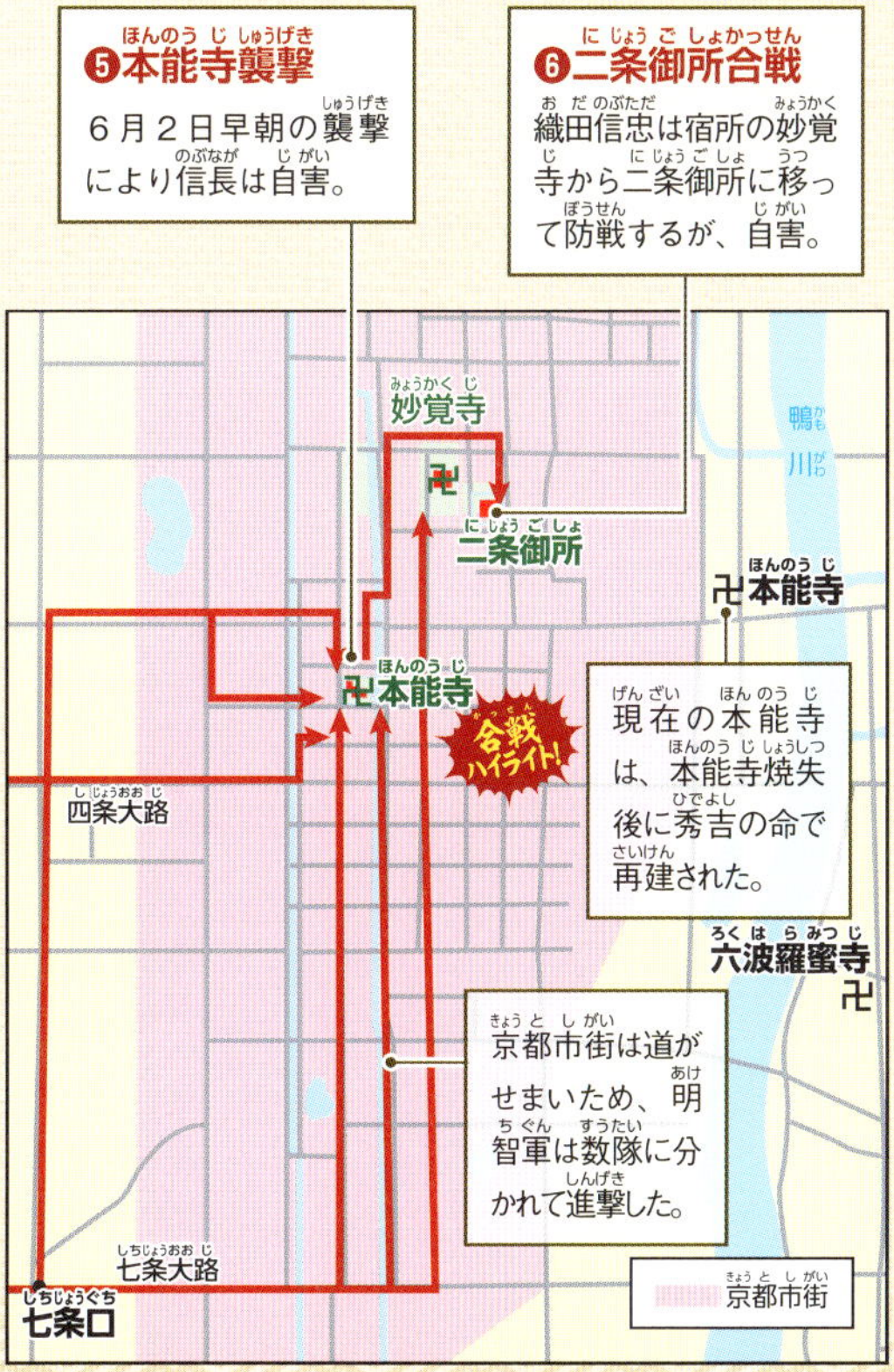
❺本能寺襲撃《ほんのうじしゅうげき》
6月2日早朝の襲撃《しゅうげき》により信長《のぶなが》は自害。
❻二条御所合戦《にじょうごしょかっせん》
織田信忠《おだのぶただ》は宿所の妙覚寺《みょうかくじ》から二条御所《にじょうごしょ》に移《うつ》って防戦《ぼうせん》するが、自害《じがい》。
妙覚寺《みょうかくじ》
鴨川《かもがわ》
二条御所《にじょうごしょ》
本能寺《ほんのうじ》
本能寺《ほんのうじ》
合戦ハイライト!
現在《げんざい》の本能寺《ほんのうじ》は、本能寺焼失《ほんのうじしょうしつ》後に秀吉《ひでよし》の命で再建《さいけん》された。
四条大路《しじょうおおじ》
六波羅蜜寺《ろくはらみつじ》
京都市街《きょうとしがい》は道がせまいため、明智軍《あけちぐん》は数隊《すうたい》に分かれて進撃《しんげき》した。
七条大路《しちじょうおおじ》
七条口《しちじょうぐち》
京都市街《きょうとしがい》

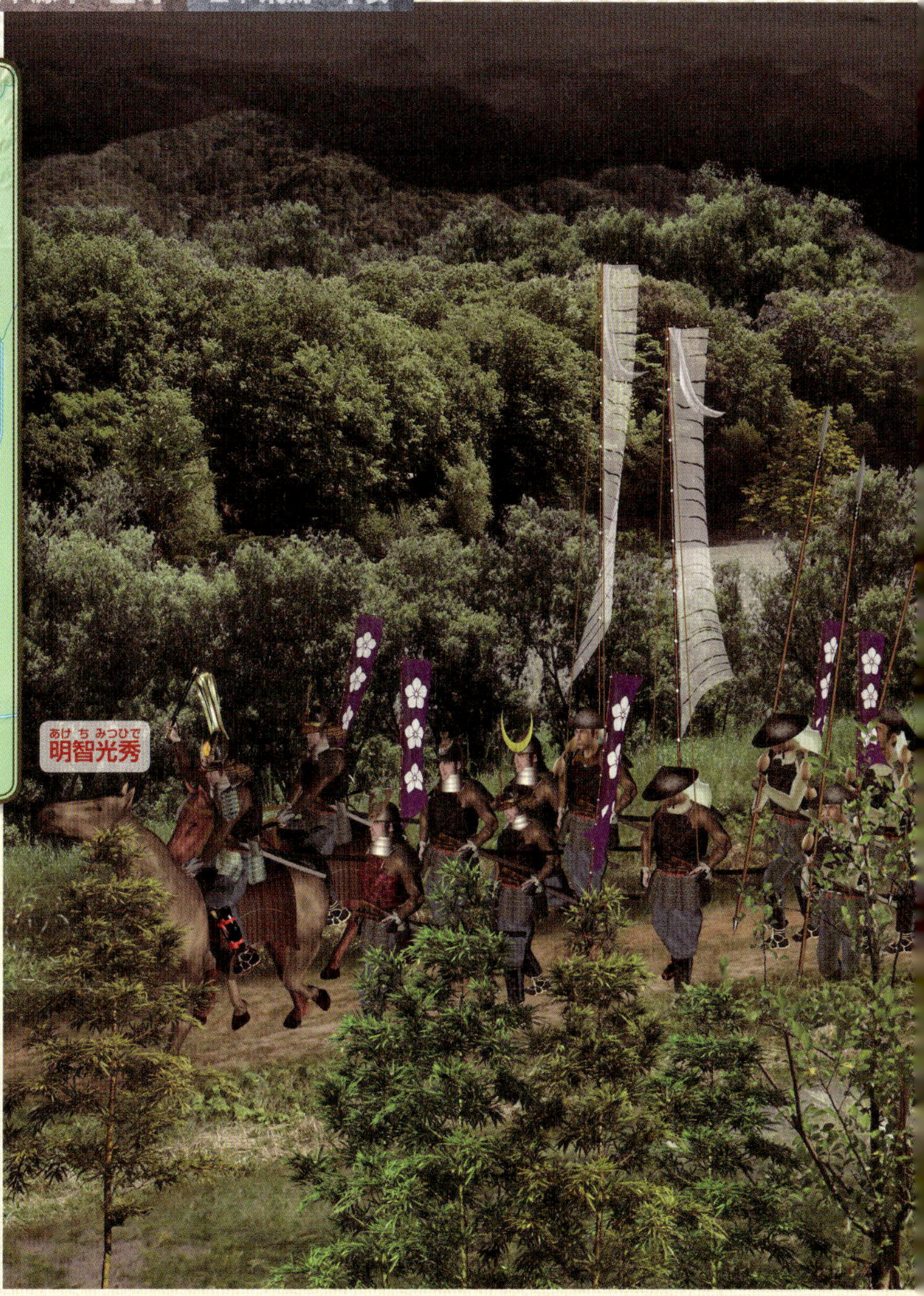
明智光秀《あけちみつひで》

公家《くげ》（朝廷《ちょうてい》に仕《つか》える人）を本能寺《ほんのうじ》に招《まね》いて茶会《ちゃかい》を開いた。夜には長男の信忠《のぶただ》と一緒《いっしょ》に酒を飲み、信忠《のぶただ》が帰った後に寝《ね》た。

一方の光秀《みつひで》は、6月1日の夕方に、約《やく》1万3000人を率《ひき》いて丹波亀山城《たんばかめやまじょう》を出発し、午後11時頃《ごろ》に沓掛《くつかけ》に到着《とうちゃく》した。中国《ちゅうごく》地方に向かうには、沓掛《くつかけ》から右に曲がる道を進まねばならなかったが、光秀《みつひで》はまっすぐ京都《きょうと》へと軍《ぐん》を進めた。そして桂川《かつらがわ》を渡《わた》ったとき、「敵《てき》は本能寺《ほんのうじ》にあり」と叫《さけ》んで京都《きょうと》に進撃《しんげき》し、本能寺《ほんのうじ》を包囲《ほうい》して攻撃《こうげき》を開始した。

明智軍《あけちぐん》におそわれる信長《のぶなが》

6月2日早朝、明智軍《あけちぐん》は本能寺《ほんのうじ》に突入《とつにゅう》し、火を放ちながら、信長《のぶなが》が寝《ね》ている建物《たてもの》に突《つ》き進んだ。信長《のぶなが》は弓や槍《やり》を手にして戦《たたか》った。

最期《さいご》まで戦《たたか》った後に奥《おく》の部屋で自害《じがい》する

6月2日早朝、激《はげ》しい物音に目を覚《さ》ました信長《のぶなが》は、小姓《こしょう》(世話係)の森蘭丸《もりらんまる》を呼《よ》び出し、「謀反《むほん》だな。だれのしわざだ」とたずねた。蘭丸《らんまる》が「明智《あけち》と思われます」と答えると、信長《のぶなが》は「是非《ぜひ》に及《およ》ばず(しかたがない)」とつぶやいたという。

このとき本能寺《ほんのうじ》には100人ほどしかいなかったが、信長《のぶなが》は弓を取って明智軍《あけちぐん》と戦《たたか》いはじめた。弓の弦《つる》が切れると、次は槍《やり》をもって戦《たたか》ったが、ひじを突《つ》かれて負傷《ふしょう》すると、負けを覚悟《かくご》して奥《おく》の部屋に引き下がった。本《ほん》能寺《のうじ》には火が放たれ、炎《ほのお》が広まったが、信長《のぶなが》は周囲《しゅうい》にいた女性《じょせい》たちに、「女たちはにげても見苦しくないから、急いでここから脱出《だっしゅつ》せよ」と命じた。

ひとりになった信長《のぶなが》は、奥《おく》の部屋に入ってかぎを閉《し》めると、炎《ほのお》の中で自害《じがい》した。焼《や》け跡《あと》から信長《のぶなが》の死体は見つからなかった。

信長《のぶなが》の最期《さいご》を記録《きろく》!!

信長《のぶなが》の家臣《かしん》・太田牛一《おおたぎゅういち》は信長《のぶなが》のことを記録《きろく》するのが趣味《しゅみ》だった。
出陣《しゅつじん》じゃ！
偉大《いだい》な信長様《のぶながさま》の行動を正しく記録《きろく》せねば！
太田牛一《おおたぎゅういち》
太田殿《おおたどの》、信長様《のぶながさま》は本能寺《ほんのうじ》で明智《あけち》におそわれて自害《じがい》なされた！
何っ!?
これは記録《きろく》に残《のこ》さねば！
牛一《ぎゅういち》は本能寺《ほんのうじ》の変《へん》で生き残《のこ》った女性《じょせい》に取材《しゅざい》した。
上様《うえさま》は明智《あけち》の謀反《むほん》を知ったとき「是非《ぜひ》に及《およ》ばず」と…
信長様《のぶながさま》らしいお言葉だ…
その後、牛一《ぎゅういち》は信長《のぶなが》の記録《きろく》を本にまとめた。
信長様《のぶながさま》の人生を後世に伝《つた》えるのが私《わたし》の仕事だ！
この『信長公記《しんちょうこうき》』は信長《のぶなが》に関《かん》する重要《じゅうよう》な資料《しりょう》となった。

森蘭丸《もりらんまる》
織田信長《おだのぶなが》
本能寺焼討之圖

ビジュアル資料《しりょう》

襲撃《しゅうげき》される信長《のぶなが》

信長《のぶなが》は、小姓《こしょう》(世話係)の森蘭丸《もりらんまる》らとともにおそいかかる明智軍《あけちぐん》の兵士《へいし》と戦《たたか》った。明智軍《あけちぐん》の兵士《へいし》は、戦《たたか》っている相手は信長《のぶなが》ではなく、徳川家康《とくがわいえやす》だと思っていたという。

炎《ほのお》の中で舞《ま》う信長《のぶなが》

戦《たたか》いの最中《さいちゅう》にけがをした信長《のぶなが》は、奥《おく》の部屋に入り、炎《ほのお》の中で命を絶《た》った。死の直前、信長《のぶなが》は『敦盛《あつもり》』を舞《ま》ったという伝説《でんせつ》がある。

合戦《かっせん》の結果《けっか》

光秀《みつひで》は本能寺《ほんのうじ》をおそった後、すぐに軍勢《ぐんぜい》を率《ひき》いて、二条御所《にじょうごしょ》に立てこもった織田信忠《おだのぶただ》への攻撃《こうげき》を開始した。

明智光秀軍《あけちみつひでぐん》の大勝利《だいしょうり》
完全《かんぜん》に油断《ゆだん》していた信長《のぶなが》のすきをつくことができました。
主君・信長《のぶなが》を倒《たお》した明智光秀氏《あけちみつひでし》

合戦《かっせん》47
1582年

二条御所合戦《にじょうごしょかっせん》

合戦《かっせん》ハイライト!
妙覚寺《みょうかくじ》
信忠《のぶただ》が泊《と》まっていた寺。
二条御所合戦《にじょうごしょかっせん》
本能寺《ほんのうじ》を襲撃《しゅうげき》した明智軍《あけちぐん》は、信長《のぶなが》を自害《じがい》に追いこむと、信忠《のぶただ》が立てこもった二条御所《にじょうごしょ》を包囲《ほうい》し、鉄砲《てっぽう》や弓矢で攻撃《こうげき》を開始した。

織田《おだ》をほろぼして天下を取る!
いさぎよく戦《たたか》って死のう!
VS

明智光秀《あけちみつひで》(1528?~1582)
信長《のぶなが》に信頼《しんらい》された家臣《かしん》だったが反《はん》乱《らん》を起こし、本能寺《ほんのうじ》に泊《と》まっていた信長《のぶなが》をおそって自害《じがい》させた。

明智光秀軍《あけちみつひでぐん》 戦力《せんりょく》 約《やく》1万人

織田信忠軍《おだのぶただぐん》 戦力《せんりょく》 約《やく》1500人

織田信忠《おだのぶただ》(1557~1582)
織田信長《おだのぶなが》の長男。信長《のぶなが》とともに京都《きょうと》に入ったとき、本《ほん》能寺《のうじ》の変《へん》が起きた。

合戦《かっせん》タイプ 攻城戦《こうじょうせん》

合戦場所《かっせんばしょ》

二条御所《にじょうごしょ》
山城《やましろ》(京都府《きょうとふ》)

光秀《みつひで》の作戦《さくせん》
二条御所《にじょうごしょ》を大軍《たいぐん》で包囲《ほうい》して攻撃《こうげき》する

父・信長《のぶなが》に続《つづ》いて信忠《のぶただ》は光秀《みつひで》に倒《たお》される

信長《のぶなが》の長男・信忠《のぶただ》は、本能寺《ほんのうじ》で信長《のぶなが》と一緒《いっしょ》に酒を飲んだ後、妙覚寺《みょうかくじ》に泊《と》まっていた。

本能寺《ほんのうじ》が明智光秀《あけちみつひで》におそわれたことを知った信忠《のぶただ》は、父・信《のぶ》長《なが》をたすけに向かおうとしたが、信長《のぶなが》が自害《じがい》したという知らせを受けた。明智軍《あけちぐん》が妙覚寺《みょうかくじ》を攻《せ》めてくると予想した信忠《のぶただ》は、近くにある二条御所《にじょうごしょ》に入った。二条御所《にじょうごしょ》は堀《ほり》と石垣《いしがき》に囲《かこ》まれていたため、妙覚寺《みょうかくじ》より防御力《ぼうぎょりょく》が高かった。信忠《のぶただ》は家臣《かしん》から安土《あづち》城《じょう》(滋賀県《しがけん》)へにげるように提案《ていあん》されたが、信忠《のぶただ》は「光秀《みつひで》のことだから、万が一にも、にげ道はないだろう。敵兵《てきへい》に殺《ころ》されるよりここで切腹《せっぷく》したい」と答えた。

約《やく》1万人の明智軍《あけちぐん》が二条御所《にじょうごしょ》を包囲《ほうい》したとき、信忠軍《のぶただぐん》は15

二条御所《にじょうごしょ》
妙覚寺《みょうかくじ》
本能寺《ほんのうじ》

ビジュアル資料《しりょう》
二条御所《にじょうごしょ》と本能寺《ほんのうじ》
当時の京都《きょうと》市街《しがい》をえがいた絵に、二条御《にじょうご》所《しょ》や本能寺《ほんのうじ》、妙覚寺《みょうかくじ》などが見られる。

明智軍《あけちぐん》と戦《たたか》う信忠《のぶただ》
信忠《のぶただ》は武器《ぶき》を取って明智軍《あけちぐん》と激《はげ》しく戦《たたか》ったが、二《に》条御所《じょうごしょ》に明智軍《あけちぐん》が突入《とつにゅう》すると、自ら命を絶《た》った。

本能寺《ほんのうじ》
二条御所《にじょうごしょ》
石垣《いしがき》や堀《ほり》で囲《かこ》まれていた。
明智軍《あけちぐん》

00人ほどしかいなかった。信《のぶ》忠《ただ》は自ら武器《ぶき》を取って戦《たたか》ったが、味方は次つぎと倒《たお》されていった。明智軍《あけちぐん》が二条御所《にじょうごしょ》に突《とつ》入《にゅう》すると、敗北《はいぼく》を覚悟《かくご》した信忠《のぶただ》は切腹《せっぷく》した。

こうして信長《のぶなが》の後継者《こうけいしゃ》だった信忠《のぶただ》も光秀《みつひで》に倒《たお》された。

明智光秀軍《あけちみつひでぐん》の大勝利《だいしょうり》

信忠《のぶただ》が京都《きょうと》から脱出《だっしゅつ》せず、二条御所《にじょうごしょ》に立てこもったので攻撃《こうげき》しやすかったです。
信忠《のぶただ》を自害《じがい》させた明智光秀氏《あけちみつひでし》

合戦《かっせん》の結果《けっか》

勝利《しょうり》した光秀《みつひで》は天下をねらったが、主君を裏切《うらぎ》ったため、味方してくれる大名《だいみょう》はいなかった。本能寺《ほんのうじ》の変《へん》を知った秀吉《ひでよし》は、毛利氏《もうりし》と和解《わかい》し、中《ちゅう》国《ごく》地方から京都《きょうと》に向かった。

戦国武将《せんごくぶしょう》たちの「旗印《はたじるし》」「馬印《うまじるし》」!!

旗印《はたじるし》と馬印《うまじるし》は、戦場《せんじょう》で大将《たいしょう》の本陣《ほんじん》がどこにあるかを示《しめ》す道具である。旗印《はたじるし》は旗《はた》に文字や家《か》紋《もん》などをえがくのが一般的《いっぱんてき》。馬印《うまじるし》は豊臣秀吉《とよとみひでよし》の瓢箪《ひょうたん》や、徳川家康《とくがわいえやす》の扇《おうぎ》など、さまざまな素《そ》材《ざい》で自由につくられる。ひとりの武将《ぶしょう》が数《すう》種類《しゅるい》の旗印《はたじるし》や馬印《うまじるし》を使うことも多い。

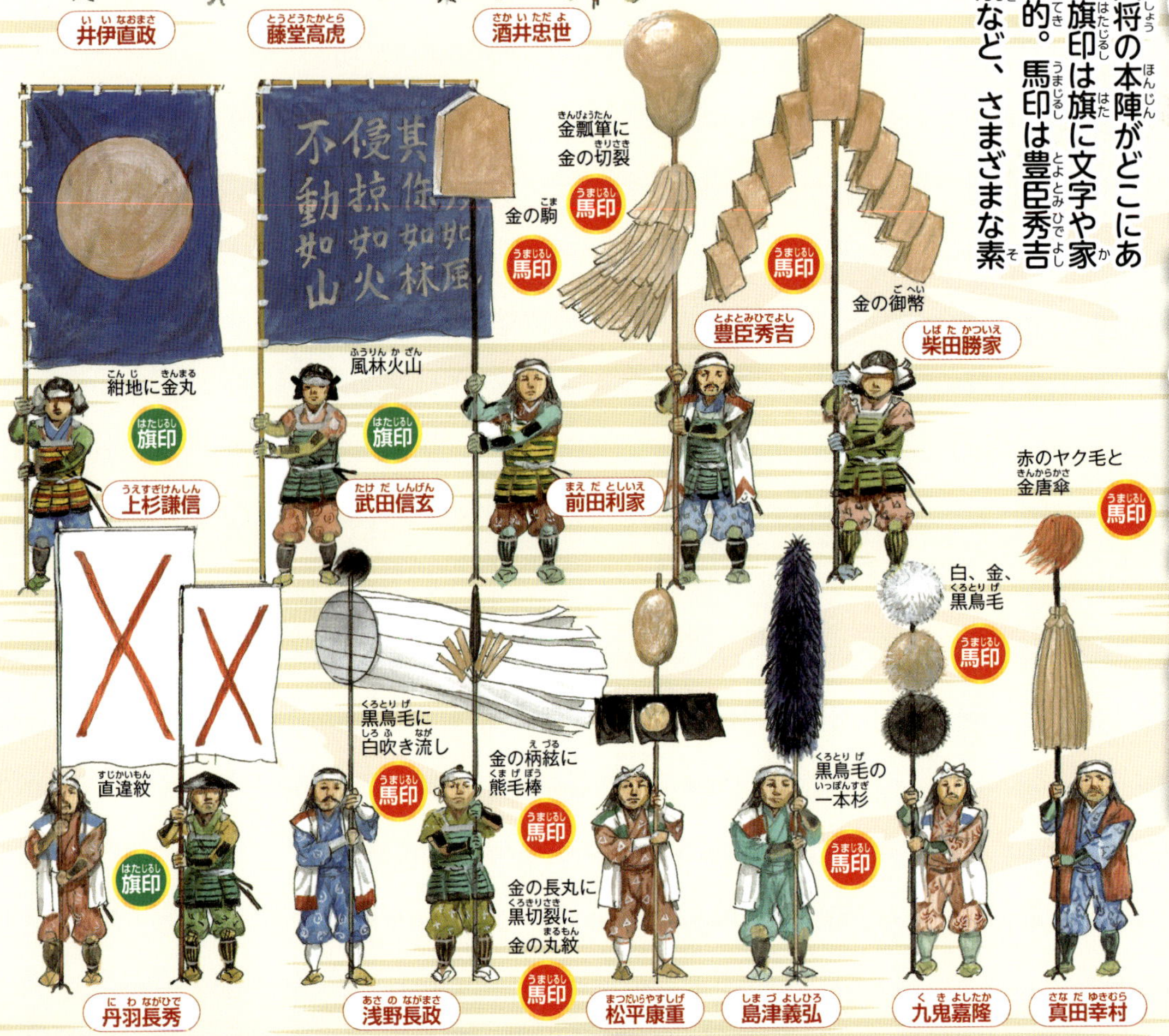

イラスト／
歴史復元画家
中西立太

徳川家康《とくがわいえやす》の本陣《ほんじん》

家康《いえやす》はさまざまな旗印《はたじるし》や馬印《うまじるし》を使用していた。なかでも「金無地開扇《きんむじかいせん》」と呼《よ》ばれる馬印《うまじるし》や、「厭離穢土《おんりえど》欣求浄土《ごんぐじょうど》（けがれた現実《げんじつ》の世界を離《はな》れて、極楽浄土《ごくらくじょうど》を求《もと》める）」という、お経《きょう》の言葉を記した旗印《はたじるし》などがよく知られている。

葵紋《あおいもん》の旗印《はたじるし》
金無地開扇《きんむじかいせん》
「厭離穢土欣求浄土《おんりえどごんぐじょうど》」の経文旗《きょうもんき》
総白《そうはく》
太極旗《たいきょくき》
厭離穢土欣求浄土
切裂《きりさき》
白のくり半月《はんげつ》
金紋《きんもん》入りの招《まね》き（旗先《はたさき》の小旗《こばた》）

「関ケ原合戦図屏風《せきがはらかっせんずびょうぶ》」 関ケ原《せきがはら》の戦《たたか》い（➡P248）をえがいた屏風絵《びょうぶえ》で、参加《さんか》した武将《ぶしょう》たちが旗印《はたじるし》や馬印《うまじるし》をかかげているのがわかる。

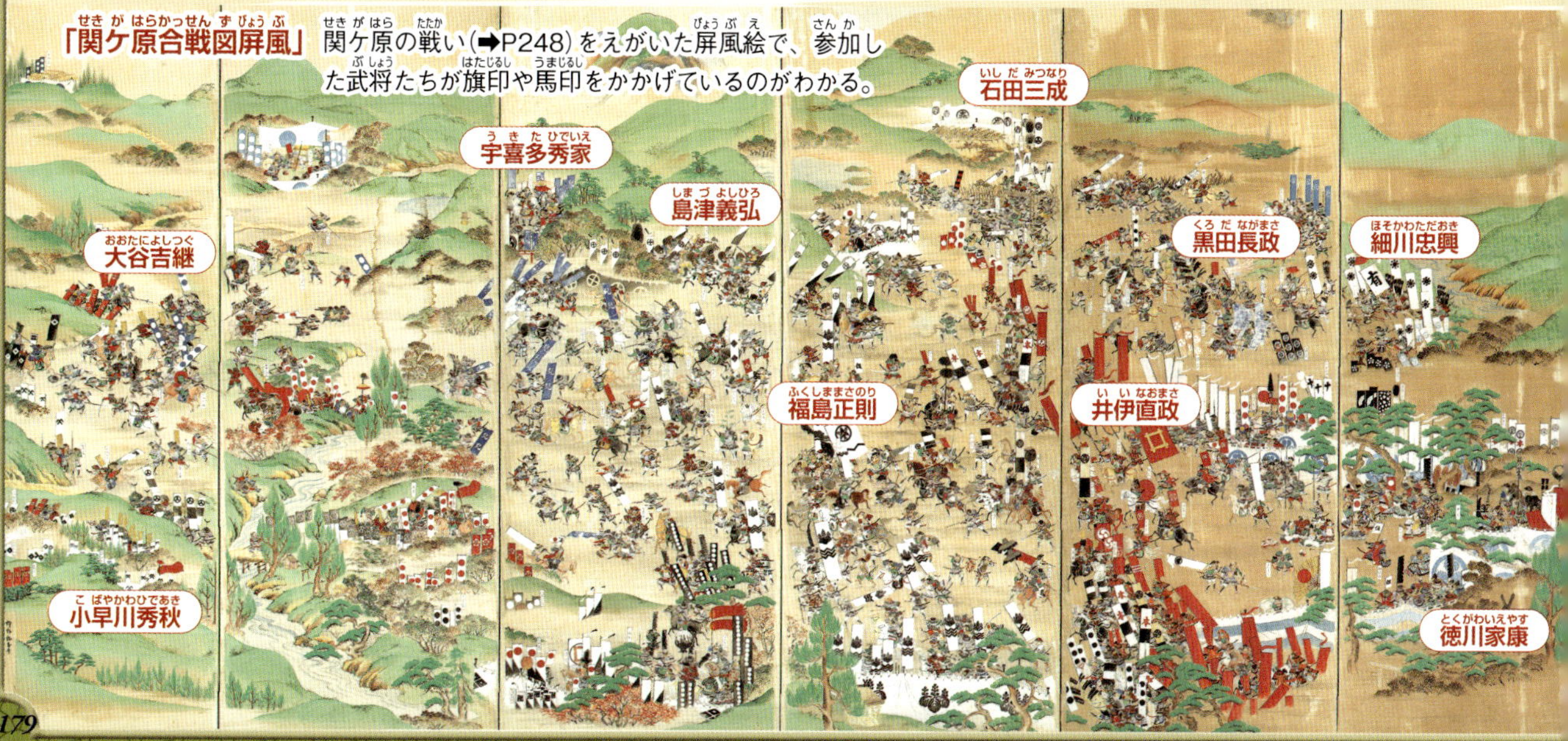

石田三成《いしだみつなり》
宇喜多秀家《うきたひでいえ》
島津義弘《しまづよしひろ》
大谷吉継《おおたによしつぐ》
黒田長政《くろだながまさ》
細川忠興《ほそかわただおき》
福島正則《ふくしままさのり》
井伊直政《いいなおまさ》
小早川秀秋《こばやかわひであき》
徳川家康《とくがわいえやす》

合戦《かっせん》おもしろコラム

天《てん》守《しゅ》と櫓《やぐら》のちがいは？

天守《てんしゅ》は城《しろ》のシンボルで櫓《やぐら》は城《しろ》の防御拠点《ぼうぎょきょてん》

城《しろ》の天守《てんしゅ》は本丸《ほんまる》(城《しろ》の中心部)に築《きず》かれた城《しろ》のシンボルで、城内《じょうない》で最《もっと》も高い建築物《けんちくぶつ》である。大小さまざまな天守《てんしゅ》があるが、望楼型《ぼうろうがた》と層塔型《そうとうがた》に大きく分かれる。

望楼型《ぼうろうがた》は、普通《ふつう》の建物《たてもの》の上に望楼《ぼうろう》(物見櫓《ものみやぐら》)を乗せた形で、層塔型《そうとうがた》は寺院の五重塔《ごじゅうのとう》のように、下から上まで屋根が同じ形をしている。江戸《えど》時代に築《きず》かれた天守《てんしゅ》のほとんどは、層塔《そうとう》型《がた》である。また、ひとつの天守《てんしゅ》が独《どく》立《りつ》して建《た》つものもあるが、天守《てんしゅ》と小《しょう》天守《てんしゅ》とつないだ連結式天守《れんけつしきてんしゅ》や、大天《だいてん》守《しゅ》を複数《ふくすう》の小天守《しょうてんしゅ》を輪《わ》のようにつないだ連立式天守《れんりつしきてんしゅ》などもある。

天守《てんしゅ》は櫓《やぐら》から発展《はってん》したといわれる。櫓《やぐら》は城《しろ》の周囲《しゅうい》を見張《みは》る物見櫓《ものみやぐら》が基本《きほん》であるが、天守《てんしゅ》とほぼ同じ規模《きぼ》の三重櫓《さんじゅうやぐら》や、城壁《じょうへき》の上にめぐらされた多聞櫓《たもんやぐら》など、さまざまな種類《しゅるい》があり、どれも城《しろ》の重要《じゅうよう》な防御拠点《ぼうぎょきょてん》になっている。

櫓《やぐら》

城《しろ》の周囲《しゅうい》を見張《みは》るための建《たて》物《もの》。城《しろ》の防御拠点《ぼうぎょきょてん》。

三重櫓《さんじゅうやぐら》(江戸城《えどじょう》)

天守《てんしゅ》とほぼ同じ規模《きぼ》の櫓《やぐら》で、屋根が三重になっている。巨大《きょだい》な城《しろ》に建《た》てられる場合が多い。

多聞櫓《たもんやぐら》(彦根城《ひこねじょう》)

城壁《じょうへき》の上に建《た》てられた細長い櫓《やぐら》。合戦時《かっせんじ》には小さな窓《まど》から鉄砲《てっぽう》や弓で敵《てき》を攻撃《こうげき》した。

櫓門《やぐらもん》(上田城《うえだじょう》)

上部が櫓《やぐら》になっている門。城《しろ》に侵入《しんにゅう》した敵《てき》を門の上から攻撃《こうげき》することができた。

天守《てんしゅ》

城《しろ》の中で最《もっと》も高い建物《たてもの》で、城《しろ》のシンボル。

望楼型天守《ぼうろうがたてんしゅ》(岡山城《おかやまじょう》)

上層部《じょうそうぶ》と下層部《かそうぶ》の形がちがう天守《てんしゅ》。建物《たてもの》の屋根の上に物見櫓《ものみやぐら》が乗っている形をしている。

層塔型天守《そうとうがたてんしゅ》(宇和島城《うわじまじょう》)

下層部《かそうぶ》と上層部《じょうそうぶ》の形が同じ天守《てんしゅ》。屋根が四方に張《は》り出し、上にいくほど小さくなる。

連立式天守《れんりつしきてんしゅ》(姫路城《ひめじじょう》)

天守《てんしゅ》が複数《ふくすう》の小《しょう》天守《てんしゅ》と渡櫓《わたりやぐら》(建物《たてもの》どうしをつなぐ櫓《やぐら》)で輪《わ》のようにつながっている。

4章

秀《ひで》吉《よし》・家《いえ》康《やす》の時代

天下が統《とう》一《いつ》され、戦《せん》乱《らん》の世が終《しゅう》結《けつ》!!

明智光秀《あけちみつひで》を破《やぶ》った羽柴《はしば》（豊臣《とよとみ》）秀吉《ひでよし》は、信長《のぶなが》の後継者《こうけいしゃ》となり、天下統一《とういつ》を果《は》たす。秀吉《ひでよし》の死後、政権争《せいけんあらそ》いは、天下分け目の関ケ原《せきがはら》の戦《たたか》いへと発展《はってん》。これを制《せい》した徳川家康《とくがわいえやす》は江戸幕府《えどばくふ》を開いた。

関ケ原《せきがはら》の戦《たたか》い直前の勢力図《せいりょくず》

秀吉《ひでよし》の死後、豊臣政権《とよとみせいけん》内部では、石田三《いしだみつ》成《なり》の勢力《せいりょく》と、加藤清正《かとうきよまさ》・福島正則《ふくしままさのり》らの勢《せい》力《りょく》が対立。家康《いえやす》は清正《きよまさ》や正則《まさのり》らを取りこみ、天下取りへ動き出した。三成《みつなり》は家康《いえやす》を倒《たお》すため、上杉景勝《うえすぎかげかつ》や毛利輝元《もうりてるもと》と西軍《せいぐん》を結成《けっせい》し、関ケ原《せきがはら》の戦《たたか》いに挑《いど》んだが、西《せい》軍《ぐん》の大名《だいみょう》の中には、家康《いえやす》の味方になる約《やく》束《そく》をしていた者も少なくなかった。

1585年 人取橋《ひととりばし》の戦《たたか》い (➡P208)

南奥州連合軍《みなみおうしゅうれんごうぐん》 vs 伊達政宗軍《だてまさむねぐん》

1585年・1600年 上田合戦《うえだかっせん》(第1次・第2次) (➡P204、P238)

真田昌幸軍《さなだまさゆきぐん》 vs 徳川軍《とくがわぐん》

1590年 小田原攻《おだわらぜ》め (➡P216)

豊臣秀吉軍《とよとみひでよしぐん》 vs 北条氏政軍《ほうじょううじまさぐん》

1584年 小牧《こまき》・長久手《ながくて》の戦《たたか》い (➡P198)

織田《おだ》・徳川軍《とくがわぐん》 vs 羽柴秀吉軍《はしばひでよしぐん》

1600年 関ケ原《せきがはら》の戦《たたか》い (➡P248)

東軍《とうぐん》（徳川軍《とくがわぐん》） vs 西軍《せいぐん》（石田軍《いしだぐん》）

1582年 山崎《やまざき》の戦《たたか》い (➡P.186)

羽柴秀吉軍《はしばひでよしぐん》 VS 明智光秀軍《あけちみつひでぐん》

1583年 賤ケ岳《しずがたけ》の戦《たたか》い (➡P.190)

羽柴秀吉軍《はしばひでよしぐん》 VS 柴田勝家軍《しばたかついえぐん》

1615年 大坂夏《おおさかなつ》の陣《じん》 (➡P.262)

徳川家康軍《とくがわいえやすぐん》 VS 豊臣秀頼軍《とよとみひでよりぐん》

1614年 大坂冬《おおさかふゆ》の陣《じん》 (➡P.258)

徳川家康軍《とくがわいえやすぐん》 VS 豊臣秀頼軍《とよとみひでよりぐん》

1583年、柴田《しばた》勝家《かついえ》と羽柴《はしば》秀吉《ひでよし》が対立。両軍《りょうぐん》は賤ケ岳《しずがたけ》でにらみ合いとなった。
賤ケ岳《しずがたけ》
美濃《みの》（岐阜県《ぎふけん》）
近江《おうみ》（滋賀県《しがけん》）
岐阜城《ぎふじょう》
これに乗じて織田信孝《おだのぶたか》が秀吉《ひでよし》に反逆《はんぎゃく》し、岐阜城《ぎふじょう》に攻《せ》めこんだ。
柴田勝家《しばたかついえ》
信長《のぶなが》の三男
織田信孝《おだのぶたか》
柴田軍《しばたぐん》
秀吉《ひでよし》の本隊《ほんたい》が信孝様《のぶたかさま》をうつため岐阜城《ぎふじょう》に向かいました！
守りが手薄《てうす》な今こそ攻《せ》めるべきです
柴田軍《しばたぐん》の武将《ぶしょう》
佐久間盛政《さくまもりまさ》
よし！
任《まか》せたぞ佐久間殿《さくまどの》
――4日後
大垣城《おおがきじょう》
岐阜城《ぎふじょう》
大垣城《おおがきじょう》
やはり柴田軍《しばたぐん》が動いたか
すでに砦《とりで》がふたつ落とされました
…かかったな
わざと留守《るす》にしたとも知らず…
羽柴秀吉《はしばひでよし》
（後の豊臣秀吉《とよとみひでよし》）
出発の準備《じゅんび》だ
賤ケ岳《しずがたけ》にもどるぞ

その夜　賤《しず》ケ岳《たけ》
盛政様《もりまささま》よろしいのですか?
柴田様《しばたさま》はもう兵《へい》をもどせと…
今朝の報告《ほうこく》では秀吉《ひでよし》はまだ大垣城《おおがきじょう》にいる!
攻撃《こうげき》する好機《こうき》だ
たいへんです!
秀吉《ひでよし》がもどって攻《せ》めてきました!
そんな!
こんなに早くもどれるはずが…
にげろ!
ワァ
ア
ア

合戦《かっせん》48
1582年

山崎《やまざき》の戦《たたか》い

信長様《のぶながさま》のかたきをうつ！
まず天王山《てんのうざん》をおさえましょう
まさか秀吉《ひでよし》がもうもどったなんて！
VS

明智光秀《あけちみつひで》(1528?〜1582)
本能寺《ほんのうじ》の変《へん》で主君・織田信長《おだのぶなが》を倒《たお》したが、味方が集まらず、孤立《こりつ》していた。

黒田官兵衛《くろだかんべえ》(1546〜1604)
秀吉《ひでよし》の軍師《ぐんし》。秀吉《ひでよし》に京都《きょうと》に急いでもどるように提案《ていあん》した。

羽柴秀吉《はしばひでよし》(1537〜1598)
後の豊臣秀吉《とよとみひでよし》。光秀《みつひで》を倒《たお》すため備中高松城《びっちゅうたかまつじょう》から京都《きょうと》に急行した。

明智光秀軍《あけちみつひでぐん》

戦力《せんりょく》 約《やく》1万6000人

羽柴秀吉軍《はしばひでよしぐん》

戦力《せんりょく》 約《やく》4万人

❖「中国大返《ちゅうごくおおがえ》し」のルート

6月13日
山崎《やまざき》の戦《たたか》い
11日早朝に尼崎《あまがさき》に到《とう》着《ちゃく》。12日朝に出発
6月6日に備中《びっちゅう》高松城《たかまつじょう》を出発
8日夜に姫路城《ひめじじょう》に到着《とうちゃく》。9日早朝に出発
12日夜に富田《とんだ》に到《とう》着《ちゃく》し、軍議《ぐんぎ》を開く
合戦ハイライト！
合戦ハイライト！
備中高松城《びっちゅうたかまつじょう》
姫路城《ひめじじょう》
三木城《みきじょう》
尼崎《あまがさき》
富田《とんだ》
京都《きょうと》
坂本城《さかもとじょう》
琵琶湖《びわこ》
明智軍《あけちぐん》の動き
秀吉軍《ひでよしぐん》の動き
約《やく》200km
瀬戸内海《せとないかい》
淡路島《あわじしま》

合戦《かっせん》タイプ 野戦《やせん》

合戦場所《かっせんばしょ》

山崎《やまざき》
山城《やましろ》(京都府《きょうとふ》)

秀吉《ひでよし》の作戦《さくせん》
京都《きょうと》に急いでもどり光秀《みつひで》を倒《たお》す

光秀《みつひで》が準備《じゅんび》する前に山崎《やまざき》まで進軍《しんぐん》する

織田信長《おだのぶなが》が明智光秀《あけちみつひで》に倒《たお》されたことを、備中高松城《びっちゅうたかまつじょう》(岡山県《おかやまけん》)の戦《たたか》いの最中《さいちゅう》に知った羽柴秀吉《はしばひでよし》は、すぐに毛利軍《もうりぐん》と和解《わかい》し、光秀《みつひで》を倒《たお》すため京都《きょうと》へ向かった。備中高松城《びっちゅうたかまつじょう》を出発した秀吉軍《ひでよしぐん》は、姫路城《ひめじじょう》(兵庫県《ひょうごけん》)まで約《やく》70㎞の距離《きょり》を1日半で移動《いどう》した。

秀吉《ひでよし》は姫路城《ひめじじょう》にあったすべての金銀を武将《ぶしょう》に分け与《あた》え、すべての米を足軽《あしがる》(下級兵士《へいし》)に配り、士気《しき》を高めた。姫路城《ひめじじょう》を出発した秀吉軍《ひでよしぐん》は、5日後には富田《とんだ》(大阪府《おおさかふ》)に到着《とうちゃく》。合計約《やく》200㎞の道のりを、わずか6日でかけ抜《ぬ》けた。この行軍《こうぐん》は「中国大返《ちゅうごくおおがえ》し」と呼《よ》ばれる。秀吉軍《ひでよしぐん》には、織田信孝《おだのぶたか》(信長《のぶなが》の三男)や信長《のぶなが》の家臣《かしん》・丹羽長秀《にわながひで》なども加《くわ》わり、合計約《やく》4万人の大軍《たいぐん》になった。

合戦《かっせん》ハイライト!

京都《きょうと》へ向かう秀吉《ひでよし》の軍勢《ぐんせい》

秀吉《ひでよし》は備中高松城《びっちゅうたかまつじょう》から姫路城《ひめじじょう》までの街道《かいどう》沿《ぞ》いの村にお金を配り、かがり火をたかせたり食料《しょくりょう》を用意させたりして、1日に30km以上《いじょう》も進めたといわれる。当時としてはおどろくほどの速度だったため、光秀《みつひで》は秀吉《ひでよし》がこれほど早く京都《きょうと》にもどることを予想できなかった。

秀吉軍《ひでよしぐん》の接近《せっきん》を知った明智光《あけちみつ》秀《ひで》は、秀吉《ひでよし》がこれほど早くもどってくるとは考えていなかったため、あわてて戦《たたか》う準備《じゅんび》をはじめた。光秀《みつひで》は天王山《てんのうざん》と淀川《よどがわ》にはさまれた山崎《やまざき》(京都府《きょうとふ》)で秀吉《ひでよし》軍《ぐん》を迎《むか》えうつことを決め、山崎《やまざき》の北にある淀城《よどじょう》や勝竜寺城《しょうりゅうじじょう》を修《しゅう》理《り》して陣《じん》を構《かま》えた。集まった兵《へい》は秀吉軍《ひでよしぐん》の半分以下《いか》の約《やく》1万6000人だった。

山崎《やまざき》の戦《たたか》いの前日の軍議《ぐんぎ》

山崎《やまざき》の戦《たたか》いの前日、秀《ひで》吉《よし》は摂津《せっつ》(現在《げんざい》の大阪《おおさか》府《ふ》)の富田《とんだ》に到着《とうちゃく》すると、作戦会議《さくせんかいぎ》を開き、軍《ぐん》を3つに分けて攻撃《こうげき》することを決めた。

合戦《かっせん》ハイライト！
山崎《やまざき》の戦《たたか》い
雨が降《ふ》りしきる中、秀吉軍《ひでよしぐん》と明智軍《あけちぐん》が円明寺川《えんみょうじがわ》をはさんで戦《たたか》いを開始した。秀吉軍《ひでよしぐん》は側面攻撃《そくめんこうげき》で明智軍《あけちぐん》を崩《くず》して勝利《しょうり》した。
天王山《てんのうざん》
標高《ひょうこう》270mの山で、山崎《やまざき》を見下ろすことができた。黒田官兵衛《くろだかんべえ》がいち早く占領《せんりょう》した。
秀吉軍《ひでよしぐん》
円明寺川《えんみょうじがわ》
池田恒興隊《いけだつねおきたい》
秀吉軍《ひでよしぐん》の池田恒興隊《いけだつねおきたい》は明智軍《あけちぐん》の左側《ひだりがわ》から攻撃《こうげき》をしかけた。
明智軍《あけちぐん》

秀吉軍《ひでよしぐん》の側面攻撃《そくめんこうげき》で明智軍《あけちぐん》は崩壊《ほうかい》する

開戦前《かいせん》、秀吉《ひでよし》の軍師《ぐんし》・黒田官兵衛《くろだかんべえ》は山崎《やまざき》を見下ろせる天王山《てんのうざん》をいち早く占領《せんりょう》し、有利《ゆうり》な状況《じょうきょう》にもちこんだ。秀吉軍《ひでよしぐん》の本隊《ほんたい》は、天王山《てんのうざん》のふもとに陣《じん》を構《かま》えた。雨が降《ふ》る中、両軍《りょうぐん》は円明寺川《えんみょうじがわ》をはさんで向かい合った。明智軍《あけちぐん》による先制攻撃《せんせいこうげき》で戦《たたか》いがはじまった。最初《さいしょ》は一進一退《いっしんいったい》の攻防《こうぼう》が続《つづ》いたが、秀吉軍《ひでよしぐん》が明智軍《あけちぐん》の左《ひだり》側《がわ》に回りこんで攻撃《こうげき》すると、明《あけ》智《ち》軍《ぐん》は総崩《そうくず》れになった。

光秀《みつひで》は勝竜寺城《しょうりゅうじじょう》に撤退《てったい》した後、本拠地《ほんきょち》の坂本城《さかもとじょう》（滋賀県《しがけん》）を目指してにげたが、その途中《とちゅう》で*落《おち》武者《むしゃ》狩《が》りにあって殺《ころ》された。

落武者狩《おちむしゃが》りにあう光秀《みつひで》

戦《たたか》いに敗《やぶ》れた光秀《みつひで》は、居城《きょじょう》の坂本城《さかもとじょう》(滋賀県《しがけん》)にもどる途中《とちゅう》、落武者狩《おちむしゃが》りにあい、殺《ころ》された。

＊戦国《せんごく》時代、農民《のうみん》が戦場《せんじょう》から逃亡《とうぼう》する武士《ぶし》を殺《ころ》して、甲冑《かっちゅう》や刀などをうばうこと。

秀吉《ひでよし》のうまいやり方!!

❶天王山《てんのうざん》を占領《せんりょう》

秀吉《ひでよし》の軍師《ぐんし》・黒田官兵衛《くろだかんべえ》は、戦場《せんじょう》を見下ろせる天王山《てんのうざん》をいち早く占領《せんりょう》した。

❸側面攻撃《そくめんこうげき》

池田恒興隊《いけだつねおきたい》が明智軍《あけちぐん》の左側《ひだりがわ》にまわりこみ攻撃《こうげき》。

合戦《かっせん》の結果《けっか》

信長《のぶなが》のかたきうちに成功《せいこう》した秀吉《ひでよし》は、織田家《おだけ》の家臣《かしん》の中で権力《けんりょく》をにぎるようになった。

羽柴秀吉軍《はしばひでよしぐん》の大《だい》勝《しょう》利《り》

中国大返《ちゅうごくおおがえ》しを成功《せいこう》させた羽柴秀吉氏《はしばひでよしし》

合戦《かっせん》49
1583年

賤《しず》ヶ《が》岳《たけ》の戦《たたか》い

合戦《かっせん》ハイライト!

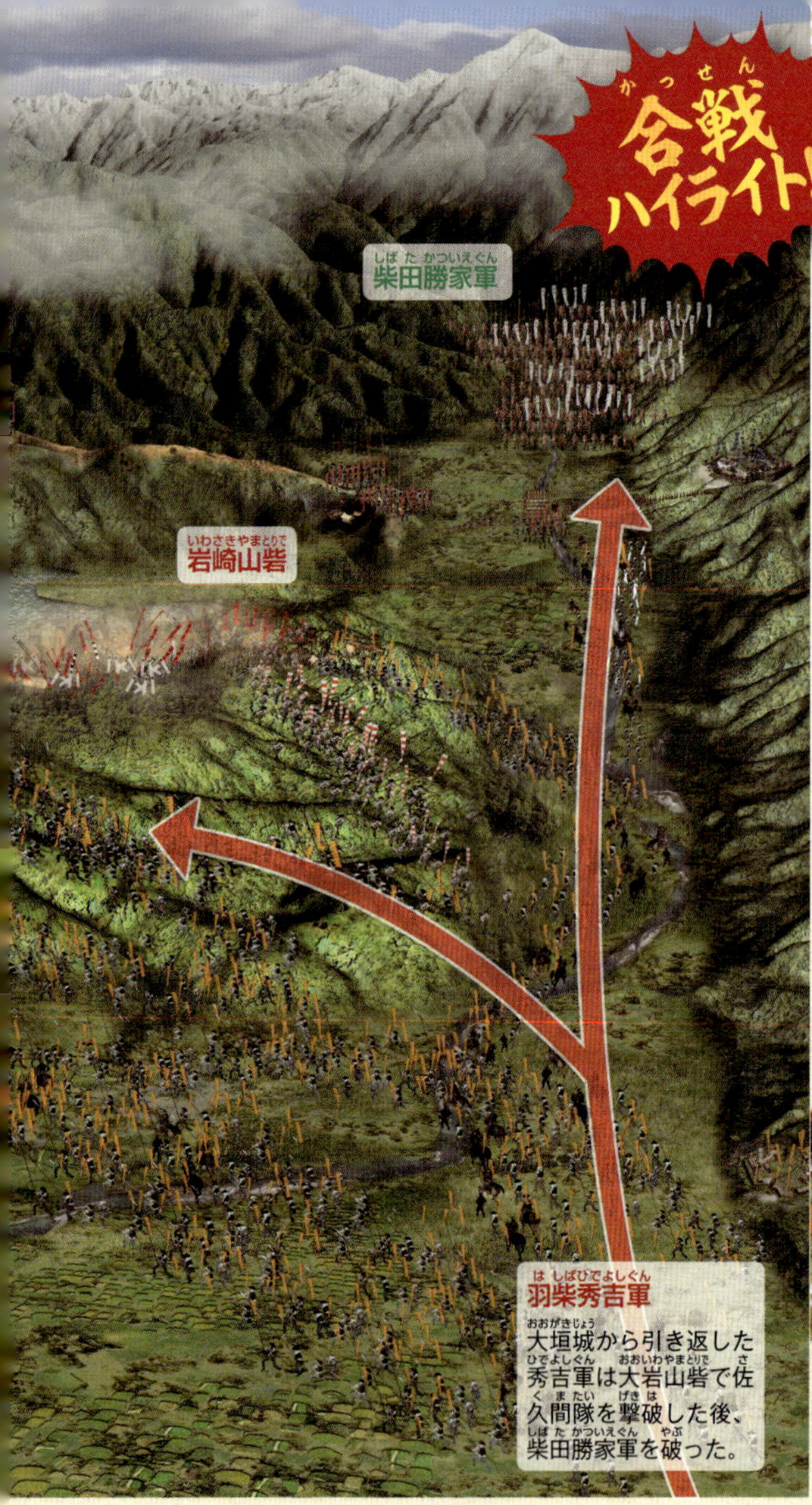

柴田勝家軍《しばたかついえぐん》
岩崎山砦《いわさきやまとりで》

羽柴秀吉軍《はしばひでよしぐん》
大垣城《おおがきじょう》から引き返した秀吉軍《ひでよしぐん》は大岩山砦《おおいわやまとりで》で佐《さ》久間隊《くまたい》を撃破《げきは》した後、柴田勝家軍《しばたかついえぐん》を破《やぶ》った。

勝家《かついえ》を倒《たお》して織田家《おだけ》をまとめる!

羽柴秀吉《はしばひでよし》(1537～1598)

後の豊臣秀吉《とよとみひでよし》。山崎《やまざき》の戦《たたか》いで光秀《みつひで》を倒《たお》して信長《のぶなが》のかたきをうち、織田家《おだけ》の後《こう》継者《けいしゃ》を織田信忠《おだのぶただ》の子・三法師《さんぼうし》に決めた。

羽柴秀吉軍《はしばひでよしぐん》　戦力《せんりょく》　約《やく》5万人

VS

織田家《おだけ》の後継者《こうけいしゃ》は、信孝様《のぶたかさま》だ!

柴田勝家軍《しばたかついえぐん》　戦力《せんりょく》　約《やく》3万人

柴田勝家《しばたかついえ》(?～1583)

信長《のぶなが》の家臣《かしん》だったが、本能寺《ほんのうじ》の変《へん》のとき北陸《ほくりく》地方で上杉軍《うえすぎぐん》と戦《たたか》っていたため、京都《きょうと》にもどれなかった。

合戦《かっせん》タイプ　野戦《やせん》

合戦場所《かっせんばしょ》

賤ケ岳《しずがたけ》
近江《おうみ》(滋賀県《しがけん》)

秀吉《ひでよし》の作戦《さくせん》

戦場《せんじょう》を一度離《はな》れて勝家《かついえ》を油断《ゆだん》させる

「美濃大返《みのおおがえ》し」で柴田軍《しばたぐん》を撃破《げきは》する

山崎《やまざき》の戦《たたか》いの後、織田信長《おだのぶなが》の後継者《こうけいしゃ》を決めるため「清洲会議《きよすかいぎ》」が開かれた。織田家《おだけ》の有力家臣《かしん》だった柴田勝家《しばたかついえ》は信長《のぶなが》の三男・信孝《のぶたか》を支持《しじ》したが、羽柴秀吉《はしばひでよし》は信長《のぶなが》の孫《まご》・三法師《さんぼうし》を支持《しじ》した。会議《かいぎ》の結果《けっか》、三法師《さんぼうし》が後継者《こうけいしゃ》に決まったため、勝家《かついえ》と秀吉《ひでよし》は対立し、戦《たたか》いに発展《はってん》した。

1583年、勝家《かついえ》は本拠地《ほんきょち》の北《きた》ノ《の》庄城《しょうじょう》(福井県《ふくいけん》)を出撃《しゅつげき》し、近江《おうみ》(滋賀県《しがけん》)に入り、琵琶湖《びわこ》の北側《きたがわ》にある賤ケ岳周辺《しずがたけしゅうへん》に陣《じん》を構《かま》えた。秀吉《ひでよし》も出撃《しゅつげき》して、賤ケ岳《しずがたけ》に近い木之本《きのもと》に陣《じん》を構《かま》え、両軍《りょうぐん》はにらみ合いを続《つづ》けた。

そんなとき、織田信孝《おだのぶたか》が岐阜《ぎふ》城《じょう》(岐阜県《ぎふけん》)で秀吉《ひでよし》に反逆《はんぎゃく》して兵《へい》を挙《あ》げた。秀吉《ひでよし》はすぐに岐阜《ぎふ》へ向かったが、「自分が戦場《せんじょう》を離《はな》

❖賤《しず》ケ岳《がたけ》の戦《たたか》い関連《かんれん》地図

3月12日

❶柴田軍《しばたぐん》の到着《とうちゃく》

柴田軍《しばたぐん》が柳ヶ瀬《やながせ》に到着《とうちゃく》し、各《かく》武将《ぶしょう》を近くの砦《とりで》に配置《はいち》した。

4月16日

❷秀吉《ひでよし》の岐阜《ぎふ》進撃《しんげき》

3月17日に羽柴軍《はしばぐん》が木之本《きのもと》に到着《とうちゃく》。両軍《りょうぐん》はにらみ合いが続《つづ》くが、岐阜城《ぎふじょう》で織田信孝《おだのぶたか》が挙《きょ》兵《へい》したため、秀吉《ひでよし》は岐《ぎ》阜《ふ》へ向かう。

4月19日

❸大岩山砦《おおいわやまとりで》へ侵攻《しんこう》

秀吉《ひでよし》不在《ふざい》を好機《こうき》とみた柴田軍《しばたぐん》の佐久間盛《さくまもり》政《まさ》が、大岩山砦《おおいわやまとりで》と岩《いわ》崎山砦《さきやまとりで》を落とす。

4月20日

❹美濃大返《みのおおがえ》し

柴田軍《しばたぐん》の攻撃《こうげき》を知った秀《ひで》吉《よし》は、約《やく》52kmも離《はな》れた美濃《みの》(現在《げんざい》の岐阜県《ぎふけん》)の大《おお》垣城《がきじょう》からわずか5時間で木之本《きのもと》にもどり、佐久間《さくま》隊《たい》へ攻撃《こうげき》を開始。

4月22日

❺秀吉《ひでよし》の追撃《ついげき》

秀吉軍《ひでよしぐん》は柴田軍《しばたぐん》を撃破《げきは》。勝家《かついえ》は北ノ《きたの》庄城《しょうじょう》へにげた。

前田利家軍《まえだとしいえぐん》

秀吉《ひでよし》が美濃《みの》からもどった後、柴田軍《しばたぐん》の前田利家《まえだとしいえ》は、突然《とつぜん》、戦場《せんじょう》から離《はな》れた。

賤《しず》ケ岳《がたけ》の戦《たたか》い

琵琶湖《びわこ》北岸の余呉湖周辺《よごこしゅうへん》で、秀吉軍《ひでよしぐん》と勝《かつ》家軍《いえぐん》のにらみ合いが続《つづ》くなか、秀吉《ひでよし》が岐《ぎ》阜城《ふじょう》を攻撃《こうげき》するため戦場《せんじょう》を離《はな》れた。それを知った柴田軍《しばたぐん》は秀吉方《ひでよしがた》の大岩山砦《おおいわやまとりで》と岩《いわ》崎山砦《さきやまとりで》を攻撃《こうげき》するが、秀吉《ひでよし》が急いでもどってきて、柴田軍《しばたぐん》を撃破《げきは》した。

れると、勝家《かついえ》は好機《こうき》と考えて攻《こう》撃《げき》するはず」と考えていた。

秀吉《ひでよし》の予想どおり、柴田軍《しばたぐん》の佐久間盛政《さくまもりまさ》は秀吉軍《ひでよしぐん》の砦《とりで》へ攻撃《こうげき》を開始した。その報告《ほうこく》を受けた秀吉《ひでよし》は、大垣城《おおがきじょう》(岐阜県《ぎふけん》)から木《き》之本《のもと》まで約《やく》52㎞の距離《きょり》を、わずか5時間でかけもどった(美濃《みの》大返《おおがえ》し)。秀吉軍《ひでよしぐん》はおどろく佐《さ》久間隊《くまたい》におそいかかって撃破《げきは》した。さらに柴田軍《しばたぐん》の前田利家《まえだとしいえ》が突然《とつぜん》、戦場《せんじょう》から撤退《てったい》した。孤立《こりつ》した勝家《かついえ》の本隊《ほんたい》は、秀吉軍《ひでよしぐん》の集中攻撃《こうげき》を受けて総崩《そうくず》れとなり、勝家《かついえ》は北ノ《きたの》庄城《しょうじょう》へにげた。

秀吉軍《ひでよしぐん》に攻撃《こうげき》される北《きた》ノ《の》庄城《しょうじょう》

賤《しず》ケ《が》岳《たけ》の戦《たたか》いに敗《やぶ》れた勝家《かついえ》は、居《きょ》城《じょう》の北《きた》ノ《の》庄城《しょうじょう》(福井県《ふくいけん》)にもどったが、秀吉《ひでよし》の大軍《たいぐん》に包囲《ほうい》され、総攻《そうこう》撃《げき》を受けた。城《じろ》は炎上《えんじょう》し、勝家《かついえ》と妻《つま》・お市《いち》の方《かた》は自害《じがい》した。

賤《しず》ケ《が》岳《たけ》七本槍《しちほんやり》

賤《しず》ケ《が》岳《たけ》の戦《たたか》いでは、秀吉《ひでよし》に若《わか》い頃《ころ》から仕えていた加藤清正《かとうきよまさ》、福島正則《ふくしままさのり》、加藤嘉明《かとうよしあき》、脇坂安治《わきざかやすはる》、片桐且元《かたぎりかつもと》、糟谷武則《かすやたけのり》、平野《ひらの》長泰《ながやす》の7人が槍《やり》で活躍《かつやく》し、「賤《しず》ケ《が》岳《たけ》七本槍《しちほんやり》」と呼《よ》ばれた。

前田利家《まえだとしいえ》の降伏《こうふく》

前田利家《まえだとしいえ》はもともと秀吉《ひでよし》と仲《なか》がよく、賤《しず》ケ《が》岳《たけ》の戦《たたか》いでは柴《しば》田軍《たぐん》に属《ぞく》していたが、戦《たたか》わずに戦場《せんじょう》を離《はな》れた。その後、利《とし》家《いえ》は北《きた》ノ《の》庄城《しょうじょう》の攻撃《こうげき》に向かう秀吉軍《ひでよしぐん》に参加《さんか》した。

前田利家《まえだとしいえ》を味方につけ北《きた》ノ《の》庄城《しょうじょう》を包囲《ほうい》する

賤《しず》ケ《が》岳《たけ》の戦《たたか》いに敗《やぶ》れた勝家《かついえ》は、本拠地《ほんきょち》の北《きた》ノ《の》庄城《しょうじょう》(福井県《ふくいけん》)へにげこんだ。秀吉《ひでよし》は勝家《かついえ》を追《つい》撃《げき》したが、その途中《とちゅう》で、賤《しず》ケ《が》岳《たけ》の戦《たたか》いで攻撃《こうげき》に参加《さんか》しなかった柴《しば》田軍《たぐん》の前田利家《まえだとしいえ》を味方につけた。数万の大軍《たいぐん》になった秀吉軍《ひでよしぐん》は、北《きた》ノ《の》庄城《しょうじょう》を完全《かんぜん》に包囲《ほうい》した。

北《きた》ノ《の》庄城《しょうじょう》は9層《そう》の天守《てんしゅ》がそびえる巨大《きょだい》で防御力《ぼうぎょりょく》の高い城《しろ》だったが、秀吉《ひでよし》は「この戦《たたか》いが終われば世の中は平和になる」と考え、思い切って総攻撃《そうこうげき》を命じた。秀吉軍《ひでよしぐん》の激《はげ》しい攻撃《こうげき》により、北《きた》ノ《の》庄城《しょうじょう》は攻《せ》めこまれ、天《てん》守《しゅ》は炎《ほのお》に包《つつ》まれた。

落城《らくじょう》前、勝家《かついえ》と再婚《さいこん》していたお市《いち》の方《かた》(信長《のぶなが》の妹)は、茶々《ちゃちゃ》(淀《よど》殿《どの》)、初《はつ》、江《ごう》の3人の娘《むすめ》たちと一緒《いっしょ》に城《しろ》の中にいたが、秀吉《ひでよし》に「娘《むすめ》たちを守ってほしい」と手紙を送り、城《しろ》の外へにがした。お市《いち》の方《かた》は城《しろ》に残《のこ》り、勝家《かついえ》とともに炎《ほのお》の中で自害《じがい》した。

合戦《かっせん》の結果《けっか》

勝家《かついえ》の死により、織田《おだ》家《け》の臣《しん》で秀吉《ひでよし》に対抗《たいこう》できる者はいなくなった。

柴田勝家《しばたかついえ》を倒《たお》した羽柴秀吉《はしばひでよし》氏《し》

沖《おき》田《た》畷《なわて》の戦《たたか》い

合戦《かっせん》ハイライト!
龍造寺軍《りゅうぞう じ ぐん》
島津軍《しま づ ぐん》を追って、沼地《ぬま ち》の細い道を突撃《とつげき》した。

味方になった有馬晴信《あり ま はるのぶ》を龍造寺《りゅうぞう じ》から守る!

島津家久《しま づ いえ ひさ》(1547~1587)

薩摩《さつ ま》(現在《げんざい》の鹿児島県《か ご しまけん》)を支配《し はい》する島津義久《しま づ よし ひさ》の弟。有馬晴信《あり ま はるのぶ》が龍造寺隆信《りゅうぞう じ たかのぶ》に攻《せ》められると、島津軍《しま づ ぐん》を率《ひき》いて救援《きゅうえん》に向かった。

有馬《あり ま》・島津軍《しま づ ぐん》 戦力《せんりょく》 約《やく》8000人

VS

裏切《うら ぎ》った有馬晴信《あり ま はるのぶ》は許《ゆる》さん!

龍造寺隆信軍《りゅうぞう じ たかのぶぐん》 戦力《せんりょく》 約《やく》6万人

龍造寺隆信《りゅう ぞう じ たか のぶ》(1529~1584)

肥前《ひ ぜん》(現在《げんざい》の佐賀県《さ が けん》)の戦国大名《せんごくだいみょう》。豊後《ぶん ご》(現在《げんざい》の大分県《おおいたけん》)の大友宗麟《おおともそうりん》を破《やぶ》って北九州《きたきゅうしゅう》に勢力《せいりょく》を広げた。

合戦《かっせん》タイプ: 野戦《や せん》

合戦場所《かっせん ば しょ》

肥前《ひ ぜん》(長崎県《ながさきけん》)
森岳城《もりたけじょう》
島原半島《しまばらはんとう》

家久《いえひさ》の作戦《さくせん》

敵《てき》をおびき寄《よ》せて伏兵《ふく へい》で攻撃《こう げき》する

島津軍《しま づ ぐん》を追撃《つい げき》するが罠《わな》にはまって大敗《たい はい》する

織田信長《お だ のぶなが》が近畿《きん き》地方を支配下《し はい か》に治《おさ》めた頃《ころ》、九州《きゅうしゅう》北部を支配《し はい》する龍造寺隆信《りゅうぞう じ たかのぶ》と、九州《きゅうしゅう》南部を支配《し はい》する島津義久《しま づ よし ひさ》が争《あらそ》っていた。

1584年、肥前《ひ ぜん》(現在《げんざい》の長崎県《なが さき けん》)の武将《ぶ しょう》・有馬晴信《あり ま はるのぶ》は隆信《たかのぶ》を裏切《うら ぎ》り、義久《よし ひさ》の配下になった。怒《おこ》った隆信《たかのぶ》は晴信《はるのぶ》を攻撃《こうげき》することを決意し、約《やく》6万人の大軍《たいぐん》を率《ひき》いて出撃《しゅつげき》。義久《よし ひさ》は弟の島津家《しま づ いえ》久《ひさ》を援軍《えんぐん》に送った。家久率《いえ ひさ ひき》いる島津軍《しま づ ぐん》は、有馬軍《あり ま ぐん》と合流すると、沖田畷《おき た なわて》(長崎県《なが さき けん》)で柵《さく》を築《きず》き、敵《てき》を待ち構《かま》えた。島津《しま づ》・有馬軍《あり ま ぐん》の兵力《へいりょく》は8000人ほどだった。

隆信《たかのぶ》は、沖田畷《おき た なわて》に進軍《しんぐん》し、全《ぜん》軍《ぐん》に突撃《とつげき》を命じた。島津軍《しま づ ぐん》は敗《やぶ》れたふりをして退却《たいきゃく》し、龍造寺《りゅうぞう じ》軍《ぐん》を身動きが取れなくなる場所までさそいこんだ。沖田畷《おき た なわて》は湿《しっ》

❖沖田畷《おきたなわて》の戦《たたか》い関連《かんれん》地図

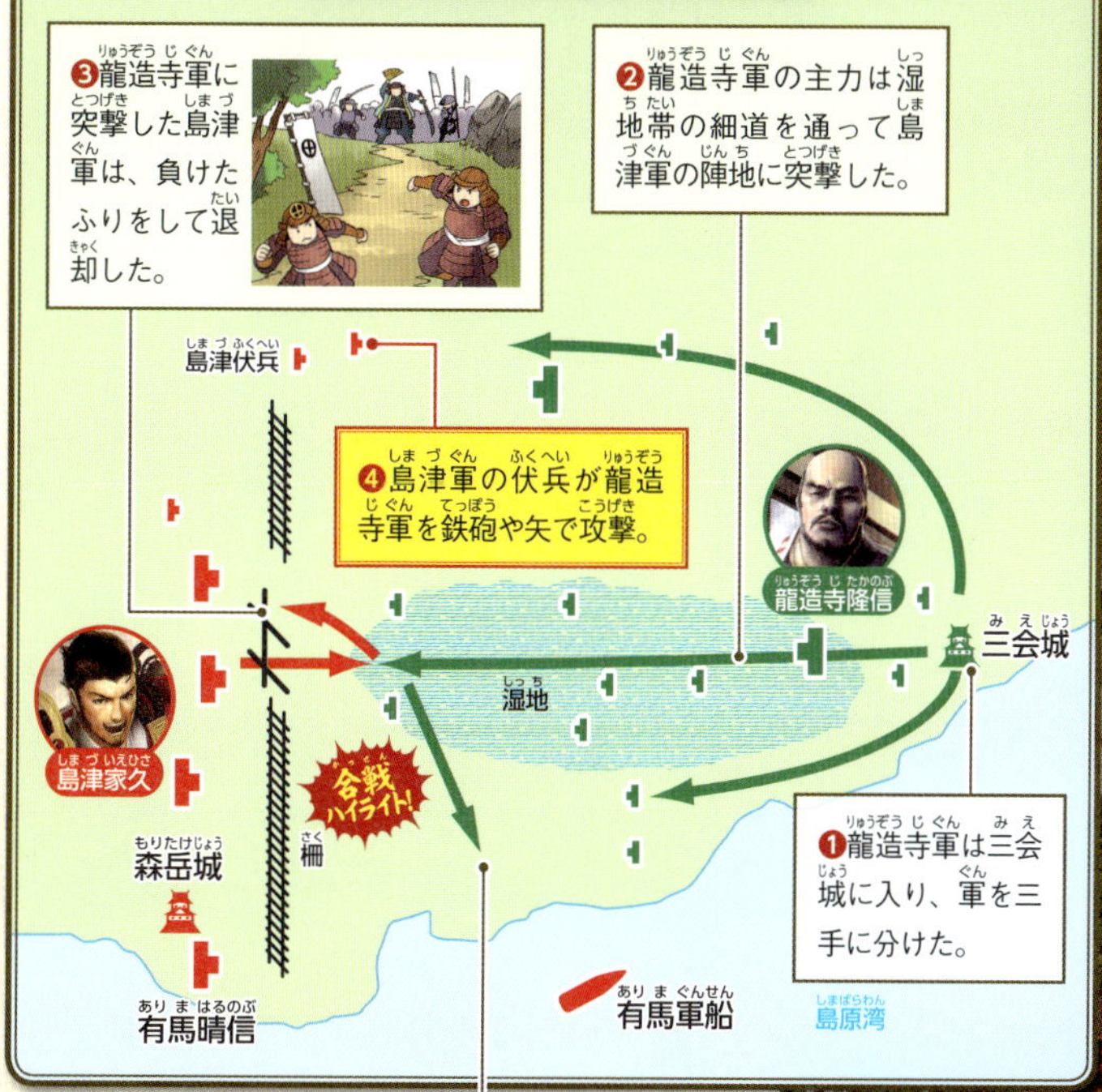
③龍造寺軍《りゅうぞうじぐん》に突撃《とつげき》した島津《しまづ》軍《ぐん》は、負けたふりをして退《たい》却《きゃく》した。
②龍造寺軍《りゅうぞうじぐん》の主力は湿《しっ》地帯《ちたい》の細道を通って島《しま》津軍《づぐん》の陣地《じんち》に突撃《とつげき》した。
島津伏兵《しまづふくへい》
④島津軍《しまづぐん》の伏兵《ふくへい》が龍造《りゅうぞう》寺軍《じぐん》を鉄砲《てっぽう》や矢で攻撃《こうげき》。
龍造寺隆信《りゅうぞうじたかのぶ》
三会城《みえじょう》
湿地《しっち》
島津家久《しまづいえひさ》
合戦ハイライト!
柵《さく》
森岳城《もりたけじょう》
①龍造寺軍《りゅうぞうじぐん》は三会《みえ》城《じょう》に入り、軍《ぐん》を三手に分けた。
有馬晴信《ありまはるのぶ》
有馬軍船《ありまぐんせん》
島原湾《しまばらわん》

⑤島津軍《しまづぐん》、有馬《ありま》軍《ぐん》の総攻撃《そうこうげき》を受けた龍造寺軍《りゅうぞうじぐん》は大混乱《だいこんらん》におちいり、隆信《たかのぶ》はうち取られた。

島津軍《しまづぐん》
龍造寺軍《りゅうぞうじぐん》をさそいこんで、一気に攻《こう》撃《げき》をしかけた。
柵《さく》
森岳城《もりたけじょう》
晴信《はるのぶ》の城《しろ》で、柵《さく》を築《きず》いて防《ぼう》御《ぎょ》を固《かた》めた。

島津軍《しまづぐん》の罠《わな》にかかる龍造寺軍《りゅうぞうじぐん》
沼地《ぬまち》の細い道を突《つ》き進んだ龍造寺《りゅうぞうじ》軍《ぐん》は、待ち構《かま》えていた島津軍《しまづぐん》に取り囲《かこ》まれて総崩《そうくず》れとなった。

有馬《あり》《ま》・島津軍《しまづぐん》の大《だい》勝《しょう》利《り》
敵《てき》を身動きの取れない沼地《ぬまち》にさそいこめたのが勝利《しょうり》につながりました。
軍《ぐん》の作戦《さくせん》を立てた島津家久氏《しまづいえひさし》

地帯《ちたい》(水分が多い土地)で、道も細かったため、大軍《たいぐん》を動かすには不利《ふり》な場所だったのだ。島津《しまづ》軍《ぐん》は伏兵《ふくへい》(待ち伏《ぶ》せして攻撃《こうげき》する兵《へい》)に射撃《しゃげき》させ、総攻撃《そうこうげき》をしかけた。敵《てき》に包囲《ほうい》された龍造寺《りゅうぞうじ》軍《ぐん》は大混乱《だいこんらん》におちいり、総崩《そうくず》れとなった。隆信《たかのぶ》はにげたが、うち取られた。

合戦《かっせん》の結果《けっか》

当主が戦死《せんし》した龍造寺氏《りゅうぞうじし》の勢《せい》力《りょく》はおとろえた。島津家《しまづけ》は北《きた》九州《きゅうしゅう》にまで勢力《せいりょく》を広げた。

1584年、羽柴秀吉《はしばひでよし》と織田信雄《おだのぶかつ》の関係《かんけい》が悪化した。信雄《のぶかつ》は徳川家康《とくがわいえやす》と同盟《どうめい》を結《むす》び、両軍《りょうぐん》は小牧《こまき》（愛知県《あいちけん》）周辺《しゅうへん》で一進一退《いっしんいったい》の攻防《こうぼう》を続《つづ》けていた。
徳川家康《とくがわいえやす》
羽柴秀吉《はしばひでよし》
信長《のぶなが》の次男
織田信雄《おだのぶかつ》
小牧《こまき》
尾張《おわり》
（愛知県《あいちけん》）
三河《みかわ》
（愛知県《あいちけん》）
家康《いえやす》本国の三河《みかわ》は戦《たたか》いのために守りが手薄《てうす》です
我《われ》らが別働隊《べつどうたい》で三河《みかわ》を攻《せ》めれば家康《いえやす》は三河《みかわ》にもどるでしょう
秀吉軍《ひでよしぐん》の武将《ぶしょう》
池田恒興《いけだつねおき》
…よし
いいだろう
気づかれるなよ
別働隊《べつどうたい》は進撃《しんげき》を開始したが、後方の部隊《ぶたい》が徳川軍《とくがわぐん》に攻撃《こうげき》を受けた。
家康《いえやす》が来る前に救援《きゅうえん》に向かうぞ！
急いで出発だ
はい
まさかっ！

徳川軍《とくがわぐん》だぁあ！
秀吉《ひでよし》の本陣《ほんじん》――
別働隊《べつどうたい》が奇襲《きしゅう》された⁉
池田様《いけださま》はうち死にされたと…
家康《いえやす》め…
我《われ》われの動きを察知《さっち》していたのか…

小牧《こまき》・長久手《ながくて》の戦《たたか》い

合戦《かっせん》ハイライト!

秀吉《ひでよし》に天下を取らせるわけにはいかぬ！
家康殿《いえやすどの》と協力《きょうりょく》して秀吉《ひでよし》を倒《たお》す！
家康《いえやす》を倒《たお》して天下を手に入れる！
徳川軍《とくがわぐん》を破《やぶ》ってみせる！
VS

織田《おだ》・徳川軍《とくがわぐん》 戦力《せんりょく》 約《やく》3万5000人

織田信雄《おだのぶかつ》(1558～1630)
織田信長《おだのぶなが》の次男。柴田勝家《しばたかついえ》を倒《たお》して権力《けんりょく》をにぎった秀吉《ひでよし》と対立し、家康《いえやす》と同盟関係《どうめいかんけい》を結《むす》んだ。

徳川家康《とくがわいえやす》(1542～1616)
浜松城《はままつじょう》(静岡県《しずおかけん》)を拠点《きょてん》に、東海《とうかい》地方を支配《しはい》。織田信雄《おだのぶかつ》をたすけて、秀吉《ひでよし》と戦《たたか》うことを決めた。

羽柴秀吉軍《はしばひでよしぐん》 戦力《せんりょく》 約《やく》7万人

森長可《もりながよし》(1558～1584)
信長《のぶなが》に仕えた武将《ぶしょう》で、金山城《かねやまじょう》(岐阜県《ぎふけん》)の城主《じょうしゅ》。弟の森蘭丸《もりらんまる》は本能寺《ほんのうじ》で戦死《せんし》。信長《のぶなが》の死後、秀吉《ひでよし》に仕えた。

羽柴秀吉《はしばひでよし》(1537～1598)
後の豊臣秀吉《とよとみひでよし》。本能寺《ほんのうじ》の変後《へんご》、明智光秀《あけちみつひで》と柴田勝家《しばたかついえ》を倒《たお》して信長《のぶなが》の後継者《こうけいしゃ》として地位《ちい》を固《かた》める。

合戦《かっせん》タイプ：野戦《やせん》

合戦場所《かっせんばしょ》

長久手《ながくて》
尾張《おわり》(愛知県《あいちけん》)

秀吉《ひでよし》の作戦《さくせん》

別働隊《べつどうたい》を組織《そしき》して三河《みかわ》を攻撃《こうげき》する

家康《いえやす》は別働隊《べつどうたい》の動きに気づいて先回りする

織田信長《おだのぶなが》の死後、天下統一《とういつ》に向けて勢力《せいりょく》を固《かた》める羽柴秀吉《はしばひでよし》に対し、信長《のぶなが》の次男・織田信雄《おだのぶかつ》は激《はげ》しく怒《おこ》り、対立した。信雄《のぶかつ》は、東海《とうかい》地方で勢力《せいりょく》を広げる徳《とく》川家康《がわいえやす》と同盟《どうめい》を組んで、秀吉《ひでよし》に戦《たたか》いを挑《いど》んだ。

家康《いえやす》は清洲城《きよすじょう》(愛知県《あいちけん》)に入って信雄隊《のぶかつたい》と合流した。秀吉軍《ひでよしぐん》の池田恒興《いけだつねおき》が信雄方《のぶかつがた》の犬山城《いぬやまじょう》(愛《あい》知県《ちけん》)を占領《せんりょう》した。これに対抗《たいこう》するため、家康《いえやす》は小牧山城《こまきやまじょう》(愛知《あいち》県《けん》)に入った。一方、秀吉軍《ひでよしぐん》の森《もり》長可《ながよし》は、羽黒《はぐろ》に陣《じん》を構《かま》えたが、家康《いえやす》の家臣《かしん》・酒井忠次《さかいただつぐ》の率《ひき》いる奇襲部隊《きしゅうぶたい》によって敗《やぶ》れた(羽黒《はぐろ》の戦《たたか》い)。

秀吉《ひでよし》は、小牧山城《こまきやまじょう》近くの楽田《がくでん》城《じょう》に陣《じん》を移《うつ》し、両軍《りょうぐん》のにらみ合いが続《つづ》いた。羽黒《はぐろ》の戦《たたか》いでの敗《はい》

羽黒《はぐろ》の戦《たたか》い

3月16日、秀吉軍《ひでよしぐん》の森長可《もりながよし》は羽黒《はぐろ》（愛知県《あいちけん》）に陣地《じんち》を構《かま》えた。翌日《よくじつ》の早朝、徳川軍《とくがわぐん》の酒井忠次隊《さかいただつぐたい》が奇襲攻撃《きしゅうこうげき》をしかけた。敗《やぶ》れた長可《ながよし》らは陣地《じんち》を捨《す》ててにげた。

戦《せん》の責任《せきにん》を感じていた長可《ながよし》は、恒興《つねおき》と一緒《いっしょ》に秀吉《ひでよし》のもとを訪《おとず》れ、「家康《いえやす》の本拠地《ほんきょち》である三河《みかわ》（現在《げんざい》の愛知県《あいちけん》）を攻撃《こうげき》するべき」と提案《ていあん》した。

この作戦《さくせん》を認《みと》めた秀吉《ひでよし》は、羽《は》柴秀次《しばひでつぐ》（秀吉《ひでよし》のおい）を大将《たいしょう》にして、長可《ながよし》や恒興《つねおき》らを加《くわ》えた別働《べつどう》隊《たい》を組織《そしき》し、三河《みかわ》へ出撃《しゅつげき》させた。しかし別働隊《べつどうたい》の動きに気づいた家康《いえやす》は、小牧山城《こまきやまじょう》を出て、小幡城《おばたじょう》に入り、別働隊《べつどうたい》を攻撃《こうげき》する準備《じゅんび》を進めた。

秀吉《ひでよし》が別働隊《べつどうたい》を組織《そしき》する

森長可《もりながよし》と池田恒興《いけだつねおき》は別働隊《べつどうたい》を組織《そしき》して、家康《いえやす》の本拠地《ほんきょち》・三河《みかわ》（愛知県《あいちけん》）を攻撃《こうげき》する作戦《さくせん》を提案《ていあん》。秀吉《ひでよし》はこの作戦《さくせん》を実行した。

攻撃《こうげき》を命《めい》じる家康《いえやす》
小幡城《おばたじょう》を出撃《しゅつげき》した家康《いえやす》は、白山林《はくさんばやし》で秀吉軍《ひでよしぐん》の羽柴秀次《はしばひでつぐ》率《ひき》いる別働隊《べつどうたい》を撃破《げきは》。さらに長久手《ながくて》で恒興《つねおき》・長可隊《ながよしたい》を破《やぶ》った。

家康《いえやす》は恒興《つねおき》・長可隊《ながよしたい》を長久手《ながくて》で撃破《げきは》する

恒興《つねおき》と長可《ながよし》は別働隊《べつどうたい》から分かれて進撃《しんげき》し、岩崎城《いわさきじょう》(愛知県《あいちけん》)を攻《せ》め落として占領《せんりょう》した。しかし、秀次《ひでつぐ》の率《ひき》いる別働隊《べつどうたい》の本隊《ほんたい》は、小幡城《おばたじょう》から出撃《しゅつげき》した徳川軍《とくがわぐん》から奇襲攻撃《きしゅうこうげき》を受けて大敗《たいはい》した(白山林《はくさんばやし》の戦《たたか》い)。

徳川軍《とくがわぐん》の出撃《しゅつげき》を知った恒興《つねおき》と長可《ながよし》は、岩崎城《いわさきじょう》から引き返したが、家康《いえやす》は待ち構《かま》えていた。両軍《りょうぐん》は長久手《ながくて》で激突《げきとつ》し、一進一退《いっしんいったい》の激《はげ》しい攻防《こうぼう》が続《つづ》いたが、長可《ながよし》と恒興《つねおき》が戦死《せんし》すると、別働隊《べつどうたい》は総崩《そうくず》れとなった(長久手《ながくて》の戦《たたか》い)。

長久手《ながくて》で家康《いえやす》に敗《やぶ》れた秀吉《ひでよし》は、主力軍《しゅりょくぐん》を尾張《おわり》(現在《げんざい》の愛知《あいち》県《けん》)に残《のこ》したまま、大坂城《おおさかじょう》に引き上げた。その途中《とちゅう》、秀吉《ひでよし》は信雄《のぶかつ》方《がた》の城《しろ》を次つぎと落としていき、信雄《のぶかつ》に和解《わかい》を提案《ていあん》した。追いつめられた信雄《のぶかつ》は家康《いえやす》と相談することなく和解《わかい》を受け入れた。このため、家康《いえやす》は戦《たたか》う理由がなくなり、三河《みかわ》に撤退《てったい》した。

これでは断《ことわ》れない!?

❖小牧《こまき》・長久手《ながくて》の戦《たたか》い関連《かんれん》地図

合戦《かっせん》の結果《けっか》

秀吉《ひでよし》から和解《わかい》を申し入れられた家康《いえやす》は、しかたなく秀吉《ひでよし》の有利《ゆうり》な条件《じょうけん》で和解《わかい》した。

合戦《かっせん》52
1585年

四国攻め《しこくぜ》

合戦《かっせん》ハイライト!

一宮城の戦い《いちのみやじょうのたたか》

長宗我部軍《ちょうそかべぐん》の谷忠澄《たにただずみ》と江村親俊《えむらちかとし》が守る一宮城《いちのみやじょう》を、羽柴秀長《はしばひでなが》の率《ひき》いる約《やく》5万人が包囲《ほうい》し、攻撃《こうげき》を続《つづ》けた。一宮城《いちのみやじょう》は1か月以上《いじょう》持ちこたえたが、水の補給路《ほきゅうろ》を断《た》たれて降伏《こうふく》した。

兄に代わって私《わたし》が総大将《そうだいしょう》として指揮《しき》を取る!

羽柴秀長《はしばひでなが》(1540～1591)

秀吉《ひでよし》の弟で、深く信頼《しんらい》された。中国攻《ちゅうごくぜ》め以降《いこう》、秀吉《ひでよし》のおもな戦《たたか》いに補佐役《ほさやく》として参加《さんか》した。

羽柴秀吉軍《はしばひでよしぐん》 戦力《せんりょく》 約《やく》12万人

VS

秀吉《ひでよし》に四国《しこく》を渡《わた》さぬ!

長宗我部元親軍《ちょうそかべもとちかぐん》 戦力《せんりょく》 約《やく》4万人

長宗我部元親《ちょうそかべもとちか》(1539～1599)

土佐《とさ》(現在《げんざい》の高知県《こうちけん》)出身の戦国《せんごく》大名《だいみょう》。四国《しこく》を統一《とういつ》後、さらに四国《しこく》全土を支配《しはい》した。

合戦《かっせん》タイプ 攻城戦《こうじょうせん》

合戦場所《かっせんばしょ》
一宮城《いちのみやじょう》
阿波《あわ》(徳島県《とくしまけん》)

秀吉の作戦《ひでよしのさくせん》

大軍《たいぐん》で3方向から四国《しこく》に攻《せ》めこむ

圧倒的《あっとうてき》な兵力差《へいりょくさ》で元親《もとちか》を降伏《こうふく》させる

天下統一《とういつ》を進める羽柴秀吉《はしばひでよし》は、四国《しこく》を手に入れようと考えた。秀吉《ひでよし》は、四国《しこく》を統一《とういつ》した長宗我部元親《ちょうそかべもとちか》に、伊予《いよ》(現在《げんざい》の愛媛県《えひめけん》)と讃岐《さぬき》(現在《げんざい》の香川県《かがわけん》)を差《さ》し出せば、土佐《とさ》(現在《げんざい》の高知県《こうちけん》)と阿波《あわ》(現在《げんざい》の徳島県《とくしまけん》)の支配《しはい》を認《みと》めると伝《つた》えた。

元親《もとちか》がこれを拒否《きょひ》したため、秀吉《ひでよし》は四国攻《しこくぜ》めを決意し、弟の秀長《ひでなが》や、おいの秀次《ひでつぐ》を大将《たいしょう》に任命《にんめい》し、阿波《あわ》を攻撃《こうげき》させた。さらに宇喜多秀家《うきたひでいえ》を讃岐《さぬき》から、小早川隆景《こばやかわたかかげ》を伊予《いよ》から攻《せ》めこませた。合計約《やく》12万人の大軍《たいぐん》だった。

対する長宗我部軍《ちょうそかべぐん》は約《やく》4万人。元親《もとちか》は白地城《はくちじょう》(徳島県《とくしまけん》)で指揮《しき》を取ったが、喜岡城《きおかじょう》(香川県《かがわけん》)や金子城《かねこじょう》(愛媛県《えひめけん》)などがすぐに落とされ、一宮城《いちのみやじょう》(徳島県《とくしまけん》)も1

❖四国《しこく》攻《ぜ》め関連《かんれん》地図

小早川隆景軍《こばやかわたかかげぐん》
3万～4万人
三原《みはら》
宇喜多秀家軍《うきたひでいえぐん》
2万3000人
❶喜岡城《きおかじょう》の戦《たたか》い
宇喜多秀家軍《うきたひでいえぐん》は喜岡《きおか》城《じょう》を攻《せ》め落とす。
喜岡城《きおかじょう》
福良《ふくら》
讃岐《さぬき》
羽柴秀長軍《はしばひでながぐん》
6万人
金子城《かねこじょう》
白地城《はくちじょう》
阿波《あわ》
一宮城《いちのみやじょう》
伊予《いよ》
土佐《とさ》
長宗我部元親軍《ちょうそかべもとちかぐん》
8000人
合戦ハイライト!
❷金子城《かねこじょう》の戦《たたか》い
小早川隆景軍《こばやかわたかかげぐん》は金子城《かねこじょう》を落とし、伊予《いよ》を制圧《せいあつ》する。
❸一宮城《いちのみやじょう》の戦《たたか》い
羽柴秀長軍《はしばひでながぐん》が一宮城《いちのみやじょう》を攻《せ》め落とす。

一宮城《いちのみやじょう》
谷忠澄隊《たにただずみたい》
激《はげ》しく戦《たたか》い、秀長軍《ひでながぐん》の侵攻《しんこう》を退《しりぞ》けた。
鮎喰川《あくいがわ》
羽柴秀長軍《はしばひでながぐん》
忠澄隊《ただずみたい》に反撃《はんげき》された後、水の補給路《ほきゅうろ》を断《た》った。

忠澄《ただずみ》に説得《せっとく》される元親《もとちか》

一宮城《いちのみやじょう》の落城《らくじょう》後、白地城《はくちじょう》へにげた谷忠澄《たにただずみ》は、秀吉軍《ひでよしぐん》に降伏《こうふく》するよう、元親《もとちか》を説得《せっとく》した。

か月の抵抗《ていこう》の末《すえ》、落城《らくじょう》。一宮城《いちのみやじょう》を守っていた谷忠澄《たにただずみ》は、落城後《らくじょうご》に元親《もとちか》に会い、圧倒的《あっとうてき》な兵力差《へいりょくさ》を伝《つた》え、降伏《こうふく》するように説得《せっとく》した。元親《もとちか》はこれを受け入れ、秀吉《ひでよし》に降伏《こうふく》した。秀吉《ひでよし》は一宮城《いちのみやじょう》の戦《たたか》いの最中《さいちゅう》に関白《かんぱく》(天皇《てんのう》をたすける職《しょく》)に任命《にんめい》され、翌年《よくとし》には豊臣《とよとみ》の姓《せい》を与《あた》えられた。

羽柴秀吉軍《はしばひでよしぐん》の大勝利《だいしょうり》

秀長《ひでなが》が大軍《たいぐん》を上手にまとめて戦《たたか》ってくれました。

四国《しこく》を手に入れた羽柴秀吉《はしばひでよし》氏

合戦《かっせん》の結果《けっか》

敗《やぶ》れた元親《もとちか》には土佐《とさ》の支配《しはい》が許《ゆる》されたが、伊予《いよ》や讃岐《さぬき》、阿《あ》波《わ》などは秀吉《ひでよし》の家臣《かしん》に分け与《あた》えられた。

合戦《かっせん》53
1585年

上田合戦《うえだかっせん》（第1次）

沼田城《ぬまたじょう》は渡《わた》さぬ！
徳川軍《とくがわぐん》に勝負をいどむ！

真田昌幸《さなだまさゆき》(1547〜1611)

信濃《しなの》の武将《ぶしょう》で、武田信玄《たけだしんげん》に仕えた。本能寺《ほんのうじ》の変後《へんご》、沼田城《ぬまたじょう》(群馬県《ぐんまけん》)をうばい、家康《いえやす》と同盟《どうめい》を結《むす》んだが、沼田城《ぬまたじょう》をめぐって家康《いえやす》と対立した。

真田昌幸軍《さなだまさゆきぐん》 戦力《せんりょく》 約《やく》2000人

VS

家康様《いえやすさま》に逆《さか》らう
昌幸《まさゆき》を倒《たお》す！

徳川家康軍《とくがわいえやすぐん》 戦力《せんりょく》 約《やく》7000人

鳥居元忠《とりいもとただ》(1539〜1600)

幼《おさな》い頃《ころ》から家康《いえやす》に仕えた武将《ぶしょう》で、姉川《あねがわ》の戦《たたか》いや長篠《ながしの》の戦《たたか》いで活躍《かつやく》。上田合戦《うえだかっせん》(第１次)の指揮《しき》を任《まか》された。

合戦《かっせん》タイプ　攻城戦《こうじょうせん》

合戦場所《かっせんばしょ》

沼田城《ぬまたじょう》
信濃《しなの》(長野県《ながのけん》)
上田城《うえだじょう》

❖昌幸《まさゆき》と家康《いえやす》の対立

❶昌幸《まさゆき》が沼田城《ぬまたじょう》をうばう

本能寺《ほんのうじ》の変後《へんご》、関東《かんとう》地方が混乱《こんらん》する中、昌幸《まさゆき》は沼田城《ぬまたじょう》をうばい、家康《いえやす》と同盟《どうめい》を結《むす》んだ。家康《いえやす》は昌幸《まさゆき》に沼田城《ぬまたじょう》を支配《しはい》することを認《みと》めた。

❷家康《いえやす》が沼田城《ぬまたじょう》をゆずるように要求《ようきゅう》

家康《いえやす》は対立していた北条氏《ほうじょうし》と和解《わかい》し、沼田城《ぬまたじょう》をゆずると約束《やくそく》した。昌幸《まさゆき》は自分の城《しろ》を勝手に取り上げようとする家康《いえやす》に怒《おこ》り、対立した。

昌幸《まさゆき》の作戦《さくせん》

上田城《うえだじょう》に徳川軍《とくがわぐん》を誘《さそ》いこんで攻撃《こうげき》

沼田城《ぬまたじょう》をめぐって昌幸《まさゆき》と家康《いえやす》が対立する

1582年、織田信長《おだのぶなが》は武田《たけだ》勝頼《かつより》をほろぼし、勝頼《かつより》の領地《りょうち》だった信濃《しなの》(現在《げんざい》の長野県《ながのけん》)を手に入れた。しかしその直後、信《のぶ》長《なが》は本能寺《ほんのうじ》の変《へん》で自害《じがい》したため、信濃《しなの》一帯《いったい》で領地《りょうち》をめぐる争《あらそ》いがはじまった。信濃《しなの》北部の小《しょう》領主《りょうしゅ》だった真田昌幸《さなだまさゆき》は勢力《せいりょく》を広げ、北条家《ほうじょうけ》が支配《しはい》する沼田城《ぬまたじょう》(群馬県《ぐんまけん》)を攻め取った。昌幸《まさゆき》は徳川家康《とくがわいえやす》と同盟《どうめい》を結《むす》び、沼田城《ぬまたじょう》の支配《しはい》を認《みと》めさせた。そして千《ち》曲川《くまがわ》沿《ぞ》いに上田城《うえだじょう》(長野県《ながのけん》)を築《きず》いて本拠地《ほんきょち》にした。

しかしその後、家康《いえやす》は北条家《ほうじょうけ》と同盟《どうめい》を結《むす》び、昌幸《まさゆき》に相談することなく、沼田城《ぬまたじょう》を北条家《ほうじょうけ》に渡《わた》すように命じてきた。怒《おこ》った昌《まさ》幸《ゆき》は家康《いえやす》との戦《たたか》いを決意した。

1585年、家康《いえやす》は家臣《かしん》の鳥《とり》

合戦《かっせん》ハイライト!
上田城《うえだじょう》
真田軍《さなだぐん》
大石や大木を落として徳川軍《とくがわぐん》を攻撃《こうげき》した。
徳川軍《とくがわぐん》
昌幸《まさゆき》の罠《わな》にはまって大混乱《だいこんらん》におちいり、城外《じょうがい》へにげ出した。
千鳥掛《ちどりが》けの柵《さく》
交差《こうさ》するように設《もう》けられた柵《さく》。昌幸《まさゆき》があらかじめ城内《じょうない》にしかけていた。
千曲川《ちくまがわ》

徳川軍《とくがわぐん》を撃破《げきは》する真田軍《さなだぐん》

真田軍《さなだぐん》はわざと負けて徳川軍《とくがわぐん》を上田城《うえだじょう》内《うち》に誘《おび》き入れると、大木や大石などを落とし、鉄砲《てっぽう》でいっせいに射撃《しゃげき》した。大混乱《だいこんらん》した徳川軍《とくがわぐん》は千鳥掛《ちどりが》けの柵《さく》にさえぎられ、うまくにげられなかった。

居元忠《いもとただ》を大将《たいしょう》に命じて、約《やく》7000人の大軍《たいぐん》で上田城《うえだじょう》を攻《せ》めさせた。対する真田軍《さなだぐん》の兵力《へいりょく》はわずか2000人ほどだった。まともに戦《たたか》っても勝ち目がないと考えた昌幸《まさゆき》は、戦《たたか》う前に数かずの罠《わな》をしかけた。昌幸《まさゆき》はまず、長男・信之《のぶゆき》を、上田城《うえだじょう》近くの戸《と》石城《いしじょう》に送り、別働隊《べつどうたい》を配置《はいち》し、自らが指揮《しき》する上田城《うえだじょう》には伏兵《ふくへい》(待ち伏《ぶ》せして攻撃《こうげき》する兵《へい》)をひそませた。

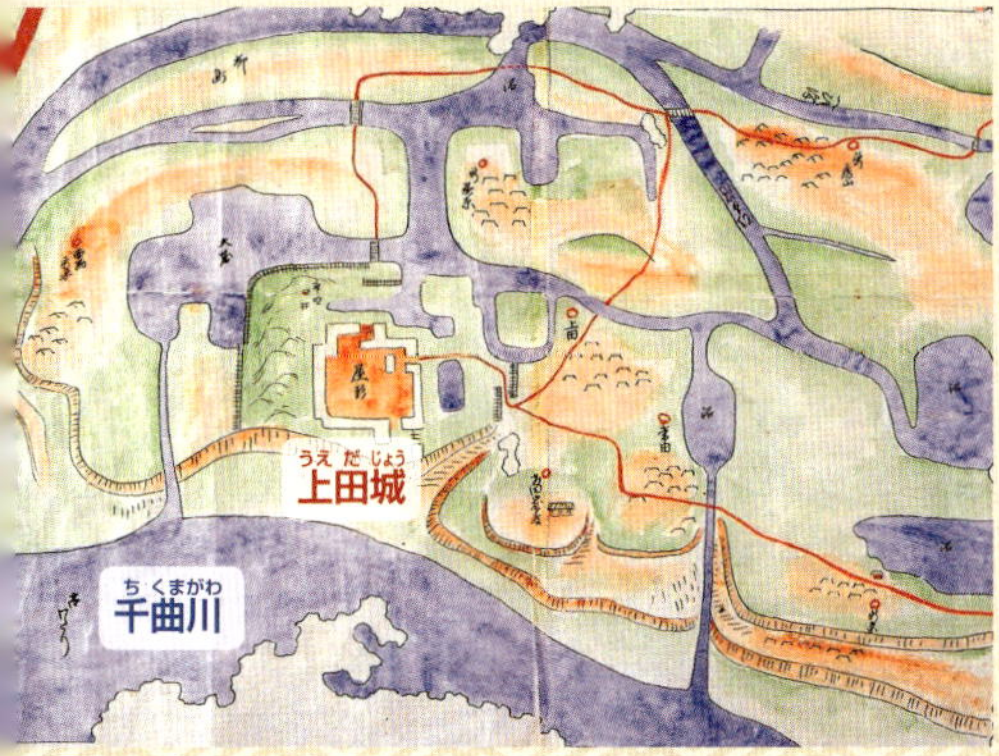
上田城《うえだじょう》
千曲川《ちくまがわ》

ビジュアル資料《しりょう》

上田城《うえだじょう》の古地図

昌幸《まさゆき》が城《しろ》を築《きず》いた頃《ころ》の上田城《うえだじょう》の図面。城《しろ》は千曲川《ちくまがわ》と水堀《みずぼり》に囲《かこ》まれ、防御力《ぼうぎょりょく》が高かった。

徳川軍《とくがわぐん》を攻撃《こうげき》する信之隊《のぶゆきたい》
上田城《うえだじょう》からにげ出した徳川《とくがわ》軍《ぐん》は、戸石城《といしじょう》から出撃《しゅつげき》した真田信之《さなだのぶゆき》の部隊《ぶたい》に攻撃《こうげき》され、神川《かんがわ》に追いこまれた。

徳川軍《とくがわぐん》
信之隊《のぶゆきたい》の追撃《ついげき》を受け、神《かん》川《がわ》に向けてにげ出した。

昌幸《まさゆき》の罠《わな》にはまった徳川軍《とくがわぐん》が大敗《たいはい》する

徳川軍《とくがわぐん》が上田城《うえだじょう》近くまで迫《せま》ると、昌幸《まさゆき》はおとり部隊《ぶたい》を出撃《しゅつげき》させた。おとり部隊《ぶたい》は徳川軍《とくがわぐん》と戦《たたか》ってわざと敗走《はいそう》し、上田城《うえだじょう》へさそいこんだ。追撃《ついげき》する徳川軍《とくがわぐん》が上田城《うえだじょう》に突入《とつにゅう》すると、真田軍《さなだぐん》の伏兵《ふくへい》が大石や丸太、鉄砲《てっぽう》などでいっせいに攻撃《こうげき》をしかけてきた。徳川軍《とくがわぐん》は大混乱《だいこんらん》におちいったが、千鳥掛《ちどりが》けの柵《さく》(交差《こうさ》する柵《さく》)によって、思うように城外《じょうがい》へにげられず、次つぎと倒《たお》された。

ようやく上田城《うえだじょう》を脱出《だっしゅつ》した徳《とく》川軍《がわぐん》だったが、戸石城《といしじょう》から出撃《しゅつげき》してきた信之隊《のぶゆきたい》に激《はげ》しい攻撃《こうげき》を受け、神川《かんがわ》に追いこまれた。神《かん》川《がわ》の上流では、あらかじめ堤防《ていぼう》が築《きず》かれ、水がせき止められていた。徳川軍《とくがわぐん》が神川《かんがわ》を渡《わた》りはじめたとき、堤防《ていぼう》は壊《こわ》され、大量《たいりょう》の水が一気に川を下り、徳川軍《とくがわぐん》の兵士《へいし》たちを飲みこんでいった。徳川軍《とくがわぐん》は約《やく》1300人の戦死者《せんししゃ》を出し、上田城《うえだじょう》から撤退《てったい》した。

何もかも計算どおり!?

上田合戦《うえだかっせん》がはじまったとき、昌幸《まさゆき》は上田城内《うえだじょうない》で家臣《かしん》と囲碁《いご》をしていた。
そうきたか…
申し上げます！
徳川軍《とくがわぐん》が攻《せ》めてきました！
あわてるな！手は打ってある！
申し上げます！
徳川軍《とくがわぐん》が城下《じょうか》で混乱《こんらん》しています！
よしっ！出陣《しゅつじん》じゃ！
スク
昌幸《まさゆき》は門から出撃《しゅつげき》して徳川軍《とくがわぐん》を打ち破《やぶ》った。
今じゃ！
かかれ！

❖上田合戦《うえだかっせん》(第1次)関連《かんれん》地図

❷上田城攻防戦《うえだじょうこうぼうせん》
上田城内《うえだじょうない》に攻《せ》めこんだ徳川軍《とくがわぐん》は、昌幸《まさゆき》の仕掛《しか》けによって大《だい》混乱《こんらん》におちいり、敗走《はいそう》する。
❸追撃《ついげき》の開始
戸石城《といしじょう》から出撃《しゅつげき》した信之《のぶゆき》の部隊《ぶたい》が、退却《たいきゃく》する徳川軍《とくがわぐん》を追撃《ついげき》。
戸石城《といしじょう》
合戦《かっせん》ハイライト!
上田城《うえだじょう》
合戦《かっせん》ハイライト!
真田昌幸《さなだまさゆき》
❹神川《かんがわ》の堤防《ていぼう》を決壊《けっかい》
神川《かんがわ》をせき止めていた昌幸《まさゆき》は徳川軍《とくがわぐん》が川を渡《わた》っているときに堤防《ていぼう》を決壊《けっかい》させる。
神《かん》川《がわ》
神川渡河点《かんがわとかてん》
❶上田城《うえだじょう》へ進軍《しんぐん》
徳川軍《とくがわぐん》は真田軍《さなだぐん》のおとり部《ぶ》隊《たい》を撃破《げきは》し、上田城《うえだじょう》へ敗走《はいそう》するおとり部隊《ぶたい》を追撃《ついげき》。
徳川軍《とくがわぐん》
千《ち》曲《くま》川《がわ》
鳥居元忠《とりいもとただ》

合戦《かっせん》の結果《けっか》

昌幸《まさゆき》に敗《やぶ》れた家康《いえやす》は、昌幸《まさゆき》の優秀《ゆうしゅう》さを認《みと》め、重臣《じゅうしん》・本多《ほんだ》忠勝《ただかつ》の娘《むすめ》を真田《さなだ》信之《のぶゆき》に嫁《とつ》がせ、親しい関係《かんけい》を築《きず》いた。

真田昌幸軍《さなだまさゆきぐん》の大勝利《だいしょうり》
徳川軍《とくがわぐん》は、私《わたし》がしかけた罠《わな》にまんまとはまってくれました。
KASSEN
徳川軍《とくがわぐん》に勝利《しょうり》した真田昌幸氏《さなだまさゆきし》

合戦《かっせん》54

1585年

人取橋《ひととりばし》の戦《たたか》い

合戦《かっせん》ハイライト!
この機会《きかい》に
政宗《まさむね》を倒《たお》す!
父のかたきうちを
じゃまする者は
許《ゆる》さん!

佐竹義重《さたけよししげ》(1547〜1612)

常陸《ひたち》(現在《げんざい》の茨城県《いばらきけん》)の戦国大名《せんごくだいみょう》。太《おお》田城《たじょう》(茨城県《いばらきけん》)を拠点《きょてん》に勢力《せいりょく》を広げ、伊達政宗《だてまさむね》や北条氏政《ほうじょううじまさ》などと対立した。

南奥州連合軍《みなみおうしゅうれんごうぐん》 戦力《せんりょく》 約《やく》3万人

VS

伊達政宗軍《だてまさむねぐん》 戦力《せんりょく》 約《やく》7000人

伊達政宗《だてまさむね》(1567〜1636)

米沢城《よねざわじょう》(山形県《やまがたけん》)を拠点《きょてん》に、南奥州《みなみおうしゅう》(東北《とうほく》地方南部)で勢力《せいりょく》を拡大《かくだい》した。

敵兵《てきへい》に囲《かこ》まれる政宗《まさむね》

連合軍《れんごうぐん》の圧倒的《あっとうてき》な兵力《へいりょく》の前に、伊達軍《だてぐん》は総崩《そうくず》れとなった。政宗《まさむね》も鉄砲《てっぽう》や矢を受けて追いこまれたが、重臣《じゅうしん》の鬼庭左月斎《おににわさげつさい》の捨《す》て身の突撃《とつげき》などで、命からがら戦《せん》場《じょう》を脱出《だっしゅつ》した。

合戦《かっせん》タイプ 野戦《やせん》

合戦場所《かっせんばしょ》

人取橋《ひととりばし》
陸奥《むつ》(福島県《ふくしまけん》)

連合軍《れんごうぐん》の作戦《さくせん》

大軍《たいぐん》で突撃《とつげき》して伊達軍《だてぐん》を圧倒《あっとう》する

突然《とつぜん》の義重《よししげ》の撤退《てったい》で政宗《まさむね》は危機《きき》を脱《だっ》する

米沢城《よねざわじょう》(山形県《やまがたけん》)の城主《じょうしゅ》・伊達《だて》政宗《まさむね》は、奥州《おうしゅう》(現在《げんざい》の東北《とうほく》地方)で勢力《せいりょく》を拡大《かくだい》していた。二本松《にほんまつ》城《じょう》(福島県《ふくしまけん》)の城主《じょうしゅ》・畠山義継《はたけやまよしつぐ》は政宗《まさむね》と対立したが降伏《こうふく》を決意。降伏《こうふく》の仲介役《ちゅうかいやく》だった政宗《まさむね》の父・伊達輝宗《だててるむね》のもとを訪《おとず》れた。しかし義継《よしつぐ》は裏切《うらぎ》り、輝宗《てるむね》を人質《ひとじち》にしてにげ出した。政宗《まさむね》は追撃《ついげき》し、義継《よしつぐ》を射殺《しゃさつ》したが、輝宗《てるむね》も一緒《いっしょ》に死んだ。復讐《ふくしゅう》を決意した政宗《まさむね》は二本松城《にほんまつじょう》に攻《せ》めこんだ。

これに対し、常陸《ひたち》(現在《げんざい》の茨《いばら》城《き》県《けん》)の佐竹義重《さたけよししげ》をはじめ、奥《おう》州《しゅう》南部の大名《だいみょう》たちは畠山家《はたけやまけ》を守るため同盟《どうめい》を結《むす》び、約《やく》3万人の大軍《たいぐん》で進撃《しんげき》した。政宗《まさむね》は約《やく》7000人を率《ひき》いて人取橋《ひととりばし》(福島県《ふくしまけん》)付近《ふきん》で連合軍《れんごうぐん》を迎《むか》えうったが、圧倒的《あっとうてき》な兵力差《へいりょくさ》を前に、伊達軍《だてぐん》

人取橋《ひととりばし》の戦《たたか》い関連《かんれん》地図
南奥州連合軍《みなみおうしゅうれんごうぐん》
伊達政宗軍《だてまさむねぐん》
連合軍《れんごうぐん》の進路《しんろ》
伊達軍《だてぐん》の進路《しんろ》
連合軍《れんごうぐん》の城《しろ》
伊達軍《だてぐん》の城《しろ》
❷伊達軍《だてぐん》は総崩《そうくず》れとなり、政宗《まさむね》は本宮城《もとみやじょう》までにげ帰る。
本宮城《もとみやじょう》
伊達政宗《だてまさむね》
合戦ハイライト!
❶11月17日、伊達軍《だてぐん》と連合軍《れんごうぐん》が瀬戸川《せとがわ》付近《ふきん》で激突《げきとつ》。
瀬戸川《せとがわ》
人取橋《ひととりばし》
阿武隈川《あぶくまがわ》
佐竹義重《さたけよししげ》
前田沢城《まえだざわじょう》
❸17日深夜、佐《さ》竹軍《たけぐん》は圧倒的《あっとうてき》に優勢《ゆうせい》のまま撤退《てったい》。

は総崩《そうくず》れとなった。政宗《まさむね》も銃弾《じゅうだん》や矢を受けて負傷《ふしょう》し、絶体絶命《ぜったいぜつめい》の危機《きき》におちいったが、家臣《かしん》の捨《す》て身の突撃《とつげき》などにより、命からがら本宮城《もとみやじょう》（福島県《ふくしまけん》）へにげ帰った。翌日《よくじつ》の決戦《けっせん》で政宗《まさむね》を倒《たお》そうとした義重《よししげ》だったが、「常陸《ひたち》がねらわれている」という情報《じょうほう》が入り、撤退《てったい》を決意。連合軍《れんごうぐん》は引き上げ、政宗《まさむね》はたすかった。

南奥州連合軍《みなみおうしゅうれんごうぐん》の大勝利《だいしょうり》
政宗《まさむね》を追いつめたのに、常陸《ひたち》に北条氏《ほうじょうし》が攻《せ》めてくるため撤退《てったい》しました。
連合軍《れんごうぐん》に参加《さんか》した佐竹義重氏《さたけよしじげし》

合戦《かっせん》の結果《けっか》

最大《さいだい》の危機《きき》を乗り越えた政宗《まさむね》は、翌年《よくとし》、二本松城《にほんまつじょう》を攻《せ》め落とし、さらに勢力《せいりょく》を拡大《かくだい》した。

合戦《かっせん》55
1586年

九州攻《きゅうしゅうぜ》め

合戦《かっせん》ハイライト！

島津《しまづ》を倒《たお》して九州《きゅうしゅう》を平定する！

豊臣秀長《とよとみひでなが》(1540～1591)

秀吉《ひでよし》の弟。秀吉《ひでよし》のおもな戦《たたか》いに補佐《ほさ》役《やく》として参加《さんか》。四国攻《しこくぜ》めでは総大将《そうだいしょう》として長宗我部元親《ちょうそかべもとちか》を降伏《こうふく》させた。

豊臣秀吉軍《とよとみひでよしぐん》 戦力《せんりょく》 約《やく》18万人

VS

秀吉《ひでよし》に九州《きゅうしゅう》は渡《わた》さぬ！

島津義久軍《しまづよしひさぐん》 戦力《せんりょく》 約《やく》5万人

島津義久《しまづよしひさ》(1533～1611)

薩摩《さつま》(現在《げんざい》の鹿児島県《かごしまけん》)の戦国大《せんごくだい》名《みょう》。父・島津貴久《しまづたかひさ》の後を継《つ》いで勢《せい》力《りょく》を広げ、九州《きゅうしゅう》をほぼ統一《とういつ》した。

合戦《かっせん》タイプ	野戦《やせん》
	攻城戦《こうじょうせん》

合戦場所《かっせんばしょ》

日向《ひゅうが》(宮崎県《みやざきけん》)
高城《たかじょう》

秀吉《ひでよし》の作戦《さくせん》

秀長《ひでなが》と2方面から大軍《たいぐん》で九州《きゅうしゅう》を攻撃《こうげき》

進撃《しんげき》を続《つづ》ける豊臣軍《とよとみぐん》に義久《よしひさ》は降伏《こうふく》を決意する

沖田畷《おきたなわて》の戦《たたか》いで龍造寺隆信《りゅうぞうじたかのぶ》を破《やぶ》った島津義久《しまづよしひさ》は、九州統一《きゅうしゅうとういつ》を目指し、豊後《ぶんご》(現在《げんざい》の大分県《おおいたけん》)の大友宗麟《おおともそうりん》に攻撃《こうげき》を開始した。

滅亡《めつぼう》が迫《せま》った宗麟《そうりん》は、豊臣秀《とよとみひで》吉《よし》にたすけを求《もと》めた。秀吉《ひでよし》は義久《よしひさ》に合戦《かっせん》をやめるように命令《めいれい》したが、義久《よしひさ》はこれを無視《むし》。1586年、秀吉《ひでよし》は宗麟《そうりん》を救《すく》うため、配下の仙石秀久《せんごくひでひさ》や長宗我部《ちょうそかべ》元親《もとちか》らを豊後《ぶんご》に送ったが、島津《しまづ》家久《いえひさ》(義久《よしひさ》の弟)の率《ひき》いる島津軍《しまづぐん》に戸次川《へつぎがわ》(大分県《おおいたけん》)で敗《やぶ》れた。

翌年《よくとし》、島津家《しまづけ》を倒《たお》すことを決意した秀吉《ひでよし》は、弟の秀長《ひでなが》とともに約《やく》18万人を率《ひき》いて小倉城《こくらじょう》(福《ふく》岡県《おかけん》)に乗りこんだ。そして秀《ひで》吉《よし》は九州《きゅうしゅう》の西側《にしがわ》から、秀長《ひでなが》は九《きゅう》州《しゅう》の東側《ひがしがわ》から島津軍《しまづぐん》を同時に攻《せ》めはじめた。圧倒的《あっとうてき》な大軍《たいぐん》を前

九州攻《きゅうしゅうぜ》め関連《かんれん》地図
1586年12月12日
①戸次川《へつぎがわ》の戦《たたか》い
島津家久《しまづいえひさ》軍が、豊臣《とよとみ》軍《ぐん》(長宗我部元親《ちょうそかべもとちか》・仙石秀久《せんごくひでひさ》ら)を破《やぶ》る。
豊臣秀吉《とよとみひでよし》
1587年3月28日
②豊臣秀吉《とよとみひでよし》が小倉《こくら》城《じょう》に到着《とうちゃく》。
小倉城《こくらじょう》
筑前《ちくぜん》
豊前《ぶぜん》
筑後《ちくご》
肥前《ひぜん》
豊後《ぶんご》
1587年4月17日
④根白坂《ねじろざか》の戦《たたか》い
島津軍《しまづぐん》が秀長軍《ひでながぐん》に夜《や》襲《しゅう》をかけるが敗北《はいぼく》。
肥後《ひご》
日向《ひゅうが》
合戦ハイライト!
高城《たかじょう》
豊臣秀長《とよとみひでなが》
泰平寺《たいへいじ》
島津義久《しまづよしひさ》
薩摩《さつま》
大隅《おおすみ》
1587年5月8日
⑤島津義久《しまづよしひさ》が泰平《たいへい》寺《じ》で秀吉《ひでよし》に降伏《こうふく》。
1587年4月6日
③高城《たかじょう》の戦《たたか》い
秀長軍《ひでながぐん》が耳川《みみかわ》を渡《わた》り、高城《たかじょう》を包囲《ほうい》。
秀長軍《ひでながぐん》の進路(約《やく》8万人)
秀吉軍《ひでよしぐん》の進路(約《やく》10万人)

根白坂《ねじろざか》の戦《たたか》い
島津軍《しまづぐん》の高城《たかじょう》を包囲《ほうい》した秀長《ひでなが》は、高城《たかじょう》の南の根白坂《ねじろざか》に砦《とりで》を築《きず》き、宮部継潤《みやべけいじゅん》に守らせた。根白坂砦《ねじろざかとりで》が島津軍《しまづぐん》の夜襲《やしゅう》を受けて危機《きき》におちいったとき、藤堂高虎《とうどうたかとら》と黒田官兵衛《くろだかんべえ》がわずかな兵《へい》を率《ひき》いて救援《きゅうえん》に向かい、島津軍《しまづぐん》を撃退《げきたい》した。

にした島津軍《しまづぐん》は九州《きゅうしゅう》南部に撤退《てったい》し、守りを固《かた》めた。

日向《ひゅうが》(現在《げんざい》の宮崎県《みやざきけん》)に進んだ秀長軍《ひでながぐん》は高城《たかじょう》(宮崎県《みやざきけん》)を包囲《ほうい》した後、根白坂《ねじろざか》の戦《たたか》いで島津軍《しまづぐん》を撃退《げきたい》。高城《たかじょう》(宮崎県《みやざきけん》)も落城《らくじょう》させた。秀吉《ひでよし》も、義久《よしひさ》の予想を上回る早さで薩摩《さつま》(現在《げんざい》の鹿児島県《かごしまけん》)に進撃《しんげき》した。負けを覚悟《かくご》した義久《よしひさ》は秀吉《ひでよし》に降伏《こうふく》した。

豊臣秀吉軍《とよとみひでよしぐん》の大《だい》勝《しょう》利《り》
大軍《たいぐん》で一気に攻《せ》めこんだので、強敵《きょうてき》の島津《しまづ》にも勝利《しょうり》できました。
九州《きゅうしゅう》を平定した豊臣秀吉氏《とよとみひでよしし》

合戦《かっせん》の結果《けっか》

秀吉《ひでよし》は九州《きゅうしゅう》を手に入れ、敗《やぶ》れた島津氏《しまづし》は、薩摩《さつま》と大隅《おおすみ》(現在《げんざい》の鹿児島県《かごしまけん》)の支配《しはい》を許《ゆる》された。

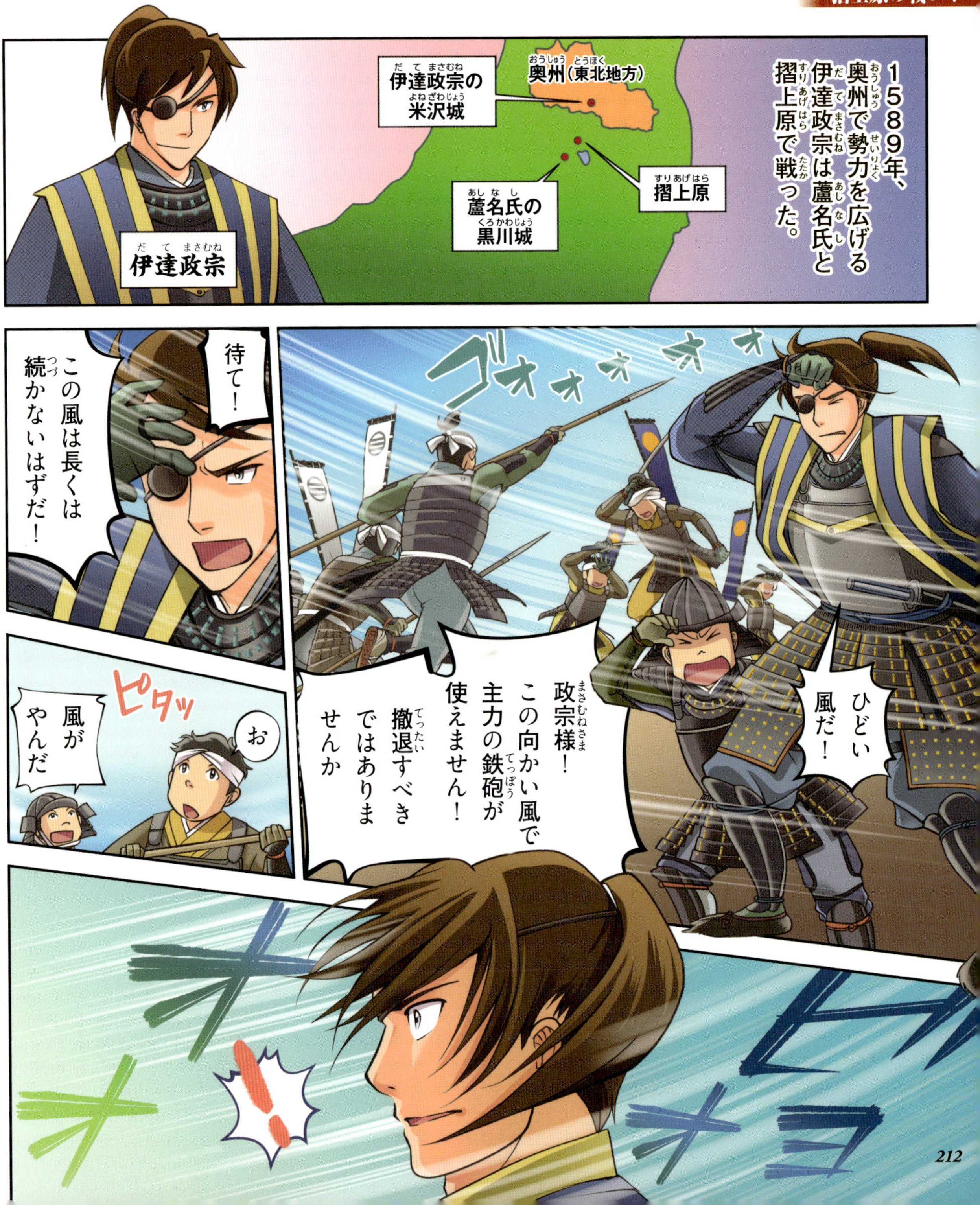
1589年、奥州《おうしゅう》で勢力《せいりょく》を広げる伊達政宗《だてまさむね》は蘆名氏《あしなし》と摺上原《すりあげはら》で戦《たたか》った。
奥州《おうしゅう》（東北地方《とうほくちほう》）
伊達政宗《だてまさむね》の米沢城《よねざわじょう》
摺上原《すりあげはら》
蘆名氏《あしなし》の黒川城《くろかわじょう》
伊達政宗《だてまさむね》
ゴオォォォォ
ひどい風だ！
政宗様《まさむねさま》！この向かい風で主力の鉄砲《てっぽう》が使えません！撤退《てったい》すべきではありませんか
待て！
この風は長くは続《つづ》かないはずだ！
ピタッ
お
風がやんだ
ヒョオオ
！

うわぁ
風向《か》きが
変わった
砂《すな》が目に！
予想どおり
風向《か》きが
変わったぞ！
こちらの
追い風だ！
今のうちに
敵《てき》を追いこめ！
オオオオ

合戦《かっせん》56
1589年

摺上原《すりあげはら》の戦《たたか》い

合戦《かっせん》ハイライト!
磐梯山《ばんだいさん》
炎上《えんじょう》する民家《みんか》
伊達軍《だてぐん》は蘆名軍《あしなぐん》を怒《おこ》らせるため、民家《みんか》に放火した。
伊達軍《だてぐん》

宿敵《しゅくてき》の蘆名《あしな》氏《し》を倒《たお》す絶好《ぜっこう》の機会《きかい》だ!

伊達政宗《だてまさむね》(1567〜1636)

米沢城《よねざわじょう》(山形県《やまがたけん》)を拠点《きょてん》に、南奥州《みなみおうしゅう》(東北《とうほく》地方南部)で勢力《せいりょく》を拡大《かくだい》。人取橋《ひとどりばし》の戦《たたか》い後、畠山《はたけやま》氏《し》を倒《たお》して二本松城《にほんまつじょう》(福島県《ふくしまけん》)を手に入れた。

伊達政宗軍《だてまさむねぐん》 戦力《せんりょく》 約《やく》2万3000人

VS

政宗《まさむね》の勢《いきお》いを止めたいが…
猪苗代盛国《いなわしろもりくに》が裏切《うらぎ》ったか…

蘆名義広軍《あしなよしひろぐん》 戦力《せんりょく》 約《やく》1万6000人

蘆名義広《あしなよしひろ》(1575〜1631)

佐竹義重《さたけよししげ》の次男。蘆名家《あしなけ》を継《つ》いで黒川城《くろかわじょう》(福島県《ふくしまけん》)の城主《じょうしゅ》となった。

合戦《かっせん》タイプ 野戦《やせん》

合戦場所《かっせんばしょ》

摺上原《すりあげはら》
陸奥《むつ》(福島県《ふくしまけん》)

政宗《まさむね》の作戦《さくせん》

蘆名家《あしなけ》の重臣《じゅうしん》を味方につけて黒川城《くろかわじょう》を攻《せ》める

政宗《まさむね》は追い風に乗って敵《てき》に猛攻《もうこう》をしかける

九州《きゅうしゅう》を支配下《しはいか》に置《お》いた豊臣秀吉《とよとみひでよし》は、関東《かんとう》と奥州《おうしゅう》(現在《げんざい》の東北《とうほく》地方)の大名《だいみょう》たちに対し「惣無事令《そうぶじれい》」を出し、許可《きょか》なく戦《たたか》うことを禁止《きんし》した。しかし、奥州《おうしゅう》で勢力《せいりょく》を広げる伊達政宗《だてまさむね》は、惣無事令《そうぶじれい》を無視《むし》し、会津《あいづ》(福島県《ふくしまけん》)を支配《しはい》する黒川城《くろかわじょう》(福島県《ふくしまけん》)城主《じょうしゅ》・蘆名《あしな》義広《よしひろ》を倒《たお》すことを決意した。二《に》本松城《ほんまつじょう》(福島県《ふくしまけん》)に入り、2万人の大軍《たいぐん》を編成《へんせい》した政宗《まさむね》は、義広《よしひろ》の領地《りょうち》に攻《せ》めこみ、義広《よしひろ》の重臣《じゅうしん》・猪苗代盛国《いなわしろもりくに》を味方につけた。政宗《まさむね》は盛国《もりくに》の軍勢《ぐんぜい》を加《くわ》えて出撃《しゅつげき》し、一方の義広《よしひろ》も黒川城《くろかわじょう》を出陣《しゅつじん》した。両軍《りょうぐん》は磐梯山《ばんだいさん》のふもとにある摺上原《すりあげはら》(福島県《ふくしまけん》)で激突《げきとつ》した。

戦《たたか》いは早朝にはじまったが、蘆名軍《あしなぐん》は追い風を味方につけて、伊達軍《だてぐん》を激《はげ》しく攻撃《こうげき》した。強風

❖勢力《せいりょく》を拡大《かくだい》する政宗《まさむね》

出羽《でわ》
陸奥《むつ》
(宮城県《みやぎけん》)
仙台市《せんだいし》
伊達政宗《だてまさむね》
米沢城《よねざわじょう》
二本松城《にほんまつじょう》
越後《えちご》
合戦
ハイライト!
摺上原《すりあげはら》
黒川城《くろかわじょう》
陸奥《むつ》
(福島県《ふくしまけん》)
蘆名義広《あしなよしひろ》
下野《しもつけ》
1582年頃《ごろ》の政宗《まさむね》の領地《りょうち》
1589年頃《ごろ》の政宗《まさむね》の領地《りょうち》

変《か》わった風向き
蘆名軍《あしなぐん》

摺上原《すりあげはら》の戦《たたか》い

戦《たたか》いがはじまった当初《とうしょ》、伊達軍《だてぐん》は逆風《ぎゃくふう》で鉄砲《てっぽう》が使えず、苦戦《くせん》していたが、風向きが変《か》わると猛攻撃《もうこうげき》をしかけた。蘆名軍《あしなぐん》は総崩《そうくず》れとなり、義広《よしひろ》は黒川城《くろかわじょう》へにげた。

のため伊達軍《だてぐん》の主力だった鉄砲《てっぽう》隊《たい》は射撃《しゃげき》できず、追いつめられていった。しかし午後になると風向きが変《か》わり、伊達軍《だてぐん》は追い風に乗って蘆名軍《あしなぐん》に猛攻《もうこう》を開始。さらに政宗《まさむね》の家臣《かしん》・伊達成実《だてしげざね》が蘆名軍《あしなぐん》の背後《はいご》に回って攻撃《こうげき》すると、蘆名軍《あしなぐん》は総崩《そうくず》れになった。義広《よしひろ》は戦場《せんじょう》からにげたが、蘆名《あしな》軍《ぐん》の多くの兵士《へいし》が戦死《せんし》した。

伊達政宗軍《だてまさむねぐん》の大《だい》勝《しょう》利《り》

急に風向きが変《か》わったとき、総攻撃《そうこうげき》をしかけたのがうまくいきました。

蘆名家《あしなけ》をほろぼした伊達政宗氏《だてまさむねし》

合戦《かっせん》の結果《けっか》

義広《よしひろ》は黒川城《くろかわじょう》から落ちのび、蘆名家《あしなけ》は滅亡《めつぼう》。政宗《まさむね》は奥州《おうしゅう》で最大《さいだい》の戦国大名《せんごくだいみょう》になった。

合戦《かっせん》57
1590年

小田原攻め《おだわらぜめ》

合戦《かっせん》タイプ　攻城戦《こうじょうせん》

北条《ほうじょう》を倒《たお》して天下を統一《とういつ》じゃ！

豊臣秀吉《とよとみひでよし》(1537〜1598)

織田信長《おだのぶなが》の後継者《こうけいしゃ》として勢力《せいりょく》を広げ、四国《しこく》や九州《きゅうしゅう》を平定。北条家《ほうじょうけ》が治《おさ》める関東《かんとう》の平定に乗り出した。

豊臣秀吉軍《とよとみひでよしぐん》　戦力《せんりょく》　約《やく》20万人

VS

小田原城《おだわらじょう》はだれにも落とせぬ！

北条氏政軍《ほうじょううじまさぐん》　戦力《せんりょく》　約《やく》5万6000人

北条氏政《ほうじょううじまさ》(1538〜1590)

北条氏康《ほうじょううじやす》から北条家《ほうじょうけ》を継《つ》ぎ、小田原城《おだわらじょう》(神奈川県《かながわけん》)の城主《じょうしゅ》となった。子の氏直《うじなお》を後継者《こうけいしゃ》にしたが、実権《じっけん》をにぎり続《つづ》けた。

合戦場所《かっせんばしょ》

相模《さがみ》(神奈川県《かながわけん》)
小田原城《おだわらじょう》

合戦《かっせん》ハイライト！

小田原城《おだわらじょう》を包囲《ほうい》する豊臣軍《とよとみぐん》
秀吉《ひでよし》は徳川家康《とくがわいえやす》をはじめ、全国の大名《だいみょう》に命じて、北条家《ほうじょうけ》が立てこもる小田原城《おだわらじょう》を包囲《ほうい》させた。

秀吉《ひでよし》の作戦《さくせん》

北条《ほうじょう》の支城《しじょう》を落とし小田原城《おだわらじょう》を包囲《ほうい》する

圧倒的《あっとうてき》な兵力《へいりょく》によって小田原城《おだわらじょう》を孤立《こりつ》させる

天下統一《とういつ》を目指す豊臣秀吉《とよとみひでよし》は、小田原城《おだわらじょう》(神奈川県《かながわけん》)の北条《ほうじょう》氏政《うじまさ》に対し、大坂城《おおさかじょう》(大阪府《おおさかふ》)に来るように命令《めいれい》したが、氏政《うじまさ》はこれを無視《むし》した。また秀吉《ひでよし》は、関東《かんとう》と奥州《おうしゅう》(現在《げんざい》の東北《とうほく》地方)の大名《だいみょう》たちに対し、許可《きょか》なく戦《たたか》うことを禁止《きんし》していたが、氏政《うじまさ》はこれを無視《むし》し、真田昌幸《さなだまさゆき》の名《な》胡桃城《ぐるみじょう》(群馬県《ぐんまけん》)を攻《せ》め取った。

怒《おこ》った秀吉《ひでよし》は、自分に逆《さか》らい続《つづ》ける氏政《うじまさ》を倒《たお》すため、全国の大名《だいみょう》たちに出撃《しゅつげき》を命じた。秀吉《ひでよし》との対決を決意した氏政《うじまさ》は、防《ぼう》御力《ぎょりょく》の高い小田原城《おだわらじょう》に立てこもる作戦《さくせん》を立て、十分な食料《しょくりょう》や武《ぶ》器《き》などを貯《た》めこんだ。

秀吉《ひでよし》は、駿府城《すんぷじょう》(静岡県《しずおかけん》)で徳《とく》川《がわ》家康《いえやす》と合流すると、山中城《やまなかじょう》(静《しず》岡県《おかけん》)など、北条方《ほうじょうがた》の支城《しじょう》(拠点《きょてん》

❖小田原《おだわら》攻め関連《かんれん》地図

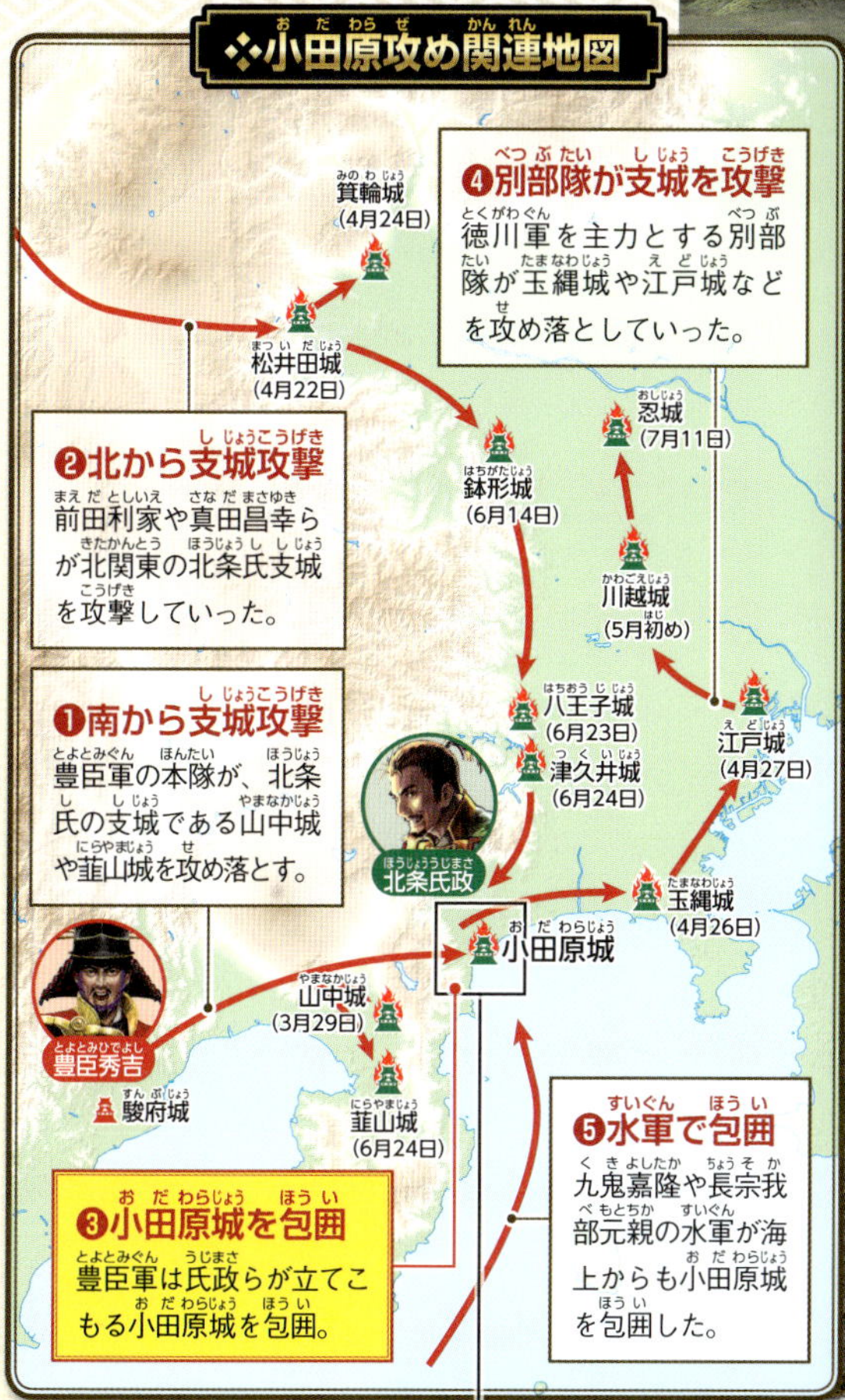

の城《しろ》を守るための城）を次つぎと落とした後、約《やく》20万人の大軍《たいぐん》で小田原城《おだわらじょう》を完全《かんぜん》に包囲《ほうい》した。海上からも九鬼嘉隆《くきよしたか》らの水軍《すいぐん》が取り囲《かこ》んだ。

さらに関東《かんとう》の北側《きたがわ》からは前田《まえだ》利家《としいえ》や真田昌幸《さなだまさゆき》らの率《ひき》いる豊臣《とよとみ》軍《ぐん》の別部隊《べつぶたい》が北条方《ほうじょうがた》の支城《しじょう》を落としていき、小田原城《おだわらじょう》の包囲軍《ほういぐん》に加《くわ》わった。家康《いえやす》を主力とする別部隊《べつぶたい》も小田原城《おだわらじょう》の東側《ひがしがわ》に攻《せ》めこみ、北条方《ほうじょうがた》の支城《しじょう》を攻め落としていった。これにより小田原《おだわら》城《じょう》は完全《かんぜん》に孤立《こりつ》した。

石垣山城《いしがきやまじょう》の出現《しゅつげん》

豊臣軍《とよとみぐん》が小田原城《おだわらじょう》を包囲《ほうい》して約《やく》80日後、小田原城《おだわらじょう》を見下ろせる石垣山《いしがきやま》に、突然城《とつぜんしろ》が出現《しゅつげん》した。秀吉《ひでよし》が完成《かんせい》と同時に周囲《しゅうい》の木を切り倒《たお》したので、小田原城《おだわらじょう》からは、ひと晩《ばん》で城《しろ》が出現《しゅつげん》したように見えた。

石垣《いしがき》山《やま》一《いち》夜《や》城《じょう》の出現《しゅつげん》で北条軍《ほうじょうぐん》は戦意《せんい》を失《うしな》う

秀吉《ひでよし》は小田原城《おだわらじょう》の包囲《ほうい》を開始したときから、小田原城《おだわらじょう》を見下ろせる石垣山《いしがきやま》に、城《しろ》を築《きず》きはじめていた。約《やく》80日後に城《しろ》が完成《かんせい》すると、秀吉《ひでよし》は城《しろ》の周囲《しゅうい》の木を切り倒《たお》した。突然《とつぜん》現《あらわ》れた「石垣《いしがき》山一夜城《やまいちやじょう》」を見た小田原城《おだわらじょう》の城兵《じょうへい》たちは、戦意《せんい》を失《うしな》った。

秀吉《ひでよし》の軍師《ぐんし》・黒田官兵衛《くろだかんべえ》が小《お》田原城《だわらじょう》に乗りこみ、降伏《こうふく》するように説得《せっとく》した。これを受け入れた氏政《うじまさ》は、城兵《じょうへい》の命をたすけるために切腹《せっぷく》。こうして早雲《そううん》から5代続《つづ》いた北条家《ほうじょうけ》は滅亡《めつぼう》した。

小田原城《おだわらじょう》に乗りこむ黒田官兵衛《くろだかんべえ》

秀吉《ひでよし》の軍師《ぐんし》・黒田官兵衛《くろだかんべえ》はひとりで小田原城《おだわらじょう》を訪《おとず》れ、氏政《うじまさ》に降伏《こうふく》するように説得《せっとく》した。

これが石垣山一夜城《いしがきやまいちやじょう》!!
秀吉《ひでよし》は小田原城《おだわらじょう》の西側《にしがわ》にある山に城《しろ》を築《きず》きはじめた。
急いで建《た》てるのじゃ！
約《やく》80日後、城《しろ》が完成《かんせい》すると、秀吉《ひでよし》は周囲《しゅうい》の木を切り倒《たお》した。
これで突然城《とつぜんしろ》が現《あらわ》れたように見えるな！
小田原城《おだわらじょう》では…
なんだあれは!?
一夜にして城《しろ》が！
北条軍《ほうじょうぐん》の城兵《じょうへい》たちは戦《たたか》う気力を失《うしな》っていった。
秀吉《ひでよし》は城《しろ》の中で茶会《ちゃかい》を楽しんだという。
もうじき北条《ほうじょう》は降伏《こうふく》するはず！
この城《しろ》は、後に「石垣山一夜城《いしがきやまいちやじょう》」と呼《よ》ばれた。

秀吉《ひでよし》に降伏《こうふく》する政宗《まさむね》
石垣山城《いしがきやまじょう》の完成《かんせい》が近づいた頃《ころ》、伊達政宗《だてまさむね》が小田原《おだわら》に参陣《さんじん》した。参陣《さんじん》が遅《おく》れた政宗《まさむね》は、死者が着る白装束《しろしょうぞく》で秀吉《ひでよし》の前に現《あらわ》れた。派手《はで》な行動が好《す》きな秀吉《ひでよし》は、政宗《まさむね》を許《ゆる》した。

切腹《せっぷく》する氏政《うじまさ》
勝ち目がないと判断《はんだん》した氏政《うじまさ》は、秀吉《ひでよし》に降伏《こうふく》し、小田原城《おだわらじょう》を明け渡《わた》した。氏政《うじまさ》は城兵《じょうへい》の命をたすけるために切腹《せっぷく》した。

合戦《かっせん》の結果《けっか》
関東《かんとう》を平定後、秀吉《ひでよし》は奥州《おうしゅう》（東北地方《とうほくちほう》）の大名《だいみょう》を従《したが》わせ、天下を統一《とういつ》した。

豊臣秀吉軍《とよとみひでよしぐん》の大勝利《だいしょうり》
無理《むり》に城《しろ》を攻《せ》めず、石垣山城《いしがきやまじょう》を築《きず》いたので、氏政《うじまさ》を降伏《こうふく》に追いこめました。
KASSEN
北条家《ほうじょうけ》をほろぼした豊臣秀吉《とよとみひでよし》氏

忍城《おしじょう》の戦《たたか》い

合戦《かっせん》ハイライト！

堤防《ていぼう》
全長約《やく》28km
にも及《およ》んだ。

水攻《みずぜ》めにされた忍城《おしじょう》
三成《みつなり》は忍城《おしじょう》の周囲《しゅうい》に全長約《やく》28kmの堤防《ていぼう》を築《きず》き、川の水を引き入れて水攻《みずぜ》めにした。

秀吉様《ひでよしさま》の命令《めいれい》どおり、忍城《おしじょう》は水攻《みずぜ》めじゃ！

石田三成《いしだみつなり》(1560〜1600)
近江《おうみ》(現在《げんざい》の滋賀県《しがけん》)出身で、若《わか》い頃《ころ》に秀吉《ひでよし》に仕えた。武器《ぶき》や食料《しょくりょう》を管理《かんり》することが得意《とくい》だったが、合戦《かっせん》を指揮《しき》するのは苦手だった。

豊臣秀吉軍《とよとみひでよしぐん》 戦力《せんりょく》 約《やく》2万6000人

VS

急に大将《たいしょう》になったが、どうしたものか…

北条氏政軍《ほうじょううじまさぐん》 戦力《せんりょく》 約《やく》3000人

成田長親《なりたながちか》(1545〜1613)
忍城《おしじょう》(埼玉県《さいたまけん》)の城代《じょうだい》・成田泰季《なりたやすすえ》の子。急死した父に代わって忍城《おしじょう》の戦《たたか》いを指揮《しき》した。

合戦《かっせん》タイプ 攻城戦《こうじょうせん》

合戦場所《かっせんばしょ》

忍城《おしじょう》
武蔵《むさし》(埼玉県《さいたまけん》)
小田原城《おだわらじょう》

三成《みつなり》の作戦《さくせん》
忍城《おしじょう》を包囲《ほうい》した後水攻《みずぜ》めにする

城兵《じょうへい》に堤防《ていぼう》を壊《こわ》されて多くの兵士《へいし》がおぼれる

小田原攻《おだわらぜ》めのとき、豊臣秀吉《とよとみひでよし》は小田原城《おだわらじょう》の支城《しじょう》(拠点《きょてん》の城《しろ》を守る城《しろ》)だった忍城《おしじょう》(埼玉県《さいたまけん》)を攻撃《こうげき》するため、石田三成《いしだみつなり》を大将《たいしょう》とする約《やく》2万6000人の大軍《たいぐん》を送りこんだ。忍城《おしじょう》の城主《じょうしゅ》・成《なり》田氏長《たうじなが》は小田原城《おだわらじょう》に出陣《しゅつじん》したため、忍城《おしじょう》の留守《るす》を守っていたのは城代《じょうだい》(代理の城主《じょうしゅ》)の成田泰季《なりたやすすえ》だった。城兵《じょうへい》は約《やく》500人で、忍城付近《おしじょうふきん》の農民《のうみん》とその家族約《やく》2500人も忍城《おしじょう》に入った。

忍城《おしじょう》に着いた三成《みつなり》は攻撃《こうげき》を開始したが、周囲《しゅうい》を川や沼《ぬま》、水堀《みずぼり》などに囲《かこ》まれた忍城《おしじょう》の守りは固《かた》く、落とせなかった。忍城内《おしじょうない》では、城代《じょうだい》の泰季《やすすえ》が急死し、泰季《やすすえ》の子・長親《ながちか》が指揮《しき》を取った。

一方、秀吉《ひでよし》から忍城《おしじょう》を水攻《みずぜ》めにするように命令《めいれい》された三成《みつなり》

❖忍城《おしじょう》の戦《たたか》い関連《かんれん》地図

❶堤防《ていぼう》の建設《けんせつ》
水攻《みずぜ》め作戦《さくせん》を決定した三成《みつなり》は、忍城《おしじょう》の周囲《しゅうい》に堤《てい》防《ぼう》を築《きず》いた。
忍城《おしじょう》
成田長親《なりたながちか》
合戦ハイライト!
石田三成《いしだみつなり》
❷水攻《みずぜ》め開始
三成《みつなり》は堤防内《ていぼうない》に利根川《とねがわ》や荒川《あらかわ》の水を引き入れた。
決壊《けっかい》

豊臣軍《とよとみぐん》
忍城《おしじょう》
もともと水堀《みずぼり》で囲《かこ》まれていた忍城《おしじょう》は、水攻《みずぜ》めにされても本丸は沈《しず》まず、まるで城《しろ》が水に浮《う》いているように見えた。

❸沈《しず》まない忍城《おしじょう》

堤防内《ていぼうない》にはあまり水がたまらず、忍城《おしじょう》の本丸は水に浮《う》かんでいるように見えた。

❹堤防《ていぼう》の決壊《けっかい》

長親《ながちか》の作戦《さくせん》で堤《てい》防《ぼう》が壊《こわ》され、豊《とよ》臣軍《とみぐん》の兵約《へいやく》270人がおぼれ死ぬ。

は、忍城《おしじょう》の周囲《しゅうい》に約《やく》28㎞の堤防《ていぼう》を約《やく》1週間で築《きず》くと、利根川《とねがわ》や荒川《あらかわ》の水を流しこんだ。しかし肝心《かんじん》の本丸は沈《しず》まなかった。その後、城兵《じょうへい》に堤防《ていぼう》を壊《こわ》され、豊《とよ》臣軍《とみぐん》の兵約《へいやく》270人が流される被害《ひがい》が出た。そのうち小田原城《おだわらじょう》が落城《らくじょう》したため、長親《ながちか》はしかたなく降伏《こうふく》し、城《しろ》を明け渡《わた》した。小田原城《おだわらじょう》が落城するまで持ちこたえた支城《しじょう》は、忍城《おしじょう》だけだった。

両軍《りょうぐん》の引き分け

小田原城《おだわらじょう》の落城前《らくじょうまえ》に、忍城《おしじょう》を落とせなかった…

水攻《みずぜ》めを実行した石田三成氏《いしだみつなりし》

合戦《かっせん》の結果《けっか》

忍城《おしじょう》を落とせなかった三成《みつなり》は、合戦《かっせん》が下手だと評価《ひょうか》されるようになった。

知って おどろき! 合戦《かっせん》!

戦《せん》国《ごく》武《ぶ》将《しょう》の甲《かっ》冑《ちゅう》!!

戦国《せんごく》武将《ぶしょう》たちの変《か》わった形の甲冑《かっちゅう》（兜《かぶと》や鎧《よろい》）を紹介《しょうかい》しよう。

兜《かぶと》の後ろの飾《かざ》りは猪《いのしし》の毛!
藤堂家《とうどうけ》の家紋《かもん》

大阪城天守閣所蔵

紅糸胸白威二枚胴具足《くれないいとむなじろおどしにまいどうぐそく》

藤堂高虎《とうどうたかとら》が大坂冬《おおさかふゆ》の陣《じん》で着用したと伝《つた》えられる甲冑《かっちゅう》で、筋兜《すじかぶと》（➡P88）の吹返《ふきかえ》しには藤堂家《とうどうけ》の家紋《かもん》がデザインされている。

持ち主

藤堂高虎《とうどうたかとら》
（1556～1630）

10人以上《いじょう》の主君に仕えた武将《ぶしょう》。秀吉《ひでよし》に仕えていたとき、九州《きゅうしゅう》攻《せ》めで活躍《かつやく》。秀吉《ひでよし》の死後、徳《とく》川家康《がわいえやす》に味方し、関ケ原《せきがはら》の戦《たたか》いでは東軍《とうぐん》に参加《さんか》した。

巨大《きょだい》な角の材料《ざいりょう》は桐《きり》!

大阪城天守閣所蔵

茶糸威桶側五枚胴具足《ちゃいとおどしおけがわごまいどうぐそく》

兜《かぶと》には水牛の角をデザインした脇立《わきだて》がついている。胴《どう》には鎧《よろい》の強度を試《ため》すため、鉄砲《てっぽう》で試《ため》しうちをした跡《あと》が残《のこ》っている。

持ち主

浅野長政《あさのながまさ》
（1547～1611）

若《わか》い頃《ころ》から豊臣秀吉《とよとみひでよし》に仕え、朝鮮出兵《ちょうせんしゅっぺい》に参加《さんか》。大名《だいみょう》たちのまとめ役をつとめた。関ケ原《せきがはら》の戦《たたか》いでは東軍《とうぐん》に参加《さんか》した。

梯子《はしご》は「永久《えいきゅう》」を表現《ひょうげん》している!

真田宝物館所蔵

皺革包昇梯子文仏二枚胴具足《しぼかわづつみのぼりはしごもんほとけにまいどうぐそく》

黒い大きな前立《まえだて》（兜《かぶと》の前側《まえがわ》の飾《かざ》り）が特徴《とくちょう》。胴《どう》には梯子《はしご》がデザインされている。

持ち主

真田昌幸《さなだまさゆき》
（1547～1611）

信濃《しなの》（現在《げんざい》の長野県《ながのけん》）の武将《ぶしょう》で、合戦《かっせん》が得意《とくい》。上田合戦《うえだかっせん》（第1次・第2次）で徳川軍《とくがわぐん》を破《やぶ》った。

兜《かぶと》の輪《わ》は取り外しが可能《かのう》！

（公財）立花家史料館所蔵

鉄《てつ》皺《しぼ》革《かわ》包《つつみ》月《がち》輪《りん》文《もん》最《も》上《がみ》胴《どう》具《ぐ》足《そく》

兜《かぶと》と胴《どう》に輪《わ》（月輪《がちりん》）がデザインされている。兜《かぶと》の後ろには鳥毛《とりげ》がついている。

持ち主

立《たち》花《ばな》宗《むね》茂《しげ》（1569～1642）

豊臣秀吉《とよとみひでよし》に仕え、朝鮮出兵《ちょうせんしゅっぺい》で活躍《かつやく》したが、関ケ原《せきがはら》の戦《たたか》いで西軍《せいぐん》に参《さん》加《か》したため領地《りょうち》を取り上げられた。江戸《えど》時代に柳川藩《やながわはん》（現在《げんざい》の福岡《ふくおか》県《けん》）の初代藩主《しょだいはんしゅ》になった。

黒《くろ》糸《いと》威《おどし》三《みつ》葵《あおい》紋《もん》柄《がら》丸《まる》胴《どう》具《ぐ》足《そく》

徳川家康《とくがわいえやす》が松平信一《まつだいらのぶかず》に与《あた》えたと伝《つた》わる甲冑《かっちゅう》で、胴《どう》や手の甲《こう》、佩楯《はいだて》（下半身を守る板）には、徳川家《とくがわけ》の家紋《かもん》である「三《み》つ葵《あおい》」がデザインされている。

兜《かぶと》の飾《かざ》りはまるで猫《ねこ》の耳！

上田市立博物館所蔵

持ち主

松《まつ》平《だいら》信《のぶ》一《かず》（1539～1624）

徳川家康《とくがわいえやす》の親類《しんるい》で、若《わか》い頃《ころ》から家康《いえやす》に仕えた。姉川《あねがわ》の戦《たたか》いや長《なが》篠《しの》の戦《たたか》いなどに参加《さんか》し、関ケ原《せきがはら》の戦《たたか》い後は土浦藩《つちうらはん》（現在《げんざい》の茨城《いばらき》県《けん》）初代藩主《しょだいはんしゅ》になった。

髪型《かみがた》はオールバック！

大阪城天守閣所蔵

日《じつ》月《げつ》竜《りゅう》文《もん》蒔《まき》絵《え》仏《ほとけ》胴《どう》具《ぐ》足《そく》

兜《かぶと》には熊《くま》の毛が植えられ、前側《まえがわ》には獅子《しし》（ライオン）の頭がついている。胴《どう》には龍《りゅう》がデザインされている。

持ち主

後《ご》藤《とう》基《もと》次《つぐ》（1560～1615）

黒田家《くろだけ》に仕えた勇猛《ゆうもう》な武将《ぶしょう》。関ケ《せきが》原《はら》の戦《たたか》い後、黒田長政《くろだながまさ》と対立して黒田家《くろだけ》を去った。大坂夏《おおさかなつ》の陣《じん》で豊《とよ》臣《とみ》軍《ぐん》に参加《さんか》したが戦死《せんし》した。

これが戦国《せんごく》の「変《か》わり兜《かぶと》」!!

戦国《せんごく》時代になると、動物や植物、日用品などをデザインに取り入れた風変《ふうが》わりな「変《か》わり兜《かぶと》」が流行した。武将《ぶしょう》たちは、戦場《せんじょう》で目立ちたかったのである。

鉄《てつ》八《はち》枚《まい》張《ばり》椎《しい》形《なり》眼《め》鏡《がね》付《つき》兜《かぶと》

椎《しい》の実《み》(ドングリ)の形の兜《かぶと》に、眼鏡《めがね》が装《そう》着《ちゃく》できるようになっている。

国立歴史民俗博物館所蔵

千葉県立中央博物館
大多喜城分館所蔵

兎《と》耳《じ》形《なり》兜《かぶと》

兜《かぶと》全体にうさぎがデザインされている。兎《うさぎ》の顔には毛が植えられている。

鉄《てつ》一《いち》枚《まい》張《ばり》 南《なん》蛮《ばん》鎖《くさり》兜《かぶと》

ムカデは前にしか進まないため、「退却《たいきゃく》しない」という意味がこめられているという。兜《かぶと》全体が鎖《くさり》でおおわれている。

国立歴史民俗博物館所蔵

Nation

鉄《てつ》六《ろく》枚《まい》張《ばり》桃《もも》形《なり》 前《まえ》付《つき》臥《ふせ》蝶《ちょう》兜《かぶと》

兜《かぶと》の前側《まえがわ》に写実的《しゃじつてき》な蝶《ちょう》がデザインされている。蝶《ちょう》には神秘《しんぴ》的《てき》な力があると思われていた。

国立歴史民俗博物館所蔵

※変《か》わり兜《かぶと》には江戸《えど》時代に制作《せいさく》されたものも含《ふく》まれています。

戦国武将《せんごくぶしょう》の変《か》わり兜《かぶと》

銀《ぎん》白檀《びゃくだん》塗《ぬり》合子《ごうす》形《なり》兜《かぶと》

合子《ごうす》(お椀《わん》)をひっくり返した形の兜《かぶと》。薄《うす》い鉄板の表面に銀箔《ぎんぱく》をはり、その上から漆《うるし》で赤く着色している。

如水《じょすい》の赤合子《あかごうす》と呼《よ》ばれた兜《かぶと》!

もりおか歴史文化館所蔵

持ち主

黒田官兵衛《くろだかんべえ》
(1546~1604)

黒田如水《くろだじょすい》の名でも知られる。秀吉《ひでよし》に軍師《ぐんし》として仕え、山崎《やまざき》の戦《たたか》いなどで作戦《さくせん》を立て、秀吉《ひでよし》の天下統一《とういつ》をたすけた。

兜《かぶと》の飾《かざ》りは白鷺《しらさぎ》の羽!

関ケ原町歴史民俗博物館所蔵

鳥《とり》毛《げ》立《だち》雑賀《さいか》兜《かぶと》(複製《ふくせい》)

鉄を多く使い、ヘルメットのような形をした「雑賀兜《さいかかぶと》」に鉄棒《てつぼう》をのばしたもの。

持ち主

浅野幸長《あさのよしなが》(1576~1613)

父の浅野長政《あさのながまさ》とともに秀吉《ひでよし》に仕えた武将。関ケ原《せきがはら》の戦《たたか》いでは東《とう》軍《ぐん》に参加《さんか》し、その手柄《てがら》で紀伊《きい》(現《げん》在《ざい》の和歌山県《わかやまけん》)を与《あた》えられた。

シンプルで実戦《じっせん》向きの兜《かぶと》!

関ケ原町歴史民俗博物館所蔵

大黒《だいこく》頭巾《ずきん》形《なり》兜《かぶと》(複製《ふくせい》)

軍神《ぐんしん》である大黒神《だいこくしん》がかぶっている頭巾《ずきん》の形をした兜《かぶと》。大黒神《だいこくしん》の夢《ゆめ》を見た家康《いえやす》がつくらせたといわれる。

持ち主

徳川家康《とくがわいえやす》
(1542~1616)

秀吉《ひでよし》の死後、関ケ原《せきがはら》の戦《たたか》いに勝利《しょうり》して天下を取り、1603年、江戸幕《えどばく》府《ふ》を開いて初代将軍《しょだいしょうぐん》になった。

脇坂家《わきざかけ》の輪違《わちが》い紋《もん》が見える!

個人蔵・大阪城天守閣写真提供

鉄《かね》錆《さび》地《じ》置《おき》手拭《てぬぐい》形《なり》兜《かぶと》

頭の上に手拭《てぬぐ》いを置《お》いたような形に見える。兜《かぶと》の後ろには家紋《かもん》がデザインされた飾《かざ》りがつけられている。

持ち主

脇坂安治《わきざかやすはる》(1554~1626)

秀吉《ひでよし》に仕えた武将《ぶしょう》。関ケ原《せきがはら》の戦《たたか》いでは、西軍《せいぐん》に属《ぞく》していたが裏《うら》切《ぎ》った。その手柄《てがら》で大洲藩《おおずはん》(現在《げんざい》の愛媛県《えひめけん》)の初代藩主《しょだいはんしゅ》になった。

合戦《かっせん》59

1592・1597年

文禄《ぶんろく》・慶長《けいちょう》の役《えき》(朝鮮出兵《ちょうせんしゅっぺい》)

秀吉様《ひでよしさま》の期待に応《こた》えるため、大軍《たいぐん》で一気に攻《せ》めこむぞ！

宇喜多秀家《うきたひでいえ》(1572～1655)

備前《びぜん》(現在《げんざい》の岡山県《おかやまけん》)の武将《ぶしょう》・宇喜多直家《うきたなおいえ》の子で秀吉《ひでよし》の養子《ようし》になった。四国《しこく》攻《ぜ》めや九州《きゅうしゅう》攻《ぜ》めで活躍《かつやく》し、文禄《ぶんろく》の役《えき》で総大将《そうだいしょう》に任《にん》じられた。

豊臣秀吉軍《とよとみひでよしぐん》

戦力《せんりょく》(文禄《ぶんろく》の役)	約《やく》15万人
戦力《せんりょく》(慶長《けいちょう》の役)	約《やく》14万人

VS

亀甲船《きっこうせん》で日本水軍《すいぐん》を打《う》ち破《やぶ》る！

明《みん》・朝鮮軍《ちょうせんぐん》

戦力《せんりょく》(文禄《ぶんろく》の役《えき》)	約《やく》25万人
戦力《せんりょく》(慶長《けいちょう》の役《えき》)	数十万人

李舜臣《りしゅんしん》(1545～1598)

李氏朝鮮《りしちょうせん》の武将《ぶしょう》。亀甲船《きっこうせん》を建造《けんぞう》し、文《ぶん》禄《ろく》・慶長《けいちょう》の役《えき》で日本水軍《すいぐん》と戦《たたか》った。

合戦《かっせん》タイプ：攻城戦《こうじょうせん》／野戦《やせん》／水上戦《すいじょうせん》

合戦場所《かっせんばしょ》

朝鮮《ちょうせん》半島
露梁《ろりょう》
名護屋城《なごやじょう》

❖文禄《ぶんろく》・慶長《けいちょう》の役《えき》関連《かんれん》地図

慶長《けいちょう》の役《えき》 1597～1598
豊臣軍《とよとみぐん》の進路
おもな合戦地《かっせんち》
日本軍《にほんぐん》の城《しろ》
文禄《ぶんろく》の役《えき》 1592～1593
豊臣軍《とよとみぐん》の進路
おもな合戦地《かっせんち》
明《みん》
会寧《かいねい》
加藤清正《かとうきよまさ》
1592年 ❷加藤清正《かとうきよまさ》が朝鮮軍《ちょうせんぐん》を破《やぶ》る。
平壌《へいじょう》
宇喜多秀家《うきたひでいえ》
開城《かいじょう》
朝鮮《ちょうせん》
漢城《かんじょう》
碧蹄館《へきていかん》
1598年 ❹加藤清正《かとうきよまさ》らが蔚山城《うるさんじょう》にたてこもる。
1593年 ❸宇喜多秀家《うきたひでいえ》らが明軍《みんぐん》を撃破《げきは》。
慶州《けいしゅう》
蔚山《うるさん》
合戦ハイライト!
釜山《プサン》
羅州《らしゅう》
泗川《しせん》
露梁《ろりょう》
1592年 ❶小西行長《こにしゆきなが》が釜山《プサン》を占領《せんりょう》。
名護屋城《なごやじょう》
1598年 ❻李舜臣率《りしゅんしんひき》いる連合軍《れんごうぐん》が日本軍《にほんぐん》に勝利《しょうり》。
1598年 ❺島津義弘《しまづよしひろ》が連合軍《れんごうぐん》の大軍《たいぐん》を撃退《げきたい》。
李舜臣《りしゅんしん》

秀吉《ひでよし》の作戦《さくせん》

朝鮮《ちょうせん》を従《したが》えた後に明《みん》(中国《ちゅうごく》)に攻めこむ

快進撃《かいしんげき》を続《つづ》けるがしだいに苦戦《くせん》する

天下統一《とういつ》を実現《じつげん》した豊臣秀吉《とよとみひでよし》は、明《みん》(中国《ちゅうごく》)の征服《せいふく》を目指し、肥前《ひぜん》(現在《げんざい》の佐賀県《さがけん》)に名護屋城《なごやじょう》を築《きず》いた。そして1592年、宇喜多秀家《うきたひでいえ》を総大将《そうだいしょう》とする約《やく》15万人の大軍《たいぐん》を朝鮮《ちょうせん》半島に送りこんだ。釜山《プサン》(韓国《かんこく》)に上陸《じょうりく》した豊《とよ》臣軍《とみぐん》は快進撃《かいしんげき》を続《つづ》け、李氏朝鮮《りしちょうせん》(朝鮮《ちょうせん》半島の国)の首都・漢城《かんじょう》(ソウル)を占領《せんりょう》した。

しかし明《みん》の救援軍《きゅうえんぐん》によって豊《とよ》臣軍《とみぐん》は反撃《はんげき》を受け、朝鮮《ちょうせん》の民衆《みんしゅう》が組織《そしき》した「義兵《ぎへい》」によって激《はげ》しい抵抗《ていこう》を受けるようになった。さらに李氏朝鮮《りしちょうせん》の李舜臣率《りしゅんしんひき》いる朝鮮水軍《ちょうせんすいぐん》が、日本水軍《すいぐん》を撃破《げきは》した。翌年《よくとし》、豊臣軍《とよとみぐん》は碧蹄館《へきていかん》の戦《たたか》いで勝利《しょうり》したが、その後も食料《しょくりょう》不足《ぶそく》で苦戦《くせん》が続《つづ》いた。

そこで豊臣軍《とよとみぐん》の武将《ぶしょう》・小西行《こにしゆき》

名護屋城《なごやじょう》
秀吉《ひでよし》が朝鮮出兵《ちょうせんしゅっぺい》の拠点《きょてん》にするため、肥前《ひぜん》（現在《げんざい》の佐賀県《さがけん》）に建《た》てた城《じろ》で、1592年に完成《かんせい》した。5層《そう》7階の天守《てんしゅ》は、高さが30m近くあったという。周辺《しゅうへん》には朝鮮出兵《ちょうせんしゅっぺい》に参加《さんか》する大名《だいみょう》の屋敷《やしき》が130以上《いじょう》も建《た》ち並《なら》び、全国から20万人以上《いじょう》が集まった。

長《なが》は、明《みん》・朝鮮《ちょうせん》と和平交渉《こうしょう》を開始した。しかし秀吉《ひでよし》が出した条件《じょうけん》は「朝鮮《ちょうせん》半島を日本にゆずる」といった無理《むり》な内容《ないよう》だったため、行長《ゆきなが》は明《みん》の使者と相談して、秀吉《ひでよし》の要求《ようきゅう》を無視《むし》し、停戦《ていせん》（合戦《かっせん》の中止）を実現《じつげん》させた。これにより豊臣軍《とよとみぐん》は朝鮮《ちょうせん》半島から撤退《てったい》できた（文禄《ぶんろく》の役《えき》）。

秀吉《ひでよし》は要求《ようきゅう》が明《みん》に受け入れられたと思っていたが、1596年に来日した明《みん》の使者が読み上げた文書の内容《ないよう》は、「秀吉《ひでよし》を日本国王として認《みと》める」というものだった。要求《ようきゅう》が無視《むし》されて激《げき》怒《ど》した秀吉《ひでよし》は、再《ふたた》び朝鮮《ちょうせん》半島への出兵《しゅっぺい》を命じ、約《やく》14万人の大軍《たいぐん》を差《さ》し向けた（慶長《けいちょう》の役《えき》）。

出陣式《しゅつじんしき》で行進する伊達政宗軍《だてまさむねぐん》
京都《きょうと》で開かれた朝鮮出兵《ちょうせんしゅっぺい》の出陣式《しゅつじんしき》で、伊達《だて》軍《ぐん》は派手《はで》な軍装《ぐんそう》で行進し、評判《ひょうばん》となった。

合戦《かっせん》ハイライト!
亀甲船《きっこうせん》
李舜臣《りしゅんしん》が改良《かいりょう》した軍船《ぐんせん》で、敵《てき》の矢や銃弾《じゅうだん》などを防《ふせ》ぐため、船の上部を厚《あつ》い板でおおい、周囲《しゅうい》の穴《あな》から大砲《たいほう》をうつことができた。
安宅船《あたけぶね》
日本の大型《おおがた》の軍船《ぐんせん》。朝《ちょう》鮮出兵《せんしゅっぺい》のとき、豊臣水《とよとみすい》軍《ぐん》の主力となった。
露梁《ろりょう》の海戦《かいせん》
慶長《けいちょう》の役《えき》のとき、朝鮮《ちょうせん》半島南部の露梁海《ろりょうかい》峡《きょう》で起きた海戦《かいせん》。朝鮮水軍《ちょうせんすいぐん》を率《ひき》いる李舜《りしゅん》臣《しん》は亀甲船《きっこうせん》で豊臣水軍《とよとみすいぐん》に大きな被害《ひがい》を与《あた》えたが、流れ弾《だま》に当たって戦死《せんし》した。

7年に及《およ》ぶ戦《たたか》いが秀吉《ひでよし》の死で終わる

1597年、豊臣軍《とよとみぐん》は朝鮮《ちょうせん》半島に上陸《じょうりく》したが、明《みん》の援軍《えんぐん》や義《ぎ》兵《へい》の抵抗《ていこう》、李舜臣《りしゅんしん》の率《ひき》いる朝鮮《ちょうせん》水軍《すいぐん》の攻撃《こうげき》などにより、苦戦《くせん》が続《つづ》き、朝鮮《ちょうせん》半島の南部で釘《くぎ》づけにされた。秀吉《ひでよし》は敵《てき》の首ではなく、そぎ取った鼻の数で働《はたら》きを評価《ひょうか》したので、豊臣軍《とよとみぐん》の中には民衆《みんしゅう》の鼻をそぐ者もいたという。

悲惨《ひさん》な戦《たたか》いが続《つづ》く中、1598年8月に秀吉《ひでよし》は病死してしまう。これにより豊臣軍《とよとみぐん》は朝鮮《ちょうせん》半島からの撤退《てったい》を開始し、7年に及《およ》ぶ戦《たたか》いが終わった。

義兵《ぎへい》の抵抗《ていこう》に苦しむ豊臣軍《とよとみぐん》
朝鮮《ちょうせん》半島の各地《かくち》で民衆《みんしゅう》による「義兵《ぎへい》」が抵抗《ていこう》を続《つづ》けた。

清正《きよまさ》は本物の大将《たいしょう》!!

慶長《けいちょう》の役《えき》で、加藤清正《かとうきよまさ》が蔚山城《うるさんじょう》の近くにいたとき——
たいへんです!
蔚山城《うるさんじょう》が敵《てき》におそわれました!
何っ! すぐに救援《きゅうえん》に向かうぞ!
清正《きよまさ》は蔚山城《うるさんじょう》に入った。
これからは私《わたし》が指揮《しき》を取る!
おーっ
しかし、食料《しょくりょう》や水がなくなり、兵士《へいし》たちは苦しんだ。
必《かなら》ず援軍《えんぐん》が来る!
それまでのしんぼうだ!
やがて援軍《えんぐん》が到着《とうちゃく》し、清正《きよまさ》たちは敵《てき》を追いはらった。
パーン
パーン
うて!
敵《てき》を撃退《げきたい》せよ!

蔚山城《うるさんじょう》
明《みん》・朝鮮軍《ちょうせんぐん》
公益財団法人鍋島報效会所蔵

ビジュアル資料《しりょう》 **蔚山城《うるさんじょう》の戦《たたか》い** 慶長《けいちょう》の役《えき》のとき、加藤清正《かとうきよまさ》の立てこもる蔚山城《うるさんじょう》が明《みん》・朝鮮《ちょうせん》軍《ぐん》に包囲《ほうい》されたが、かけつけた援軍《えんぐん》と協力《きょうりょく》して撃破《げきは》した。

対立する清正《きよまさ》と三成《みつなり》
朝鮮出兵《ちょうせんしゅっぺい》のとき、加藤《かとう》清正《きよまさ》は、自分に不利《ふり》な内容《ないよう》を秀吉《ひでよし》に報告《ほうこく》をした石田三成《いしだみつなり》に怒《おこ》り、対立するようになった。

合戦《かっせん》の結果《けっか》

戦場《せんじょう》になった朝鮮《ちょうせん》は荒《あ》れ果《は》て、日本の武士《ぶし》も重い負担《ふたん》に苦しみ、大名《だいみょう》どうしの対立も生んだ。

両軍《りょうぐん》の引き分け

来年にはさらに大規模《だいきぼ》な出兵《しゅっぺい》をおこなうぞ!
慶長《けいちょう》の役《えき》を実行した豊臣秀吉《とよとみひでよし》氏

伏見城《ふしみじょう》の戦《たたか》い

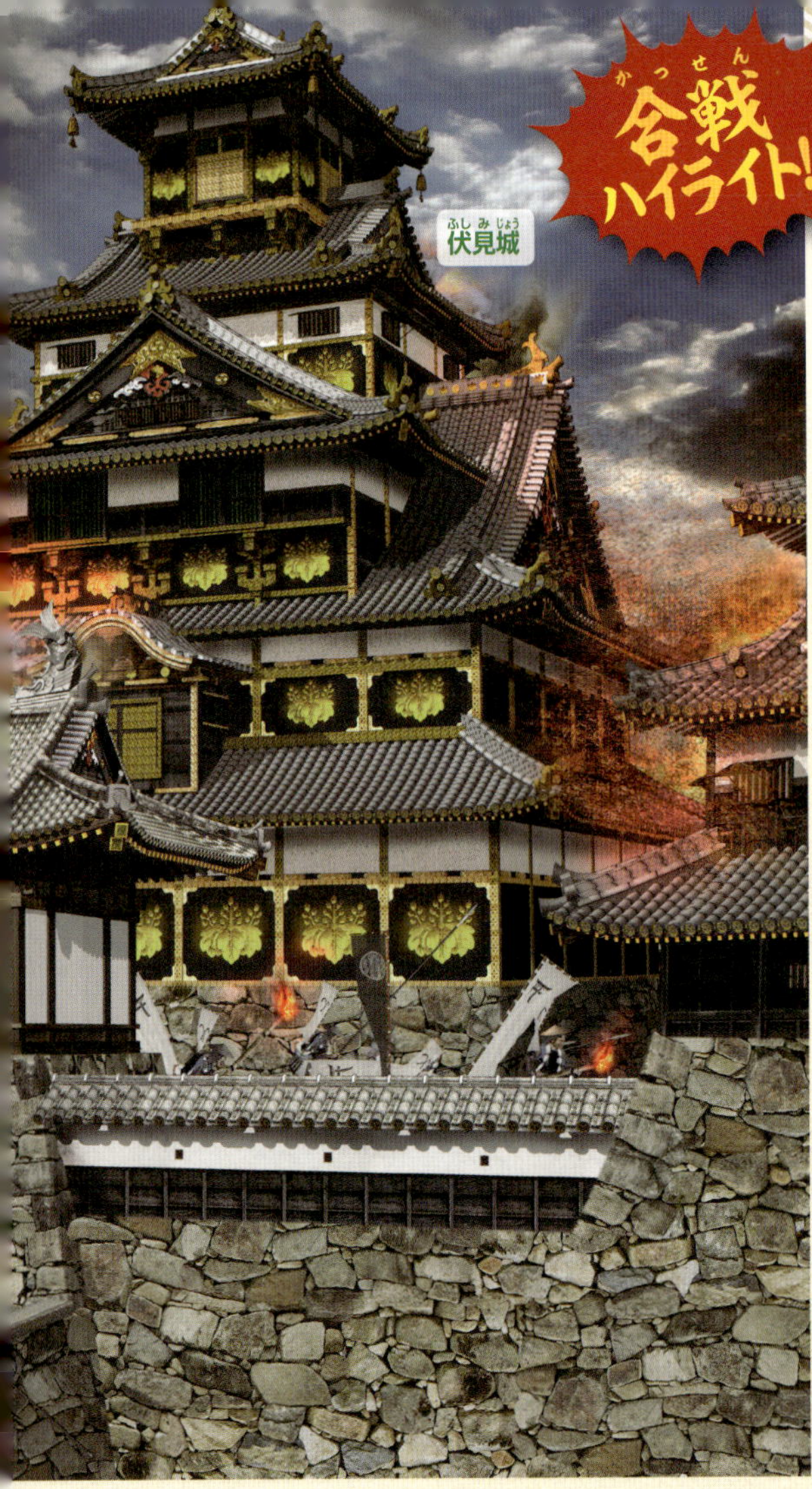
合戦《かっせん》ハイライト！
伏見城《ふしみじょう》

伏見城《ふしみじょう》を落として近畿《きんき》を支配下《しはいか》に置《お》く！

宇喜多秀家《うきたひでいえ》(1572～1655)

秀吉《ひでよし》の養子《ようし》になった武将《ぶしょう》で、文禄《ぶんろく》の役《えき》で総大将《そうだいしょう》をつとめる。関ケ原《せきがはら》の戦《たたか》いでは西軍《せいぐん》の主力として戦《たたか》った。

西軍《せいぐん》(石田軍《いしだぐん》) 戦力《せんりょく》 約《やく》4万人

VS

家康様《いえやすさま》のために、この命を使う！

東軍《とうぐん》(徳川軍《とくがわぐん》) 戦力《せんりょく》 約《やく》1800人

鳥居元忠《とりいもとただ》(1539～1600)

家康《いえやす》に仕えた武将《ぶしょう》。1600年に家康《いえやす》が会津《あいづ》に出兵《しゅっぺい》するとき、西軍《せいぐん》に攻撃《こうげき》されるのを覚悟《かくご》して伏見城《ふしみじょう》に残《のこ》った。

合戦《かっせん》タイプ　攻城戦《こうじょうせん》

合戦場所《かっせんばしょ》

山城《やましろ》(京都府《きょうとふ》)
伏見城《ふしみじょう》

三成《みつなり》の作戦《さくせん》

大軍《たいぐん》で一気《いっき》に伏見城《ふしみじょう》を攻《せ》め落とす

家康《いえやす》打倒《だとう》を決意した三成《みつなり》が兵《へい》を挙《あ》げる

豊臣秀吉《とよとみひでよし》の死後、徳川家康《とくがわいえやす》は天下取りに向けて動きはじめ、石田三成《いしだみつなり》や会津《あいづ》(福島県《ふくしまけん》)の上杉《うえすぎ》景勝《かげかつ》と対立した。1600年6月、景勝《かげかつ》は家康《いえやす》から京都《きょうと》に来るように命令《めいれい》されたが拒否《きょひ》。このため家康《いえやす》は景勝《かげかつ》討伐軍《とうばつぐん》を編成《へんせい》し、大坂城《おおさかじょう》(大阪府《おおさかふ》)を出発した後、伏見城《ふしみじょう》(京都府《きょうとふ》)に入った。これが関ケ原《せきがはら》の戦《たたか》い(➡P248)のはじまりになった。

家康《いえやす》は、自分が会津《あいづ》に向かうことで石田三成《いしだみつなり》に挙兵《きょへい》させ、それを戦《たたか》う理由にして三成《みつなり》を倒《たお》すつもりだった。このため伏見城《ふしみじょう》が三成《みつなり》に攻撃《こうげき》され、落とされると予想していた。出発の前日、家康《いえやす》は伏見城《ふしみじょう》を守る武将《ぶしょう》・鳥居《とりい》元忠《もとただ》と別《わか》れの宴会《えんかい》を開いた。家康《いえやす》が出発して約《やく》1か月後、

❖関ケ原《せきがはら》の戦《たたか》いの前の動き

7月19日～9月12日
❸田辺城《たなべじょう》の戦《たたか》い
東軍《とうぐん》の細川藤孝《ほそかわふじたか》が守る田辺《たなべ》城《じょう》を西軍《せいぐん》が攻撃《こうげき》し、勝利《しょうり》。
田辺城《たなべじょう》（京都府《きょうとふ》）。
東軍《とうぐん》の城《しろ》
西軍《せいぐん》の城《しろ》
東軍《とうぐん》の進路《しんろ》
西軍《せいぐん》の進路《しんろ》
8月10日
❹石田三成《いしだみつなり》が佐《さ》和山城《わやまじょう》を出《で》て大《おお》垣城《がきじょう》に入る。
美濃《みの》
若狭《わかさ》
関ケ原《せきがはら》
田辺城《たなべじょう》
岐阜城《ぎふじょう》
佐和山城《さわやまじょう》
福知山城《ふくちやまじょう》
丹波《たんば》
大垣城《おおがきじょう》
清洲城《きよすじょう》
山城《やましろ》
近江《おうみ》
大津城《おおつじょう》
三河《みかわ》
7月17日
❶毛利輝元《もうりてるもと》が大《おお》坂城《さかじょう》に入《はい》る。
伏見城《ふしみじょう》
伊賀《いが》
尾張《おわり》
伊勢《いせ》
合戦ハイライト!
大坂城《おおさかじょう》
7月18日～8月1日
❷伏見城《ふしみじょう》の戦《たたか》い
9月7日～15日
❺大津城《おおつじょう》の戦《たたか》い
東軍《とうぐん》の京極高次《きょうごくたかつぐ》が守る大津城《おおつじょう》を西軍《せいぐん》が攻撃《こうげき》。関ケ原《せきがはら》の戦《たたか》い当日に落城《らくじょう》。

西軍《せいぐん》

西軍《せいぐん》の攻撃《こうげき》で落城《らくじょう》する伏見城《ふしみじょう》

大軍《たいぐん》の西軍《せいぐん》は、鳥居元忠《とりいもとただ》が守る伏見城《ふしみじょう》に激《はげ》しい攻撃《こうげき》を加《くわ》えたが、苦戦《くせん》した。13日間に及《およ》ぶ激《はげ》しい攻防《こうぼう》が続《つづ》いたが、8月1日に天守《てんしゅ》が消失《しょうじつ》し、落城《らくじょう》した。

三成《みつなり》は「家康《いえやす》を倒《たお》せ」と、宇喜多《うきた》秀家《ひでいえ》をはじめとする西日本の大《だい》名《みょう》に参加《さんか》を呼《よ》びかけ、西軍《せいぐん》（石《いし》田軍《だぐん》）を組織《そしき》した。そして西軍《せいぐん》約《やく》4万人に伏見城《ふしみじょう》を攻撃《こうげき》させた。このとき伏見城《ふしみじょう》には約《やく》1800人の城兵《じょうへい》しかいなかったが、元忠《もとただ》の激《はげ》しい反撃《はんげき》により、西軍《せいぐん》は苦戦《くせん》した。元忠《もとただ》が戦死《せんし》し、伏見城《ふしみじょう》が落城《らくじょう》したのは、開《かい》戦《せん》から13日後のことだった。

合戦《かっせん》の結果《けっか》

伏見城《ふしみじょう》を落とすのに13日もかかり、西軍《せいぐん》は関ケ原《せきがはら》の戦《たたか》いに最初《さいしょ》から勢《いきお》いをそがれた。

西軍《せいぐん》（石田軍《いしだぐん》）の大勝利《だいしょうり》
勝利《しょうり》できたが、落城《らくじょう》まで13日もかかるとは…
KASSEN
西軍《せいぐん》の中心人物の石田三成氏《いしだみつなりし》

合戦《かっせん》61

1600年

慶長出羽合戦《けいちょうでわかっせん》

合戦《かっせん》ハイライト！

上杉《うえすぎ》の攻撃《こうげき》に耐《た》えられるか…
この混乱《こんらん》の中で領地《りょうち》を広げたい…

伊達政宗《だてまさむね》(1567～1636)

南奥州《みなみおうしゅう》(東北《とうほく》地方南部)で勢力《せいりょく》を拡大《かくだい》したが、小田原攻《おだわらぜ》めのとき参陣《さんじん》が遅《おく》れ、領地《りょうち》をへらされた。

最上義光《もがみよしあき》(1546～1614)

出羽《でわ》(現在《げんざい》の山形県《やまがたけん》)の戦国大名《せんごくだいみょう》。妹が政宗《まさむね》の母だが、政宗《まさむね》と対立し、戦《たたか》った。慶長出羽《けいちょうでわ》合戦《かっせん》では政宗《まさむね》と協力《きょうりょく》した。

東軍《とうぐん》(最上《もがみ》・伊達軍《だてぐん》)　戦力《せんりょく》 約《やく》1万人

VS

兼続《かねつぐ》、任《まか》せたぞ！
家康《いえやす》が来ないなら最上《もがみ》を倒《たお》す！

西軍《せいぐん》(上杉景勝軍《うえすぎかげかつぐん》)　戦力《せんりょく》 約《やく》2万人

直江兼続《なおえかねつぐ》(1560～1619)

上杉景勝《うえすぎかげかつ》の家老《かろう》。天下をねらおうとする家康《いえやす》の行動を批判《ひはん》し、対立した。

上杉景勝《うえすぎかげかつ》(1555～1623)

上杉謙信《うえすぎけんしん》の養子《ようし》で、上杉《うえすぎ》家《け》を継《つ》いだ。秀吉《ひでよし》の死後、家康《いえやす》と対立した。

合戦《かっせん》タイプ	
	攻城戦《こうじょうせん》
	野戦《やせん》

合戦場所《かっせんばしょ》

出羽《でわ》(山形県《やまがたけん》)
長谷堂城《はせどうじょう》

兼続《かねつぐ》の作戦《さくせん》

家康《いえやす》が引き返したすきに最上《もが》を攻撃《こうげき》

長谷堂城攻撃《はせどうじょうこうげき》の最中《さいちゅう》に家康勝利《いえやすしょうり》の報告《ほうこく》が届《とど》く

1600年6月、徳川家康《とくがわいえやす》は会津《あいづ》(福島県《ふくしまけん》)の上杉景勝《うえすぎかげかつ》への攻《こう》撃《げき》を開始し、全国の大名《だいみょう》に上杉《うえすぎ》を攻《せ》めるように命じた。伊達政《だてまさ》宗《むね》は北目城《きためじょう》(宮城県《みやぎけん》)にもどり、7月24日、上杉方《うえすぎがた》の白石城《しろいしじょう》(宮《みや》城《ぎ》県《けん》)への攻撃《こうげき》を開始。政宗《まさむね》は城《しろ》の周囲《しゅうい》に火を放って総攻撃《そうこうげき》し、翌日《よくじつ》に落城《らくじょう》させた。

一方、会津《あいづ》に向かっていた家《いえ》康《やす》は石田三成《いしだみつなり》の挙兵《きょへい》を知ると、自分に味方する大名《だいみょう》たちを中心に東軍《とうぐん》(徳川軍《とくがわぐん》)を編成《へんせい》し、小山《おやま》(栃木県《とちぎけん》)から引き返し、西へ向かった。家康《いえやす》が引き返したことを知った景勝《かげかつ》は、9月8日、家《か》臣《しん》の直江兼続《なおえかねつぐ》に命じて、東軍《とうぐん》に属《ぞく》する出羽《でわ》(現在《げんざい》の山形県《やまがたけん》)の最《も》上義光《がみよしあき》への攻撃《こうげき》を開始させた。

兼続《かねつぐ》は約《やく》2万人を率《ひき》いて最上《もがみ》

❖慶長《けいちょう》出羽《でわ》合戦《かっせん》関連《かんれん》地図

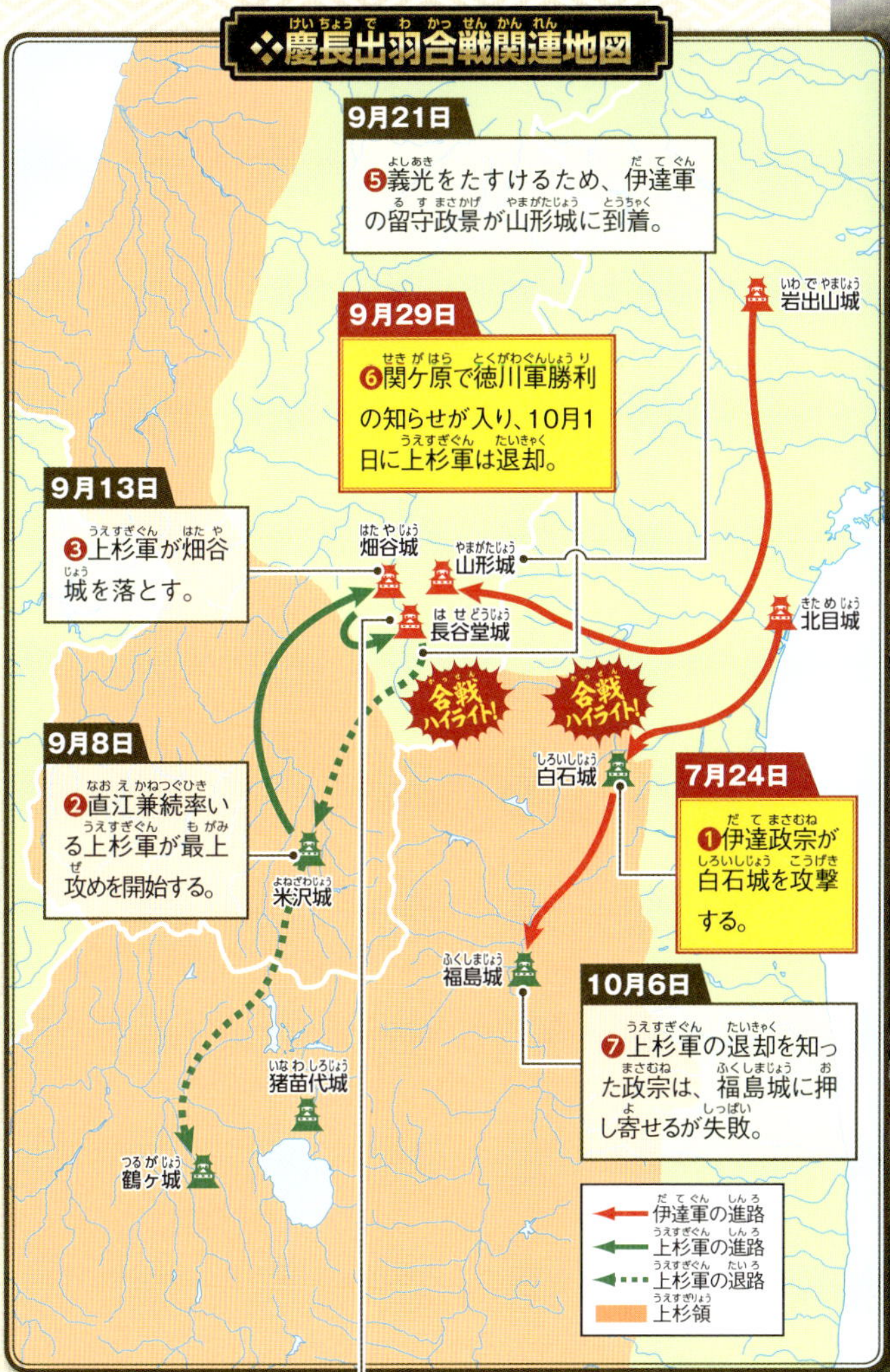
9月21日
❺義光《よしあき》をたすけるため、伊達軍《だてぐん》の留守政景《るすまさかげ》が山形城《やまがたじょう》に到着《とうちゃく》。
9月29日
❻関ケ原《せきがはら》で徳川軍勝利《とくがわぐんしょうり》の知らせが入り、10月1日に上杉軍《うえすぎぐん》は退却《たいきゃく》。
9月13日
❸上杉軍《うえすぎぐん》が畑谷《はたや》城《じょう》を落とす。
9月8日
❷直江兼続《なおえかねつぐ》率い《ひき》る上杉軍《うえすぎぐん》が最上《もがみ》攻《せ》めを開始する。
7月24日
❶伊達政宗《だてまさむね》が白石城《しろいしじょう》を攻撃《こうげき》する。
10月6日
❼上杉軍《うえすぎぐん》の退却《たいきゃく》を知った政宗《まさむね》は、福島城《ふくしまじょう》に押《お》し寄《よ》せるが失敗《しっぱい》。
岩出山城《いわでやまじょう》
畑谷城《はたやじょう》
山形城《やまがたじょう》
長谷堂城《はせどうじょう》
北目城《きためじょう》
合戦ハイライト!
合戦ハイライト!
白石城《しろいしじょう》
米沢城《よねざわじょう》
福島城《ふくしまじょう》
猪苗代城《いなわしろじょう》
鶴ケ城《つるがじょう》
伊達軍《だてぐん》の進路《しんろ》
上杉軍《うえすぎぐん》の進路《しんろ》
上杉軍《うえすぎぐん》の退路《たいろ》
上杉領《うえすぎりょう》

白石城《しろいしじょう》
伊達軍《だてぐん》

白石城《しろいしじょう》の戦い《たたか》

家康《いえやす》から上杉《うえすぎ》を攻撃《こうげき》するように命じられた政宗《まさむね》は、上杉領内《うえすぎりょうない》にある白石城《しろいしじょう》(宮城県《みやぎけん》)への攻撃《こうげき》を開始し、わずか1日で落城《らくじょう》させた。

9月16日

❹長谷堂城《はせどうじょう》の戦い《たたか》

上杉軍《うえすぎぐん》は長谷堂城《はせどうじょう》を包囲《ほうい》する。

領《りょう》に攻《せ》めこみ、畑谷城《はたやじょう》(山形県《やまがたけん》)を落とした後、長谷堂城《はせどうじょう》(山形県《やまがたけん》)を包囲《ほうい》。追いつめられた義光《よしあき》は政宗《まさむね》に援軍《えんぐん》を求《もと》めた。これに応《おう》じた政宗《まさむね》は、おじの留守政景《るすまさかげ》に約《やく》3000人の兵《へい》をあずけ、長谷堂城《はせどうじょう》に向かわせた。義光《よしあき》も山形城《やまがたじょう》(山形県《やまがたけん》)を出撃《しゅつげき》し、長谷堂城《はせどうじょう》の近くに陣《じん》を置《お》いた。

兼続《かねつぐ》は長谷堂城《はせどうじょう》に総攻撃《そうこうげき》をしかけたが、長谷堂城《はせどうじょう》の守りは固《かた》く、落とすことができなかった。

そんな中、関ケ原《せきがはら》の戦い《たたか》(➡P248)で家康《いえやす》が勝利《しょうり》したという知らせが届《とど》けられた。このため景勝《かげかつ》は長谷堂城《はせどうじょう》からの撤退《てったい》を開始した。それを見た最上軍《もがみぐん》と伊達軍《だてぐん》は、激《はげ》しく追撃《ついげき》してきた。

長谷堂城《はせどうじょう》から撤退《てったい》する兼続《かねつぐ》

兼続《かねつぐ》が長谷堂城《はせどうじょう》から撤退《てったい》を開始すると、義光《よしあき》と政宗《まさむね》の激《はげ》しい追撃《ついげき》を受けた。兼続《かねつぐ》は鉄砲隊《てっぽうたい》で攻撃《こうげき》を防《ふせ》ぎながら、約《やく》2万人の上《うえ》杉軍《すぎぐん》を無事《ぶじ》に米沢城《よねざわじょう》(山形県《やまがたけん》)へ帰らせた。

追撃《ついげき》を振《ふ》り切って兼続《かねつぐ》は米沢城《よねざわじょう》に帰る

兼続《かねつぐ》は最上《もがみ》・伊達軍《だてぐん》の追撃《ついげき》を鉄砲隊《てっぽうたい》で防《ふせ》ぎなら退却《たいきゃく》した。追撃戦《ついげきせん》は、銃弾《じゅうだん》が義光《よしあき》の兜《かぶと》に命中するほど激《はげ》しいものになったが、兼続《かねつぐ》は軍《ぐん》の最後尾《さいこうび》で戦《たたか》って敵《てき》を食い止め、多くの上杉軍兵《うえすぎぐんぺい》士《し》を本拠地《ほんきょち》の米沢城《よねざわじょう》(山形県《やまがたけん》)まで無事《ぶじ》に連《つ》れて帰った(長谷堂《はせどう》城《じょう》の戦《たたか》い)。

関ケ原《せきがはら》の戦《たたか》い後、政宗《まさむね》は「軍《ぐん》を動かすな」という家康《いえやす》の命令《めいれい》を無視《むし》して上杉方《うえすぎがた》の福島城《ふくしまじょう》(福《ふく》島県《しまけん》)への攻撃《こうげき》を開始したが、失敗《しっぱい》に終わった。

兼続《かねつぐ》や政宗《まさむね》、義光《よしあき》らが争《あらそ》ったこの一連《いちれん》の戦《たたか》いは、「慶長出羽《けいちょうでわ》合戦《かっせん》」と呼《よ》ばれている。

ビジュアル資料《しりょう》

義光《よしあき》の兜《かぶと》

上杉軍《うえすぎぐん》の銃弾《じゅうだん》が当たったため、兜《かぶと》の中央左側《ひだりがわ》の金色の筋《すじ》が壊《こわ》れている。　最上義光歴史館所蔵

兼続《かねつぐ》を救《すく》った前田慶次《まえだけいじ》!!
戦国一《せんごくいち》のかぶき者と呼《よ》ばれた前田慶次《まえだけいじ》は、兼続《かねつぐ》とともに長谷堂城《はせどうじょう》の戦《たたか》いに参加《さんか》した。
はやく戦場《せんじょう》で暴《あば》れたいぜ!
しかし、兼続《かねつぐ》のもとに関ケ原《せきがはら》で西軍《せいぐん》が敗《やぶ》れたという知《し》らせが届《とど》いた。
もはやこれまで…私《わたし》は腹《はら》を切る
早まるな!大将《たいしょう》がそんな弱気でどうする!
直江兼続《なおえかねつぐ》
わしが敵《てき》を食い止める間に撤退《てったい》しろ!
わ、わかった!
慶次《けいじ》らの活躍《かつやく》もあり、兼続《かねつぐ》は上杉軍《うえすぎぐん》を率《ひき》いて無事《ぶじ》に撤退《てったい》できた。
いくぜ!
死にたいやつはかかってこい!

ビジュアル資料《しりょう》
直江兼続《なおえかねつぐ》

鉄砲隊《てっぽうたい》を指揮《しき》する兼続《かねつぐ》

「長谷堂合戦図屏風」(複製)最上義光歴史館写真提供

「長谷堂合戦図屏風《はせどうかっせんずびょうぶ》」には、兼続《かねつぐ》が鉄砲隊《てっぽうたい》で敵《てき》の追撃《ついげき》を防《ふせ》ぐ様子がえがかれている。

福島城《ふくしまじょう》を攻《せ》める政宗《まさむね》

上杉軍《うえすぎぐん》が長谷堂城《はせどうじょう》から撤退《てったい》した後、政宗《まさむね》は上杉方《うえすぎがた》の福島城《ふくしまじょう》を攻撃《こうげき》した。しかし城兵《じょうへい》に反撃《はんげき》され、退却《たいきゃく》した。慶長出羽合戦《けいちょうでわかっせん》の最中《さいちゅう》に勝手な行動を取った政宗《まさむね》は、家康《いえやす》からわずかな領地《りょうち》しか与《あた》えられなかった。

合戦《かっせん》の結果《けっか》

関ケ原《せきがはら》の戦《たたか》い後、上杉家《うえすぎけ》は家康《いえやす》によって会津《あいづ》120万石から米沢《よねざわ》30万石に領地《りょうち》を大きくへらされた。

東軍《とうぐん》(最上《もがみ》・伊達軍《だてぐん》)の大勝利《だいしょうり》
家康《いえやす》が関ケ原《せきがはら》で勝利《しょうり》したので、上杉軍《うえすぎぐん》は退却《たいきゃく》していきました。

慶長出羽合戦《けいちょうでわかっせん》で活躍《かつやく》した伊達政宗氏《だてまさむねし》

1600年、石田三成《いしだみつなり》が徳川家康《とくがわいえやす》に対し挙兵《きょへい》した。上田城《うえだじょう》（長野県《ながのけん》）の真田昌幸《さなだまさゆき》は三成方《みつなりがた》に加《くわ》わった。
よいか徳川兵《とくがわへい》にはわざと姿《すがた》を見せるだけでいい
にげる我《われ》らを城《しろ》まで追わせる
真田昌幸《さなだまさゆき》
はい父上
昌幸《まさゆき》の次男
真田幸村《さなだゆきむら》
ザッ
真田《さなだ》だ！
昌幸《まさゆき》と幸村《ゆきむら》が偵察《ていさつ》に来ています！
にげるぞ！
ダダダ
追え！
追うのだ！
ボオオオオ
今だぁぁ！

うてぇぇ！
シュン
シュン
シュン
うあぁぁぁ
罠《わな》だ！にげろっ！
なんだ？
水だぁぁ！
川の水をせき止めていたのか！
にげ場がないー！
どうだ参《まい》ったか！

上田合戦《うえだかっせん》（第2次）

合戦《かっせん》ハイライト！
徳川《とくがわ》の大軍《たいぐん》を上田城《うえだじょう》で食い止める！
父上とともに戦《たたか》います！
この大軍《たいぐん》を見れば、昌幸《まさゆき》は降伏《こうふく》するはず！
父や幸村《ゆきむら》と戦《たたか》いたくないが…
VS

真田昌幸《さなだまさゆき》(1547～1611)
上田城《うえだじょう》（長野県《ながのけん》）の城主《じょうしゅ》。上田合戦《うえだかっせん》（第1次）で徳川家康軍《とくがわいえやすぐん》に勝利《しょうり》するなど、合戦《かっせん》が上手だった。

真田幸村《さなだゆきむら》(1567～1615)
昌幸《まさゆき》の次男で本名は信繁《のぶしげ》。昌幸《まさゆき》が秀吉《ひでよし》に従《したが》ったとき、人質《ひとじち》として大坂《おおさか》で暮《く》らした。

西軍《せいぐん》（真田軍《さなだぐん》） 戦力《せんりょく》 約《やく》3500人

東軍《とうぐん》（徳川軍《とくがわぐん》） 戦力《せんりょく》 約《やく》3万8000人

真田信之《さなだのぶゆき》(1566～1658)
昌幸《まさゆき》の長男で、沼田城《ぬまたじょう》（群馬県《ぐんまけん》）の城主《じょうしゅ》。関ケ原《せきがはら》の戦《たたか》いでは徳川軍《とくがわぐん》に参加《さんか》した。

徳川秀忠《とくがわひでただ》(1579～1632)
家康《いえやす》の三男。石田三成《いしだみつなり》が大坂《おおさか》で挙兵《きょへい》すると、大軍《たいぐん》を率《ひき》いて宇都宮城《うつのみやじょう》（栃木県《とちぎけん》）を出発し、西へ向かった。

合戦《かっせん》タイプ　攻城戦《こうじょうせん》

合戦場所《かっせんばしょ》

信濃《しなの》（長野県《ながのけん》）
上田城《うえだじょう》

昌幸《まさゆき》の作戦《さくせん》

秀忠《ひでただ》を怒《おこ》らせて上田城《うえだじょう》に誘《さそ》いこむ

昌幸《まさゆき》は秀忠《ひでただ》をだまして合戦《かっせん》の準備《じゅんび》を整える

徳川家康《とくがわいえやす》が会津《あいづ》（福島県《ふくしまけん》）の上杉景勝《うえすぎかげかつ》を攻《せ》めるため、小山《おやま》（栃木県《とちぎけん》）まで進んだとき、石田三成《いしだみつなり》の挙兵《きょへい》を知った。家康《いえやす》は大名《だいみょう》たちを集めて軍議《ぐんぎ》を開き、三成《みつなり》を倒《たお》すことを決定。味方になった大名《だいみょう》たちを集めて東軍《とうぐん》（徳川軍《とくがわぐん》）を編成《へんせい》した。このとき、真田昌幸《さなだまさゆき》はどちらが勝っても真田家《さなだけ》を残《のこ》せるように、長男・信之《のぶゆき》を東軍《とうぐん》につかせ、自分と次男・幸村《ゆきむら》は西軍《せいぐん》（石田軍《いしだぐん》）についた。

小山《おやま》から江戸城《えどじょう》（東京都《とうきょうと》）にもどった家康《いえやす》は態勢《たいせい》を整え、9月1日に出撃《しゅつげき》し、東海道《とうかいどう》を西へ進んだ。家康《いえやす》の後継者《こうけいしゃ》・秀忠《ひでただ》は、宇都宮城《うつのみやじょう》（栃木県《とちぎけん》）から約《やく》3万8000人の大軍《たいぐん》を率《ひき》いて、内陸《ないりく》の中山道《なかせんどう》を西へ向かった。

秀忠《ひでただ》の軍勢《ぐんぜい》が小諸城《こもろじょう》（長野県《ながのけん》）

❖上田合戦《うえだかっせん》（第2次）の流れ

❶昌幸《まさゆき》がうその降伏《こうふく》をする

徳川軍《とくがわぐん》が近づくと、昌幸《まさゆき》は秀忠《ひでただ》に降伏《こうふく》を申し入れた。秀忠《ひでただ》が攻撃《こうげき》を中止している間に、昌幸《まさゆき》は合戦《かっせん》の準備《じゅんび》を整えた。

↓

❷徳川軍《とくがわぐん》が攻撃《こうげき》を開始する

昌幸《まさゆき》にだまされて怒《おこ》った秀忠《ひでただ》は攻撃《こうげき》を開始。出撃《しゅつげき》した真田軍《さなだぐん》は、わざと負けて、徳川軍《とくがわぐん》を上田城《うえだじょう》へさそいこんだ。

↓

❸かくれていた兵《へい》が攻撃《こうげき》する

城内《じょうない》にかくれていた兵《へい》が、城《しろ》に攻《せ》めこんできた徳川軍《とくがわぐん》を銃《じゅう》でいっせいに攻撃《こうげき》。徳川軍《とくがわぐん》はにげ出した。

↓

❹せき止めていた川の水を流す

徳川軍《とくがわぐん》が川を渡《わた》ろうとしたとき、上流で水をせき止めていた堤防《ていぼう》をこわし、大量の水で兵《へい》をおぼれさせた。

上田城《うえだじょう》に攻《せ》めこむ徳川軍《とくがわぐん》
徳川軍《とくがわぐん》は敗走《はいそう》する真田軍《さなだぐん》を追って、上田城《うえだじょう》の大手門《おおてもん》に攻《せ》め寄《よ》せたが、城内《じょうない》にかくれていた兵《へい》から銃《じゅう》でいっせいに攻撃《こうげき》され、大混乱《だいこんらん》におちいった。

に到着《とうちゃく》すると、上田城《うえだじょう》（長野県《ながのけん》）の昌幸《まさゆき》は、降伏《こうふく》すると伝《つた》えた。しかしこれは、合戦《かっせん》の準備《じゅんび》が整うまでの時間かせぎだった。準備《じゅんび》を終えた昌幸《まさゆき》から宣戦布告《せんせんふこく》された秀忠《ひでただ》は激怒《げきど》し、昌幸《まさゆき》に戦《たたか》いを挑《いど》んだ。

秀忠《ひでただ》は昌幸《まさゆき》を上田城《うえだじょう》から引きずり出そうとして、上田城周辺《うえだじょうしゅうへん》の稲《いね》を刈《か》り取った。昌幸《まさゆき》はこの挑発《ちょうはつ》にわざと乗り、おとり部隊《ぶたい》を出撃《しゅつげき》させた。おとり部隊《ぶたい》は徳《とく》川軍《がわぐん》と衝突《しょうとつ》した後、わざと負けて退却《たいきゃく》し、追撃《ついげき》してくる徳川軍《とくがわぐん》を上田城《うえだじょう》にさそいこんだ。

合戦《かっせん》を指揮《しき》する昌幸《まさゆき》
昌幸《まさゆき》は、1585年の上田合戦《うえだかっせん》（第1次）と同じように、徳川軍《とくがわぐん》を上田城《うえだじょう》に誘《さそ》いこんで撃破《げきは》。敗走《はいそう》する徳川《とくがわ》軍《ぐん》に追いうちをかけて勝利《じょうり》した。

昌幸《まさゆき》の巧《たく》みな作戦《さくせん》で徳川軍《とくがわぐん》は大敗《たいはい》する

徳川軍《とくがわぐん》が上田城《うえだじょう》の大手門《おおてもん》に近づいたとき、昌幸《まさゆき》は伏兵《ふくへい》（待ち伏《ぶ》せして攻撃《こうげき》する兵《へい》）に鉄砲《てっぽう》や弓矢でいっせいに攻撃《こうげき》させた。徳川軍《とくがわぐん》が大混乱《だいこんらん》におちいったところで、幸村《ゆきむら》が大手門《おおてもん》から出撃《しゅつげき》し、大打撃《だいだげき》を与《あた》えた。さらに城《じょう》外《がい》の伏兵《ふくへい》が退却《たいきゃく》する徳川軍《とくがわぐん》に攻《こう》撃《げき》を加《くわ》え、幸村《ゆきむら》は秀忠《ひでただ》の本陣《ほんじん》を襲撃《しゅうげき》。秀忠《ひでただ》は小諸城《こもろじょう》へにげた。

追撃《ついげき》する幸村《ゆきむら》は、退却《たいきゃく》する徳《とく》川軍《がわぐん》が神川《かんがわ》を渡《わた》ろうとしたとき、昌幸《まさゆき》が神川《かんがわ》上流に築《きず》かせていた堤防《ていぼう》を決壊《けっかい》させた。大量《たいりょう》の水が一気に流れ下り、多くの徳《とく》川兵《がわへい》がおぼれ死んだ。

昌幸《まさゆき》は、次の攻撃《こうげき》に備《そな》えたが、小諸城《こもろじょう》に撤退《てったい》した秀忠《ひでただ》のもとには、家康《いえやす》から「美濃《みの》（現在《げんざい》の岐阜県《ぎふけん》）に向かえ」という命令《めいれい》が届《とど》いた。秀忠《ひでただ》はあわてて出発したが、関ケ原《せきがはら》の戦《たたか》いに間に合わなかった。激怒《げきど》した家康《いえやす》は、秀《ひで》忠《ただ》にしばらく会わなかった。

昌幸《まさゆき》の無念《むねん》の最期《さいご》!!

関ケ原《せきがはら》の戦《たたか》い後、家康《いえやす》は昌幸《まさゆき》と幸村《ゆきむら》に死を命じた。
ふたりとも死罪《しざい》じゃ！
命だけはおたすけください！
真田信之《さなだのぶゆき》
信之《のぶゆき》の説得《せっとく》で昌幸《まさゆき》と幸村《ゆきむら》は死罪《しざい》をまぬがれ、九度山《くどやま》（和歌山県《わかやまけん》）に追放された。
くやしい！家康《いえやす》をこんな目にあわせたかった！
九度山《くどやま》でふたりは貧《まず》しい生活を送った。
お金が足りません…
また信之《のぶゆき》にお金を送ってもらうか…
九度山《くどやま》に来て11年後、昌幸《まさゆき》は病《びょう》に倒《たお》れた。
もう一度、徳川《とくがわ》と戦《たたか》ってみたかった…
父上！必《かなら》ずかたきを取ります！

東軍《とうぐん》（徳川軍《とくがわぐん》）の進路

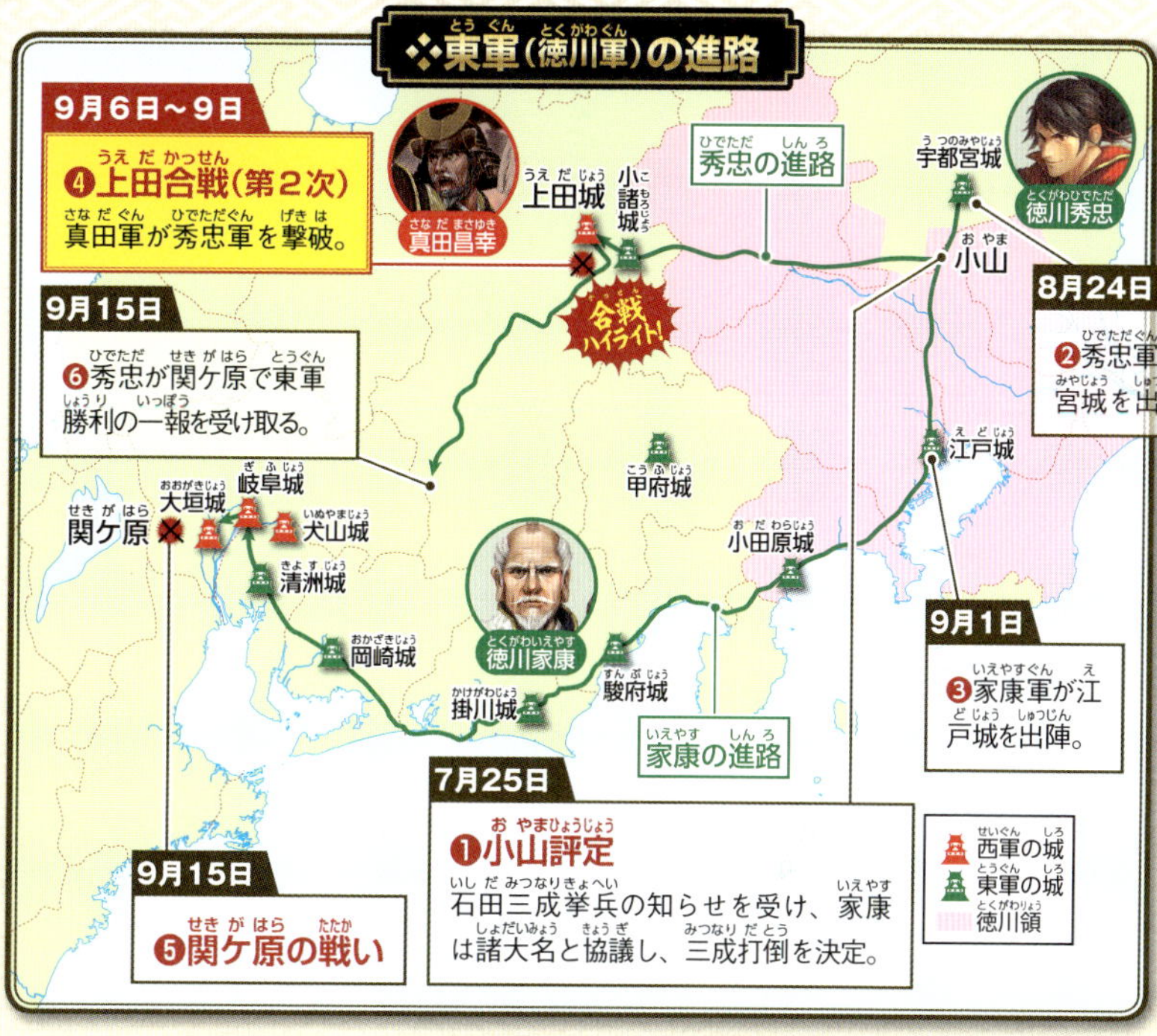
9月6日～9日
❹上田合戦《うえだかっせん》（第2次）
真田軍《さなだぐん》が秀忠軍《ひでただぐん》を撃破《げきは》。
真田昌幸《さなだまさゆき》
上田城《うえだじょう》
小諸城《こもろじょう》
合戦ハイライト！
秀忠《ひでただ》の進路《しんろ》
宇都宮城《うつのみやじょう》
徳川秀忠《とくがわひでただ》
小山《おやま》
8月24日
❷秀忠軍《ひでただぐん》が宇都宮城《うつのみやじょう》を出陣《しゅつじん》。
9月15日
❻秀忠《ひでただ》が関ケ原《せきがはら》で東軍《とうぐん》勝利《しょうり》の一報《いっぽう》を受け取る。
岐阜城《ぎふじょう》
大垣城《おおがきじょう》
関ケ原《せきがはら》
犬山城《いぬやまじょう》
清洲城《きよすじょう》
甲府城《こうふじょう》
江戸城《えどじょう》
小田原城《おだわらじょう》
徳川家康《とくがわいえやす》
岡崎城《おかざきじょう》
駿府城《すんぷじょう》
掛川城《かけがわじょう》
家康《いえやす》の進路《しんろ》
9月1日
❸家康軍《いえやすぐん》が江戸城《えどじょう》を出陣《しゅつじん》。
7月25日
❶小山評定《おやまひょうじょう》
石田三成挙兵《いしだみつなりきょへい》の知らせを受け、家康《いえやす》は諸大名《しょだいみょう》と協議《きょうぎ》し、三成打倒《みつなりだとう》を決定。
9月15日
❺関ケ原《せきがはら》の戦《たたか》い
西軍《せいぐん》の城《しろ》
東軍《とうぐん》の城《しろ》
徳川領《とくがわりょう》

関ケ原《せきがはら》へ急ぐ秀忠《ひでただ》

９月９日、上田合戦《うえだかっせん》に敗《やぶ》れて小諸城《こもろじょう》に引き上げた秀忠《ひでただ》のもとに、家康《いえやす》から「９月９日までに美濃《みの》（現在《げんざい》の岐阜県《ぎふけん》）に向かえ」と命令《めいれい》があった。秀忠《ひでただ》はあわてて関ケ原《せきがはら》に向かったが、関ケ原《せきがはら》の戦《たたか》いに間に合わなかった。

合戦《かっせん》の結果《けっか》

昌幸《まさゆき》は上田合戦《うえだかっせん》に勝利《しょうり》したが、関ケ原《せきがはら》の戦《たたか》いに勝利《しょうり》した家康《いえやす》によって幸村《ゆきむら》とともに上田城《うえだじょう》から追放された。

西軍《せいぐん》（真田軍《さなだぐん》）の大勝利《だいしょうり》

作戦《さくせん》どおり上田城《うえだじょう》に徳川軍《とくがわぐん》を誘《さそ》いこめました。前回と同じ作戦《さくせん》で勝てました。

秀忠軍《ひでただぐん》に勝利《しょうり》した真田昌幸氏《さなだまさゆきし》

石垣原《いしがきばる》の戦《たたか》い

合戦《かっせん》ハイライト!

戦闘《せんとう》を指揮《しき》する官兵衛《かんべえ》
足が不自由《ふじゆう》だった官兵衛《かんべえ》は、戦場《せんじょう》で輿《こし》(人がかつぐ乗り物)に乗って戦闘《せんとう》を指揮《しき》し、北九州《きたきゅうしゅう》の城《じろ》を次つぎと攻《せ》め落としていった。

今こそ、九州《きゅうしゅう》を攻《せ》め取る絶好《ぜっこう》の機会《きかい》だ!

黒田官兵衛《くろだかんべえ》(1546〜1604)
秀吉《ひでよし》の軍師《ぐんし》として、山崎《やまざき》の戦《たたか》いなどに参加《さんか》。中津城《なかつじょう》(大分県《おおいたけん》)の城主《じょうしゅ》となり、長男の長政《ながまさ》に黒田家《くろだけ》を継《つ》がせた。

東軍《とうぐん》(黒田軍《くろだぐん》) 戦力《せんりょく》 約《やく》1万人

VS

大友家《おおともけ》の勢力《せいりょく》を復活《ふっかつ》させる!

西軍《せいぐん》(大友軍《おおともぐん》) 戦力《せんりょく》 約《やく》2000人

大友義統《おおともよしむね》(1558〜1605)
北九州《きたきゅうしゅう》の戦国大名《せんごくだいみょう》・大友宗麟《おおともそうりん》の長男。朝鮮出兵《ちょうせんしゅっぺい》のとき敵《てき》と戦《たたか》わずににげた罪《ざい》で領地《りょうち》を取り上げられた。

合戦《かっせん》タイプ **野戦《やせん》**

合戦場所《かっせんばしょ》

豊後《ぶんご》(大分県《おおいたけん》)
石垣原《いしがきばる》

官兵衛《かんべえ》の作戦《さくせん》
東軍《とうぐん》と西軍《せいぐん》の激戦中《げきせんちゅう》に九州一帯《きゅうしゅういったい》を制覇《せいは》する

北九州《きたきゅうしゅう》の西軍《せいぐん》の城《しろ》を次つぎと攻《せ》め落とす

中津城《なかつじょう》(大分県《おおいたけん》)の城主《じょうしゅ》だった黒田官兵衛《くろだかんべえ》は、石田三成《いしだみつなり》が挙兵《きょへい》すると、徳川家康《とくがわいえやす》に味方した。官兵衛《かんべえ》は長男の長政《ながまさ》に黒田家《くろだけ》を継《つ》がせていたため、中津城《なかつじょう》にはわずかな兵力《へいりょく》しか残《のこ》っていなかったが、官兵衛《かんべえ》は日頃《ひごろ》から蓄《たくわ》えていた金銀で浪人《ろうにん》(主君のいない武士《ぶし》)や農民《のうみん》を集め、約《やく》9000人の部隊《ぶたい》を編成《へんせい》した。

このとき豊後《ぶんご》(現在《げんざい》の大分県《おおいたけん》)では、大友義統《おおともよしむね》が領地《りょうち》の回復《かいふく》をねらって、東軍《とうぐん》の城《しろ》・杵築城《きつきじょう》へ攻撃《こうげき》を開始した。中津城《なかつじょう》を出撃《しゅつげき》した官兵衛《かんべえ》は、杵築城《きつきじょう》の兵《へい》と合流し、石垣原《いしがきばる》(大分県《おおいたけん》)で大友軍《おおともぐん》を撃破《げきは》した。続《つづ》いて官兵衛《かんべえ》は、富来城《とみくじょう》(大分県《おおいたけん》)など、西軍《せいぐん》の城《しろ》を次つぎと落とし、柳川城《やながわじょう》(福岡県《ふくおかけん》)の立花宗茂《たちばなむねしげ》を降伏《こうふく》させた。

❖官兵衛《かんべえ》の侵攻路《しんこうろ》

小倉城《こくらじょう》
中津城《なかつじょう》
富来城《とみくじょう》
安岐城《あきじょう》
杵築城《きつきじょう》
立石城《たていしじょう》
府内城《ふないじょう》
臼杵城《うすきじょう》
久留米城《くるめじょう》
柳川城《やながわじょう》
合戦ハイライト！
熊本城《くまもとじょう》
宇土城《うとじょう》
八代城《やつしろじょう》
人吉城《ひとよしじょう》
財部城《たからべじょう》
佐土原城《さどわらじょう》
宮崎城《みやざきじょう》
宮之城《みやのじょう》
鹿児島城《かごしまじょう》
東軍《とうぐん》の城《しろ》
西軍《せいぐん》の城《しろ》
官兵衛《かんべえ》の進路
島津軍《しまづぐん》の進路

10月20日

官兵衛《かんべえ》は、鍋島直茂《なべしまなおしげ》らと協力《きょうりょく》して、柳川城《やながわじょう》の立花宗茂《たちばなむねしげ》を破《やぶ》る。

9月9日

黒田官兵衛《くろだかんべえ》が中津城《なかつじょう》を出陣《しゅつじん》。

9月13日

石垣原《いしがきばる》の戦《たたか》い

大友義統軍《おおともよしむねぐん》を石垣原《いしがきばる》(大分県《おおいたけん》)で撃破《げきは》。続《つづ》いて安岐城《あきじょう》、富来城《とみくじょう》などを攻《せ》め落とす。

11月12日

官兵衛《かんべえ》は大軍《たいぐん》を率《ひき》いて島津家《しまづけ》の薩摩《さつま》(現在《げんざい》に鹿児島県《かごしまけん》)に攻《せ》めこもうとしたが、家康《いえやす》から戦《たたか》いを中止するよう命じられ、軍《ぐん》を解散《かいさん》した。

さらに官兵衛《かんべえ》は、加藤清正《かとうきよまさ》と合流して、島津家《しまづけ》が支配《しはい》する薩摩《さつま》(現在《げんざい》の鹿児島県《かごしまけん》)に攻《せ》めこもうとしたが、家康《いえやす》から停戦命令《ていせんめいれい》が届《とど》いたため、軍《ぐん》を解散《かいさん》した。官兵衛《かんべえ》は、関ケ原《せきがはら》の戦《たたか》いが長引くと予想し、その間に九州《きゅうしゅう》の制《せい》圧《あつ》を目指していたといわれる。

東軍《とうぐん》(黒田軍《くろだぐん》)の大勝利《だいしょうり》

近畿《きんき》で大きな戦乱《せんらん》が起きると予想して、戦《たたか》いの準備《じゅんび》を進めていました。

北九州《きたきゅうしゅう》を制覇《せいは》した黒田官兵衛氏《くろだかんべえし》

合戦《かっせん》の結果《けっか》

関ケ原《せきがはら》の戦《たたか》い後、黒田長政《くろだながまさ》は福岡藩《ふくおかはん》52万石を与《あた》えられたが、官兵衛《かんべえ》はほうびを断《ことわ》り、静《しず》かな生活を送った。

1600年、秀吉《ひでよし》の側近《そっきん》だった石田三成《いしだみつなり》が徳川家康《とくがわいえやす》と対立して挙兵《きょへい》。
東軍《とうぐん》 徳川家康《とくがわいえやす》
美濃《みの》（岐阜県《ぎふけん》）
関ケ原《せきがはら》
西軍《せいぐん》 石田三成《いしだみつなり》
全国の戦国大名《せんごくだいみょう》も東軍《とうぐん》と西軍《せいぐん》に分かれ関ケ原《せきがはら》で合戦《かっせん》となった。
徳川家康《とくがわいえやす》の本陣《ほんじん》
小早川軍《こばやかわぐん》はまだ動かないのかっ！
こちらに寝返《ねがえ》ると約束《やくそく》しておったのに！
イライラ
ガリガリ
このままでは勝てぬ！あの若造《わかぞう》め！
はい
再度《さいど》使者を送れ！
なんとしても小早川《こばやかわ》を動かすのだ！
西軍《せいぐん》 小早川《こばやかわ》の陣《じん》
殿《との》…家康殿《いえやすどの》からまた使者が…
…そうか
小早川秀秋《こばやかわひであき》

家康殿《いえやすどの》に寝返《ねがえ》れば裏切《うらぎ》り者《もの》と呼《よ》ばれるだろうな…
うーん
しかし…家康殿《いえやすどの》との約束《やくそく》を破《やぶ》れば…
それもまた裏切《うらぎ》り者《もの》…
くぅぅ
ええい！もうよい！出陣《しゅつじん》だぁぁ！
西軍《せいぐん》 大谷《おおたに》の陣《じん》
吉継様《よしつぐさま》！小早川軍《こばやかわぐん》が攻《せ》めてきます！
大谷吉継《おおたによしつぐ》
小早川《こばやかわ》め…やはり家康《いえやす》と通じていたか…
小早川《こばやかわ》が裏切《うらぎ》った！迎《むか》えうつぞ！
オォー

小早川軍《こばやかわぐん》が
約束《やくそく》どおり
寝返《ねがえ》って
大谷軍《おおたにぐん》に突撃《とつげき》
しました！
よし！
これで勝てる！
この戦《いくさ》！
全軍《ぜんぐん》かかれぇぇ！

三成《みつなり》の本陣《ほんじん》
たいへんです
小早川軍《こばやかわぐん》の寝返《ねがえ》りをきっかけに次つぎと裏切《うらぎ》る隊《たい》がっ！
なんだと！
ギリ…
家康《いえやす》め…
我《われ》らはあきらめぬ！
最後《さいご》まで戦《たたか》うぞ！

合戦《かっせん》64
1600年

関《せき》ケ《が》原《はら》の戦《たたか》い

合戦《かっせん》タイプ　野戦《やせん》

合戦場所《かっせんばしょ》

美濃《みの》(岐阜県《ぎふけん》)
関《せき》ケ《が》原《はら》

ねらいどおり、三成《みつなり》を戦場《せんじょう》に引きずり出した！三成《みつなり》を倒《たお》して天下を取る！
一番先に攻撃《こうげき》をするのは私《わたし》だ！

徳川家康《とくがわいえやす》(1542〜1616)

関東《かんとう》を支配《しはい》する大名《だいみょう》で、豊臣秀吉《とよとみひでよし》の死後、権力《けんりょく》をにぎり、天下をねらう行動を取るようになった。

井伊直政《いいなおまさ》(1561〜1602)

家康《いえやす》配下の武将《ぶしょう》。戦場《せんじょう》では、甲冑《かっちゅう》や武具《ぶぐ》を赤色にした軍勢《ぐんぜい》を率《ひき》いて、勇《ゆう》かんに戦《たたか》った。

東軍《とうぐん》(徳川軍《とくがわぐん》)　戦力《せんりょく》　約《やく》7万人

VS

家康《いえやす》を倒《たお》して豊臣家《とよとみけ》を守る！
家康殿《いえやすどの》の味方になると約束《やくそく》したが…

西軍《せいぐん》(石田軍《いしだぐん》)　戦力《せんりょく》　約《やく》8万人

石田三成《いしだみつなり》(1560〜1600)

秀吉《ひでよし》に仕えた武将《ぶしょう》。事務《じむ》が得意《とくい》で、秀吉《ひでよし》の政治《せいじ》を支《ささ》えたが、他人に厳《きび》しく、多くの敵《てき》をつくった。

小早川秀秋《こばやかわひであき》(1582〜1602)

秀吉《ひでよし》の親類《しんるい》で、小早川隆景《こばやかわたかかげ》の養子《ようし》となり、小早川家《こばやかわけ》を継《つ》いだ。関ケ原《せきがはら》の戦《たたか》いの前、西軍《せいぐん》を裏切《うらぎ》ると家康《いえやす》に約束《やくそく》した。

家康《いえやす》の作戦《さくせん》

戦闘中《せんとうちゅう》に西軍《せいぐん》の武将《ぶしょう》を裏切《うらぎ》らせる

関《せき》ケ《が》原《はら》を見下ろす山に西軍《せいぐん》の大名《だいみょう》が布陣《ふじん》する

石田三成《いしだみつなり》の挙兵《きょへい》を知った徳川《とくがわ》家康《いえやす》は、東軍《とうぐん》(徳川軍《とくがわぐん》)を編成《へんせい》し、味方になった大名《だいみょう》たちを西へ向かわせた。家康《いえやす》は大名《だいみょう》たちに手紙を送るなどして、味方を増《ふ》やしていった。

先発していた東軍《とうぐん》の福島正則《ふくしままさのり》らが、西軍《せいぐん》(石田軍《いしだぐん》)の岐阜城《ぎふじょう》(岐阜県《ぎふけん》)を攻め落《せ》としたという報告《ほうこく》を受けた家康《いえやす》は、9月1日に江戸城《えどじょう》を出撃《しゅつげき》すると、10日後に清洲城《きよすじょう》(愛知県《あいちけん》)に入った。家《いえ》康《やす》は、先発していた息子の秀忠《ひでただ》が到着《とうちゃく》していないことにおどろくが、戦《たたか》うことにし、三成《みつなり》のいる大垣城《おおがきじょう》(岐阜県《ぎふけん》)の近くの赤坂《あかさか》(岐阜県《ぎふけん》)に陣《じん》を構《かま》えた。

一方の三成《みつなり》は、関ケ原《せきがはら》(岐阜《ぎふ》県《けん》)で家康《いえやす》を迎《むか》えうつため、9月14日の夜に大垣城《おおがきじょう》を出ると、

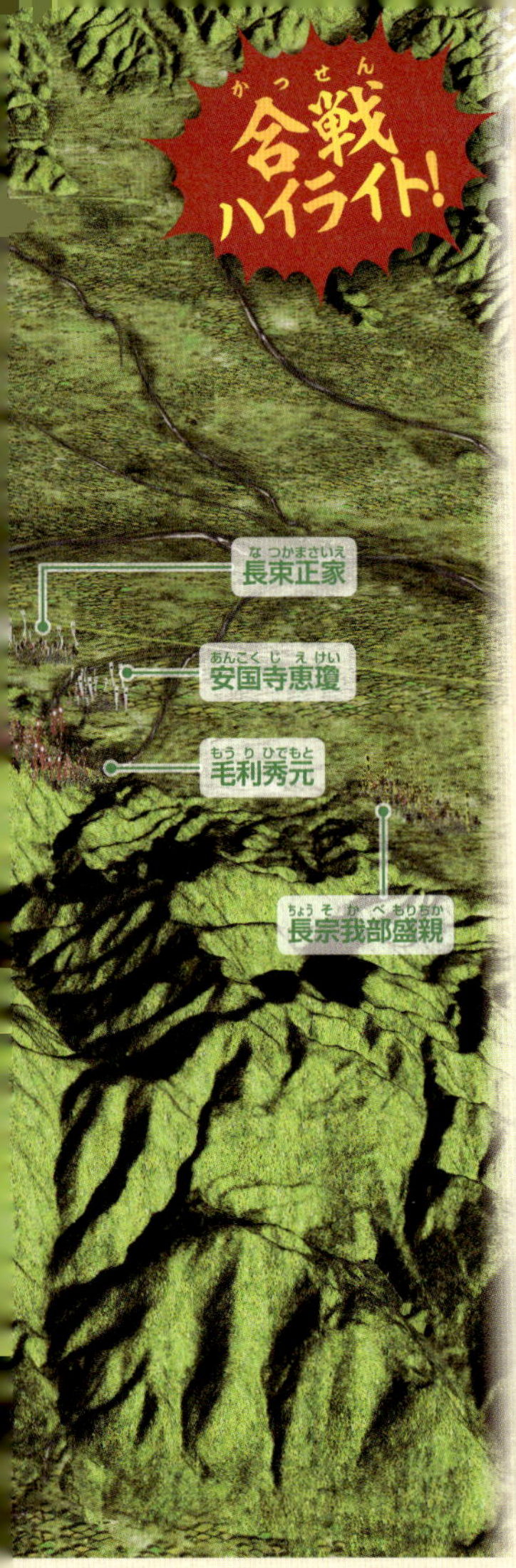

合戦《かっせん》ハイライト！
長束正家《なつかまさいえ》
安国寺恵瓊《あんこくじえけい》
毛利秀元《もうりひでもと》
長宗我部盛親《ちょうそかべもりちか》

関ケ原《せきがはら》の戦《たたか》いの布陣図《ふじんず》
開戦前《かいせんまえ》、西軍《せいぐん》の毛利秀元《もうりひでもと》は南宮山《なんぐうさん》に布陣《ふじん》し、小早川秀秋《こばやかわひであき》は松尾山《まつおやま》に布陣《ふじん》。三成《みつなり》は笹尾山《ささおやま》の近くに陣《じん》を構《かま》えた。東軍《とうぐん》を包囲《ほうい》する西軍《せいぐん》の布陣《ふじん》は、圧倒的《あっとうてき》に有利《ゆうり》だった。

東軍《とうぐん》と西軍《せいぐん》の陣地《じんち》の位置《いち》

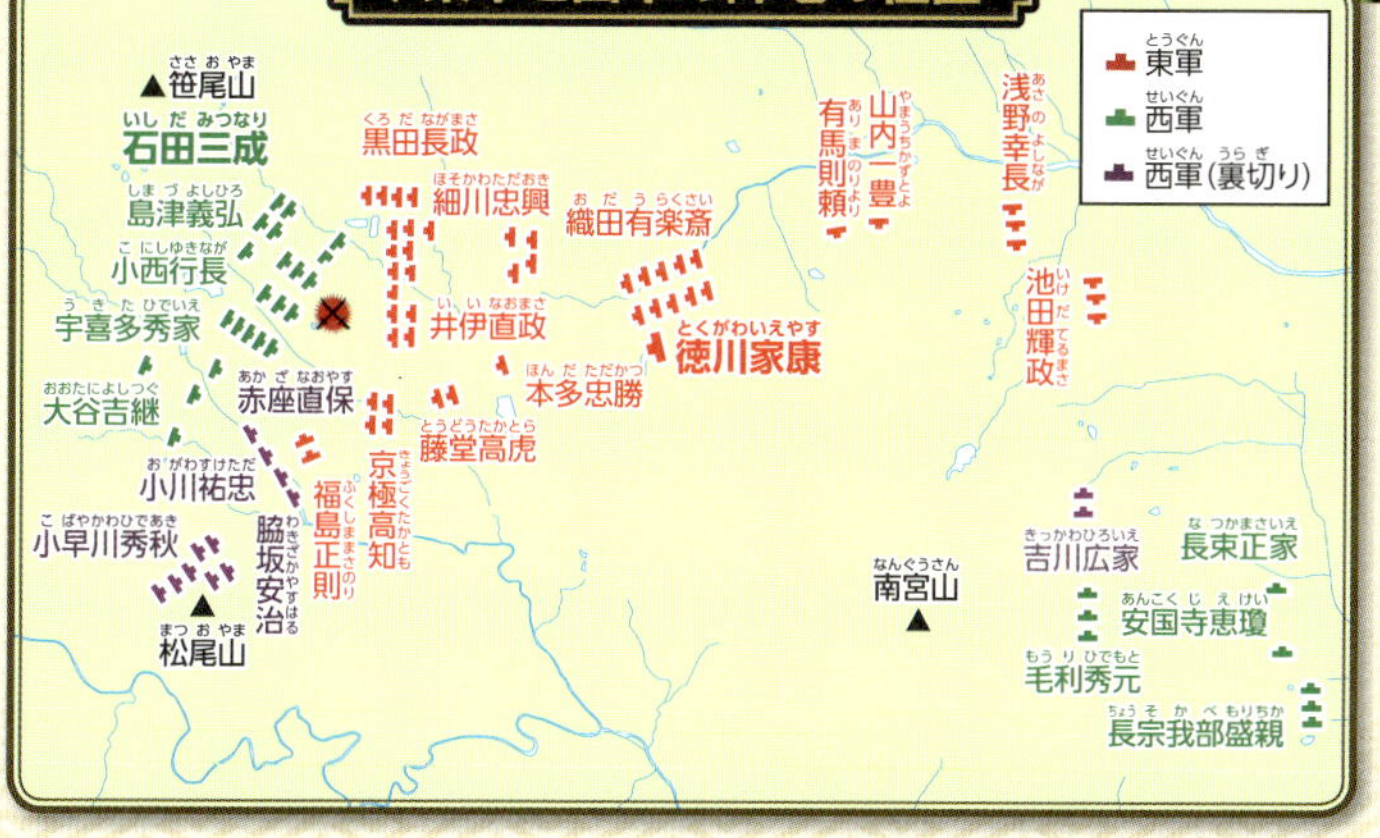

関《せき》ケ原《はら》を見下ろせる笹尾山《ささおやま》に布《ふ》陣《じん》した。西軍《せいぐん》の毛利秀元《もうりひでもと》は南宮《なんぐう》山《さん》に布陣《ふじん》し、西軍《せいぐん》の小早川秀秋《こばやかわひであき》は松尾山《まつおやま》に布陣《ふじん》した。家康率《いえやすひき》いる東軍《とうぐん》は赤坂《あかさか》を出発し、関ケ原《せきがはら》に向けて進軍《しんぐん》。両軍《りょうぐん》は翌日《よくじつ》の午前6時頃《ごろ》には布陣《ふじん》を終えたが、東軍《とうぐん》は西軍《せいぐん》から見下ろされる不《ふ》利《り》な形だった。開戦《かいせん》当日の朝、前夜からの雨の影響《えいきょう》で、関ケ原《せきがはら》には霧《きり》が立ちこめていた。

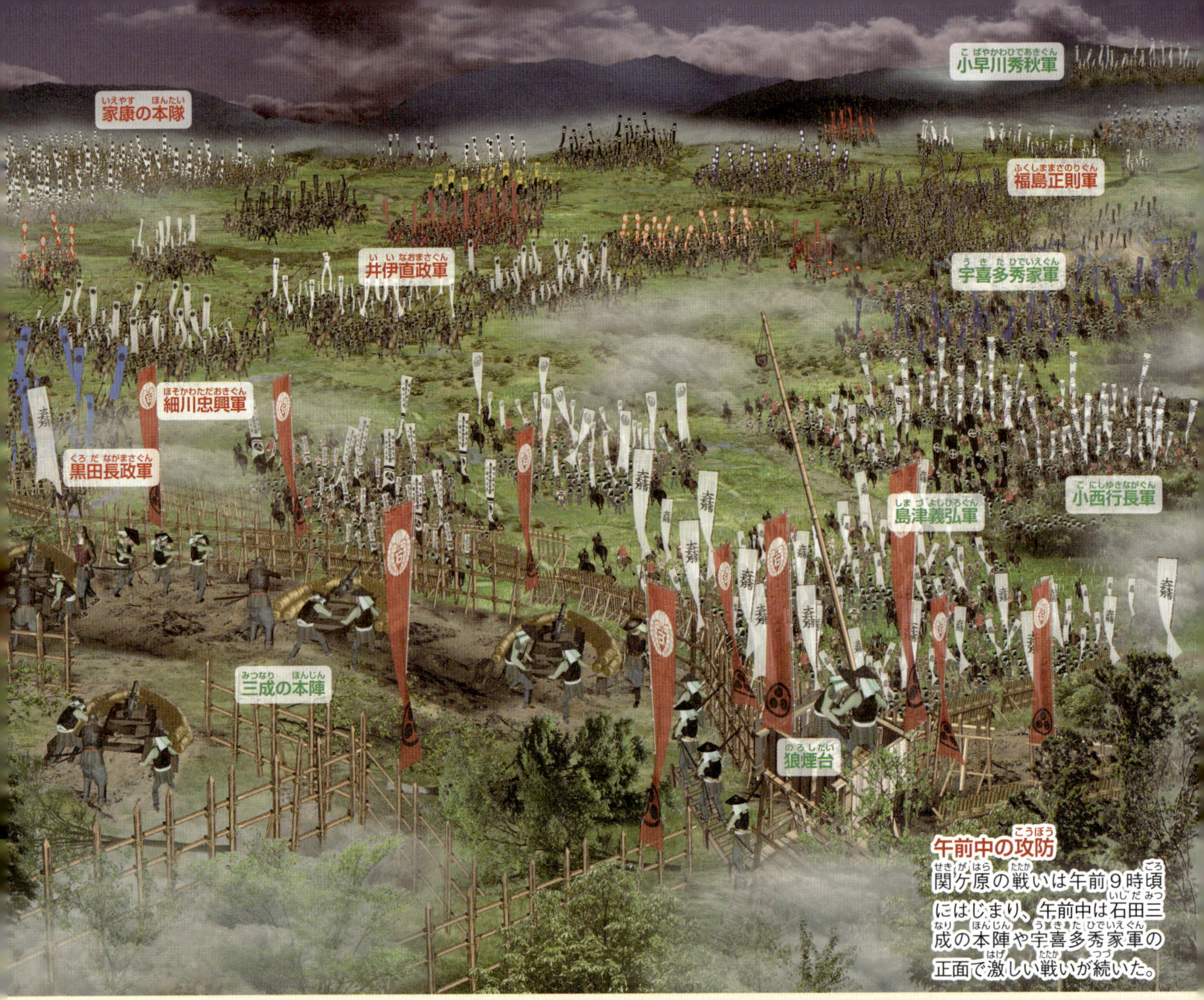

午前中の攻防《こうぼう》
関ケ原《せきがはら》の戦《たたか》いは午前9時頃《ごろ》にはじまり、午前中は石田三《いしだみつ》成《なり》の本陣《ほんじん》や宇喜多秀家軍《うきたひでいえぐん》の正面で激《はげ》しい戦《たたか》いが続《つづ》いた。

松尾山《まつおやま》の秀秋《ひであき》が 両軍《りょうぐん》の様子を見続《みつづ》ける

関ケ原《せきがはら》では東軍約《とうぐんやく》7万人、西《せい》軍約《ぐんやく》8万人の大軍勢《だいぐんぜい》どうしがにらみ合いを続《つづ》けていた。

東軍《とうぐん》の先陣《せんじん》(最初《さいしょ》に戦《たたか》う部隊《ぶたい》)は、福島正則《ふくしままさのり》に決まっていたが、手柄《てがら》を立てたかった家康《いえやす》の家臣《かしん》・井伊直政《いいなおまさ》は、「敵《てき》を偵察中《ていさつちゅう》」と、正則《まさのり》をだまして前に進み、霧《きり》が晴れた午前9時頃《ごろ》、西軍《せいぐん》の宇喜多秀家軍《うきたひでいえぐん》に鉄砲《てっぽう》で攻撃《こうげき》を開始した。これをきっかけに、関《せき》ケ原《がはら》の戦《たたか》いがはじまった。

笹尾山《ささおやま》の三成軍《みつなりぐん》には、細川忠興《ほそかわただおき》軍《ぐん》や黒田長政軍《くろだながまさぐん》がおそいかかり、宇喜多軍《うきたぐん》への攻撃《こうげき》には福島《ふくしま》軍《ぐん》が加《くわ》わった。三成軍《みつなりぐん》・宇喜多《うきた》軍《ぐん》は兵力《へいりょく》が少なかったが必死《ひっし》に戦《たたか》い、一進一退《いっしんいったい》の攻防《こうぼう》が続《つづ》いた。

南宮山《なんぐうさん》の西軍《せいぐん》は、家康《いえやす》に寝《ね》返《がえ》った吉川広家《きっかわひろいえ》によって道がふさがれていたため、戦《たたか》いに参加《さんか》できなかった。松尾山《まつおやま》では約《やく》1万5000人もの兵力《へいりょく》をにぎる小早川秀秋《こばやかわひであき》は動く気配を見せな

総攻撃《そうこうげき》を命じる三成《みつなり》

戦《たたか》いがはじまって2時間がすぎても、両軍《りょうぐん》の攻防《こうぼう》は一進一退《いっしんいったい》だった。家康《いえやす》の本隊《ほんたい》が前進を開始すると、三成《みつなり》は総攻撃《そうこうげき》を命じ、狼煙《のろし》を上げた。

かった。秀秋《ひであき》は「西軍《せいぐん》を裏切《うらぎ》って東軍《とうぐん》につく」と、家康《いえやす》に約束《やくそく》していたが、どちらに味方するべきか、戦《たたか》いがはじまっても迷《まよ》っていた。家康《いえやす》は「くやしい」とつぶやき、くり返し爪《つめ》をかんでいたと伝《つた》えられる。怒《おこ》った家康《いえやす》は、徳川軍本隊《とくがわぐんほんたい》を三成本陣《みつなりほんじん》に向けて前進させた。これを好機《こうき》と感じた三成《みつなり》は、狼煙《のろし》(煙《けむり》を上げて伝《つた》える合図)を上げて、西軍《せいぐん》の大名《だいみょう》たちに総攻撃《そうこうげき》を命じた。

つめをかむ家康《いえやす》

裏切《うらぎ》ることを約束《やくそく》していた小早川秀秋《こばやかわひであき》は、戦《たたか》いがはじまっても松尾山《まつおやま》から動く気配を見せなかった。家康《いえやす》は「小倅《こせがれ》(秀秋《ひであき》)にだまされてくやしい」と何度もつぶやいて爪《つめ》をかんでいたという。

合戦《かっせん》ハイライト!

攻撃《こうげき》を開始する小早川秀秋軍《こばやかわひであきぐん》

正午すぎ、小早川秀秋《こばやかわひであき》は突然《とつぜん》、松尾山《まつおやま》から攻撃《こうげき》を開始し、西軍《せいぐん》の大谷吉継軍《おおたによしつぐぐん》におそいかかった。吉継《よしつぐ》は秀秋《ひであき》の裏切《うらぎ》りを予想していたが、脇坂安治《わきざかやすはる》や小川《おがわ》祐忠《すけただ》、赤座直保《あかざなおやす》らも裏切《うらぎ》って攻撃《こうげき》をはじめたため、大谷軍《おおたにぐん》は崩壊《ほうかい》。これがきっかけで西軍《せいぐん》は総崩《そうくず》れとなった。

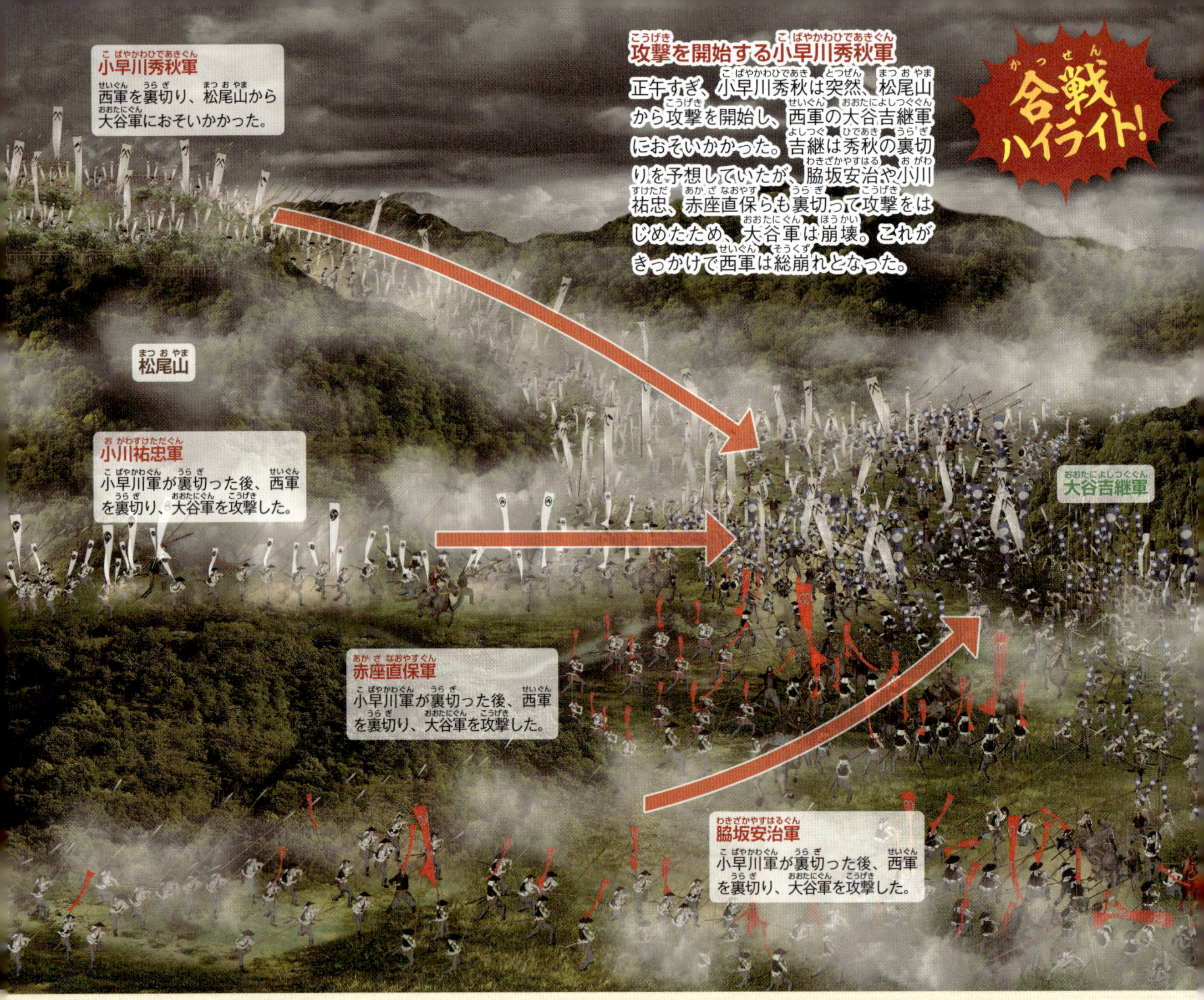

小早川秀秋軍《こばやかわひであきぐん》
西軍《せいぐん》を裏切《うらぎ》り、松尾山《まつおやま》から大谷軍《おおたにぐん》におそいかかった。
松尾山《まつおやま》
小川祐忠軍《おがわすけただぐん》
小早川軍《こばやかわぐん》が裏切《うらぎ》った後、西軍《せいぐん》を裏切《うらぎ》り、大谷軍《おおたにぐん》を攻撃《こうげき》した。
大谷吉継軍《おおたによしつぐぐん》
赤座直保軍《あかざなおやすぐん》
小早川軍《こばやかわぐん》が裏切《うらぎ》った後、西軍《せいぐん》を裏切《うらぎ》り、大谷軍《おおたにぐん》を攻撃《こうげき》した。
脇坂安治軍《わきざかやすはるぐん》
小早川軍《こばやかわぐん》が裏切《うらぎ》った後、西軍《せいぐん》を裏切《うらぎ》り、大谷軍《おおたにぐん》を攻撃《こうげき》した。

秀秋《ひであき》の裏切《うらぎ》りにより西軍《せいぐん》は総崩《そうくず》れになる

正午頃《ごろ》、様子見を続《つづ》けていた小早川秀秋軍《こばやかわひであきぐん》が、突然《とつぜん》、松尾山《まつおやま》をかけ下り、西軍《せいぐん》の大谷吉継軍《おおたによしつぐぐん》への攻撃《こうげき》を開始した。吉継《よしつぐ》は秀《ひで》秋《あき》の裏切《うらぎ》りを予想していたが、脇坂安治《わきざかやすはる》や小川祐忠《おがわすけただ》、赤座直保《あかざなおやす》らも次つぎと西軍《せいぐん》を裏切《うらぎ》り、大《おお》谷軍《たにぐん》へおそいかかってきた。支《ささ》え切れなくなった大谷軍《おおたにぐん》は崩壊《ほうかい》し、続《つづ》いて宇喜多軍《うきたぐん》や三成軍《みつなりぐん》も敗走《はいそう》をはじめ、西軍《せいぐん》は総崩《そうくず》れになった。西軍《せいぐん》の大名《だいみょう》たちは戦場《せんじょう》からにげたが、その多くが捕《と》らえられ、処刑《しょけい》された。

小早川軍《こばやかわぐん》と戦《たたか》う大谷吉継《おおたによしつぐ》

名将《めいしょう》として知られた吉継《よしつぐ》は、病気のため白頭巾《しろずきん》をかぶり、輿《こし》に乗って戦《たたか》ったが、敗《やぶ》れて自害《じがい》した。

島津《しまづ》の敵中突破《てきちゅうとっぱ》!!

西軍《せいぐん》の武将《ぶしょう》の退却路《たいきゃくろ》

合戦《かっせん》の結果《けっか》

勝利《しょうり》した家康《いえやす》は、三成《みつなり》を捕《と》えて処刑《しょけい》し、事実上、天下を取った。3年後、征夷大将軍《せいいたいしょうぐん》に任命《にんめい》された家康《いえやす》は江戸幕府《えどばくふ》を開いた。

東軍《とうぐん》(徳川軍《とくがわぐん》)の大勝利《だいしょうり》

東軍《とうぐん》を率《ひき》いた徳川家康《とくがわいえやす》氏《し》

1615年、徳川家康《とくがわいえやす》は豊臣秀頼《とよとみひでより》をほろぼすため大坂城《おおさかじょう》へ大軍《たいぐん》を向けた。
徳川軍《とくがわぐん》
徳川家康《とくがわいえやす》
秀頼《ひでより》も軍勢《ぐんぜい》を集め、両軍《りょうぐん》は激突《げきとつ》した。
豊臣軍《とよとみぐん》
秀吉《ひでよし》の子
豊臣秀頼《とよとみひでより》
豊臣軍《とよとみぐん》
真田幸村《さなだゆきむら》の陣《じん》
幸村様《ゆきむらさま》っ！鉄砲隊《てっぽうたい》の攻撃《こうげき》がはじまったようです
なんだと！秀頼様《ひでよりさま》は大坂城《おおさかじょう》から出陣《しゅつじん》されたのか？
いいえ！
秀頼様《ひでよりさま》の出陣《しゅつじん》前に開戦《かいせん》してしまうとは…まずいぞ…
真田幸村《さなだゆきむら》
大助《だいすけ》！お前は今から大坂城《おおさかじょう》へ行き秀頼様《ひでよりさま》を説得《せっとく》しろ
そんなっ…私《わたし》は父上と…
幸村《ゆきむら》の子
真田大助《さなだだいすけ》
よいか兵《へい》の数ではこちらが不利《ふり》だ
だからこそ秀頼様《ひでよりさま》の出陣《しゅつじん》で兵《へい》の士気《しき》を高める必要《ひつよう》がある！
今はそれが唯一《ゆいいつ》勝てる道なのだ

…わかりました父上
この戦《いくさ》に勝ち また会おう
みなに伝《つた》えよ 我《わ》が隊《たい》も今から出陣《しゅつじん》する！
はっ
ねらうは 家康《いえやす》の首だ
徳川家康《とくがわいえやす》の本陣《ほんじん》
まったく 今回は数だけ多くて使えぬ者が多いな！まだ勝負が着かぬとは
イラ イラ
アアアアア
なっ 何だ⁉
なぜにげてくる！

アアア
！
家康《いえやす》！
その首もらうぞ！

真田《さなだ》幸村《ゆきむら》！
にげろぉぉ！

大坂冬《おおさかふゆ》の陣《じん》

真田丸《さなだまる》での攻防《こうぼう》
幸村《ゆきむら》は大坂城《おおさかじょう》の南側《みなみがわ》に真田丸《さなだまる》と呼《よ》ばれる小さな城《しろ》を築《きず》いた。徳川軍《とくがわぐん》が押《お》し寄《よ》せると、幸村《ゆきむら》はぎりぎりまで敵《てき》を引きつけて、いっせいに銃弾《じゅうだん》をあびせた。

私《わたし》が生きているうちに豊臣《とよとみ》家《け》をほろぼさねばならん…

徳川家康《とくがわいえやす》(1542～1616)
関ケ原《せきがはら》の戦《たたか》いで勝利《しょうり》して天下を取り、征夷《せいい》大将軍《たいしょうぐん》に任命《にんめい》されて江戸幕府《えどばくふ》を開いた。その2年後、子の秀忠《ひでただ》に将軍職《しょうぐんしょく》をゆずった。

徳川家康軍《とくがわいえやすぐん》 戦力《せんりょく》 約《やく》20万人

VS

城《しろ》の南側《みなみがわ》に弱点がある…
家康《いえやす》は豊臣《とよとみ》をほろぼすつもりか！

真田幸村《さなだゆきむら》(1567～1615)
昌幸《まさゆき》の次男。上田合戦《うえだかっせん》（第2次）の後、昌幸《まさゆき》とともに九度山《くどやま》（和歌山《わかやま》県《けん》）に追放されていたが、大坂冬《おおさかふゆ》の陣《じん》のとき豊臣軍《とよとみぐん》に参加《さんか》した。

豊臣秀頼《とよとみひでより》(1593～1615)
豊臣秀吉《とよとみひでよし》と淀殿《よどどの》（お市《いち》の方《かた》の娘《むすめ》）の子。秀吉《ひでよし》の死後、豊臣家《とよとみけ》を継《つ》ぎ、大坂《おおさか》城主《じょうしゅ》となった。

豊臣秀頼軍《とよとみひでよりぐん》 戦力《せんりょく》 約《やく》10万人

合戦《かっせん》タイプ　攻城戦《こうじょうせん》

合戦場所《かっせんばしょ》

大坂城《おおさかじょう》
摂津《せっつ》（大阪府《おおさかふ》）

家康《いえやす》の作戦《さくせん》
全国の大名《だいみょう》に命じて大坂城《おおさかじょう》を攻撃《こうげき》させる

真田丸《さなだまる》を築《きず》いた幸村《ゆきむら》が徳川軍《とくがわぐん》を撃破《げきは》する

1603年に江戸《えど》幕府《ばくふ》を開いた徳川家康《とくがわいえやす》は、幕府《ばくふ》の支配《しはい》を固《かた》めるため、豊臣秀頼《とよとみひでより》に対し、自分に従《したが》うように求《もと》めた。しかし秀頼《ひでより》の母・淀殿《よどどの》はこれを断《ことわ》った。このため家康《いえやす》は全国の大名《だいみょう》に大坂城《おおさかじょう》（大阪府《おおさかふ》）への攻撃《こうげき》を命じ、自ら徳川軍《とくがわぐん》約《やく》20万人を率《ひき》いて、大坂城《おおさかじょう》を包囲《ほうい》した。

一方の豊臣軍《とよとみぐん》は、浪人《ろうにん》（主君のいない武士《ぶし》）など、約《やく》10万人を集めて守りを固《かた》めた。豊臣軍《とよとみぐん》に参加《さんか》した真田幸村《さなだゆきむら》は、大坂城《おおさかじょう》の南側《みなみがわ》に弱点を見つけ、そこに真田丸《さなだまる》と呼《よ》ばれる小さな城《しろ》を築《きず》いた。幸村《ゆきむら》は真田丸《さなだまる》に徳川軍《とくがわぐん》をおびき寄《よ》せていっせいに射撃《しゃげき》し、大きな被害《ひがい》を与《あた》えた。

強引に攻《せ》めても大坂城《おおさかじょう》を落とせないと考えた家康《いえやす》は、毎日、

❖大坂冬《おおさかふゆ》の陣《じん》の布陣図《ふじんず》

徳川軍《とくがわぐん》が大砲《たいほう》をうつ。
備前島《びぜんじま》
大坂城《おおさかじょう》
内堀《うちぼり》
豊臣軍《とよとみぐん》
約《やく》10万人
外堀《そとぼり》
真田幸村《さなだゆきむら》
真田丸《さなだまる》
合戦ハイライト!
伊達政宗《だてまさむね》
井伊直孝《いいなおたか》
前田利常《まえだとしつね》
徳川家康《とくがわいえやす》
徳川軍《とくがわぐん》
約《やく》20万人
徳川秀忠《とくがわひでただ》

真田丸《さなだまる》

ビジュアル資料《しりょう》

真田丸《さなだまる》の戦《たたか》い

幸村《ゆきむら》の攻撃《こうげき》により、徳川軍《とくがわぐん》は1万人以上《いじょう》の死傷者《ししょうしゃ》が出たといわれる。

合戦《かっせん》ハイライト!

大砲《たいほう》をうちこんだ。これを恐《おそ》れた淀殿《よどどの》は、周囲《しゅうい》の反対を押《お》し切って徳川軍《とくがわぐん》と和解《わかい》した。

両軍《りょうぐん》の引き分け

大坂城《おおさかじょう》は防御力《ぼうぎょりょく》が高すぎます。でも、和解《わかい》できたので勝ったようなものです!

豊臣軍《とよとみぐん》との和解《わかい》を決めた徳川家康氏《とくがわいえやすし》

合戦《かっせん》の結果《けっか》

家康《いえやす》は和解《わかい》のとき「外堀《そとぼり》をうめる」という条件《じょうけん》をつけたが、外堀《そとぼり》をうめた後、約束《やくそく》を破《やぶ》って内堀《うちぼり》までうめて、大坂城《おおさかじょう》の防御力《ぼうぎょりょく》を失《うしな》わせた。

知ってておどろき！
合戦《かっせん》！

これが安土桃山時代《あづちももやまじだい》の大砲《たいほう》!!

1576年、豊後《ぶんご》（現在《げんざい》の大分県《おおいたけん》）の戦国《せんごく》大名《だいみょう》・大友宗麟《おおともそうりん》がポルトガル人から贈《おく》られたものが、日本最初《さいしょ》の大砲《たいほう》（大筒《おおづつ》）といわれる。その後、さまざまな合戦《かっせん》で大砲《たいほう》が使用されるようになった。

断面図《だんめんず》
弾丸《だんがん》
火薬
砲術家《ほうじゅつか》
弾薬箱《だんやくばこ》
点火助手《てんかじょしゅ》
備品箱《びひんばこ》
装填手《そうてんしゅ》（弾《たま》をこめる人）
点火手《てんかしゅ》

大砲《たいほう》

大坂冬《おおさかふゆ》の陣《じん》において、家康《いえやす》は国内で製造《せいぞう》した300門の大砲《たいほう》（大筒《おおづつ》）を使用した。

国崩《くにくずし》（複製《ふくせい》）

ポルトガル人から大友宗麟《おおともそうりん》に贈《おく》られた日本最初《さいしょ》の大砲《たいほう》で、「国崩《くにくずし》」と名づけられた。臼杵《うすき》城《じょう》（大分県《おおいたけん》）に備《そな》えつけられ、1586年の臼杵城攻防戦《うすきじょうこうぼうせん》で、攻《せ》め寄《よ》せる島津軍《しまづぐん》を砲撃《ほうげき》して撤退《てったい》させた。写真は臼杵城《うすきじょう》に置《お》かれている国崩《くにくずし》の複製《ふくせい》。

回転砲《かいてんほう》

ヨーロッパの船に使われていた銃《じゅう》で、回転させてうつことができた。

大砲《たいほう》を装備《そうび》した囲船《かこいぶね》

大坂冬《おおさかふゆ》の陣《じん》で、九鬼守隆《くきもりたか》が建造《けんぞう》した軍船《ぐんせん》。船全体が竹束《たけたば》で覆《おお》われ、大砲《たいほう》や回転砲《かいてんほう》などが装備《そうび》されていた。川から侵入《しんにゅう》して大坂城《おおさかじょう》に近づき、砲撃《ほうげき》を加《くわ》えたという。

イラスト／
歴史復元画家
中西立太

大坂冬《おおさかふゆ》の陣《じん》での大砲攻撃《たいほうこうげき》

大坂冬《おおさかふゆ》の陣《じん》で、家康《いえやす》は大坂城《おおさかじょう》の北側《きたがわ》にある備前島《びぜんじま》に大量《たいりょう》の大砲《たいほう》を設置《せっち》し、1日中砲撃《ほうげき》した。大砲《たいほう》の中にはイギリスから輸入《ゆにゅう》した最新式《さいしんしき》のカルバリン砲《ほう》もあり、砲弾《ほうだん》は天守《てんしゅ》にも届《とど》いた。

合戦《かっせん》66
1615年

大坂夏の陣《おおさかなつのじん》

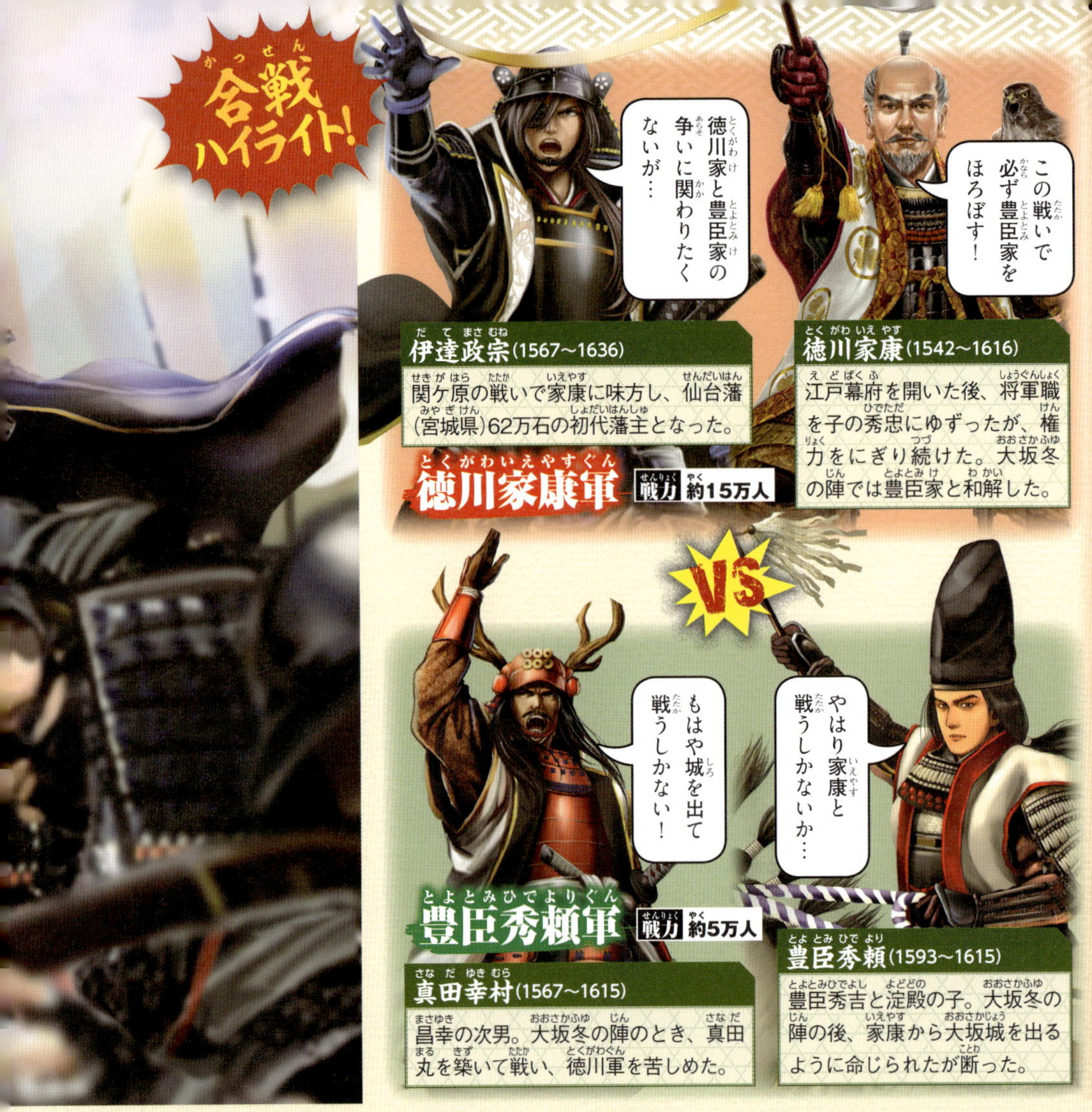

合戦《かっせん》ハイライト！
徳川家《とくがわけ》と豊臣家《とよとみけ》の争《あらそ》いに関《かか》わりたくないが…
この戦《たたか》いで必《かなら》ず豊臣家《とよとみけ》をほろぼす！
VS
もはや城《しろ》を出て戦《たたか》うしかない！
やはり家康《いえやす》と戦《たたか》うしかないか…

伊達政宗《だてまさむね》(1567～1636)
関ケ原《せきがはら》の戦《たたか》いで家康《いえやす》に味方し、仙台藩《せんだいはん》(宮城県《みやぎけん》)62万石の初代藩主《しょだいはんしゅ》となった。

徳川家康《とくがわいえやす》(1542～1616)
江戸幕府《えどばくふ》を開いた後、将軍職《しょうぐんしょく》を子の秀忠《ひでただ》にゆずったが、権力《けんりょく》をにぎり続《つづ》けた。大坂冬《おおさかふゆ》の陣《じん》では豊臣家《とよとみけ》と和解《わかい》した。

徳川家康軍《とくがわいえやすぐん》 戦力《せんりょく》 約《やく》15万人

豊臣秀頼軍《とよとみひでよりぐん》 戦力《せんりょく》 約《やく》5万人

真田幸村《さなだゆきむら》(1567～1615)
昌幸《まさゆき》の次男。大坂冬《おおさかふゆ》の陣《じん》のとき、真田《さなだ》丸《まる》を築《きず》いて戦《たたか》い、徳川軍《とくがわぐん》を苦しめた。

豊臣秀頼《とよとみひでより》(1593～1615)
豊臣秀吉《とよとみひでよし》と淀殿《よどどの》の子。大坂冬《おおさかふゆ》の陣《じん》の後、家康《いえやす》から大坂城《おおさかじょう》を出るように命じられたが断《ことわ》った。

合戦《かっせん》タイプ　攻城戦《こうじょうせん》

合戦場所《かっせんばしょ》

大坂城《おおさかじょう》
摂津《せっつ》(大阪府《おおさかふ》)

家康《いえやす》の作戦《さくせん》
大軍《たいぐん》で大坂城《おおさかじょう》を攻《せ》めて豊臣家《とよとみけ》をほろぼす

伊達政宗《だてまさむね》と真田幸村《さなだゆきむら》が直接《ちょくせつ》対決する

大坂冬《おおさかふゆ》の陣《じん》の後、大坂城《おおさかじょう》(大阪府《おおさかふ》)では、内堀《うちぼり》をうめた徳川《とくがわ》家康《いえやす》に対する反発の声が高まっていった。これを知った家康《いえやす》は、秀頼《ひでより》に対し、大坂城内《おおさかじょうない》の浪人《ろうにん》(主君のいない武士《ぶし》)をすべて追放するか、秀頼《ひでより》が大和《やまと》(現在《げんざい》の奈良県《ならけん》)あるいは伊勢《いせ》(現在《げんざい》の三重県《みえけん》)に移《うつ》るように要求《ようきゅう》した。秀頼《ひでより》がこの提案《ていあん》を断《ことわ》ったため、家康《いえやす》は全国の大名《だいみょう》に大坂城《おおさかじょう》を攻《せ》めるように命じた。徳川軍《とくがわぐん》は合計15万人の大軍《たいぐん》になった。

大坂城《おおさかじょう》は内堀《うちぼり》まで埋《う》められていたので、防御力《ぼうぎょりょく》は失《うしな》われていた。このため、城《しろ》の外に出て戦《たたか》うしか道はなかった。徳川軍《とくがわぐん》が大坂《おおさか》に迫《せま》ると、豊臣軍《とよとみぐん》の後藤基《ごとうもと》次《つぐ》は、大坂城《おおさかじょう》の南約《やく》16㎞に位置《いち》する道明寺《どうみょうじ》で攻撃《こうげき》をしかける

❖誉田《こんだ》の戦《たたか》いの流れ

❶伊達鉄砲隊《だててっぽうたい》が真田軍《さなだぐん》を攻撃《こうげき》する

誉田山古墳《こんだやまこふん》近くで真田軍《さなだぐん》を発見した伊達鉄砲隊《だててっぽうたい》は、激《はげ》しい攻撃《こうげき》を加《くわ》えながら、攻《せ》め寄《よ》せた。

❷真田軍《さなだぐん》が反撃《はんげき》する

幸村《ゆきむら》は、伊達軍《だてぐん》が間近に迫《せま》ったところで、いっせいに反撃《はんげき》を開始し、伊達軍《だてぐん》を後退《こうたい》させた。

❸幸村《ゆきむら》が退却《たいきゃく》する

秀頼《ひでより》から退却《たいきゃく》の命令《めいれい》が届《とど》いたため、幸村《ゆきむら》は大坂城《おおさかじょう》へ向けて退却《たいきゃく》を開始した。幸村《ゆきむら》は追撃《ついげき》してこない徳川軍《とくがわぐん》に向かって、「大軍《たいぐん》の徳川軍《とくがわぐん》に勇気《ゆうき》ある武士《ぶし》はひとりもいないのか」と叫《さけ》んだという。

誉田《こんだ》の戦《たたか》い

1615年5月6日、政宗《まさむね》の率《ひき》いる伊達軍《だてぐん》は、大坂城《おおさかじょう》の南に位置《いち》する誉田山古墳《こんだやまこふん》近くに現《あらわ》れた真田幸村軍《さなだゆきむらぐん》を鉄砲《てっぽう》で激《はげ》しく攻撃《こうげき》。しかし真田軍《さなだぐん》の反撃《はんげき》で政宗《まさむね》は押《お》し返された。

が、徳川軍《とくがわぐん》の主力であった伊達《だて》政宗軍《まさむねぐん》に撃破《げきは》され、基次《もとつぐ》は戦死《せんし》した。伊達軍《だてぐん》がさらに進み、誉《こん》田山古墳《だやまこふん》の近くまで来たとき、真田幸村軍《さなだゆきむらぐん》が立ちはだかった。

政宗《まさむね》は鉄砲隊《てっぽうたい》で激《はげ》しく攻撃《こうげき》しながら攻《せ》め寄《よ》せたが、幸村《ゆきむら》は兵《へい》たちを地面に伏《ふ》せさせ、敵《てき》が間近に迫《せま》ったところで、いっせいに攻撃《こうげき》させた。思わぬ反撃《はんげき》に伊《だ》達軍《てぐん》は押《お》し返された。このとき幸村《ゆきむら》のもとに「大坂城《おおさかじょう》へもどれ」という命令《めいれい》が届《とど》き、幸村《ゆきむら》は撤退《てったい》を開始した。幸村《ゆきむら》の勇気《ゆうき》ある戦《たたか》いぶりに感心した政宗《まさむね》は追撃《ついげき》をしなかった(誉田《こんだ》の戦《たたか》い)。

天王寺口《てんのうじぐち》の戦《たたか》い布陣《ふじん》図

1615年5月7日、豊臣軍《とよとみぐん》は最後《さいご》の決戦《けっせん》のため、大坂城《おおさかじょう》を出て四天王寺《してんのうじ》方面に進軍《しんぐん》。真《さな》田《だ》幸村《ゆきむら》は茶臼山《ちゃうすやま》に陣《じん》を構《かま》えた。一方の徳川軍《とくがわぐん》は南側《みなみがわ》から四天王寺《してんのうじ》方面に進撃《じんげき》。正午頃《ごろ》、両軍《りょうぐん》は激突《げきとつ》した。

油断《ゆだん》する家康《いえやす》の本陣《ほんじん》に幸村《ゆきむら》が突撃《とつげき》をしかける

誉田《こんだ》の戦《たたか》いの翌日《よくじつ》、徳川軍《とくがわぐん》約《やく》15万人と豊臣軍《とよとみぐん》約《やく》5万人は、大《おお》坂城《さかじょう》南の天王寺口《てんのうじぐち》(茶臼山《ちゃうすやま》一帯《いったい》)で最後《さいご》の決戦《けっせん》を迎《むか》えた。楽勝できると考えていた家康《いえやす》は、甲冑《かっちゅう》をつけずに戦場《せんじょう》に出ていた。

戦《たたか》いは正午頃《ごろ》にはじまり、すぐに激戦《げきせん》となった。豊臣軍《とよとみぐん》の幸《ゆき》村《むら》は、甲冑《かっちゅう》や軍旗《ぐんき》などを真っ赤に染《そ》め上げた約《やく》3000人の部《ぶ》隊《たい》を率《ひき》いて、家康《いえやす》の本陣《ほんじん》に捨《す》て身の突撃《とつげき》を開始した。家康《いえやす》の首だけをねらった幸村《ゆきむら》のすさまじい攻撃《こうげき》に、家康《いえやす》はあわてて本陣《ほんじん》からにげ出し、家康《いえやす》の馬印《うまじるし》も踏《ふ》み倒《たお》された。逃走中《とうそうちゅう》、家康《いえやす》は切《せっ》腹《ぷく》を覚悟《かくご》したといわれるが、圧《あっ》倒的《とうてき》な兵力《へいりょく》を前に、幸村《ゆきむら》は力《ちから》尽《つ》き、うち取られた。

午後3時頃《ごろ》には豊臣軍《とよとみぐん》は総崩《そうくず》れとなり、夕方には大坂城《おおさかじょう》は炎《ほのお》に包《つつ》まれて落城《らくじょう》した。秀頼《ひでより》と淀《よど》殿《どの》(秀頼《ひでより》の母)は自害《じがい》し、豊臣家《とよとみけ》はほろびた。

家康《いえやす》の本陣《ほんじん》に突撃《とつげき》する幸村《ゆきむら》

幸村《ゆきむら》は家康《いえやす》の本陣《ほんじん》に突撃《とつげき》し、馬印《うまじるし》（大将《たいしょう》の目《め》印《じるし》）を踏《ふ》み倒《たお》した。家康《いえやす》の馬印《うまじるし》が倒《たお》されたのは、三方ケ原《みかたがはら》の戦《たたか》い以来《いらい》のことだった。

合戦《かっせん》ハイライト!

合戦《かっせん》の結果《けっか》

翌年《よくとし》、家康《いえやす》は病死したが、徳《とく》川家《がわけ》に逆《さか》らう大名《だいみょう》はいなくなり、江戸幕府《えどばくふ》による支配体制《しはいたいせい》が確立《かくりつ》した。

徳川家康軍《とくがわいえやすぐん》の大勝利《だいしょうり》

苦戦《くせん》はしましたが、最終的《さいしゅうてき》には3倍の兵力差《へいりょくさ》で勝利《しょうり》できました。
豊臣家《とよとみけ》をほろぼした徳川家康氏《とくがわいえやすし》

大坂城《おおさかじょう》の落城《らくじょう》

幸村《ゆきむら》らが戦死《せんし》した後、大坂城《おおさかじょう》は落《らく》城《じょう》し、秀頼《ひでより》と淀殿《よどどの》は自害《じがい》した。

島原《しまばら》の乱《らん》
（島原《しまばら》・天草《あまくさ》一揆《いっき》）

合戦《かっせん》ハイライト！
原城《はらじょう》
島原城《しまばらじょう》の完成後《かんせいご》、使われなくなっていた城《しろ》。周囲《しゅうい》は断崖《だんがい》に囲《かこ》まれ、防御力《ぼうぎょりょく》が高かった。
幕府軍《ばくふぐん》
原城《はらじょう》の周囲《しゅうい》に櫓《やぐら》を建《た》てて、鉄砲《てっぽう》で攻撃《こうげき》した。

信者《しんじゃ》たちの心をひとつにまとめたい！

天草四郎《あまくさしろう》(1621?〜1638)

本名は益田時貞《ますだときさだ》。キリスト教の信者《しんじゃ》となり、17歳頃《さいごろ》、島原《しまばら》の乱《らん》が起きたとき、一揆軍《いっきぐん》の指導者《しどうしゃ》になった。

一揆軍《いっきぐん》 戦力《せんりょく》 約《やく》3万7000人

VS

城内《じょうない》は食料《しょくりょう》不足《ぶそく》のはずだ…

幕府軍《ばくふぐん》 戦力《せんりょく》 約《やく》12万人

松平信綱《まつだいらのぶつな》(1596〜1662)

江戸幕府《えどばくふ》3代将軍《しょうぐん》・徳川家光《とくがわいえみつ》に仕え、老中《ろうじゅう》(最高職《さいこうしょく》)となる。島原《しまばら》の乱《らん》では総指揮官《そうしきかん》に任命《にんめい》された。

合戦《かっせん》タイプ　攻城戦《こうじょうせん》

合戦場所《かっせんばしょ》
肥前《ひぜん》(長崎県《ながさきけん》)
原城《はらじょう》

信綱《のぶつな》の作戦《さくせん》

兵糧攻《ひょうろうぜ》めにした後総攻撃《そうこうげき》をしかける

島原藩《しまばらはん》の厳《きび》しい政治《せいじ》に農民《のうみん》たちが立ち上がる

江戸《えど》時代初期《しょき》、キリシタンの勢力《せいりょく》が大きくなるのを恐《おそ》れた江《え》戸《ど》幕府《ばくふ》はキリスト教を禁止《きんし》した。島原藩《しまばらはん》(長崎県《ながさきけん》)は戦国《せんごく》時代よりキリシタンの多い場所だったが、キリシタンは激《はげ》しく取りしまられ、重い税《ぜい》を取り立てられた。怒《いか》りを爆発《ばくはつ》させた島原《しまばら》半島南部のキリシタンたちは、天《あま》草四郎《くさしろう》を指導者《しどうしゃ》にして、全住民《ぜんじゅうみん》を巻《ま》きこんで一揆《いっき》を起こした。この動きが伝《つた》わった天草諸島《あまくさしょとう》(熊本県《くまもとけん》)でも一揆《いっき》が起こった。天草《あまくさ》の一揆軍《いっきぐん》は、島原《しまばら》の一揆軍《いっきぐん》に合流し、約《やく》3万7000人の大軍《たいぐん》になった。一揆軍《いっきぐん》は原城《はらじょう》(長崎県《ながさきけん》)に立てこもった。

幕府《ばくふ》は九州《きゅうしゅう》の大名《だいみょう》たちに一揆《いっき》をしずめるように命令《めいれい》した。幕《ばく》府軍《ふぐん》は原城《はらじょう》を包囲《ほうい》して攻撃《こうげき》をし

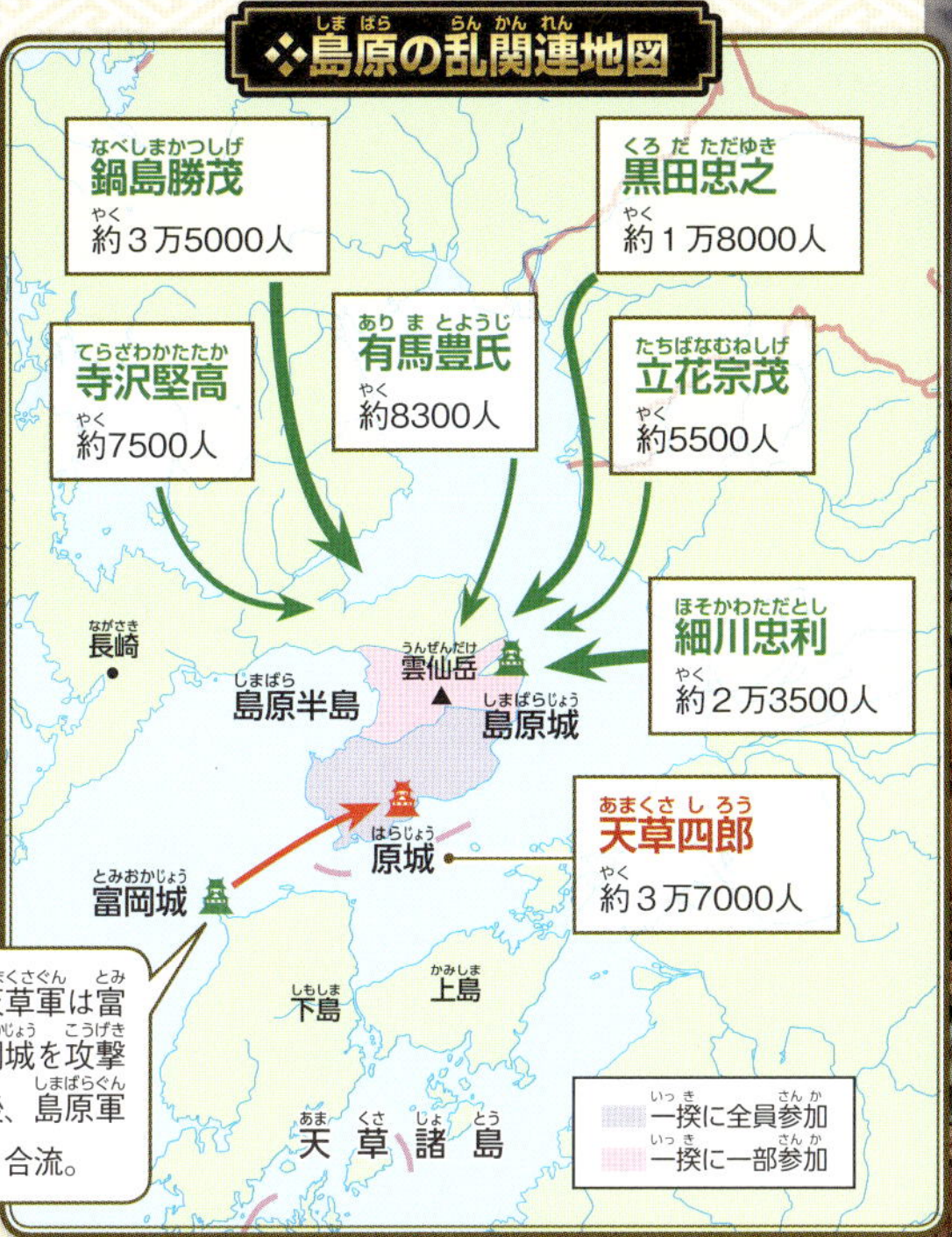
❖島原《しまばら》の乱《らん》関連《かんれん》地図
鍋島勝茂《なべしまかつしげ》 約《やく》3万5000人
黒田忠之《くろだただゆき》 約《やく》1万8000人
寺沢堅高《てらさわかたたか》 約《やく》7500人
有馬豊氏《ありまとようじ》 約《やく》8300人
立花宗茂《たちばなむねしげ》 約《やく》5500人
細川忠利《ほそかわただとし》 約《やく》2万3500人
長崎《ながさき》
島原《しまばら》半島
雲仙岳《うんぜんだけ》
島原城《しまばらじょう》
天草四郎《あまくさしろう》 約《やく》3万7000人
原城《はらじょう》
富岡城《とみおかじょう》
天草軍《あまくさぐん》は富《とみ》岡城《おかじょう》を攻撃《こうげき》後、島原軍《しまばらぐん》と合流。
下島《しもしま》
上島《かみしま》
天《あま》草《くさ》諸《しょ》島《とう》
一揆《いっき》に全員参加《さんか》
一揆《いっき》に一部参加《さんか》

島原《しまばら》の乱《らん》

1637年、九州《きゅうしゅう》西部の島原《しまばら》・天草《あまくさ》地方で起きた一《いっ》揆《き》で、キリシタン（キリスト教の信者《しんじゃ》）を中心に、約《やく》3万7000人が原城《はらじょう》（長崎県《ながさきけん》）に立てこもり、幕《ばく》府軍《ふぐん》と戦《たたか》った。激《はげ》しい抵抗《ていこう》に幕府軍《ばくふぐん》は苦戦《くせん》したが、兵糧攻《ひょうろうぜ》めによって3か月後に落城《らくじょう》させた。

信者《しんじゃ》と祈《いの》る四郎《しろう》

四郎《しろう》は食料不足《しょくりょうぶそく》で苦しむ信者《しんじゃ》たちを、最後《さいご》まではげまし続《つづ》けたという。

かけたが、一揆軍《いっきぐん》の抵抗《ていこう》は激《はげ》しく、幕府軍《ばくふぐん》は苦戦《くせん》が続《つづ》いた。そこで幕府《ばくふ》は、老中《ろうじゅう》（最高職《さいこうしょく》）の松《まつ》平信綱《だいらのぶつな》を総指揮官《そうしきかん》として送りこんだ。信綱《のぶつな》は兵糧攻《ひょうろうぜ》めに作戦《さくせん》を切りかえ、約《やく》3か月後に一揆軍《いっきぐん》が食料不足《しょくりょうぶそく》で弱り切ったところで総攻撃《そうこうげき》をしかけて勝利《しょうり》した。一揆軍《いっきぐん》はすべて殺《ころ》された。

合戦《かっせん》の結果《けっか》

幕府《ばくふ》はキリシタンの取りしまりを強化し、海外との貿易《ぼうえき》や交流を制限《せいげん》する「鎖国《さこく》」を進めていった。

幕府軍《ばくふぐん》の大勝利《だいしょうり》
味方が大軍《たいぐん》なのでなんとか勝利《しょうり》できましたが、苦しい戦《たたか》いでした…
幕府軍《ばくふぐん》の総指揮官《そうしきかん》の松平信綱《まつだいらのぶつな》氏《し》

これが行軍時《こうぐんじ》の軍編成《ぐんへんせい》!!

合戦《かっせん》が起きるとき、戦国大名《せんごくだいみょう》は多くの場合、旗印《はたじるし》・馬印《うまじるし》を先頭にして、鉄砲隊《てっぽうたい》、長柄隊《ながえたい》、騎馬隊《きばたい》、弓隊《ゆみたい》の順番《じゅんばん》で軍《ぐん》を編成《へんせい》し、行軍《こうぐん》した。それぞれの隊《たい》は「奉行《ぶぎょう》」と呼《よ》ばれる指揮官《しきかん》が率《ひき》いた。

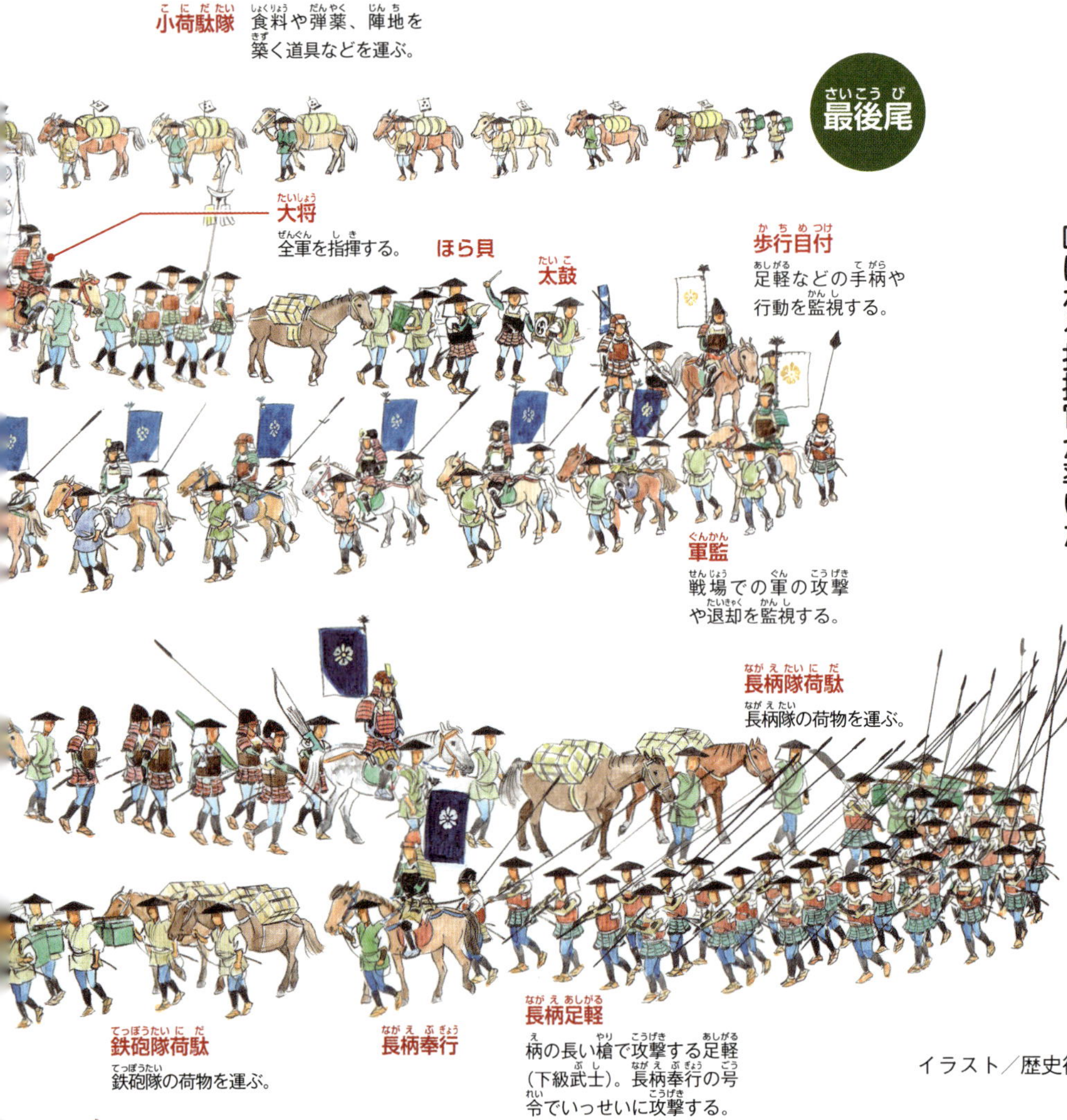
小荷駄隊《こにだたい》
食料《しょくりょう》や弾薬《だんやく》、陣地《じんち》を築《きず》く道具などを運ぶ。
最後尾《さいこうび》
大将《たいしょう》
全軍《ぜんぐん》を指揮《しき》する。
ほら貝
太鼓《たいこ》
歩行目付《かちめつけ》
足軽《あしがる》などの手柄《てがら》や行動を監視《かんし》する。
軍監《ぐんかん》
戦場《せんじょう》での軍《ぐん》の攻撃《こうげき》や退却《たいきゃく》を監視《かんし》する。
長柄隊荷駄《ながえたいにだ》
長柄隊《ながえたい》の荷物を運ぶ。
長柄足軽《ながえあしがる》
柄《え》の長い槍《やり》で攻撃《こうげき》する足軽《あしがる》(下級武士《ぶし》)。長柄奉行《ながえぶぎょう》の号令《ごうれい》でいっせいに攻撃《こうげき》する。
鉄砲隊荷駄《てっぽうたいにだ》
鉄砲隊《てっぽうたい》の荷物を運ぶ。
長柄奉行《ながえぶぎょう》
鉄砲足軽《てっぽうあしがる》
鉄砲頭《てっぽうがしら》
鉄砲隊《てっぽうたい》を率《ひき》いる。

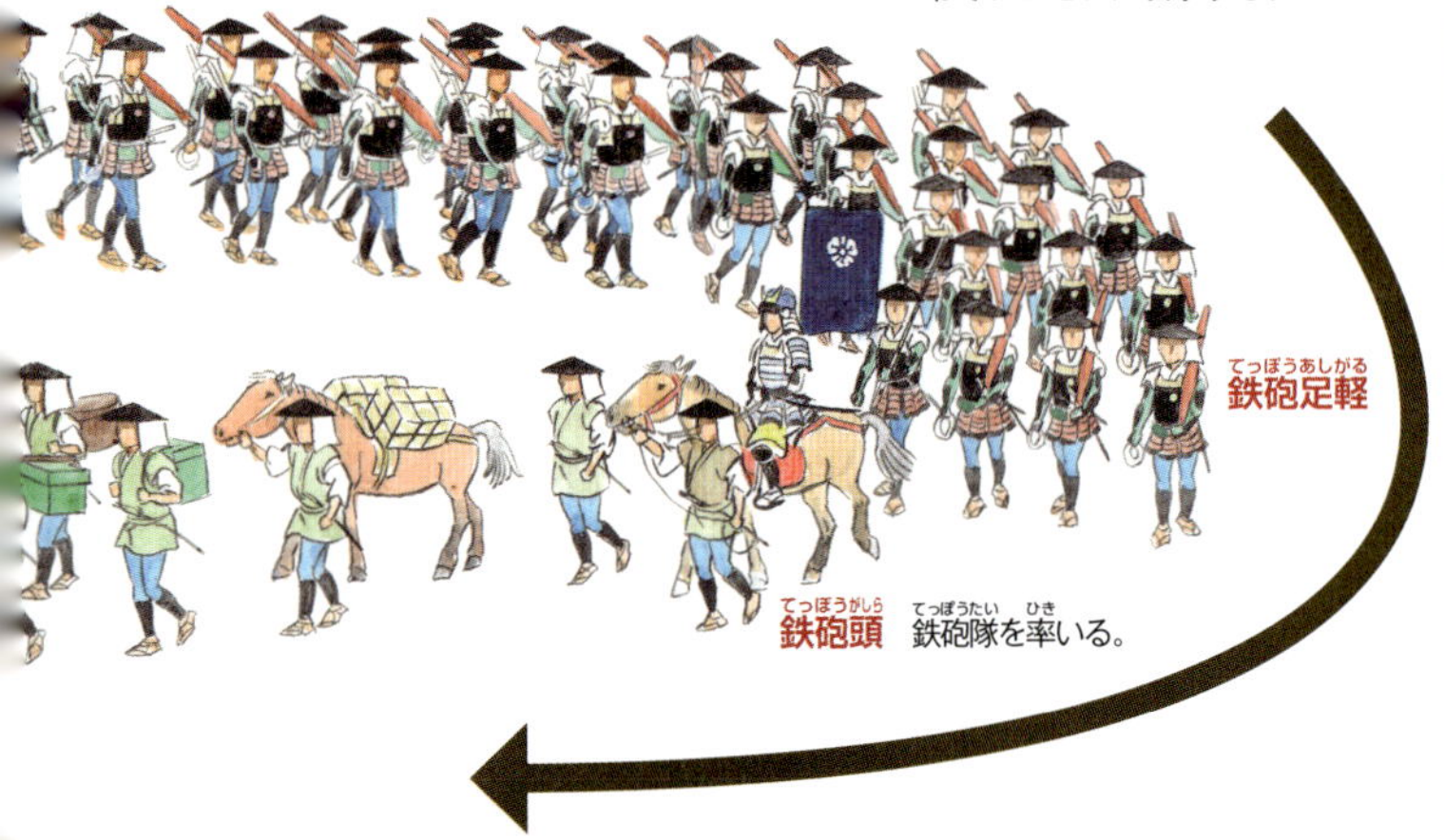

イラスト／歴史復元画家中西立太

大名行列《だいみょう》

江戸《えど》時代に全国の藩主《はんしゅ》がおこなった大名《だいみょう》行列は、行軍時《こうぐんじ》の軍編成《ぐんへんせい》がもとになっている。

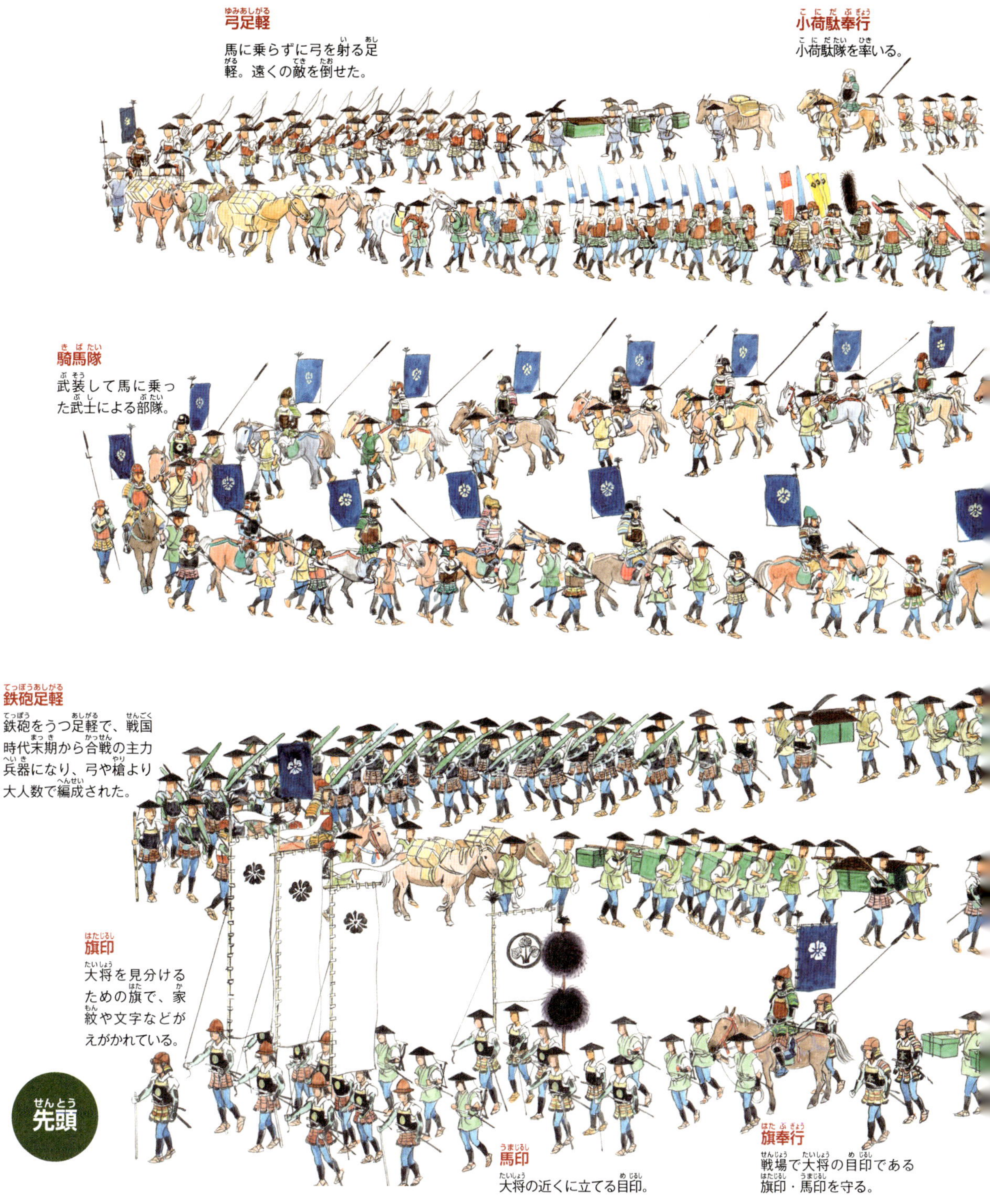

弓足軽《ゆみあしがる》
馬に乗らずに弓を射《い》る足《あし》軽《がる》。遠くの敵《てき》を倒《たお》せた。
小荷駄奉行《こにだぶぎょう》
小荷駄隊《こにだたい》を率《ひき》いる。
騎馬隊《きばたい》
武装《ぶそう》して馬に乗った武士《ぶし》による部隊《ぶたい》。
鉄砲足軽《てっぽうあしがる》
鉄砲《てっぽう》をうつ足軽《あしがる》で、戦国《せんごく》時代末期《まっき》から合戦《かっせん》の主力兵器《へいき》になり、弓や槍《やり》より大人数で編成《へんせい》された。
旗印《はたじるし》
大将《たいしょう》を見分けるための旗《はた》で、家《か》紋《もん》や文字などがえがかれている。
先頭《せんとう》
馬印《うまじるし》
大将《たいしょう》の近くに立てる目印《めじるし》。
旗奉行《はたぶぎょう》
戦場《せんじょう》で大将《たいしょう》の目印《めじるし》である旗印《はたじるし》・馬印《うまじるし》を守る。

合戦《かっせん》おもしろコラム

軍配《ぐんばい》・軍扇《ぐんせん》は合戦《かっせん》を指揮《しき》する道具《どうぐ》!!

軍扇《ぐんせん》
秀吉《ひでよし》が政宗《まさむね》に与《あた》えた軍扇《ぐんせん》。表面は金地に赤色の日の丸がえがかれている。
仙台市博物館所蔵

軍配《ぐんばい》
豊臣秀吉《とよとみひでよし》から伊達《だて》政宗《まさむね》に与《あた》えられた軍配《ぐんばい》。表面の卍《まんじ》は、武神《ぶしん》の摩利支天《まりしてん》を表していると思われる。
仙台市博物館所蔵

軍配《ぐんばい》を持つ池田恒興《いけだつねおき》
秀吉《ひでよし》に仕えた武将《ぶしょう》・池《いけ》田恒興《だつねおき》の肖像画《しょうぞうが》には、金地に赤い日の丸の軍配《ぐんばい》がえがかれている。

災《わざわ》いを追いはらい 戦場《せんじょう》での運勢《うんせい》を変《か》える

軍配《ぐんばい》や軍扇《ぐんせん》は、戦国武将《せんごくぶしょう》が合戦《かっせん》を指揮《しき》するための道具である。軍配《ぐんばい》や軍扇《ぐんせん》を動かして合図を出し、兵《へい》を進めたり、退却《たいきゃく》させたりした。

軍配《ぐんばい》は、正しくは軍配団扇《ぐんばいうちわ》といい、鉄や木、皮などでつくられた団扇《うちわ》形の部分に長い柄《え》がつけられている。団扇《うちわ》形の部分には太陽や北斗七星《ほくとしちせい》、家紋《かもん》などがえがかれることが多い。現在《げんざい》、軍配《ぐんばい》は相撲《すもう》の行司《ぎょうじ》が使っていることで知られる。

軍扇《ぐんせん》は木でつくった骨《ほね》組みに紙を貼《は》りつけたもので、表に太陽、裏《うら》に月をえがくことが一般《いっぱん》的《てき》である。

軍配《ぐんばい》や軍扇《ぐんせん》は、古くから災《わざわ》いを取り除《のぞ》く力があるとされ、合戦《せん》のとき、たとえ運勢《うんせい》が悪くても、よい運勢《うんせい》に変《か》えられると考えられていた。

5章

幕《ばく》末《まつ》～明《めい》治《じ》維《い》新《しん》

薩摩《さつま》・長州《ちょうしゅう》が江戸《えど》幕府《ばくふ》をほろぼす!!

江戸幕府《えどばくふ》が開国を決めると、幕府《ばくふ》に反対する動きが活発になった。その中で勢力《せいりょく》を拡大《かくだい》した薩摩藩《さつまはん》(現在《げんざい》の鹿児島県《かごしまけん》)と長州藩《ちょうしゅうはん》(現在《げんざい》の山口県《やまぐちけん》)は、最初《さいしょ》は激《はげ》しく争《あらそ》ったが、やがて協力《きょうりょく》し、幕府《ばくふ》を滅亡《めつぼう》へと追いつめた。

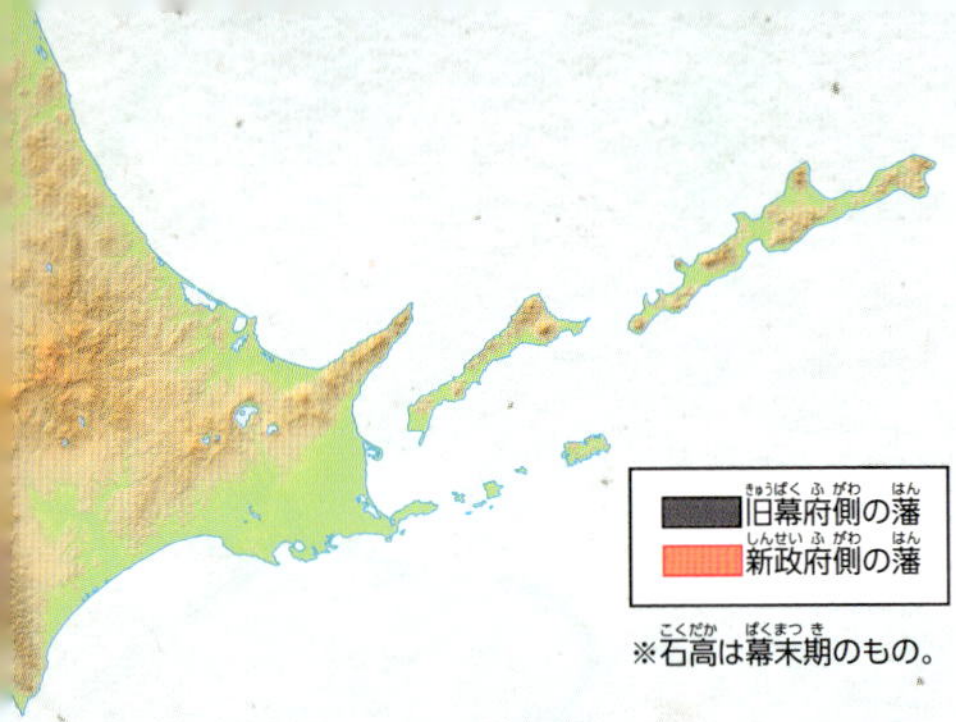

※石高《こくだか》は幕末期《ばくまつき》のもの。

戊辰戦争時《ぼしんせんそうじ》の勢力図《せいりょくず》

戊辰戦争《ぼしんせんそう》とは、新政府軍《しんせいふぐん》と旧幕府軍《きゅうばくふぐん》による一連《いちれん》の戦《たたか》いのことで、1868年の鳥《と》羽《ば》・伏見《ふしみ》の戦《たたか》いから1869年の箱館戦争《はこだてせんそう》まで、約《やく》1年半に及《およ》んだ。おもに西日本の藩《はん》は新政府軍《しんせいふぐん》に加《くわ》わり、東日本の藩《はん》は旧幕府軍《きゅうばくふぐん》に味方した。

1869年 箱館戦争《はこだてせんそう》 (➡P298)

旧幕府軍《きゅうばくふぐん》 vs 新政府軍《しんせいふぐん》

1868年 会津戦争《あいづせんそう》 (➡P294)

会津軍《あいづぐん》 vs 新政府軍《しんせいふぐん》

1868年 上野戦争《うえのせんそう》 (➡P292)

新政府軍《しんせいふぐん》 vs 旧幕府軍《きゅうばくふぐん》

1864年 禁門《きんもん》の変《へん》 (➡P280)

幕府軍《ばくふぐん》 vs 長州軍《ちょうしゅうぐん》

1877年 西南戦争《せいなんせんそう》 (➡P304)

西郷軍《さいごうぐん》 VS 新政府軍《しんせいふぐん》

1866年 長州征伐《ちょうしゅうせいばつ》(第2次) (➡P282)

長州軍《ちょうしゅうぐん》 VS 幕府軍《ばくふぐん》

弘前藩《ひろさきはん》
約《やく》10万石
秋田藩《あきたはん》
約《やく》21万石
盛岡藩《もりおかはん》
約《やく》20万石
庄内藩《しょうないはん》
約《やく》17万石
仙台藩《せんだいはん》
約《やく》62万石
会津藩《あいづはん》
約《やく》28万石
長岡藩《ながおかはん》
約《やく》7万石
鳥取藩《とっとりはん》
約《やく》32万石
越前藩《えちぜんはん》
約《やく》32万石
長州藩《ちょうしゅうはん》
約《やく》37万石
広島藩《ひろしまはん》
約《やく》43万石
京都《きょうと》
彦根藩《ひこねはん》
約《やく》20万石
尾張藩《おわりはん》
約《やく》62万石
水戸藩《みとはん》
約《やく》35万石
江戸《えど》
幕府《ばくふ》
約《やく》700万石
肥前藩《ひぜんはん》
約《やく》36万石
宇和島藩《うわじまはん》
約《やく》10万石
土佐藩《とさはん》
約《やく》20万石
津藩《つはん》
約《やく》32万石
桑名藩《くわなはん》
約《やく》11万石
紀州藩《きしゅうはん》
約《やく》56万石
薩摩藩《さつまはん》
約《やく》73万石

1863年 薩英戦争《さつえいせんそう》 (➡P278)

薩摩軍《さつまぐん》 VS イギリス軍《ぐん》

1868年 鳥羽《とば》・伏見《ふしみ》の戦《たたか》い (➡P284)

新政府軍《しんせいふぐん》 VS 旧幕府軍《きゅうばくふぐん》

＊天皇《てんのう》の住居《じゅうきょ》。

こうして、御所《ごしょ》を目指すことを決めた長州藩《ちょうしゅうはん》は軍勢《ぐんぜい》を三隊《たい》に分けて3方面から進撃《しんげき》を開始した。
藩《はん》のため同志《どうし》のため
ともに戦《たたか》います
来島隊《きじまたい》
天龍寺勢《てんりゅうじぜい》
御所《ごしょ》
久坂隊《くさかたい》
山崎勢《やまざきぜい》
伏見勢《ふしみぜい》
これを迎《むか》えうつため、幕府軍《ばくふぐん》は徳川慶喜《とくがわよしのぶ》の指揮《しき》のもと、会津藩《あいづはん》や薩摩藩《さつまはん》が加《くわ》わった。
会津藩《あいづはん》
薩摩藩《さつまはん》
徳川慶喜《とくがわよしのぶ》
ワァァァァ
守りが手薄《てうす》な門から御所《ごしょ》に入るのだ！
会津藩《あいづはん》をけちらせ！
よしこのまま会津《あいづ》を追いこめば
御所《ごしょ》まで行ける！
来島《きじま》さん！

薩摩《さつま》がっ!
西郷隆盛《さいごうたかもり》
うてぇ!

その頃《ころ》久坂隊《くさかたい》――
戦《たたか》いはもうはじまった急げ!
たいへんです薩摩《さつま》の攻撃《こうげき》で来島《きじま》さんがうち死にされました!
他の隊《たい》も撃破《げきは》されました!
来島《きじま》さんが…
このまま御所《ごしょ》に行くべきだと思うか?
久坂《くさか》
引き返す道はもうありません
進むのみです
あきらめねばまだ勝てる道はある!
御所《ごしょ》へ行くぞ!

合戦《かっせん》68

1863年

薩英戦争《さつえいせんそう》

我《わ》が藩《はん》の強さをイギリスに見せつけてやる！

島津久光《しまづひさみつ》(1817〜1887)

薩摩藩主《さつまはんしゅ》・島津斉彬《しまづなりあきら》の弟。斉彬《なりあきら》の死後、藩主《はんしゅ》となった島津忠義《しまづただよし》の父として権力《けんりょく》をにぎった。

薩摩軍《さつまぐん》 戦力《せんりょく》 不明《ふめい》

VS

イギリス国民《こくみん》を殺《ころ》した薩摩《さつま》を攻撃《こうげき》する！

イギリス軍《ぐん》 戦力《せんりょく》 軍艦《ぐんかん》7隻《せき》

ジョン・ニール(1812〜1866)

イギリスの外交官《がいこうかん》で、1862年、イギリスの代理公使として日本に来た。生麦《なまむぎ》事件《じけん》が起きると、薩摩《さつま》との交渉《こうしょう》を担当《たんとう》。

合戦《かっせん》タイプ　水上戦《すいじょうせん》

合戦場所《かっせんばしょ》

薩摩《さつま》(鹿児島県《かごしまけん》)
鹿児島湾《かごしまわん》

❖薩英戦争関連地図《さつえいせんそうかんれんちず》

イギリス艦隊《かんたい》の最新鋭《さいしんえい》のアームストロング砲《ほう》の攻撃《こうげき》により、5人が死亡《しぼう》し、鹿《か》児島城下《ごしまじょうか》の約《やく》1割《わり》が焼失《しょうしつ》。
焼失市街地《しょうしつしがいち》
ハボック
レースホース
パーシューズ
アーガス
コケット
パール
ユーリアラス
合戦《かっせん》ハイライト！
鹿児島城《かごしまじょう》
桜島《さくらじま》
鹿児島《かごしま》
鹿児島湾《かごしまわん》
イギリス艦隊《かんたい》の旗艦《きかん》「ユーリアラス号」は、陸上砲台《りくじょうほうだい》の攻撃《こうげき》を受けて艦長《かんちょう》、副《ふく》艦長《かんちょう》とも戦死《せんし》するなど大きな被害《ひがい》を受けた。

砲撃《ほうげき》を加《くわ》える薩摩軍《さつまぐん》

暴風雨《ぼうふうう》の中、薩《さつ》摩軍《まぐん》は数百発の大砲《たいほう》をうち、必《ひっ》死《し》に応戦《おうせん》した。

薩摩軍《さつまぐん》の作戦《さくせん》

鹿児島湾沿岸《かごしまわんえんがん》から大砲《たいほう》で攻撃《こうげき》する

アームストロング砲《ほう》の威力《いりょく》を見せつけられる

江戸幕府《えどばくふ》は外国との交流を制《せい》限《げん》する「鎖国《さこく》」を続《つづ》けてきたが、1854年、アメリカの要求《ようきゅう》を受け入れて開国した。すると攘《じょう》夷《い》(外国勢力《せいりょく》の追放)を主張《しゅちょう》する「攘夷派《じょういは》」が各地《かくち》で活動をはじめた。1862年、薩摩藩《さつまはん》(現在《げんざい》の鹿児島県《かごしまけん》)の藩主《はんしゅ》の父・島津《しまづ》久光《ひさみつ》の行列が生麦村《なまむぎむら》(現在《げんざい》の神《か》奈川県《ながわけん》)を進んでいたとき、行列を横切ったイギリス人を藩士《はんし》が切り殺《ころ》した。

翌年《よくとし》、イギリスは犯人《はんにん》の引き渡《わた》しと賠償金《ばいしょうきん》を要求《ようきゅう》したが、薩《さつ》摩藩《まはん》は断《ことわ》り続《つづ》け、両者の対立は激《はげ》しくなった。薩摩藩《さつまはん》はイギリスとの戦争《せんそう》に備《そな》えて、鹿児島湾《かごしまわん》の沿岸《えんがん》に砲台《ほうだい》を築《きず》きはじめた。イギリスの代理公使だったジョン・ニールは、軍艦《ぐんかん》7隻《せき》を率《ひき》い

合戦《かっせん》ハイライト!
コケット号
パール号
ユーリアラス号

砲撃《ほうげき》を受けるイギリス軍艦《ぐんかん》

イギリスの軍艦《ぐんかん》7隻《せき》が鹿児島湾《かごしまわん》に侵入《しんにゅう》すると、薩摩軍《さつまぐん》は85門の大砲《たいほう》で激《はげ》しく攻撃《こうげき》した。イギリス艦隊《かんたい》の旗艦《きかん》(艦隊《かんたい》の指揮《しき》を取る軍艦《ぐんかん》)ユーリアラス号は砲弾《ほうだん》が直撃《ちょくげき》して大破《たいは》し、艦長《かんちょう》と副艦長《ふくかんちょう》が戦死《せんし》した。

て鹿児島湾《かごしまわん》に到着《とうちゃく》すると、再《ふたた》び犯人《はんにん》の引き渡《わた》しと賠償金《ばいしょうきん》を要求《ようきゅう》したが、薩摩藩《さつまはん》はこれを無視《むし》。ついに戦闘《せんとう》がはじまった。

イギリス海軍《かいぐん》は、最新式《さいしんしき》のアームストロング砲《ほう》で薩摩藩《さつまはん》の砲台《ほうだい》を破壊《はかい》し、鹿児島《かごしま》市街《しがい》の約《やく》1割《わり》を焼失《しょうしつ》させた。しかし薩摩《さつま》藩《はん》もよく戦《たたか》い、イギリス海軍《かいぐん》は軍艦《ぐんかん》3隻《せき》を破壊《はかい》されて撤退《てったい》。戦《たたか》いは引き分けに終わった。

両軍《りょうぐん》の引き分け
イギリスは強い!対立を続《つづ》けるより仲《なか》よくした方が得策《とくさく》です。
薩摩藩《さつまはん》の実力者・島津久光氏《しまづひさみつし》

合戦《かっせん》の結果《けっか》

薩摩藩《さつまはん》とイギリスは、お互《たが》いの力を認《みと》め合い、協力関係《きょうりょくかんけい》を築《きず》くようになった。

禁門《きんもん》の変《へん》（蛤御門《はまぐりごもん》の変《へん》）

合戦《かっせん》タイプ　野戦《やせん》

合戦場所《かっせんばしょ》

山城《やましろ》（京都府《きょうとふ》）
京都《きょうと》

合戦《かっせん》ハイライト！

攻撃《こうげき》を命じる隆盛《たかもり》

隆盛《たかもり》の率《ひき》いる薩摩軍《さつまぐん》は、蛤御門《はまぐりごもん》で苦戦《くせん》する会津軍《あいづぐん》のもとにかけつけ、長州軍《ちょうしゅうぐん》に激《はげ》しい攻撃《こうげき》を加《くわ》えた。

長州《ちょうしゅう》の暴走《ぼうそう》を食い止める！

西郷隆盛《さいごうたかもり》(1827～1877)

薩摩藩《さつまはん》(現在《げんざい》の鹿児島県《かごしまけん》)の藩士《はんし》。薩摩《さつま》の実力者・島津久光《しまづひさみつ》による政策《せいさく》が行きづまると、薩摩藩《さつまはん》を主導《しゅどう》し、勢力《せいりょく》を回復《かいふく》した。

幕府軍《ばくふぐん》　戦力《せんりょく》　約《やく》2～3万人

VS

藩《はん》の過激《かげき》な連中《れんちゅう》を止められない…

長州軍《ちょうしゅうぐん》　戦力《せんりょく》　約《やく》2100人

久坂玄瑞《くさかげんずい》(1840～1864)

長州藩《ちょうしゅうはん》(現在《げんざい》の山口県《やまぐちけん》)の藩士《はんし》。吉田松陰《よしだしょういん》の松下村塾《しょうかそんじゅく》で学び、高杉晋作《たかすぎしんさく》らと長州藩《ちょうしゅうはん》を率《ひき》いた。

隆盛《たかもり》の作戦《さくせん》

会津藩《あいづはん》と協力《きょうりょく》して長州藩《ちょうしゅうはん》を撃破《げきは》する

長州藩《ちょうしゅうはん》は無謀《むぼう》な戦《たたか》いに挑《いど》んで大敗《たいはい》する

1863年、長州藩《ちょうしゅうはん》(現在《げんざい》の山口県《やまぐちけん》)は、尊王攘夷派《そんのうじょういは》(天皇《てんのう》をうやまい、外国勢力《せいりょく》の追放を主張《しゅちょう》する人びと)を中心に、京都《きょうと》で勢力《せいりょく》を広げていたが、公武合体《こうぶがったい》(朝廷《ちょうてい》と幕府《ばくふ》の協力関係《きょうりょくかんけい》)を目指す薩摩藩《さつまはん》(現在《げんざい》の鹿児島県《かごしまけん》)や会津藩《あいづはん》(現在《げんざい》の福島県《ふくしまけん》)に京都《きょうと》から追放された。翌年《よくとし》、長州藩《ちょうしゅうはん》の過激《かげき》な尊王攘夷派《そんのうじょういは》・来島又兵衛《きじままたべえ》らは、武力《ぶりょく》で御所《ごしょ》(天皇《てんのう》の住居《じゅうきょ》)に入り、天皇《てんのう》から長州藩《ちょうしゅうはん》の許《ゆる》しを得《え》ようとし、約《やく》2100人の兵《へい》を率《ひき》いて京都《きょうと》に向かった。久《く》坂玄瑞《さかげんずい》は「朝廷《ちょうてい》に逆《さか》らうべきでない」と進軍《しんぐん》を止めようとしたが拒否《きょひ》され、しかたなく戦闘《せんとう》に参加《さんか》することになった。長州軍《ちょうしゅうぐん》は、天龍寺勢《てんりゅうじぜい》、伏見勢《ふしみぜい》、山崎勢《やまざきぜい》の三手に分かれて布陣《ふじん》した。

❖禁門《きんもん》の変関連《へんかんれん》地図
長州軍侵攻路《ちょうしゅうぐんしんこうろ》
長州軍《ちょうしゅうぐん》
幕府軍《ばくふぐん》
西郷隆盛《さいごうたかもり》
薩摩藩《さつまはん》
会津藩《あいづはん》
御所《ごしょ》
蛤御門《はまぐりごもん》
合戦《かっせん》ハイライト！
天龍寺《てんりゅうじ》
天龍寺勢《てんりゅうじぜい》
国司信濃《くにししなの》
来島又兵衛《きじままたべえ》
800人
鴨川《かもがわ》
山崎勢《やまざきぜい》
久坂玄瑞《くさかげんずい》
600人
久坂玄瑞《くさかげんずい》
天王山《てんのうざん》▲
宇《う》治《じ》川《がわ》
伏見勢《ふしみぜい》
福原越後《ふくはらえちご》
700人

敗北《はいぼく》した玄瑞《げんずい》は、最後《さいご》まで朝廷《ちょうてい》に長州藩《ちょうしゅうはん》の無実《むじつ》を訴《うった》えようとしたが失敗《しっぱい》し、仲間《なかま》とともに自害《じがい》した。

これに対し、幕府《ばくふ》は薩摩藩《さつまはん》や会津藩《あいづはん》などに命じて、禁門《きんもん》（天皇《てんのう》の住居《じゅうきょ》の門）を守らせた。戦闘《せんとう》は、会津軍《あいづぐん》が守る蛤御門付近《はまぐりごもんふきん》ではじまった。最初《さいしょ》のうちは長州軍《ちょうしゅうぐん》が優勢《ゆうせい》だったが、西郷隆盛《さいごうたかもり》の率《ひき》いる薩摩軍《さつまぐん》が援軍《えんぐん》にかけつけると、形勢《けいせい》は一気に逆転《ぎゃくてん》し、長州軍《ちょうしゅうぐん》は撃破《げきは》された。又兵衛《またべえ》は戦死《せんし》し、玄瑞《げんずい》も自害《じがい》した。

幕府軍《ばくふぐん》の大勝利《だいしょうり》
長州《ちょうしゅう》が攻《せ》めた蛤御門《はまぐりごもん》に、いち早くかけつけたのが勝利《しょうり》につながりました。
薩摩軍《さつまぐん》の司令官《しれいかん》・西郷隆盛《さいごうたかもり》氏《し》

合戦《かっせん》の結果《けっか》

御所《ごしょ》をおそった長州藩《ちょうしゅうはん》は朝廷《ちょうてい》の敵《てき》となり、幕府《ばくふ》は薩摩藩《さつまはん》などに命じて長州藩《ちょうしゅうはん》を攻《せ》めさせた。長州藩《ちょうしゅうはん》は戦《たたか》う前に降伏《こうふく》した（長州征伐《ちょうしゅうせいばつ》［第1次］）。

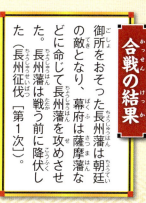

長州征伐《ちょうしゅうせいばつ》（第2次）

合戦《かっせん》タイプ　野戦《やせん》　水上戦《すいじょうせん》

合戦場所《かっせんばしょ》

長門《ながと》(山口県《やまぐちけん》)
関門海峡《かんもんかいきょう》

合戦《かっせん》ハイライト！

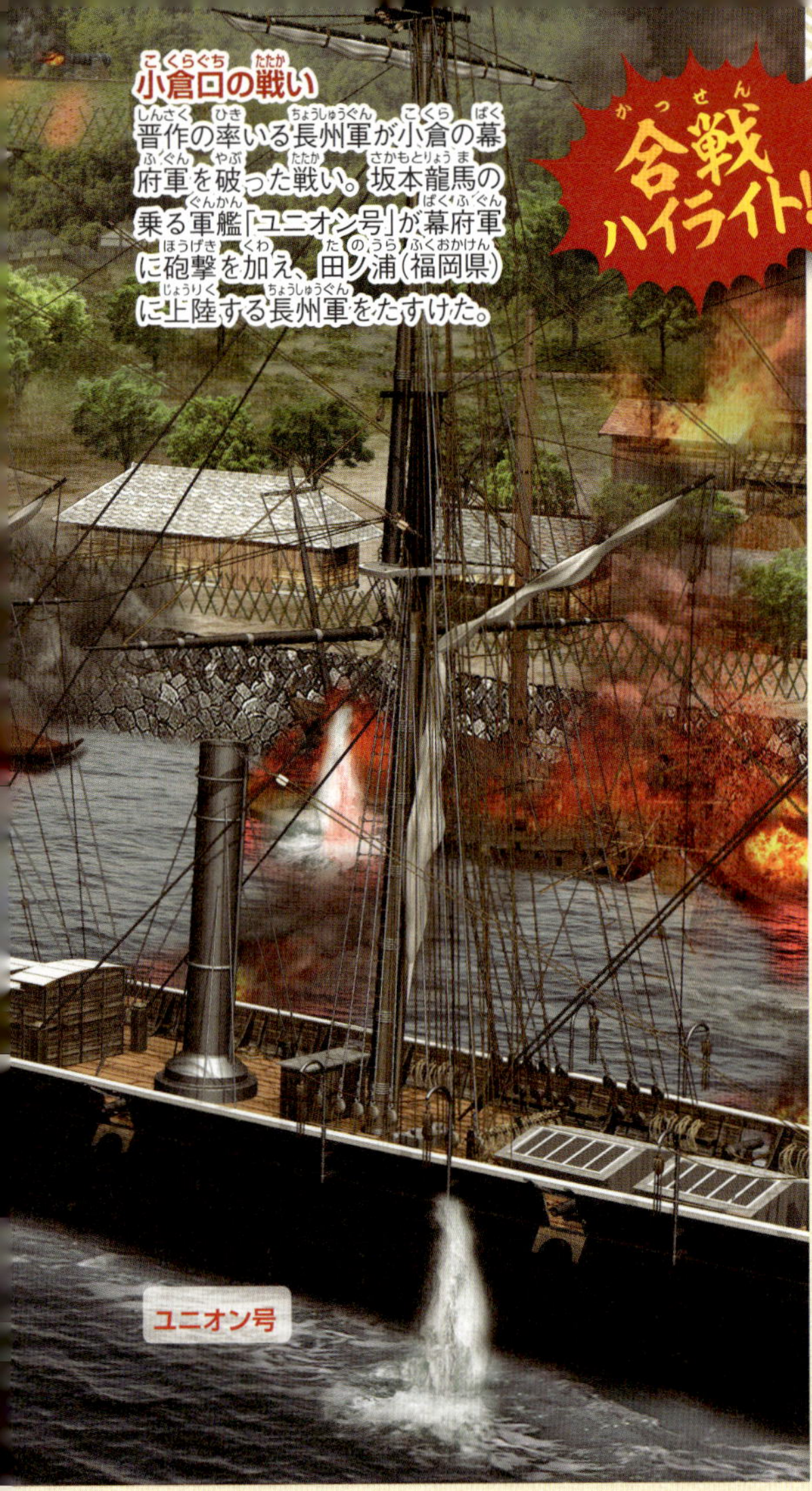
ユニオン号

小倉口《こくらぐち》の戦《たたか》い
晋作《しんさく》の率《ひき》いる長州軍《ちょうしゅうぐん》が小倉《こくら》の幕《ばく》府軍《ふぐん》を破《やぶ》った戦《たたか》い。坂本龍馬《さかもとりょうま》の乗る軍艦《ぐんかん》「ユニオン号」が幕府軍《ばくふぐん》に砲撃《ほうげき》を加《くわ》え、田ノ浦《たのうら》(福岡県《ふくおかけん》)に上陸《じょうりく》する長州軍《ちょうしゅうぐん》をたすけた。

長州藩《ちょうしゅうはん》を再《ふたた》び幕府《ばくふ》を倒《たお》す勢力《せいりょく》に変《か》える！

高杉晋作《たかすぎしんさく》(1839～1867)
長州藩《ちょうしゅうはん》(現在《げんざい》の山口県《やまぐちけん》)の藩士《はんし》。奇《き》兵隊《へいたい》を組織《そしき》し、幕府軍《ばくふぐん》と戦《たたか》った。

長州軍《ちょうしゅうぐん》　戦力《せんりょく》　約《やく》3500人

VS

長州《ちょうしゅう》は再《ふたた》び幕府《ばくふ》に逆《さか》らった
幕府《ばくふ》を守るためには長州《ちょうしゅう》を倒《たお》さねば…

幕府軍《ばくふぐん》　戦力《せんりょく》　約《やく》10万2000人

徳川家茂《とくがわいえもち》(1846～1866)
江戸幕府《えどばくふ》14代将軍《しょうぐん》。公武合体《こうぶがったい》のため、孝明天皇《こうめいてんのう》の妹・和宮《かずのみや》と結婚《けっこん》した。

晋作《しんさく》の作戦《さくせん》

最新《さいしん》の武器《ぶき》で積極的《せっきょくてき》に戦《たたか》う

晋作《しんさく》の積極的《せっきょくてき》な行動が長州藩《ちょうしゅうはん》を危機《きき》から救《すく》う

禁門《きんもん》の変《へん》で敗《やぶ》れ、幕府《ばくふ》に降伏《こうふく》した長州藩《ちょうしゅうはん》(現在《げんざい》の山口県《やまぐちけん》)は、幕府《ばくふ》に従《したが》おうとする勢力《せいりょく》が実権《じっけん》をにぎった。これに対し、高杉《たかすぎ》晋作《しんさく》は藩《はん》に反乱《はんらん》を起こして藩《はん》の実権《じっけん》をにぎり、長州藩《ちょうしゅうはん》を再《ふたた》び幕《ばく》府《ふ》を倒《たお》す勢力《せいりょく》にした。その後、土佐藩《とさはん》(現在《げんざい》の高知県《こうちけん》)の坂本龍《さかもとりょう》馬《ま》の仲立《なかだ》ちで、長州藩《ちょうしゅうはん》は薩摩藩《さつまはん》(現在《げんざい》の鹿児島県《かごしまけん》)と同盟《どうめい》を結《むす》び、薩摩《さつま》から最新式《さいしんしき》の武器《ぶき》を手にいれることができた。

長州藩《ちょうしゅうはん》の動きを危険《きけん》と感じた幕府《ばくふ》は、1866年、西日本の諸藩《しょはん》に長州藩《ちょうしゅうはん》への攻撃《こうげき》を命じた。しかし同盟《どうめい》を結《むす》んでいた薩《さつ》摩藩《まはん》は兵《へい》を出さず、ほかの藩《はん》も戦意《せんい》は低《ひく》く、武器《ぶき》は旧式《きゅうしき》だった。

一方の長州藩《ちょうしゅうはん》は、兵力《へいりょく》は少なかったが、奇兵隊《きへいたい》(庶民《しょみん》が参加《さんか》

❖長州征伐《ちょうしゅうせいばつ》（第2次）関連《かんれん》地図
石州口《せきしゅうぐち》の戦《たたか》い
長州軍《ちょうしゅうぐん》 1000人
VS
幕府軍《ばくふぐん》 3万人
芸州口《げいしゅうぐち》の戦《たたか》い
長州軍《ちょうしゅうぐん》 1000人
VS
幕府軍《ばくふぐん》 5万人
萩《はぎ》
長州藩《ちょうしゅうはん》
合戦ハイライト!
小倉《こくら》
小倉口《こくらぐち》の戦《たたか》い
長州軍《ちょうしゅうぐん》 1000人
VS
幕府軍《ばくふぐん》 2万人
大島口《おおしまぐち》の戦《たたか》い
長州軍《ちょうしゅうぐん》 500人
VS
幕府軍《ばくふぐん》 2000人

田ノ浦《たのうら》
幕府軍《ばくふぐん》の大砲《たいほう》や弾薬庫《だんやくこ》があった。
長州藩兵《ちょうしゅうはんぺい》

小倉口《こくらぐち》の戦《たたか》いを指揮《しき》する晋作《しんさく》
晋作《しんさく》の積極的《せっきょくてき》な作戦《さくせん》で、長州軍《ちょうしゅうぐん》は勝利《しょうり》した。

できる軍隊《ぐんたい》）を中心に最新式《さいしんしき》の武器《ぶき》が装備《そうび》され、大村益次郎《おおむらますじろう》によって近代的《きんだいてき》な軍事訓練《ぐんじくんれん》がほどこされていた。

幕府軍《ばくふぐん》は10万人以上《いじょう》の兵力《へいりょく》で芸州口《げいしゅうぐち》・大島口《おおしまぐち》・石州口《せきしゅうぐち》・小倉《こくら》口の4方面から長州藩《ちょうしゅうはん》に攻《せ》めこんだ。長州藩《ちょうしゅうはん》は石州口《せきしゅうぐち》では益次《ますじ》郎《ろう》の指揮《しき》で幕府軍《ばくふぐん》を破《やぶ》り、小倉《こくら》口《ぐち》では晋作《しんさく》が積極的《せっきょくてき》な上陸作戦《じょうりくさくせん》を実行して、幕府軍《ばくふぐん》に大勝した。

長州軍《ちょうしゅうぐん》の大勝利《だいしょうり》

長州《ちょうしゅう》を守るために、みんなで協力《きょうりょく》して必死《ひっし》に戦《たたか》いました。
小倉口《こくらぐち》の戦《たたか》いで勝利《しょうり》した高杉晋作氏《たかすぎしんさくし》

合戦《かっせん》の結果《けっか》

幕府軍《ばくふぐん》は徳川家茂《とくがわいえもち》が病死したことを理由に撤退《てったい》。幕府《ばくふ》の勢《せい》力《りょく》はさらに弱まった。

合戦《かっせん》71
1868年

鳥羽《とば》・伏見《ふしみ》の戦《たたか》い

絶対《ぜったい》に旧幕府軍《きゅうばくふぐん》を京都《きょうと》に入れるな！

西郷隆盛《さいごうたかもり》(1827～1877)

薩摩藩《さつまはん》(現在《げんざい》の鹿児島県《かごしまけん》)を率《ひき》いて江戸幕府《えどばくふ》を倒《たお》す運動を主導《しゅどう》した。戊辰戦争《ぼしんせんそう》がはじまると新政府軍《しんせいふぐん》の総指揮官《そうしきかん》になった。

新政府軍《しんせいふぐん》 戦力《せんりょく》 約《やく》5000人

VS

新政府軍《しんせいふぐん》と戦《たたか》うしか道はないか…

旧幕府軍《きゅうばくふぐん》 戦力《せんりょく》 約《やく》1万5000人

徳川慶喜《とくがわよしのぶ》(1837～1913)

江戸幕府《えどばくふ》15代将軍《しょうぐん》だったが、大政《たいせい》奉還《ほうかん》をして政権《せいけん》を朝廷《ちょうてい》に返した。

合戦《かっせん》タイプ　野戦《やせん》

合戦場所《かっせんばしょ》

山城《やましろ》(京都府《きょうとふ》)
伏見《ふしみ》

戊辰戦争《ぼしんせんそう》がはじまるまで

❶大政奉還《たいせいほうかん》

薩摩藩《さつまはん》と長州藩《ちょうしゅうはん》が武力《ぶりょく》で幕府《ばくふ》を倒《たお》そうとしていることを知った徳川慶喜《とくがわよしのぶ》は、政権《せいけん》を朝廷《ちょうてい》に返す「大政奉還《たいせいほうかん》」をおこなった。薩摩藩《さつまはん》と長州藩《ちょうしゅうはん》は幕府《ばくふ》を攻撃《こうげき》する理由を失《うしな》った。

❷小御所会議《こごしょかいぎ》

朝廷《ちょうてい》を中心に新政府《しんせいふ》が成立《せいりつ》し、慶喜《よしのぶ》の官位《かんい》や領地《りょうち》を取り上げることが会議《かいぎ》で決められた。

❸大坂城《おおさかじょう》へ入城《にゅうじょう》

慶喜《よしのぶ》は小御所会議《こごしょかいぎ》の決定には従《したが》わず、京都《きょうと》を出て大坂城《おおさかじょう》に入った。隆盛《たかもり》は部下に命じて江戸《えど》で火事や暴行事件《ぼうこうじけん》を起こし、旧幕府軍《きゅうばくふぐん》が怒《おこ》るようにしむけた。

隆盛《たかもり》の作戦《さくせん》

旧幕府《きゅうばくふ》の家臣《かしん》を怒《おこ》らせ戦争《せんそう》に引きずりこむ

大政奉還《たいせいほうかん》によって江戸幕府《えどばくふ》がほろびる

長州征伐《ちょうしゅうせいばつ》(第2次)に勝利《しょうり》した長州藩《ちょうしゅうはん》(現在《げんざい》の山口県《やまぐちけん》)は、薩摩藩《さつまはん》(現在《げんざい》の薩摩藩《さつまはん》)とともに武力《ぶりょく》で幕府《ばくふ》を倒《たお》そうとした。しかし、土佐藩《とさはん》(現在《げんざい》の高知県《こうちけん》)の坂本龍馬《さかもとりょうま》は、「外国の脅威《きょうい》が迫《せま》っているなか、国内で争《あらそ》うべきでない」と考え、大政奉還《たいせいほうかん》(幕府《ばくふ》が朝廷《ちょうてい》に権力《けんりょく》を返すこと)を実行するべきだと、前土佐藩主《ぜんとさはんしゅ》・山内容堂《やまうちようどう》に提案《ていあん》した。

容堂《ようどう》は、幕府《ばくふ》の15代将軍《しょうぐん》・徳川慶喜《とくがわよしのぶ》に大政奉還《たいせいほうかん》をすすめた。慶喜《よしのぶ》は、薩摩藩《さつまはん》・長州藩《ちょうしゅうはん》と戦《たたか》っても勝ち目はないと考えていたので、この案《あん》を受け入れ、1867年10月、京都《きょうと》の二条城《にじょうじょう》で大政奉還《たいせいほうかん》を発表した。これにより、265年続《つづ》いた江戸幕府《えどばくふ》がほろびた。

∴戊辰戦争関連地図《ぼしんせんそうかんれんちず》

新政府軍《しんせいふぐん》と旧幕府軍《きゅうばくふぐん》が争《あらそ》った鳥羽《とば》・伏見《ふしみ》の戦《たたか》いから箱《はこ》館戦争《だてせんそう》までの一連《いちれん》の戦《たたか》いを「戊辰戦争《ぼしんせんそう》」と呼《よ》ぶ。

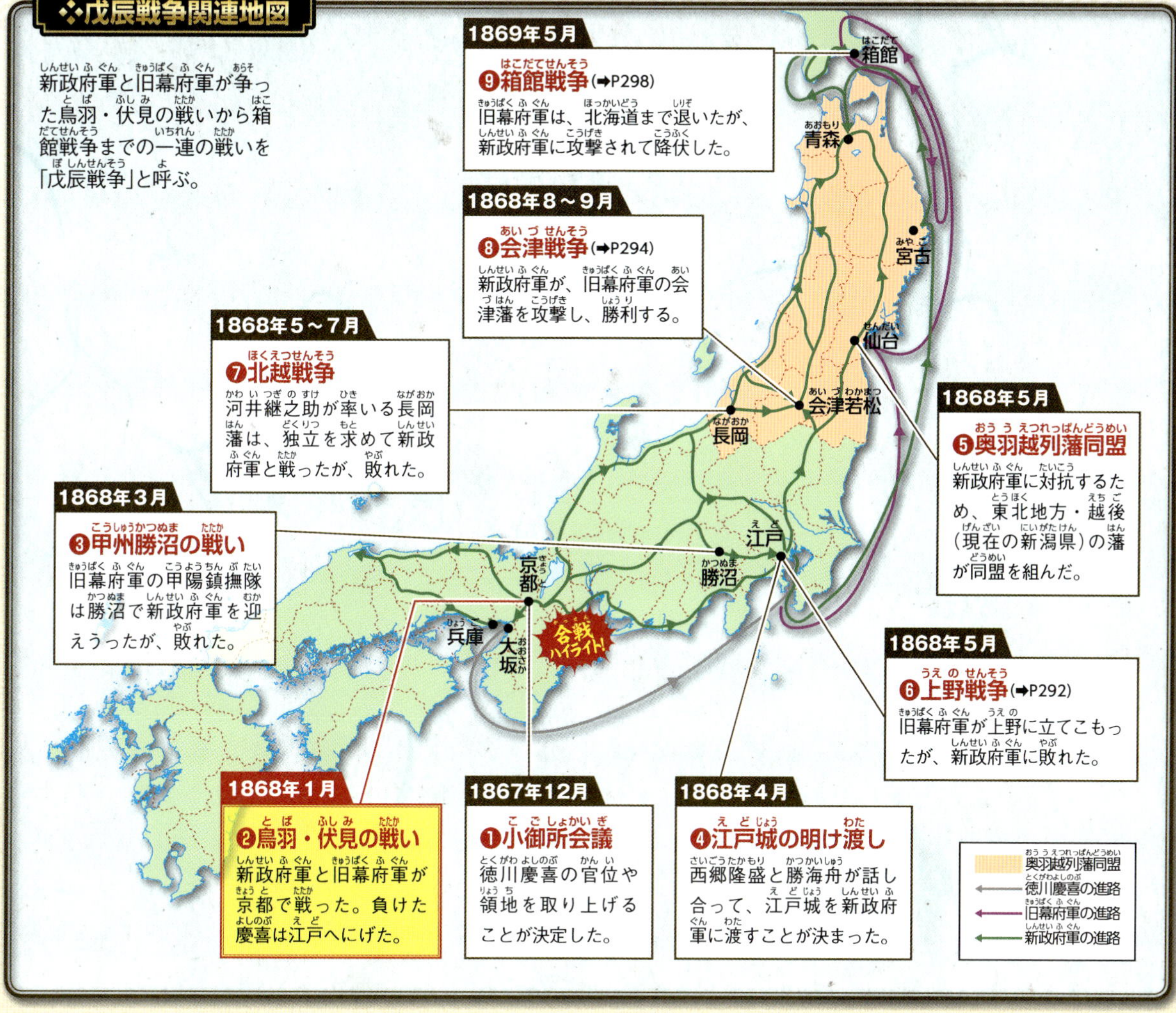

慶喜《よしのぶ》の官位《かんい》・領地《りょうち》の返上が決定される

朝廷《ちょうてい》には政治《せいじ》を実行できる体《たい》制《せい》はなく、慶喜《よしのぶ》は約《やく》400万石の領地《りょうち》をもっていた。慶喜《よしのぶ》は政《せい》治経験《じけいけん》と経済力《けいざいりょく》を背景《はいけい》に、復活《ふっかつ》しようと目論《もくろ》んでいた。しかし1か月後、朝廷《ちょうてい》を中心に新政府《しんせいふ》が成立《せいりつ》し、小御所会議《こごしょかいぎ》が開かれ、慶喜《よしのぶ》の官位《かんい》と領地《りょうち》を取り上げることが決定した。領地《りょうち》がなくなれば徳川《とくがわ》家の家臣《かしん》たちを養《やしな》えなくなるため、慶喜《よしのぶ》はこの決定を無視《むし》し、大坂城《おおさかじょう》(大阪府《おおさかふ》)へ移《うつ》った。そのうち、新政府《しんせいふ》の中からは、慶喜《よしのぶ》に同情《どうじょう》する声が出はじめた。

こうした状況《じょうきょう》を打ち破《やぶ》るため、薩摩藩《さつまはん》の西郷隆盛《さいごうたかもり》は、部下に命じて江戸《えど》で火事や暴行事件《ぼうこうじけん》を起こした。この知らせが大坂《おおさか》城《じょう》に届《とど》くと、慶喜《よしのぶ》の家臣《かしん》たちからは「薩摩《さつま》と長州《ちょうしゅう》と戦《たたか》いたい」という声が高まった。1868年1月、ついに旧幕府軍《きゅうばくふぐん》は京都《きょうと》へ向けて進軍《しんぐん》を開始した。

合戦《かっせん》ハイライト！
御香宮《ごこうのみや》
薩摩軍《さつまぐん》の本陣《ほんじん》が置《お》かれ、ここから伏見奉《ふしみぶ》行所《ぎょうしょ》を砲撃《ほうげき》した。
薩摩軍《さつまぐん》
新選組《しんせんぐみ》
伏見奉行所《ふしみぶぎょうしょ》
旧幕府軍《きゅうばくふぐん》の本拠地《ほんきょち》で、会津軍《あいづぐん》が守っていた。
伏見市街戦《ふしみしがいせん》
1868年1月3日、京都《きょうと》の南にある伏見《ふしみ》では、伏見奉行所《ふしみぶぎょうじょ》の北側《きたがわ》で新政府軍《じんせいふぐん》と旧幕府軍《きゅうばくふぐん》の戦《たたか》いがはじまった。新政府軍《しんせいふぐん》を主導《しゅどう》する薩摩軍《さつまぐん》は、最新式《さいしんしき》の鉄砲《てっぽう》や大砲《たいほう》で攻撃《こうげき》し、勝利《しょうり》した。

新政府軍《しんせいふぐん》と旧幕府軍《きゅうばくふぐん》の戊辰戦争《ぼしんせんそう》がはじまる

旧幕府軍《きゅうばくふぐん》の進撃《しんげき》に対し、新政府軍《しんせいふぐん》は、京都《きょうと》南部の鳥羽《とば》と伏見《ふしみ》に兵《へい》を配置《はいち》。兵力《へいりょく》は少なかったが、最新式《さいしんしき》の武器《ぶき》を装備《そうび》していた。最初《さいしょ》の戦《たたか》いは鳥羽《とば》で起こった。新政府軍《しんせいふぐん》の先制攻撃《せんせいこうげき》に、旧幕府軍《きゅうばくふぐん》は大混乱《だいこんらん》して大敗《たいはい》した。

続《つづ》いて伏見《ふしみ》では、薩摩軍《さつまぐん》が伏見奉行所《ふしみぶぎょうしょ》に大砲《たいほう》をうちこみ、旧幕府軍《きゅうばくふぐん》を撤退《てったい》させた。新政府軍《しんせいふぐん》は天皇《てんのう》の軍《ぐん》であることを示《しめ》す錦旗《きんき》をかかげて戦《たたか》ったため、旧幕府軍《きゅうばくふぐん》は朝廷《ちょうてい》の敵《てき》になったと思って戦意《せんい》を失《うしな》い、撤退《てったい》した。

錦旗《きんき》をかかげる新政府軍《しんせいふぐん》
錦旗《きんき》（天皇《てんのう》の軍《ぐん》であることを示《しめ》す旗《はた》）を見《み》た旧《きゅう》幕府軍《ばくふぐん》は、戦意《せんい》を失《うしな》って撤退《てったい》した。

慶喜《よしのぶ》は幕臣《ばくしん》を見捨《みす》てた!?

伏見市街戦関連地図《ふしみしがいせんかんれんちず》

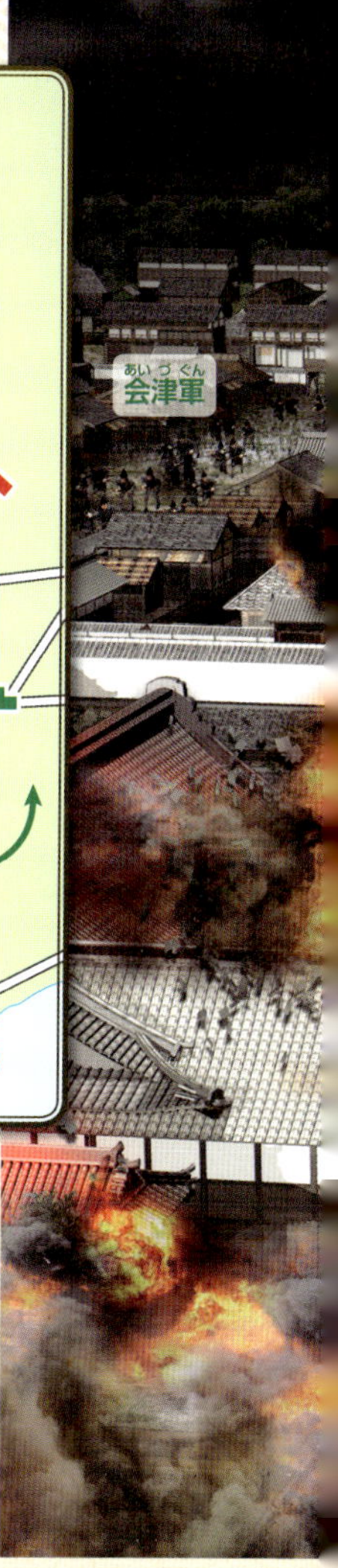

苦戦《くせん》する新選組《しんせんぐみ》

土方歳三《ひじかたとしぞう》の率《ひき》いる新選組《しんせんぐみ》は、刀で切りこもうとしたが、薩摩軍《さつまぐん》の大砲《たいほう》や鉄砲《てっぽう》による攻撃《こうげき》に苦しんだ。

合戦《かっせん》の結果《けっか》

慶喜《よしのぶ》は江戸《えど》へにげ出し、朝廷《ちょうてい》に降伏《こうふく》。隆盛《たかもり》は江戸城《えどじょう》を攻撃《こうげき》するため、新政府軍《しんせいふぐん》を率《ひき》いて東へ向かった。

新政府軍《しんせいふぐん》の大勝利《だいしょうり》

新政府軍《しんせいふぐん》を率《ひき》いた西郷隆盛氏《さいごうたかもりし》

*会津藩《あいづはん》（現在《げんざい》の福島県《ふくしまけん》）の藩主《はんしゅ》。鳥羽《とば》・伏見《ふしみ》の戦《たたか》いのとき、慶喜《よしのぶ》と一緒《いっしょ》に大坂城《おおさかじょう》にいた。

1868年、鳥羽《とば》・伏見《ふしみ》の戦《たたか》いに敗《やぶ》れて江戸《えど》に敗走《はいそう》した徳川慶喜《とくがわよしのぶ》は新政府《しんせいふ》に江戸城《えどじょう》を明け渡《わた》した。
徳川慶喜《とくがわよしのぶ》
これに不満《ふまん》をもった旧幕府《きゅうばくふ》家臣《かしん》が編成《へんせい》した彰義隊《しょうぎたい》は上野《うえの》に立てこもった。
将軍様《しょうぐんさま》に対する新政府《しんせいふ》の仕打ちを我《われ》らは絶対《ぜったい》に許《ゆる》さない！
この上野《うえの》で新政府軍《しんせいふぐん》と最後《さいご》まで戦《たたか》おう！
命の限《かぎ》り！
彰義隊《しょうぎたい》の指揮官《しきかん》
天野八郎《あまのはちろう》
新政府《しんせいふ》
彰義隊《しょうぎたい》と上野《うえの》で戦《たたか》うのは無理《むり》です！
今、江戸《えど》にいる我《わ》が軍《ぐん》の数では勝てません！
戦《いくさ》を知らぬ者の意見としか思えませんな
新政府軍司令官《しんせいふぐんしれいかん》
大村益次郎《おおむらますじろう》

私《わたし》の作戦《さくせん》なら今の兵《へい》の数で十分勝てます
無茶《むちゃ》だ！
待て
今回は大村《おおむら》さんに任《まか》せよう
西郷隆盛《さいごうたかもり》
西郷《さいごう》さん！
だが兵《へい》を無駄《むだ》に死なせたくはない作戦《さくせん》はくわしく聞かせてもらう
いいでしょう
決戦《けっせん》の日
ザァァァ…

攻撃《こうげき》開始！
黒門《くろもん》を破《やぶ》れば敵《てき》は総崩《そうくず》れだ！
この門だけは絶対《ぜったい》に守れ！
パン
パン
パン
パン
パン
パン
敵《てき》の攻撃《こうげき》が激《はげ》しく我《わ》が軍《ぐん》が押《お》されています！
おかしい！大村《おおむら》さんの作戦《さくせん》ではそろそろ援軍《えんぐん》の攻撃《こうげき》があるはずだ…
やはりあの男を信用《しんよう》するべきではなかったか…

ドオオオオン
なんて威力《いりょく》の砲撃《ほうげき》だ！
新兵器《しんへいき》のアームストロング砲《ほう》だ
大村《おおむら》さんの作戦《さくせん》どおりだ…！
予定より少し遅《おそ》かったな…
まぁこれですぐに片《かた》づくだろう…

合戦《かっせん》72
1868年

上《う》野《え》戦《の》争《せんそう》

隆盛《たかもり》を説得《せっとく》する勝海舟《かつかいしゅう》

西郷隆盛《さいごうたかもり》の率《ひき》いる新政府軍《しんせいふぐん》は、江戸城《えどじょう》を総攻撃《そうこうげき》する予定だったが、旧幕臣《きゅうばくしん》の勝海舟《かつかいしゅう》は「江戸城《えどじょう》を明け渡《わた》すので、江戸《えど》で戦争《せんそう》をしないでほしい」と訴《うった》えた。このため隆盛《たかもり》は江戸城総攻撃《えどじょうそうこうげき》を中止した。

私《わたし》の作戦《さくせん》に従《したが》えば1日で勝利《しょうり》できるはず!

大村益次郎《おおむらますじろう》(1824〜1869)

長州藩《ちょうしゅうはん》(現在《げんざい》の山口県《やまぐちけん》)出身で、藩《はん》の軍隊《ぐんたい》を近代化し、長州征伐《ちょうしゅうせいばつ》(第2次)で幕府軍《ばくふぐん》を破《やぶ》った。上野戦争《うえのせんそう》では新政府軍《しんせいふぐん》を指揮《しき》をした。

新政府軍《しんせいふぐん》 戦力《せんりょく》 約《やく》1万人

VS

最後《さいご》まで幕府《ばくふ》のために戦《たたか》う!

旧幕府軍《きゅうばくふぐん》 戦力《せんりょく》 約《やく》1000人

天野八郎《あまのはちろう》(1831〜1868)

江戸幕府《えどばくふ》の家臣《かしん》だったが、幕府《ばくふ》がほろびると、新政府《しんせいふ》に対抗《たいこう》するため旧幕臣《きゅうばくしん》らと彰義隊《しょうぎたい》を結成《けっせい》し、新政府軍《しんせいふぐん》と戦《たたか》った。

ビジュアル資料《しりょう》

佐賀県立佐賀城本丸歴史館所蔵

アームストロング砲《ほう》(複製《ふくせい》)

1855年にイギリスで発明された大砲《たいほう》で、約《やく》4km先に弾丸《だんがん》を命中させることができた。肥前藩《ひぜんはん》(現在《げんざい》の佐《さ》賀県《がけん》)などが輸入《ゆにゅう》し、上野戦争《うえのせんそう》で使用された。

合戦《かっせん》タイプ 野戦《やせん》

合戦場所《かっせんばしょ》

上野《うえの》
江戸《えど》(東京都《とうきょうと》)

益次郎《ますじろう》の作戦《さくせん》

アームストロング砲《ほう》で寛永寺《かんえいじ》を攻撃《こうげき》する

益次郎《ますじろう》の完璧《かんぺき》な作戦《さくせん》で彰義隊《しょうぎたい》は1日で敗《やぶ》れる

鳥羽《とば》・伏見《ふしみ》の戦《たたか》いで敗《やぶ》れた徳《とく》川慶喜《がわよしのぶ》は、江戸《えど》へもどり、寛永《かんえい》寺《じ》(東京都《とうきょうと》)に入り、降伏《こうふく》した。

一方、西郷隆盛《さいごうたかもり》の率《ひき》いる新政府《しんせいふ》軍《ぐん》は、江戸《えど》へ向けて進んだ。隆《たか》盛《もり》は江戸城《えどじょう》を攻《せ》め落とすつもりだったが、旧幕府《きゅうばくふ》の代表・勝海《かつかい》舟《しゅう》の説得《せっとく》により、江戸城《えどじょう》への総《そう》攻撃《こうげき》を中止した。江戸城《えどじょう》は戦争《せんそう》することなく、新政府《しんせい》に明け渡《わた》されることになった。

しかし、これに納得《なっとく》しない旧《きゅう》幕府《ばくふ》の家臣《かしん》たちは、天野八郎《あまのはちろう》らが中心となって彰義隊《しょうぎたい》を結成《けっせい》し、慶喜《よしのぶ》が水戸《みと》(茨城県《いばらきけん》)に去った後、寛永寺《かんえいじ》に立てこもった。

1868年5月15日の朝、新《しん》政府軍《せいふぐん》の作戦《さくせん》を担当《たんとう》していた大《おお》村益次郎《むらますじろう》は、薩摩藩《さつまはん》(現在《げんざい》の鹿《か》児島県《ごしまけん》)に黒門《くろもん》への攻撃《こうげき》を命

合戦《かっせん》ハイライト!
彰義隊《しょうぎたい》
寛永寺《かんえいじ》
薩摩軍《さつまぐん》
黒門《くろもん》
不忍池《しのばずのいけ》
アームストロング砲《ほう》
肥前軍《ひぜんぐん》

上野戦争《うえのせんそう》

江戸城《えどじょう》の明け渡《わた》しに反対する彰義隊《しょうぎたい》は、上野《うえの》(東京都《とうきょうと》)の寛永寺《かんえいじ》に立てこもった。新政府軍《しんせいふぐん》の大村益次郎《おおむらますじろう》は、薩摩藩《さつまはん》を寛永寺《かんえいじ》の黒門《くろもん》に突撃《とつげき》させ、肥前藩《ひぜんはん》にはアームストロング砲《ほう》で攻撃《こうげき》させた。

じ、肥前藩《ひぜんはん》(現在《げんざい》の佐賀県《さがけん》)には不忍池《しのばずのいけ》の対岸からアームストロング砲《ほう》で攻撃《こうげき》させた。黒門付近《くろもんふきん》は最《もっと》も激《はげ》しい戦《たたか》いとなった。隆盛《たかもり》の率《ひき》いる薩摩軍《さつまぐん》が黒門《くろもん》を突破《とっぱ》すると、彰義隊《しょうぎたい》は敗走《はいそう》し、総崩《そうくず》れとなった。午後4時頃《ごろ》、新政府軍《しんせいふぐん》の勝利《しょうり》で戦《たたか》いは終了《しゅうりょう》したが、それは益次郎《ますじろう》が開戦前《かいせんまえ》に予想したのと同じ時刻《じこく》だった。

新政府軍《しんせいふぐん》の大勝利《だいしょうり》

強い薩摩兵《さつまへい》と最新兵器《さいしんへいき》のアームストロング砲《ほう》をうまく組み合わせて使いました。

新政府軍《しんせいふぐん》を指揮《しき》した大村益次郎氏《おおむらますじろうし》

合戦《かっせん》の結果《けっか》

旧幕府軍《きゅうばくふぐん》は江戸《えど》より西側《にしがわ》で勢力《せいりょく》を失《うしな》い、戊辰戦争《ぼしんせんそう》の舞台《ぶたい》は東日本に移《うつ》った。

合戦《かっせん》73
1868年

会津戦争《あいづせんそう》

もはや新政府軍《しんせいふぐん》と最後《さいご》まで戦《たたか》うしかない！

松平容保《まつだいらかたもり》(1835〜1893)

会津藩《あいづはん》(現在《げんざい》の福島県《ふくしまけん》)の藩主《はんしゅ》。幕末《ばくまつ》に京都《きょうと》の安全を守るために京都守護職《きょうとしゅごしょく》に任命《にんめい》され、過激《かげき》な長州藩士《ちょうしゅうはんし》らを取りしまった。

会津軍《あいづぐん》 戦力《せんりょく》 約《やく》9000人

VS

新政府《しんせいふ》に逆《さか》らう容保《かたもり》を倒《たお》す！

新政府軍《しんせいふぐん》 戦力《せんりょく》 約《やく》7万5000人

板垣退助《いたがきたいすけ》(1837〜1919)

土佐藩《とさはん》(現在《げんざい》の高知県《こうちけん》)出身で、幕府《ばくふ》を倒《たお》す運動に参加《さんか》した。戊辰戦争《ぼしんせんそう》では土《と》佐軍《さぐん》を率《ひき》いて関東《かんとう》や会津《あいづ》などで戦《たたか》った。

合戦《かっせん》タイプ 攻城戦《こうじょうせん》

合戦場所《かっせんばしょ》

陸奥《むつ》(福島県《ふくしまけん》)
会津若松城《あいづわかまつじょう》

新政府軍《しんせいふぐん》は強い勢《いきお》いで会津藩《あいづはん》に攻《せ》めこむ

会津藩《あいづはん》(現在《げんざい》の福島県《ふくしまけん》)藩主《はんしゅ》・松平容保《まつだいらかたもり》は、鳥羽《とば》・伏見《ふしみ》の戦《たたか》い後、徳川慶喜《とくがわよしのぶ》と一緒《いっしょ》に江戸《えど》にもどった。慶喜《よしのぶ》は新政府《しんせいふ》に降伏《こうふく》したため、容保《かたもり》も会津《あいづ》にもどり、降伏《こうふく》の意思を示《しめ》したが、会津藩《あいづはん》内《ない》では新政府軍《しんせいふぐん》との決戦《けっせん》を望《のぞ》む声が高まっていった。

こうした状況《じょうきょう》の中、新政府《しんせいふ》に対抗《たいこう》するため、東北《とうほく》地方の各藩《かくはん》が奥羽越列藩同盟《おううえつれっぱんどうめい》を結《むす》んだ。しかし新政府軍《しんせいふぐん》はそれに構《かま》うことなく、会津藩《あいづはん》に攻《せ》めこんだ。

戦闘《せんとう》は1868年4月にはじまったが、新政府《しんせいふ》は会津方《あいづがた》の白河城《しらかわじょう》(福島県《ふくしまけん》)や二本松城《にほんまつじょう》(福島《ふくしま》県《けん》)を落城《らくじょう》させ、母成峠《ぼなりとうげ》(福島《ふくしま》県《けん》)を突破《とっぱ》した。これを知った容保《かたもり》は、少年部隊《ぶたい》「白虎隊《びゃっこたい》」などを率《ひき》いて会津若松城《あいづわかまつじょう》(福島県《ふくしまけん》)か

退助《たいすけ》の作戦《さくせん》

会津若松城《あいづわかまつじょう》を包囲《ほうい》し大量《たいりょう》の大砲《たいほう》で攻撃《こうげき》

新政府軍《しんせいふぐん》と戦《たたか》う白虎隊《びゃっこたい》

白虎隊《びゃっこたい》は、会津藩士《あいづはんし》のうち、16〜17歳《さい》の少年で構成《こうせい》された部隊《ぶたい》。このうち「士中二番隊《しちゅうにばんたい》」37人は、新政府軍《しんせいふぐん》が会津《あいづ》に攻《せ》めてきたとき、容保《かたもり》とともに出撃《しゅつげき》したが、激《はげ》しい攻撃《こうげき》を受けて退却《たいきゃく》し、飯盛山《いいもりやま》までにげた。このとき炎《ほのお》に包《つつ》まれた城下町《じょうかまち》を見て敗北《はいぼく》を覚悟《かくご》した隊士《たいし》たちは、次つぎと自害《じがい》した。

❖会津戦争関連地図《あいづせんそうかんれんちず》

9月5日

❶会津若松城《あいづわかまつじょう》が孤立《こりつ》

新政府軍《しんせいふぐん》が城《しろ》の西側《にしがわ》を支配下《しはいか》に置《お》き、城外《じょうがい》の会津軍《あいづぐん》は城内《じょうない》と連絡《れんらく》が取れなくなる。

9月17日

❷包囲網《ほういもう》の完成《かんせい》

新政府軍《しんせいふぐん》が会津若松城《あいづわかまつじょう》を完全《かんぜん》に包囲《ほうい》。

9月22日

❸会津若松城《あいづわかまつじょう》の落城《らくじょう》

小田山《おだやま》より1日に約《やく》2000発の砲撃《ほうげき》を受け、城外《じょうがい》への出撃《しゅつげき》も失敗《しっぱい》。容保《かたもり》は開城《かいじょう》を決意した。

会津軍《あいづぐん》を指揮《しき》する容保《かたもり》

容保《かたもり》は新政府軍《しんせいふぐん》に降伏《こうふく》の意思を示《しめ》したが無視《むし》されたため、戦《たたか》うことを決意。会津若松城《あいづわかまつじょう》へ迫《せま》る新政府軍《しんせいふぐん》を迎《むか》えうったが敗《やぶ》れ、それ以降《いこう》は城《しろ》に立てこもる作戦《さくせん》を取った。

ら出撃《しゅつげき》したが、圧倒的《あっとうてき》な兵力《へいりょく》で迫《せま》る新政府軍《しんせいふぐん》に敗《やぶ》れ、城《しろ》へ引き返して立てこもった。城《しろ》に帰れなかった白虎隊《びゃっこたい》の隊士《たいし》は飯盛山《いいもりやま》に退却《たいきゃく》したとき、炎上《えんじょう》する城下《じょうか》町《まち》を見て自害《じがい》した。

会津若松城《あいづわかまつじょう》の天守《てんしゅ》

会津若松城《あいづわかまつじょう》の天守《てんしゅ》は会津戦争《あいづせんそう》で破壊《はかい》されたが、現在《げんざい》、復元《ふくげん》されている（福島県《ふくしまけん》）。

会津若松城天守《あいづわかまつじょうてんしゅ》
新政府軍《しんせいふぐん》から1日に約《やく》2000発の砲弾《ほうだん》をうちこまれ、大きく破壊《はかい》された。

砲撃《ほうげき》を受ける会津若松城《あいづわかまつじょう》
会津軍《あいづぐん》は会津若松城《あいづわかまつじょう》に立てこもったが、新政府軍《しんせいふぐん》の激《はげ》しい砲撃《ほうげき》により約《やく》1か月後、降伏《こうふく》した。

激《はげ》しい砲撃《ほうげき》により城《しろ》が破壊《はかい》される

8月23日、新政府軍《しんせいふぐん》が会津若《あいづわか》松城《まつじょう》の総構《そうがま》え(城《しろ》の一番外側《そとがわ》の囲《かこ》い)を突破《とっぱ》して本丸《ほんまる》に迫《せま》ると、城下町《じょうかまち》に住んでいた藩士《はんし》の家族は、危険《きけん》を避《さ》けるため、次つぎと城《しろ》へ入った。短期間で城《しろ》を落とせないと考えた新政府軍《しんせいふぐん》は、いったん総構《そうがま》えの外まで退却《たいきゃく》し、城《しろ》の外側《そとがわ》にいた会津藩兵《あいづはんぺい》を撃退《げきたい》した。新政府軍《しんせいふぐん》が城《しろ》全体を包囲《ほうい》すると、容保《かたもり》は城外《じょうがい》の会《あい》津藩兵《づはんぺい》と連絡《れんらく》が取れなくなり、完全《かんぜん》に孤立《こりつ》してしまった。

さらに新政府軍《しんせいふぐん》は、城《しろ》の東南に位置《いち》する小田山《おだやま》から、最新式《さいしんしき》のアームストロング砲《ほう》などで、1日に約《やく》2000発もの砲弾《ほうだん》を城内《じょうない》にうちこんだ。

それでも城内《じょうない》の会津軍《あいづぐん》は降伏《こうふく》しなかったが、援軍《えんぐん》を送ってくれると期待していた米沢藩《よねざわはん》(山《やま》形県《がたけん》)が降伏《こうふく》し、城内《じょうない》の食料《しょくりょう》や弾薬《だんやく》が尽《つ》きると、9月22日、ついに容保《かたもり》は降伏《こうふく》した。

八重《やえ》の唯一《ゆいいつ》の心配

*山本八重《やまもとやえ》は会津戦争《あいづせんそう》がはじまると男性《だんせい》の服を着て、ライフル銃《じゅう》をかついで城《しろ》に入った。
私《わたし》が会津《あいづ》を守る！
八重《やえ》は新政府軍《しんせいふぐん》の指揮官《しきかん》を何人もうった。
ズキューン
城《しろ》には近づけさせない！
ドーンドーン
砲撃《ほうげき》が激《はげ》しくなってきました！
恐《こわ》くないのですか？
私《わたし》は死ぬのは恐《こわ》くないわ！
ドーン
だけど、便所《べんじょ》に入っているときに砲撃《ほうげき》で死ぬのは、はずかしい。
女性《じょせい》ですから

ビジュアル資料《しりょう》
破壊《はかい》された会津若松城《あいづわかまつじょう》

激《はげ》しい砲撃《ほうげき》を受けた会津若松城《あいづわかまつじょう》の天守《てんしゅ》は、大きな被害《ひがい》を受けた。

松平容保《まつだいらかたもり》
板垣退助《いたがきたいすけ》

ビジュアル資料《しりょう》

降伏《こうふく》を申し入れる容保《かたもり》

降伏《こうふく》を決意した容保《かたもり》は刀を外して新政府軍《しんせいふぐん》の陣地《じんち》を訪《おとず》れた。

合戦《かっせん》ハイライト！

合戦《かっせん》の結果《けっか》

会津藩《あいづはん》の降伏後《こうふくご》、庄内藩《しょうないはん》（現《げん》在《ざい》の山形県《やまがたけん》）が降伏《こうふく》し、奥羽《おうう》越列藩同盟《えつれっぱんどうめい》のすべての藩《はん》が降《こう》伏《ふく》。抵抗《ていこう》を続《つづ》ける旧幕府軍《きゅうばくふぐん》は蝦夷地《えぞち》（北海道《ほっかいどう》）へ向かった。

新政府軍《しんせいふぐん》の大勝利《だいしょうり》
兵力《へいりょく》や武器《ぶき》が圧倒的《あっとうてき》に有《ゆう》利《り》だったので、勝つのは当然《とうぜん》でした。落城《らくじょう》まで少し時間がかかりました…
新政府軍《しんせいふぐん》を指揮《しき》した板垣退助氏《いたがきたいすけし》

*会津藩《あいづはん》の砲術師範《ほうじゅつしはん》（鉄砲《てっぽう》・大砲《たいほう》の技術《ぎじゅつ》を教える教師《きょうし》）をつとめた山本家《やまもとけ》出身の女性《じょせい》。

箱館戦争《はこだてせんそう》

合戦《かっせん》ハイライト！
新政府艦隊《しんせいふかんたい》

箱館総攻撃《はこだてそうこうげき》

1869年5月11日、新政府軍《しんせいふぐん》は箱館《はこだて》の旧《きゅう》幕府軍《ばくふぐん》に総攻撃《そうこうげき》をかけた。翌日《よくじつ》には新《しん》政府海軍《せいふかいぐん》の軍艦《ぐんかん》から五稜郭《ごりょうかく》に砲撃《ほうげき》を加《くわ》え、大きな被害《ひがい》を与《あた》えた。これにより旧《きゅう》幕府軍《ばくふぐん》は降伏《こうふく》し、戊辰戦争《ぼしんせんそう》が終わった。

旧幕臣《きゅうばくしん》のために蝦夷共和国《えぞきょうわこく》を守る！

榎本武揚《えのもとたけあき》(1836〜1908)

江戸幕府《えどばくふ》の家臣《かしん》だったが、戊《ぼ》辰戦争《しんせんそう》がはじまると、旧幕《きゅうばく》府艦隊《ふかんたい》を率《ひき》いて蝦夷地《えぞち》に渡《わた》り、蝦夷共和国《えぞきょうわこく》をつくった。

旧幕府軍《きゅうばくふぐん》 戦力《せんりょく》 約《やく》3000人

VS

戊辰戦争《ぼしんせんそう》を早く終わらせたい！

新政府軍《しんせいふぐん》 戦力《せんりょく》 約《やく》7000人

黒田清隆《くろだきよたか》(1840〜1900)

薩摩藩《さつまはん》(現在《げんざい》の鹿児島県《かごしまけん》)出身で、幕府《ばくふ》を倒《たお》す運動で活躍《かつやく》。戊辰戦《ぼしんせん》争《そう》では指揮官《しきかん》として参加《さんか》した。

合戦《かっせん》タイプ　攻城戦《こうじょうせん》

合戦場所《かっせんばしょ》

蝦夷地《えぞち》(北海道《ほっかいどう》)
乙部《おとべ》・
五稜郭《ごりょうかく》

新政府軍《しんせいふぐん》の作戦《さくせん》

箱館湾《はこだてわん》の艦隊《かんたい》から五稜郭《ごりょうかく》を砲撃《ほうげき》する

武揚《たけあき》らは蝦夷共和国《えぞきょうわこく》を建国《けんこく》して抵抗《ていこう》を続《つづ》ける

1868年8月、旧幕府《きゅうばくふ》の家《か》臣《しん》だった榎本武揚《えのもとたけあき》は、旧幕府軍《きゅうばくふぐん》の艦隊《かんたい》を率《ひき》いて品川《しながわ》(東京都《とうきょうと》)を脱出《だっしゅつ》した。武揚《たけあき》は、仙台《せんだい》(宮城《みやぎ》県《けん》)で新選組《しんせんぐみ》の土方歳三《ひじかたとしぞう》らと合流し、蝦夷地《えぞち》(北海道《ほっかいどう》)へ向かった。箱館《はこだて》(北海道《ほっかいどう》)の五稜郭《ごりょうかく》には、新政府《しんせいふ》の役所が置《お》かれていたが、武揚《たけあき》らは箱館《はこだて》に攻《せ》めこみ、五稜郭《ごりょうかく》を占領《せんりょう》。蝦夷共和国《えぞきょうわこく》を建国《けんこく》した。

翌年《よくとし》3月、新政府《しんせいふ》は蝦夷共和《えぞきょうわ》国《こく》を倒《たお》すため、艦隊《かんたい》を送りこんだ。旧幕府艦隊《きゅうばくふかんたい》は宮古湾《みやこわん》(岩手《いわて》県《けん》)で迎《むか》えうったが、敗北《はいぼく》。その後、新政府軍《しんせいふぐん》は乙部《おとべ》(北海道《ほっかいどう》)に上陸《じょうりく》し、箱館《はこだて》へ進軍《しんぐん》を開始。箱《はこ》館湾《だてわん》では新政府艦隊《しんせいふかんたい》によって、旧幕府艦隊《きゅうばくふかんたい》は破壊《はかい》され、五稜郭《ごりょうかく》は孤立《こりつ》した。

箱館戦争関連地図《はこだてせんそうかんれんちず》

五稜郭《ごりょうかく》
合戦《かっせん》ハイライト!
箱館湾《はこだてわん》
弁天岬台場《べんてんみさきだいば》
一本木関門《いっぽんぎかんもん》
箱館山《はこだてやま》

1868年12月15日

❶蝦夷共和国《えぞきょうわこく》の成立《せいりつ》

榎本武揚《えのもとたけあき》率《ひき》いる旧幕府軍《きゅうばくふぐん》は、蝦夷地《えぞち》に上陸《じょうりく》し、五稜郭《ごりょうかく》を占《せん》領《りょう》して蝦夷共和国《えぞきょうわこく》をつくった。

1869年4～5月

❷箱館湾海戦《はこだてわんかいせん》

新政府軍《しんせいふぐん》の軍艦《ぐんかん》が旧幕《きゅうばく》府軍《ふぐん》の砲台《ほうだい》や軍艦《ぐんかん》に激《はげ》しい攻撃《こうげき》を加《くわ》えた。

1869年5月18日

❹五稜郭《ごりょうかく》の落城《らくじょう》

12日から箱館湾《はこだてわん》の新政府海軍《しんせいふかいぐん》の軍《ぐん》艦《かん》が五稜郭《ごりょうかく》を砲撃《ほうげき》。18日に旧幕府《きゅうばくふ》軍《ぐん》は降伏《こうふく》し、戊辰戦争《ぼしんせんそう》が終結《しゅうけつ》した。

1869年5月11日

❸土方歳三《ひじかたとしぞう》の戦死《せんし》

新選組《しんせんぐみ》の土方歳三《ひじかたとしぞう》は、箱館総《はこだてそう》攻撃《こうげき》が開始されると、弁天岬《べんてんみさき》台場《だいば》を救《すく》うために出撃《しゅつげき》し、一《いっ》本木関門《ぽんぎかんもん》で指揮《しき》を取っていたが、銃《じゅう》でうたれて戦死《せんし》した。

箱館山《はこだてやま》
弁天岬台場《べんてんみさきだいば》
旧幕府軍側《きゅうばくふぐんがわ》の砲《ほう》台《だい》で、新政府艦《しんせいふかん》隊《たい》を砲撃《ほうげき》した。
五稜郭《ごりょうかく》

5月11日、新政府軍《しんせいふぐん》の総攻撃《そうこうげき》がはじまると、歳三《としぞう》は危機《きき》におちいった弁天岬台場《べんてんみさきだいば》を救《すく》うために馬に乗って出撃《しゅつげき》したが、銃弾《じゅうだん》に当たって戦死《せんし》した。翌日《よくじつ》には新政府艦隊《しんせいふかんたい》から五稜郭《ごりょうかく》へ砲撃《ほうげき》が開始され、多くの戦死者《せんししゃ》が出た。新政府軍《しんせいふぐん》の黒田清隆《くろだきよたか》から降《こう》伏《ふく》をすすめられた武揚《たけあき》は、これ以上戦《いじょうたたか》えないと判断《はんだん》し、これを受け入れ、五稜郭《ごりょうかく》を明け渡《わた》した。

合戦《かっせん》の結果《けっか》

榎本武揚《えのもとたけあき》の降伏《こうふく》により、1年半に及《およ》ぶ戊辰戦争《ぼしんせんそう》が新政府軍《しんせいふぐん》の勝利《しょうり》で終わった。

新政府軍《しんせいふぐん》の大勝利《だいしょうり》

軍艦《ぐんかん》の大砲《たいほう》が、五稜郭《ごりょうかく》まで届《とど》くほど高性能《こうせいのう》だったので勝利《しょうり》できました。

新政府軍《しんせいふぐん》の指揮官《しきかん》の黒田清隆氏《くろだきよたかし》

1877年、新政府《しんせいふ》に不満《ふまん》をもつ鹿児島《かごしま》の士族《しぞく》(元武士《もとぶし》)が西郷隆盛《さいごうたかもり》と挙兵《きょへい》した。九州各地《きゅうしゅうかくち》で新政府軍《しんせいふぐん》と戦《たたか》ったが敗《やぶ》れ、ついに鹿児島《かごしま》に追いつめられた。
鹿児島《かごしま》・城山《しろやま》
西郷《さいごう》先生
新政府軍《しんせいふぐん》と話してきました
新政府軍《しんせいふぐん》は明日総攻撃《そうこうげき》をかけてきますが
今日の夕方までに降伏《こうふく》すれば先生の命はたすけると…
そんな必要《ひつよう》はない
ここでみなと死ぬ覚悟《かくご》はできている
先生…
先生…
西郷隆盛《さいごうたかもり》
その夜
さあ今夜は最後《さいご》の宴《うたげ》だ
悔《く》いのないよう飲むといい
はい
パァーンッ

パァンッ
最後《さいご》の夜に
花火が見れる
とはな…
花火！
パァンッ
新政府軍《しんせいふぐん》
大山様《おおやまさま》
これでよろしい
ですか？
ああ
新政府軍司令官《しんせいふぐんしれいかん》
大山巌《おおやまいわお》
西郷《さいごう》さんには
幼《おさな》い頃《ころ》から
世話になった…
せめて最後《さいご》の
なぐさめに
なればいいが…

合戦《かっせん》75
1877年

西南戦争《せいなんせんそう》

この体を鹿児島《かごしま》の武士《ぶし》たちにくれてやる…

西郷隆盛《さいごうたかもり》(1827〜1877)
新政府《しんせいふ》の参議《さんぎ》(高官《こうかん》)。「征韓論《せいかんろん》」が新政府《しんせいふ》に受け入れられず、参議《さんぎ》をやめて故郷《こきょう》の鹿児島《かごしま》に帰った。

西郷軍《さいごうぐん》 戦力《せんりょく》 約《やく》1万3000人

VS

西郷《さいごう》さんと戦《たたか》わねばならぬとは…

新政府軍《しんせいふぐん》 戦力《せんりょく》 約《やく》7万人

山県有朋《やまがたありとも》(1838〜1922)
長州藩《ちょうしゅうはん》(現在《げんざい》の山口県《やまぐちけん》)出身で、新政府《しんせいふ》では軍隊《ぐんたい》づくりに努《つと》め、徴兵制《ちょうへいせい》(国民《こくみん》が強制的《きょうせいてき》に軍《ぐん》に入る制度《せいど》)を確立《かくりつ》した。

合戦《かっせん》タイプ：攻城戦《こうじょうせん》／野戦《やせん》

合戦場所《かっせんばしょ》

田原坂《たばるざか》
熊本城《くまもとじょう》
城山《しろやま》

熊本城攻囲戦布陣図《くまもとじょうこういせんふじんず》

熊本城《くまもとじょう》
西郷軍《さいごうぐん》が川をせき止めて水没《すいぼつ》させた地域《ちいき》
西郷軍《さいごうぐん》
新政府軍《しんせいふぐん》

3月26日
❷城《しろ》を水攻《みずぜ》め
巨大《きょだい》な熊本城《くまもとじょう》を包囲《ほうい》するため、西郷軍《さいごうぐん》は川の水を引きこんだが、効果《こうか》は小さかった。

4月15日
❸西郷軍《さいごうぐん》の退却《たいきゃく》
14日に新政府軍《しんせいふぐん》の山川浩《やまかわひろし》が熊本城《くまもとじょう》に突入《とつにゅう》。翌日《よくじつ》、黒田清隆《くろだきよたか》が入城《にゅうじょう》し、西郷《さいごう》軍《ぐん》の包囲《ほうい》を解《と》くことに成功《せいこう》。西郷軍《さいごうぐん》は撤退《てったい》した。

2月19日
❶熊本城炎上《くまもとじょうえんじょう》
熊本城内《くまもとじょうない》で出火があり、天守《てんしゅ》や櫓《やぐら》が焼失《しょうしつ》。原因《げんいん》は不明《ふめい》。

新政府軍《しんせいふぐん》の作戦《さくせん》
大量《たいりょう》の最新兵器《さいしんへいき》を兵士《へいし》に装備《そうび》させる

士族《しぞく》の不満《ふまん》が高まる中 隆盛《たかもり》が反乱《はんらん》を決意する

新政府《しんせいふ》は、西洋にならって政治《せいじ》や社会のしくみを次つぎと改革《かいかく》した。この明治維新《めいじいしん》によって、藩《はん》はなくなり、武士《ぶし》は「士族《しぞく》」と呼《よ》ばれるようになった。また新政府軍《しんせいふぐん》の兵士《へいし》は士族《しぞく》だけでなく、一般《いっぱん》の男性《だんせい》からも集められた。多くの権利《けんり》をうばわれた士族《しぞく》たちは不満《ふまん》を高めていった。

1873年、参議《さんぎ》(高官《こうかん》)の西郷隆盛《さいごうたかもり》は、征韓論《せいかんろん》(武力《ぶりょく》で朝鮮《ちょうせん》を開国させること)を新政府《しんせいふ》に拒否《きょひ》されると、新政府《しんせいふ》をやめて故郷《こきょう》の鹿児島《かごしま》に帰ってきた。

全国各地《かくち》で士族《しぞく》の反乱《はんらん》が起こる中、士族《しぞく》たちは、隆盛《たかもり》に新政府《しんせいふ》を倒《たお》すために立ち上がってほしいと訴《うった》えたが、隆盛《たかもり》に反乱《はんらん》を起こす気はなく、士族《しぞく》をなだめ続《つづ》けた。

西南戦争関連地図《せいなんせんそうかんれんちず》

3月4日～3月20日

③田原坂《たばるざか》の戦《たたか》い

熊本城《くまもとじょう》をたすけに向かう新《しん》政府軍《せいふぐん》と、それを待ち受ける西郷軍《さいごうぐん》が田原坂《たばるざか》で激突《げきとつ》。西郷軍《さいごうぐん》は敗《やぶ》れて退却《たいきゃく》。

4月27日～6月21日

④人吉攻防戦《ひとよしこうぼうせん》

西郷軍《さいごうぐん》は、熊本城《くまもとじょう》から撤退《てったい》して人吉《ひとよし》を占拠《せんきょ》するが、新政府軍《しんせいふぐん》の攻撃《こうげき》を受けて宮崎《みやざき》へ撤退《てったい》。

2月22日～4月14日

②熊本城攻囲戦《くまもとじょうこういせん》

西郷軍《さいごうぐん》は新政府軍《しんせいふぐん》の熊本城《くまもとじょう》を包囲《ほうい》するが落とせず、長期戦《ちょうきせん》になる。

8月15日～8月18日

⑤可愛岳突破《えのだけとっぱ》

新政府軍《しんせいふぐん》の包囲《ほうい》を突破《とっぱ》した西郷軍《さいごうぐん》3000人は、鹿《か》児島《ごしま》を目指して退却《たいきゃく》した。

2月15日

①出撃開始《しゅつげき》

隆盛《たかもり》を指導者《しどうしゃ》にした鹿児島県《かごしまけん》の士族《しぞく》約《やく》1万3000人が出撃《しゅつげき》。

9月1日～9月24日

⑥城山《しろやま》の戦《たたか》い

城山《しろやま》に立てこもった約《やく》350人の西郷軍《さいごうぐん》を、約《やく》7万人の新政府軍《しんせいふぐん》が包囲《ほうい》。9月24日、新政府軍《しんせいふぐん》の総攻撃《そうこうげき》で西郷《さいごう》は自害《じがい》。

ビジュアル資料《しりょう》 **熊本城《くまもとじょう》に攻《せ》め寄《よ》せる西郷軍《さいごうぐん》**

西郷軍《さいごうぐん》は少ない大砲《たいほう》と、性能《せいのう》の悪い銃《じゅう》で熊本城《くまもとじょう》を強引に攻《せ》めた。新政府軍《しんせいふぐん》は熊本城《くまもとじょう》をすくうため、援軍《えんぐん》を向かわせた。

しかし1877年、鹿児島《かごしま》の士族《しぞく》たちが新政府《しんせいふ》の火薬庫を襲撃《しゅうげき》した。隆盛《たかもり》は新政府《しんせいふ》との対決は避《さ》けられないと考え、鹿児島《かごしま》の士族《しぞく》ら約《やく》1万3000人とともに挙兵《きょへい》し、鹿児島《かごしま》を出発した。

北へ向かって進んだ西郷軍《さいごうぐん》は、新政府軍《しんせいふぐん》が守る熊本城《くまもとじょう》(熊本県《くまもとけん》)におそいかかったが、落とすことができず、長期戦《ちょうきせん》になった。一方の新政府軍《しんせいふぐん》は、熊本城《くまもとじょう》を救《すく》うため援軍《えんぐん》を送りこんだ。

合戦《かっせん》ハイライト!
田原坂《たばるざか》の戦《たたか》い
1877年3月4日、熊本城《くまもとじょう》に向かう新政府軍《しんせいふぐん》は、田原坂《たばるざか》で西郷軍《さいごうぐん》と激突《げきとつ》した。両軍《りょうぐん》は2週間にわたって激《はげ》しい戦《たたか》いを続《つづ》けたが、最新式《さいしんしき》の武器《ぶき》を装備《そうび》していた新政府軍《しんせいふぐん》が勝利《しょうり》した。
西郷軍《さいごうぐん》
土塁《どるい》を築《きず》いて新政府軍《しんせいふぐん》を射撃《しゃげき》したが、銃《じゅう》は旧式《きゅうしき》のものだった。
新政府軍《しんせいふぐん》
最新式《さいしんしき》の銃《じゅう》や大砲《たいほう》で西郷軍《さいごうぐん》を攻撃《こうげき》した。

田原坂《たばるざか》から撤退後《てったいご》 隆盛《たかもり》は敗戦《はいせん》を重ねる

新政府軍《しんせいふぐん》の援軍《えんぐん》が近づいたことを知った西郷軍《さいごうぐん》は、田原坂《たばるざか》(熊本県《くまもとけん》)で迎《むか》えうった。1日で32万発もの弾丸《だんがん》が飛《と》び交うほどの激《はげ》しい戦《たたか》いが、2週間ほど続《つづ》いたが、西郷軍《さいごうぐん》は、最新兵器《さいしんへいき》を装備《そうび》する新政府軍《しんせいふぐん》に敗《やぶ》れて退却《たいきゃく》。熊本城《くまもとじょう》の西郷軍《さいごうぐん》も人吉《ひとよし》(熊本県《くまもとけん》)に向けて撤退《てったい》した。

その後も新政府軍《しんせいふぐん》に敗《やぶ》れ、宮崎《みやざき》へのがれ、北に向けて進んだが、兵力《へいりょく》は3000人にまで減《へ》っていった。可愛岳《えのだけ》(宮崎県《みやざきけん》)で新政府軍《しんせいふぐん》の包囲《ほうい》を突破《とっぱ》し、鹿児島《かごしま》に向かった隆盛《たかもり》たちの目的《もくてき》は、勝利《しょうり》することではなく、故郷《こきょう》・鹿児島《かごしま》に帰って死ぬことだった。

隆盛《たかもり》たちは鹿児島《かごしま》にもどると、城山《しろやま》に立てこもった。新政府軍《しんせいふぐん》は城山《しろやま》を完全《かんぜん》に包囲《ほうい》した。敗北《はいぼく》を覚悟《かくご》した隆盛《たかもり》は、仲間《なかま》とともに突撃《とつげき》し、銃弾《じゅうだん》を受けて負傷《ふしょう》すると、部下に首を切らせた。

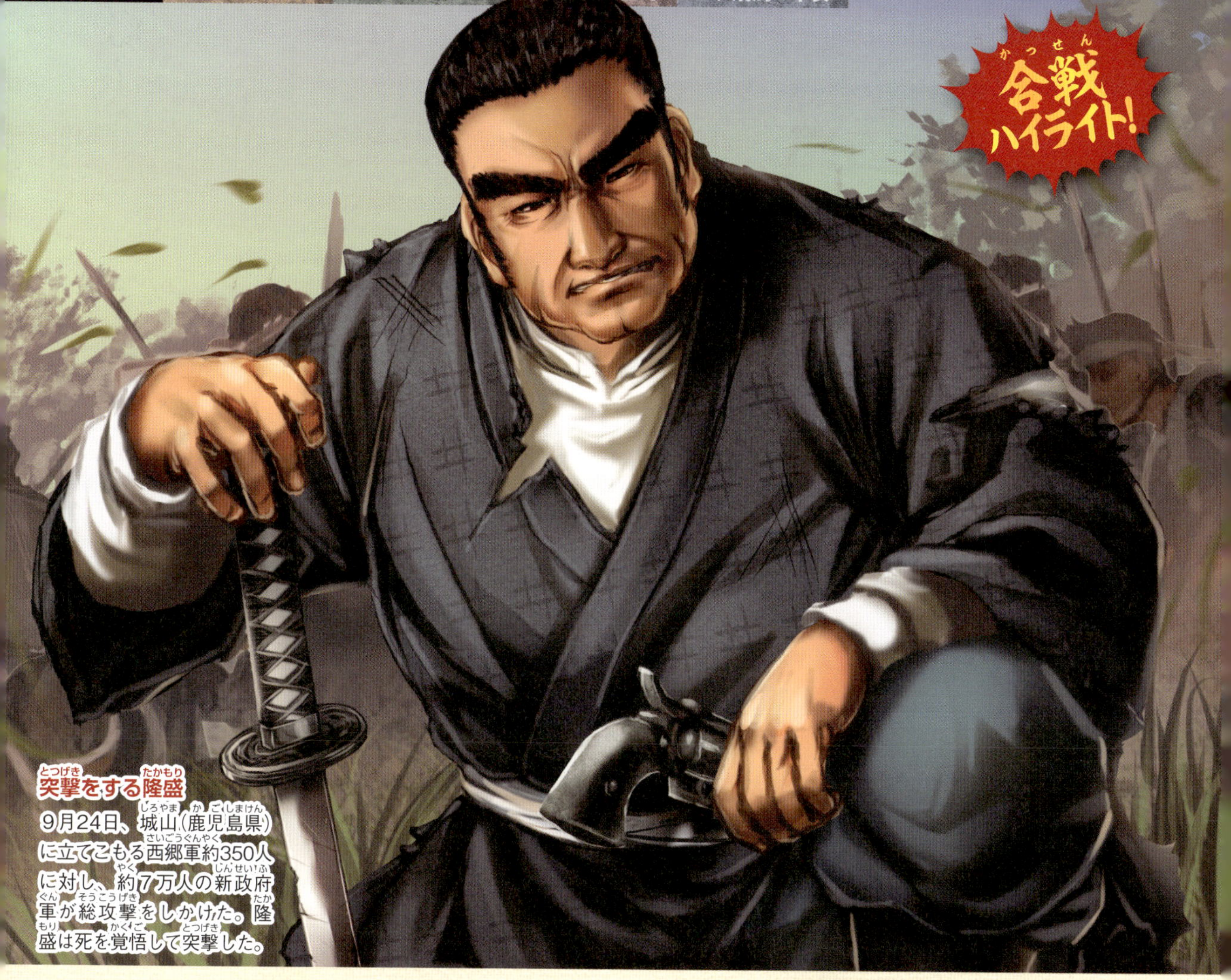
合戦《かっせん》ハイライト!

突撃《とつげき》をする隆盛《たかもり》
9月24日、城山《しろやま》(鹿児島県《かごしまけん》)に立てこもる西郷軍約《さいごうぐんやく》350人に対し、約《やく》7万人の新政府《しんせいふ》軍《ぐん》が総攻撃《そうこうげき》をしかけた。隆盛《たかもり》は死を覚悟《かくご》して突撃《とつげき》した。

合戦《かっせん》の結果《けっか》

西南戦争《せいなんせんそう》は最後《さいご》の士族《しぞく》の反乱《はんらん》となり、新政府《しんせいふ》の権力《けんりょく》は強力になった。これ以降《いこう》、新政府《しんせいふ》への反対運動は、武力《ぶりょく》を用いない自由民権《じゆうみんけん》運動へと変《か》わった。

新政府軍《しんせいふぐん》の大勝利《だいしょうり》

剣術《けんじゅつ》ではかなわない薩摩士族《さつましぞく》を、最新式《さいしんしき》の銃《じゅう》で攻撃《こうげき》したので勝利《しょうり》できました。

城山《しろやま》の戦《たたか》いに勝利した山県有朋氏《やまがたありともし》

首を切らせる隆盛《たかもり》
下半身をうたれた隆盛《たかもり》は、部下に「もうここらでよか」と言い、首を切らせた。

日本の旧《きゅう》国《こく》名《めい》マップ

奈良《なら》時代から明治《めいじ》時代のはじめ頃《ごろ》まで、日本の地方は、現在《げんざい》とはちがう名前「国名《こくめい》」でよばれていた。国と国の境《さかい》も、現在《げんざい》の都《と》道府県《どうふけん》との境《さかい》とは少しちがっていた。国名《こくめい》は時代によって変《か》わったものもあるが、この地図では、平安《へいあん》時代初期《しょき》に定められたものを紹介《しょうかい》している。

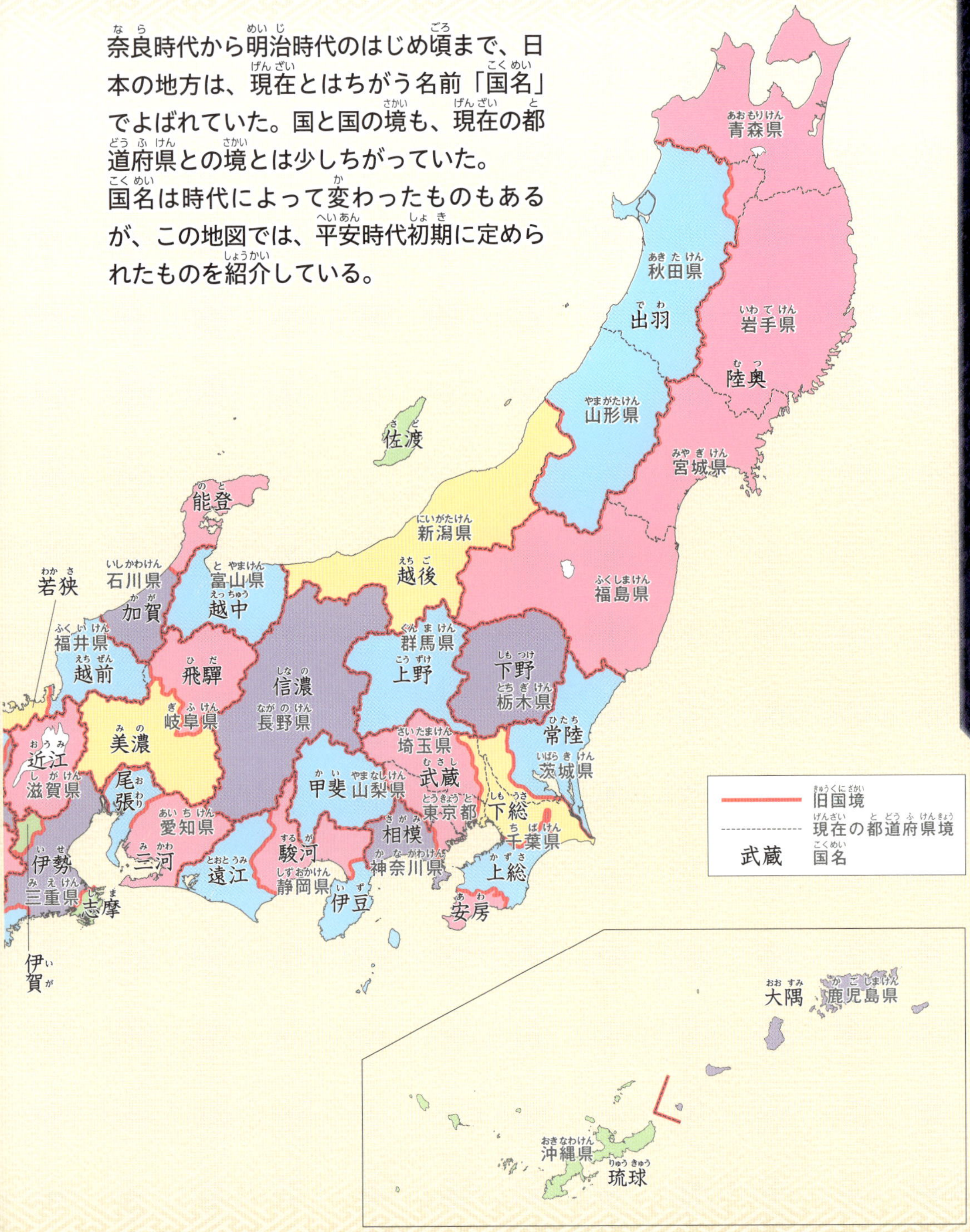

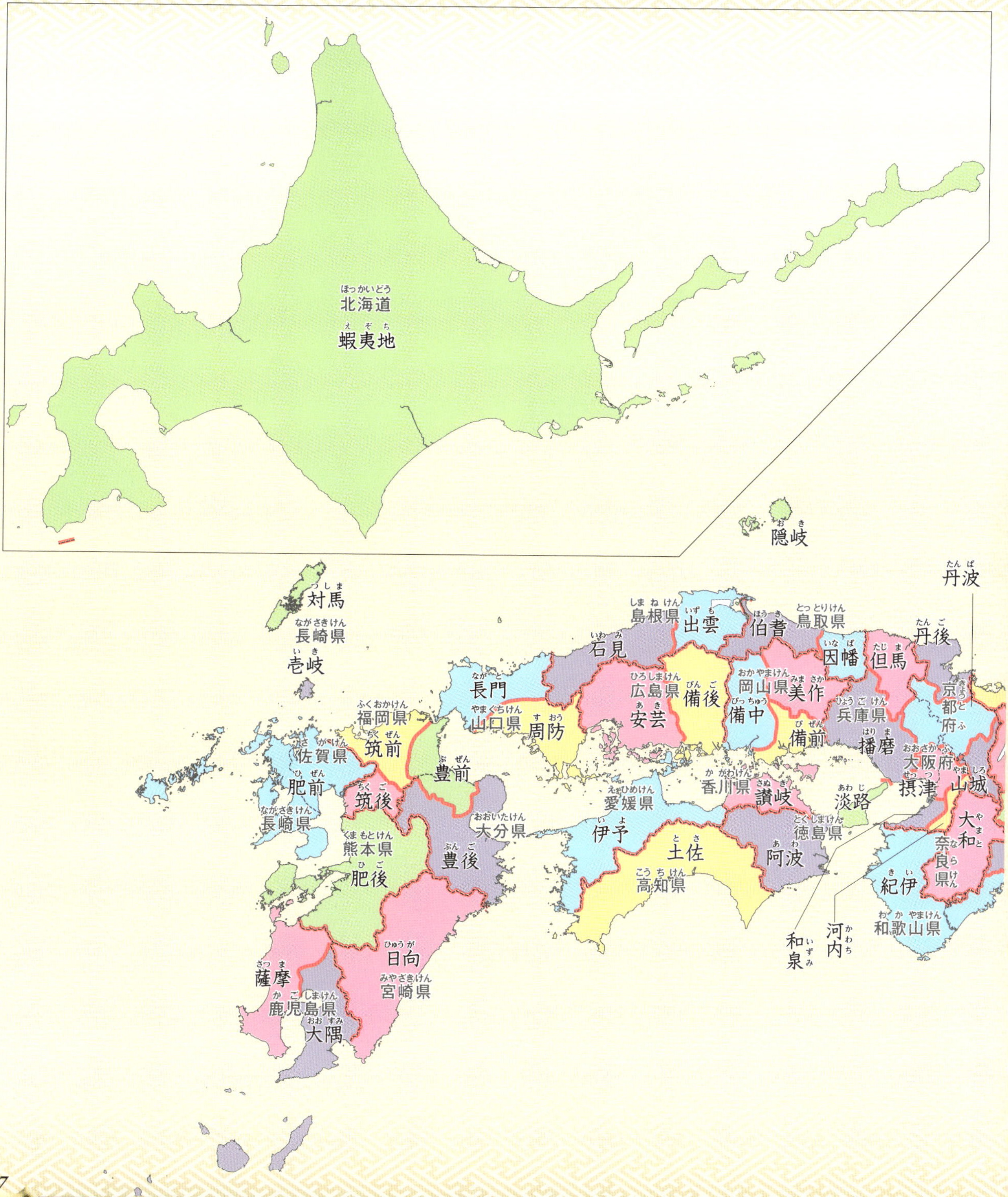

北海道《ほっかいどう》
蝦夷地《えぞち》
隠岐《おき》
対馬《つしま》
長崎県《ながさきけん》
壱岐《いき》
島根県《しまねけん》
出雲《いずも》
伯耆《ほうき》
鳥取県《とっとりけん》
丹波《たんば》
石見《いわみ》
丹後《たんご》
因幡《いなば》
但馬《たじま》
長門《ながと》
広島県《ひろしまけん》
備後《びんご》
岡山県《おかやまけん》
美作《みまさか》
京都府《きょうとふ》
山口県《やまぐちけん》
周防《すおう》
安芸《あき》
備中《びっちゅう》
備前《びぜん》
兵庫県《ひょうごけん》
播磨《はりま》
福岡県《ふくおかけん》
筑前《ちくぜん》
佐賀県《さがけん》
豊前《ぶぜん》
大阪府《おおさかふ》
山城《やましろ》
摂津《せっつ》
肥前《ひぜん》
香川県《かがわけん》
讃岐《さぬき》
淡路《あわじ》
筑後《ちくご》
愛媛県《えひめけん》
長崎県《ながさきけん》
大分県《おおいたけん》
伊予《いよ》
徳島県《とくしまけん》
大和《やまと》
熊本県《くまもとけん》
土佐《とさ》
豊後《ぶんご》
阿波《あわ》
奈良県《ならけん》
肥後《ひご》
紀伊《きい》
高知県《こうちけん》
和歌山県《わかやまけん》
河内《かわち》
和泉《いずみ》
日向《ひゅうが》
薩摩《さつま》
宮崎県《みやざきけん》
鹿児島県《かごしまけん》
大隅《おおすみ》

※ 赤字はこの本で大きく取り上げているできごとです。

『日本の合戦《かっせん》』年表

時代	西暦《せいれき》(年)	できごと
古墳《こふん》時代	538	日本に仏教《ぶっきょう》が伝《つた》わる
古墳《こふん》時代	587	**衣摺《きずり》の戦《たたか》い**(➡P14)
古墳《こふん》時代	593	聖徳太子《しょうとくたいし》が摂政《せっしょう》になる
飛鳥《あすか》時代	645	中大兄皇子《なかのおおえのおうじ》が蘇我氏《そがし》を倒《たお》す
飛鳥《あすか》時代	660	百済《くだら》が滅亡《めつぼう》する
飛鳥《あすか》時代	663	**白村江《はくすきのえ》の戦《たたか》い**(➡P16)
飛鳥《あすか》時代	667	大津宮《おおつのみや》へ都が移《うつ》る
飛鳥《あすか》時代	671	大海人皇子《おおあまのおうじ》が吉野《よしの》へ向かう
飛鳥《あすか》時代	672	**壬申《じんしん》の乱《らん》**(➡P20)
奈良《なら》時代	710	平城京《へいじょうきょう》へ都が移《うつ》る
奈良《なら》時代	794	平安京《へいあんきょう》へ都が移《うつ》る
平安《へいあん》時代	939	**平将門《たいらのまさかど》の乱《らん》**(➡P26)
平安《へいあん》時代	939	**藤原純友《ふじわらのすみとも》の乱《らん》**(➡P28)
平安《へいあん》時代	1016	藤原道長《ふじわらのみちなが》が摂政《せっしょう》になる
平安《へいあん》時代	1051	**前九年《ぜんくねん》の役《えき》**(➡P30)
平安《へいあん》時代	1083	**後三年《ごさんねん》の役《えき》**(➡P32)
平安《へいあん》時代	1086	院政《いんせい》がはじまる
平安《へいあん》時代	1156	**保元《ほうげん》の乱《らん》**(➡P36)
平安《へいあん》時代	1159	**平治《へいじ》の乱《らん》**(➡P40)
平安《へいあん》時代	1167	平清盛《たいらのきよもり》が太政大臣《だいじょうだいじん》になる

時代		西暦(年)	できごと
室町時代《むろまちじだい》		1449	足利義政《あしかがよしまさ》が将軍《しょうぐん》になる
室町時代《むろまちじだい》	戦国時代《せんごくじだい》	1467	**応仁《おうにん》の乱《らん》**(➡P84)
室町時代《むろまちじだい》	戦国時代《せんごくじだい》	1477	応仁《おうにん》の乱《らん》が終わる
室町時代《むろまちじだい》	戦国時代《せんごくじだい》	1488	加賀《かが》一向一揆《いっこういっき》が起こる
室町時代《むろまちじだい》	戦国時代《せんごくじだい》	1495	北条早雲《ほうじょうそううん》が小田原城《おだわらじょう》をうばう
室町時代《むろまちじだい》	戦国時代《せんごくじだい》	1497	毛利元就《もうりもとなり》が生まれる
室町時代《むろまちじだい》	戦国時代《せんごくじだい》	1521	武田信玄《たけだしんげん》が生まれる
室町時代《むろまちじだい》	戦国時代《せんごくじだい》	1530	上杉謙信《うえすぎけんしん》が生まれる
室町時代《むろまちじだい》	戦国時代《せんごくじだい》	1534	織田信長《おだのぶなが》が生まれる
室町時代《むろまちじだい》	戦国時代《せんごくじだい》	1537	木下藤吉郎《きのしたとうきちろう》(豊臣秀吉《とよとみひでよし》)が生まれる
室町時代《むろまちじだい》	戦国時代《せんごくじだい》	1542	斎藤道三《さいとうどうさん》が美濃《みの》を手に入れる
室町時代《むろまちじだい》	戦国時代《せんごくじだい》	1542	徳川家康《とくがわいえやす》が生まれる
室町時代《むろまちじだい》	戦国時代《せんごくじだい》	1543	鉄砲《てっぽう》が日本に伝《つた》わる
室町時代《むろまちじだい》	戦国時代《せんごくじだい》	1546	**河越夜戦《かわごえやせん》**(➡P96)
室町時代《むろまちじだい》	戦国時代《せんごくじだい》	1548	信長《のぶなが》と濃姫《のうひめ》(道三《どうさん》の娘《むすめ》)が結婚《けっこん》する
室町時代《むろまちじだい》	戦国時代《せんごくじだい》	1549	キリスト教が日本に伝《つた》わる
室町時代《むろまちじだい》	戦国時代《せんごくじだい》	1549	家康《いえやす》が今川家《いまがわけ》の人質《ひとじち》となる
室町時代《むろまちじだい》	戦国時代《せんごくじだい》	1551	信長《のぶなが》が織田家《おだけ》を継《つ》ぐ
室町時代《むろまちじだい》	戦国時代《せんごくじだい》	1551	陶晴賢《すえはるかた》が大内義隆《おおうちよしたか》を自害《じがい》させる
室町時代《むろまちじだい》	戦国時代《せんごくじだい》	1553	布施《ふせ》の戦《たたか》い(第1次川中島《かわなかじま》の戦《たたか》い)
室町時代《むろまちじだい》	戦国時代《せんごくじだい》	1555	犀川《さいがわ》の戦《たたか》い(第2次川中島《かわなかじま》の戦《たたか》い)
室町時代《むろまちじだい》	戦国時代《せんごくじだい》	1555	**厳島《いつくしま》の戦《たたか》い**(➡P98)
室町時代《むろまちじだい》	戦国時代《せんごくじだい》	1556	長良川《ながらがわ》の戦《たたか》いで道三《どうさん》が敗《やぶ》れる
室町時代《むろまちじだい》	戦国時代《せんごくじだい》	1557	上野原《うえのはら》の戦《たたか》い(第3次川中島《かわなかじま》の戦《たたか》い)

※年表の内容《ないよう》には別《べつ》の説《せつ》があるものもあります。

平安《へいあん》時代

- 1180 **宇治橋合戦《うじばしかっせん》**（⬇P54）
- 石橋山《いしばしやま》の戦《たたか》い
- **富士川《ふじがわ》の戦《たたか》い**（⬇P56）
- 1181 清盛《きよもり》が病死する
- 1183 倶利伽羅峠《くりからとうげ》の戦《たたか》い
- 1184 粟津《あわづ》の戦《たたか》い
- **一《いち》の谷《たに》の戦《たたか》い**（⬇P58）
- 1185 **屋島《やしま》の戦《たたか》い**（⬇P60）
- **壇《だん》の浦《うら》の戦《たたか》い**（⬇P62）

鎌倉《かまくら》時代

- 1189 源義経《みなもとのよしつね》が藤原泰衡《ふじわらのやすひら》に襲撃《しゅうげき》される
- 1192 源頼朝《みなもとのよりとも》が征夷大将軍《せいいたいしょうぐん》に任命《にんめい》される
- 1199 頼朝《よりとも》が病死する
- 1221 **承久《じょうきゅう》の乱《らん》**（⬇P68）
- 1247 執権政治《しっけんせいじ》がはじまる
- 1274 **文永《ぶんえい》の役《えき》**（⬇P70）
- 1281 **弘安《こうあん》の役《えき》**（⬇P72）
- 1332 後醍醐天皇《ごだいごてんのう》が隠岐《おき》に追放される
- 1333 **千早城《ちはやじょう》の戦《たたか》い**（⬇P74）
- **鎌倉《かまくら》の戦《たたか》い**（⬇P76）

室町《むろまち》時代　南北朝《なんぼくちょう》時代

- 1334 建武《けんむ》の新政《しんせい》がはじまる
- 1336 **湊川《みなとがわ》の戦《たたか》い**（⬇P82）
- 足利尊氏《あしかがたかうじ》が室町幕府《むろまちばくふ》を開く
- 後醍醐天皇《ごだいごてんのう》が南朝《なんちょう》を開く
- 1392 南朝《なんちょう》と北朝《ほくちょう》が統一《とういつ》される

室町《むろまち》時代　戦国《せんごく》時代

- 1560 **桶狭間《おけはざま》の戦《たたか》い**（⬇P100）
- 1561 謙信《けんしん》が関東管領《かんとうかんれい》になる
- **川中島《かわなかじま》の戦《たたか》い（第4次）**（⬇P108）
- 1562 織田信長《おだのぶなが》と徳川家康《とくがわいえやす》が同盟《どうめい》を結《むす》ぶ
- 1564 塩崎《しおざき》の対陣《たいじん》（第5次川中島《かわなかじま》の戦《たたか》い）
- 1567 伊達政宗《だてまさむね》が生まれる
- 真田幸村《さなだゆきむら》が生まれる
- 信長《のぶなが》が稲葉山城《いなばやまじょう》（岐阜城《ぎふじょう》）を落とす
- 1568 浅井長政《あざいながまさ》とお市《いち》の方《かた》が結婚《けっこん》する
- 信長《のぶなが》が京都《きょうと》に入る
- 足利義昭《あしかがよしあき》が将軍《しょうぐん》になる
- 1570 **金ケ崎《かねがさき》の戦《たたか》い**（⬇P112）
- **姉川《あねがわ》の戦《たたか》い**（⬇P114）
- **石山合戦《いしやまかっせん》（第1次）**（⬇P116）
- 志賀《しが》の陣《じん》
- 1571 伊勢長島一揆《いせながしまいっき》（第1次）
- **比叡山焼《ひえいざんや》きうち**（⬇P118）
- 1572 **三方ケ原《みかたがはら》の戦《たたか》い**（⬇P122）
- 1573 信玄《しんげん》が病死する
- 信長《のぶなが》が室町幕府《むろまちばくふ》をほろぼす
- **一乗谷城《いちじょうだにじょう》の戦《たたか》い**（⬇P124）
- **小谷城《おだにじょう》の戦《たたか》い**（⬇P126）
- 伊勢長島一揆《いせながしまいっき》（第2次）

安土桃山《あづちももやま》時代

- 1574 高天神城《たかてんじんじょう》の戦《たたか》い（第1次）

※ **赤字**はこの本で大きく取り上げているできごとです。

安土桃山《あづちももやま》時代

年	できごと
1574	**伊勢《いせ》長島《ながしま》一揆《いっき》（第3次）**（→P128）
1575	**長篠《ながしの》の戦《たたか》い**（→P136）
	信長《のぶなが》が越前一向一揆《えちぜんいっこういっき》を破《やぶ》る
1576	信長《のぶなが》が安土城《あづちじょう》を築《きず》きはじめる
	天王寺《てんのうじ》の戦《たたか》い（→P140）
	木津川口《きづがわぐち》の戦《たたか》い（第1次）（→P142）
	七尾城《ななおじょう》の戦《たたか》い（第1次）
1577	**和歌川《わかがわ》の戦《たたか》い**（→P146）
	七尾城《ななおじょう》の戦《たたか》い（第2次）（→P150）
	手取川《てどりがわ》の戦《たたか》い（→P152）
	信貴山城《しぎさんじょう》の戦《たたか》い（→P148）
	秀吉《ひでよし》が中国攻《ちゅうごくぜ》めを開始する
1578	**三木城《みきじょう》の戦《たたか》い**（→P154）
	謙信《けんしん》が病死する
	木津川口《きづがわぐち》の戦《たたか》い（第2次）（→P144）
	耳川《みみかわ》の戦《たたか》いで島津義久《しまづよしひさ》が大友宗麟《おおともそうりん》を破《やぶ》る
	有岡城《ありおかじょう》の戦《たたか》い（→P156）
1579	天正伊賀《てんしょういが》の乱《らん》（第1次）
1580	**高天神城《たかてんじんじょう》の戦《たたか》い（第2次）**（→P158）
	石山合戦《いしやまかっせん》が終わる
1581	**鳥取城《とっとりじょう》の戦《たたか》い**（→P160）
	天正伊賀《てんしょういが》の乱《らん》（第2次）
1582	**天目山《てんもくざん》の戦《たたか》い**（→P162）
	備中高松城《びっちゅうたかまつじょう》の戦《たたか》い（→P164）

安土桃山《あづちももやま》時代

年	できごと
1598	秀吉《ひでよし》が病死する
1600	**伏見城《ふしみじょう》の戦《たたか》い**（→P230）
	田辺城《たなべじょう》の戦《たたか》い
	大津城《おおつじょう》の戦《たたか》い
	慶長出羽合戦《けいちょうでわかっせん》（→P232）
	上田合戦《うえだかっせん》（第2次）（→P238）
	石垣原《いしがきばる》の戦《たたか》い（→P242）
	関ケ原《せきがはら》の戦《たたか》い（→P248）

江戸《えど》時代

年	できごと
1603	家康《いえやす》が江戸幕府《えどばくふ》を開く
1605	徳川秀忠《とくがわひでただ》が2代将軍《しょうぐん》になる
1612	幕府《ばくふ》がキリスト教を禁止《きんし》する
1614	**大坂冬《おおさかふゆ》の陣《じん》**（→P258）
1615	**大坂夏《おおさかなつ》の陣《じん》**（→P262）
1616	家康《いえやす》が病死する
1636	政宗《まさむね》が病死する
1637	**島原《しまばら》の乱《らん》**（→P266）
1641	鎖国《さこく》が完成《かんせい》する
1853	ペリーが黒船《くろふね》で来航《らいこう》する
1854	日米和親条約《にちべいわしんじょうやく》が結《むす》ばれる
1857	吉田松陰《よしだしょういん》が松下村塾《しょうかそんじゅく》を開く
1858	日米修好通商条約《にちべいしゅうこうつうしょうじょうやく》が結《むす》ばれる
1860	桜田門外《さくらだもんがい》の変《へん》
1862	徳川家茂《とくがわいえもち》と和宮《かずのみや》が結婚《けっこん》する
	生麦事件《なまむぎじけん》が起こる

安土桃山時代《あづちももやま じだい》

本能寺《ほんのうじ》の変《へん》（⬇P172）
二条御所合戦《にじょうごしょかっせん》（⬇P176）
山崎《やまざき》の戦《たたか》い（⬇P186）
清洲会議《きよすかいぎ》が開かれる
1583 賤ケ岳《しずがたけ》の戦《たたか》い（⬇P190）
北ノ庄城《きたのしょうじょう》の戦《たたか》い
秀吉《ひでよし》が大坂城《おおさかじょう》を築《きず》きはじめる
1584 沖田畷《おきたなわて》の戦《たたか》い（⬇P194）
小牧《こまき》・長久手《ながくて》の戦《たたか》い（⬇P198）
1585 四国《しこく》攻《ぜ》め（⬇P202）
秀吉《ひでよし》が関白《かんぱく》に任命《にんめい》される
上田合戦《うえだかっせん》（第1次）（⬇P204）
人取橋《ひとどりばし》の戦《たたか》い（⬇P208）
1586 家康《いえやす》が秀吉《ひでよし》に従《したが》う
九州《きゅうしゅう》攻《ぜ》め（⬇P210）
1589 摺上原《すりあげはら》の戦《たたか》い（⬇P214）
1590 小田原《おだわら》攻《ぜ》め（⬇P216）
政宗《まさむね》が秀吉《ひでよし》に降伏《こうふく》する
忍城《おしじょう》の戦《たたか》い（⬇P220）
1591 秀吉《ひでよし》が豊臣秀次《とよとみひでつぐ》に関白《かんぱく》をゆずる
1592 文禄《ぶんろく》の役《えき》（⬇P226）
1593 豊臣秀頼《とよとみひでより》が生まれる
1595 秀次《ひでつぐ》が切腹《せっぷく》する
1597 慶長《けいちょう》の役《えき》（⬇P228）

江戸時代《えど じだい》

松平容保《まつだいらかたもり》が京都守護職《きょうとしゅごしょく》になる
1863 薩英戦争《さつえいせんそう》（⬇P278）
高杉晋作《たかすぎしんさく》が奇兵隊《きへいたい》を組織《そしき》する
1864 禁門《きんもん》の変《へん》（⬇P280）
下関戦争《しものせきせんそう》で長州藩《ちょうしゅうはん》が西洋諸国《しょこく》に敗《やぶ》れる
長州征伐《ちょうしゅうせいばつ》（第1次）で長州藩《ちょうしゅうはん》が降伏《こうふく》する
晋作《しんさく》が長州藩《ちょうしゅうはん》に反乱《はんらん》を起こす
1866 薩長同盟《さっちょうどうめい》が結《むす》ばれる
長州征伐《ちょうしゅうせいばつ》（第2次）（⬇P282）
1867 大政奉還《たいせいほうかん》が実現《じつげん》する
坂本龍馬《さかもとりょうま》が暗殺《あんさつ》される
小御所会議《こごしょかいぎ》が開かれる

明治時代《めいじ じだい》

1868 鳥羽《とば》・伏見《ふしみ》の戦《たたか》い（⬇P284）
甲州勝沼《こうしゅうかつぬま》の戦《たたか》いで近藤勇《こんどういさみ》が敗《やぶ》れる
江戸城総攻撃《えどじょうそうこうげき》が中止される
上野戦争《うえのせんそう》（⬇P292）
北越戦争《ほくえつせんそう》
会津戦争《あいづせんそう》（⬇P294）
榎本武揚《えのもとたけあき》が五稜郭《ごりょうかく》を占領《せんりょう》する
1869 箱館戦争《はこだてせんそう》（⬇P298）
1871 廃藩置県《はいはんちけん》が発表される
1873 徴兵令《ちょうへいれい》が出される
西郷隆盛《さいごうたかもり》が新政府《しんせいふ》をやめて鹿児島《かごしま》に帰る
1877 西南戦争《せいなんせんそう》（⬇P302）

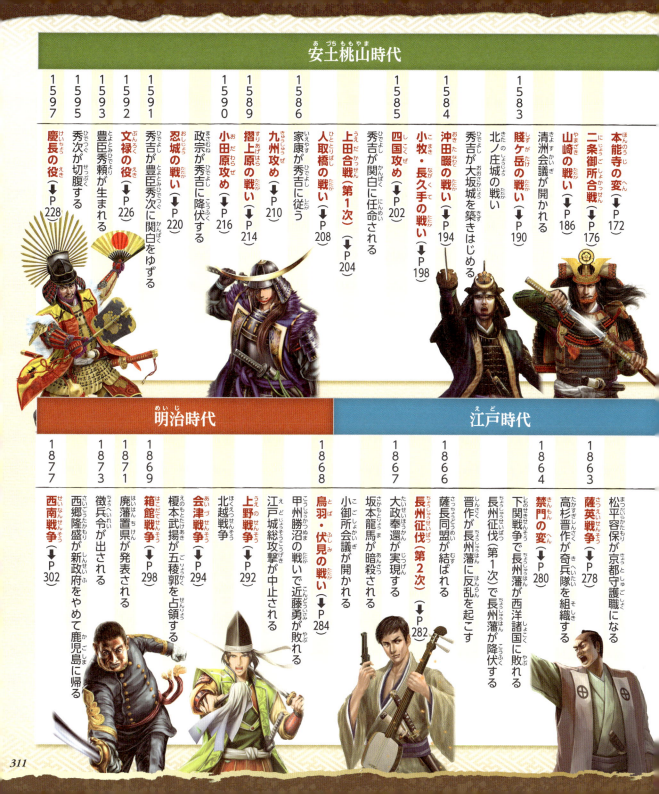

さくいん

※赤字は人名です。

あ

アームストロング砲 アームストロングほう……278、292
会津戦争 あいづせんそう……294
会津若松城 あいづわかまつじょう……294
悪党 あくとう……74
明智光秀 あけちみつひで……140、172、176、186
浅井長政 あざいながまさ……112、114、126
朝倉義景 あさくらよしかげ……112、114、124
浅野長政 あさのながまさ……222
浅野幸長 あさのよしなが……225
足利尊氏 あしかがたかうじ……75、82
足利晴氏 あしかがはるうじ……96
足利義昭 あしかがよしあき……124
足利義尚 あしかがよしひさ……84
足利義政 あしかがよしまさ……84
足利義視 あしかがよしみ……84
足軽 あしがる……87
蘆名義広 あしなよしひろ……214
安宅船 あたけぶね……143、228
安土城 あづちじょう……172
姉川の戦い あねがわのたたかい……114
安倍貞任 あべのさだとう……30
安倍頼時 あべのよりとき……30
天草四郎 あまくさしろう……266
天野八郎 あまのはちろう……292
荒木村重 あらきむらしげ……156
有岡城の戦い ありおかじょうのたたかい……156
有馬晴信 ありまはるのぶ……194
阿波水軍 あわすいぐん……64
粟津の戦い あわづのたたかい……63
安徳天皇 あんとくてんのう……54
井伊直政 いいなおまさ……248
位襖 いおう……25
池田恒興 いけだつねおき……198、270
石垣原の戦い いしがきばるのたたかい……242
石垣山城 いしがきやまじょう……218
石田三成 いしだみつなり……220、229、230、248
石橋山の戦い いしばしやまのたたかい……56
石山合戦(第1次) いしやまかっせん(だいいちじ)……116
石山本願寺 いしやまほんがんじ……116、140、142
伊勢長島一揆(第3次) いせながしまいっき(だいさんじ)……128
板垣退助 いたがきたいすけ……294
一乗谷城の戦い いちじょうだにじょうのたたかい……124
一の谷の戦い いちのたにのたたかい……58
一宮城の戦い いちのみやじょうのたたかい……202
厳島の戦い いつくしまのたたかい……98
一向一揆 いっこういっき……116、128
一向宗 いっこうしゅう……116、128
稲村ケ崎 いなむらがさき……76
今川義元 いまがわよしもと……100
岩崎城の戦い いわさきじょうのたたかい……201
上杉景勝 うえすぎかげかつ……230、232
上杉謙信 うえすぎけんしん……108、150、152
上杉朝定 うえすぎともさだ……96
上杉憲政 うえすぎのりまさ……96
上田合戦(第1次) うえだかっせん(だいいちじ)……204
上田合戦(第2次) うえだかっせん(だいにじ)……238
上野戦争 うえのせんそう……292
上野原の戦い うえのはらのたたかい……108
宇喜多秀家 うきたひでいえ……226、230
宇治・瀬田の戦い うじ・せたのたたかい……69
宇治橋合戦 うじばしかっせん……54
裲襠 うちかけ……25
鸕野讃良 うののさらら……20
馬印 うまじるし……178
厩戸王 うまやとおう……14
蔚山城の戦い うるさんじょうのたたかい……229
榎本武揚 えのもとたけあき……298
延暦寺 えんりゃくじ……118
お市の方 おいちのかた……127、192
奥羽越列藩同盟 おううえつれっぱんどうめい……294
応仁の乱 おうにんのらん……84
大海人皇子 おおあまのおうじ……20
大内義隆 おおうちよしたか……98
大分稚臣 おおきだのわかおみ……22
大坂夏の陣 おおさかなつのじん……262
大坂冬の陣 おおさかふゆのじん……258
大谷吉継 おおたによしつぐ……252
大津城の戦い おおつじょうのたたかい……231
大津宮 おおつのみや……20
大友皇子 おおとものおうじ……20
大友義統 おおともよしむね……242
大野城 おおのじょう……17
大村益次郎 おおむらますじろう……292
岡部元信 おかべもとのぶ……158

沖田畷の戦い　おきたなわてのたたかい……194
奥平信昌　おくだいらのぶまさ……136
桶狭間の戦い　おけはざまのたたかい……100
小沢原の戦い　おざわがはらのたたかい……97
忍城の戦い　おしじょうのたたかい……220
小谷城　おだにじょう……114、124、126
織田信雄　おだのぶかつ……198
織田信忠　おだのぶただ……148、162、176
織田信長　おだのぶなが……100、112、114、116、118、124、126、128、136、140、142、146、148、156、172
小田原城　おだわらじょう……216
小田原攻め　おだわらぜめ……216、220
鬼切部の戦い　おにきりべのたたかい……31
小野好古　おののよしふる……28

か

海津城　かいづじょう……109
革甲　かくこう……24
鶴翼の陣　かくよくのじん……123
梶原景時　かじわらかげとき……57
勝海舟　かつかいしゅう……292
加藤清正　かとうきよまさ……226
河東の乱　かとうのらん……97
金ケ崎の戦い　かねがさきのたたかい……112
金沢柵の戦い　かねざわのさくのたたかい……33
鎌倉の戦い　かまくらのたたかい……76
鎌倉幕府　かまくらばくふ……68
上京の戦い　かみぎょうのたたかい……86
上御霊神社の戦い　かみごりょうじんじゃのたたかい……86
唐船　からふね……64
河越城　かわごえじょう……96
河越夜戦　かわごえやせん……96
川中島の戦い(第4次)　かわなかじまのたたかい(だいよじ)……108
変わり兜　かわりかぶと……224
関白　かんぱく……203
管領　かんれい……84
衣摺の戦い　きずりのたたかい……14
木曽川の戦い　きそがわのたたかい……69
木曽義昌　きそよしまさ……162
北ノ庄城　きたのしょうじょう……192
木津川口の戦い(第1次)　きづがわぐちのたたかい(だいいちじ)……142
木津川口の戦い(第2次)　きづがわぐちのたたかい(だいにじ)……144
吉川経家　きっかわつねいえ……160
吉川元春　きっかわもとはる……165
亀甲船　きっこうせん……228
木下藤吉郎　きのしたとうきちろう……112
黄海の戦い　きのみのたたかい……31
奇兵隊　きへいたい……282
九州攻め　きゅうしゅうぜめ……210
清洲会議　きよすかいぎ……190
清洲城　きよすじょう……100
清原家衡　きよはらのいえひら……32
清原武則　きよはらのたけのり……31
魚鱗の陣　ぎょりんのじん……123
禁門の変　きんもんのへん……280
九鬼嘉隆　くきよしたか……129、142、217
久坂玄瑞　くさかげんずい……280
楠木正成　くすのきまさしげ……74、82
百済　くだら……14、16
熊本城攻囲戦　くまもとじょうこういせん……303
倶利伽羅峠の戦い　くりからとうげのたたかい……63
厨川の戦い　くりやがわのたたかい……30
黒川城　くろかわじょう……214
黒田官兵衛　くろだかんべえ……154、156、164、186、211、218、225、242
黒田清隆　くろだきよたか……298
軍扇　ぐんせん……270
軍配　ぐんばい……270
慶長出羽合戦　けいちょうでわかっせん……232
慶長の役　けいちょうのえき……226
検非違使　けびいし……25
元　げん……70
元寇　げんこう……70
元弘の変　げんこうのへん……75
顕如　けんにょ……116、145
建武の新政　けんむのしんせい……77
弘安の役　こうあんのえき……70、72
甲州勝沼の戦い　こうしゅうかつぬまのたたかい……285
国府台の戦い(第1次)　こうのだいのたたかい(だいいちじ)……97
高麗　こうらい……70
小倉口の戦い　こくらぐちのたたかい……282
御家人　ごけにん……68
小御所会議　こごしょかいぎ……284
後三年の役　ごさんねんのえき……32
後白河上皇　ごしらかわじょうこう……40
後白河天皇　ごしらかわてんのう……36
後醍醐天皇　ごだいごてんのう……74、82
後藤基次　ごとうもとつぐ……223
後鳥羽上皇　ごとばじょうこう……68
小西行長　こにしゆきなが……226
小早　こはや……142
小早川隆景　こばやかわたかかげ……164
小早川秀秋　こばやかわひであき……248
小牧・長久手の戦い　こまき・ながくてのたたかい……198

五稜郭　ごりょうかく……298
誉田の戦い　こんだのたたかい……263

さ

雑賀衆　さいかしゅう……140、146
雑賀孫一　さいかまごいち……140、146
犀川の戦い　さいがわのたたかい……108
西郷隆盛　さいごうたかもり……280、284、292、302
酒井忠次　さかいただつぐ……137、198
榊原康政　さかきばらやすまさ……115
坂本龍馬　さかもとりょうま……282
佐久間盛政　さくまもりまさ……191
佐竹義重　さたけよししげ……208
薩英戦争　さつえいせんそう……278
佐藤継信　さとうつぐのぶ……60
真田信之　さなだのぶゆき……205、238
真田昌幸　さなだまさゆき……204、222、238
真田丸　さなだまる……258
真田幸村　さなだゆきむら……238、258、262
三重櫓　さんじゅうやぐら……180
三条東殿　さんじょうひがしどの……40
三法師　さんぼうし……190
塩崎の対陣　しおざきのたいじん……108
志賀の陣　しがのじん……118
信貴山城の戦い　しぎさんじょうのたたかい……148
四国攻め　しこくぜめ……202
賤ケ岳七本槍　しずがたけしちほんやり……192
賤ケ岳の戦い　しずがたけのたたかい……190
執権　しっけん……68
持統天皇　じとうてんのう……20
柴田勝家　しばたかついえ……125、152、190
島津家久　しまづいえひさ……194
島津久光　しまづひさみつ……278
島津義久　しまづよしひさ……210
島原・天草一揆　しまばら・あまくさいっき……266
島原の乱　しまばらのらん……266
清水宗治　しみずむねはる……164
下間頼旦　しもつまらいたん……128
守護大名　しゅごだいみょう……84
承久の乱　じょうきゅうのらん……68
相国寺の戦い　しょうこくじのたたかい……85
正中の変　しょうちゅうのへん……75
聖徳太子　しょうとくたいし……14
浄土真宗　じょうどしんしゅう……116
勝竜寺城　しょうりゅうじじょう……188
ジョン・ニール……278
白河北殿　しらかわきたどの……37
白河上皇　しらかわじょうこう……36
新羅　しらぎ……16
白子原の戦い　しらこはらのたたかい……97
白石城の戦い　しろいしじょうのたたかい……233
城山の戦い　しろやまのたたかい……303
壬申の乱　じんしんのらん……20
信西　しんぜい……40
新府城　しんぷじょう……162
陶晴賢　すえはるかた……98
筋兜　すじかぶと……88
崇徳上皇　すとくじょうこう……36
摺上原の戦い　すりあげはらのたたかい……214
周留城　するじょう……16
征韓論　せいかんろん……302
西南戦争　せいなんせんそう……302
関ケ原の戦い　せきがはらのたたかい……230、233、241、248
瀬田橋の戦い　せたばしのたたかい……22
前九年の役　ぜんくねんのえき……30
層塔型天守　そうとうがたてんしゅ……180
惣無事令　そうぶじれい……214
蘇我馬子　そがのうまこ……14

た

大化の改新　たいかのかいしん……16
大政奉還　たいせいほうかん……284
大砲　たいほう……260
平清盛　たいらのきよもり……36、40、54、57
平国香　たいらのくにか……26
平維盛　たいらのこれもり……56
平貞盛　たいらのさだもり……27
平重衡　たいらのしげひら……54
平知盛　たいらのとももり……58、62
平教経　たいらののりつね……62
平将門　たいらのまさかど……26
平将門の乱　たいらのまさかどのらん……26
平宗盛　たいらのむねもり……60、62
多賀城　たがじょう……30、32、46
高城の戦い　たかじょうのたたかい……211
高杉晋作　たかすぎしんさく……282
高天神城の戦い（第1次）　たかてんじんじょうのたたかい（だいいちじ）……158
高天神城の戦い（第2次）　たかてんじんじょうのたたかい（だいにじ）……158
高遠城の戦い　たかとおじょうのたたかい……163
高輪原の戦い　たかなわはらのたたかい……97
滝川一益　たきがわかずます……162
武田勝頼　たけだかつより……136、158、162
武田信玄　たけだしんげん……108、122
立花宗茂　たちばなむねしげ……223
伊達政宗　だてまさむね……208、214、219、232、262
田辺城の戦い　たなべじょうのたたかい……231

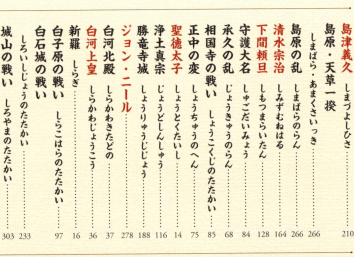

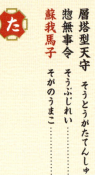

谷忠澄　たにただずみ……202
田原坂の戦い　たばるざかのたたかい……304
多聞櫓　たもんやぐら……180
壇の浦の戦い　だんのうらのたたかい……62
丹波亀山城　たんばかめやまじょう……172
千早城の戦い　ちはやじょうのたたかい……74
中国大返し　ちゅうごくおおがえし……186
長州征伐（第2次）　ちょうしゅうせいばつ（だいにじ）……282
朝鮮出兵　ちょうせんしゅっぺい……226
長宗我部元親　ちょうそかべもとちか……202
長続連　ちょうつぐつら……150
築地塀　ついじべい……46
追捕使　ついぶし……28
鉄甲船　てっこうせん……144
手取川の戦い　てどりがわのたたかい……152
天智天皇　てんじてんのう……20
天王山　てんのうざん……188
天王寺口の戦い　てんのうじぐちのたたかい……264
天王寺砦　てんのうじとりで……140
天王寺の戦い　てんのうじのたたかい……140
天武天皇　てんむてんのう……20
天目山の戦い　てんもくざんのたたかい……162
唐　とう……16
藤堂高虎　とうどうたかとら……211、222
徳川家茂　とくがわいえもち……282
徳川家康　とくがわいえやす……114、122、136、158、198、204、216、225、248、258、262
徳川秀忠　とくがわひでただ……238
徳川慶喜　とくがわよしのぶ……284
鳥取城の戦い　とっとりじょうのたたかい……160
鳥羽・伏見の戦い　とば・ふしみのたたかい……284
豊臣秀長　とよとみひでなが……210
豊臣秀吉　とよとみひでよし……210、216、226
豊臣秀頼　とよとみひでより……258、262
鳥居元忠　とりいもとただ……204、230

な

直江兼続　なおえかねつぐ……232
長久手の戦い　ながくてのたたかい……201
長篠の戦い　ながしののたたかい……136
中大兄皇子　なかのおおえのおうじ……16
名護屋城　なごやじょう……226
那須与一　なすのよいち……61
七尾城の戦い（第1次）　ななおじょうのたたかい（だいいちじ）……151
七尾城の戦い（第2次）　ななおじょうのたたかい（だいにじ）……150
成田長親　なりたながちか……220
南朝　なんちょう……83
二位尼　にいのあま……64
二条御所合戦　にじょうごしょかっせん……176
二条天皇　にじょうてんのう……40
新田義貞　にったよしさだ……75、76、82
沼田城　ぬまたじょう……204
根白坂の戦い　ねじろざかのたたかい……211

は

白山林の戦い　はくさんばやしのたたかい……201
白村江の戦い　はくすきのえのたたかい……16
羽黒の戦い　はぐろのたたかい……198
箱館戦争　はこだてせんそう……298
箸墓の戦い　はしはかのたたかい……21
羽柴秀長　はしばひでなが……202
羽柴秀吉　はしばひでよし……126、154、160、164、186、190、198
長谷堂城　はせどうじょう……233
畠山春王丸　はたけやまはるおうまる……150
旗印　はたじるし……178
馬場信春　ばばのぶはる……137
蛤御門の変　はまぐりごもんのへん……280
腹当　はらあて……66
腹巻　はらまき……66
比叡山焼きうち　ひえいざんやきうち……118
土方歳三　ひじかたとしぞう……298
備中高松城の戦い　びっちゅうたかまつじょうのたたかい……164
人取橋の戦い　ひととりばしのたたかい……208
火縄銃　ひなわじゅう……138
日野富子　ひのとみこ……84
日振島　ひぶりしま……28
白虎隊　びゃっこたい……294
平等院　びょうどういん……55
鵯越　ひよどりごえ……58
富士川の戦い　ふじがわのたたかい……56
伏見市街戦　ふしみしがいせん……286
伏見城の戦い　ふしみじょうのたたかい……230
藤原純友　ふじわらのすみとも……28
藤原純友の乱　ふじわらのすみとものらん……28
藤原信頼　ふじわらののぶより……40
藤原秀郷　ふじわらのひでさと……26
藤原秀衡　ふじわらのひでひら……63
布施の戦い　ふせのたたかい……108
フビライ・ハン……70
不破関　ふわのせき……21
文永の役　ぶんえいのえき……70
文武王　ぶんぶおう……16

文禄の役　ぶんろくのえき……226
平治の乱　へいじのらん……40
平城京　へいじょうきょう……46
戸次川の戦い　へつぎがわのたたかい……211
別所長治　べっしょながはる……154
保元の乱　ほうげんのらん……36
北条氏綱　ほうじょううじつな……96
北条氏政　ほうじょううじまさ……216
北条氏康　ほうじょううじやす……96
北条早雲　ほうじょうそううん……96
北条高時　ほうじょうたかとき……74、76
北条時宗　ほうじょうときむね……70
北条政子　ほうじょうまさこ……68
北条泰時　ほうじょうやすとき……69
防塁　ぼうるい……72
望楼型天守　ぼうろうがたてんしゅ……180
焙烙　ほうろく……143
北越戦争　ほくえつせんそう……285
北朝　ほくちょう……83
星兜　ほしかぶと……88
戊辰戦争　ぼしんせんそう……285
細川勝元　ほそかわかつもと……84
母衣　ほろ……130
本能寺の変　ほんのうじのへん……172

ま

前田利家　まえだとしいえ……191
松平信一　まつだいらのぶかず……223
松平信綱　まつだいらのぶつな……266
松平元康　まつだいらもとやす……100
松永久秀　まつながひさひで……148
眉庇付兜　まびさしつきかぶと……88
三方ケ原の戦い　みかたがはらのたたかい……122
三木城の戦い　みきじょうのたたかい……154
三草山の戦い　みくさやまのたたかい……59
湊川の戦い　みなとがわのたたかい……82
源為朝　みなもとのためとも……36
源為義　みなもとのためよし……36
源範頼　みなもとののりより……62
源義家　みなもとのよしいえ……32
源義経　みなもとのよしつね……58、60、62、68
源義朝　みなもとのよしとも……36、40
源義仲　みなもとのよしなか……58、63
源頼朝　みなもとのよりとも……43、56、58、63、68
源頼政　みなもとのよりまさ……54
源頼義　みなもとのよりよし……30
美濃大返し　みのおおがえし……191
妙覚寺　みょうかくじ……176
明　みん……226
村上水軍　むらかみすいぐん……98、142
村上武吉　むらかみたけよし……142
村上元吉　むらかみもとよし……142
室町幕府　むろまちばくふ……83
毛利輝元　もうりてるもと……142
毛利元就　もうりもとなり……98
最上義光　もがみよしあき……232
以仁王　もちひとおう……54
物部守屋　もののべのもりや……14
森長可　もりながよし……198
森蘭丸　もりらんまる……174

や

櫓門　やぐらもん……180
屋島の戦い　やしまのたたかい……60
山県有朋　やまがたありとも……302
山県昌景　やまがたまさかげ……137
山崎の戦い　やまざきのたたかい……186
大和朝廷　やまとちょうてい……14
山名宗全　やまなそうぜん……84
山本勘助　やまもとかんすけ……110
弓矢　ゆみや……44
横山城　よこやまじょう……114
淀殿　よどどの……264

ら

李氏朝鮮　りしちょうせん……226
李舜臣　りしゅんしん……226
龍造寺隆信　りゅうぞうじたかのぶ……194
連立式天守　れんりつしきてんしゅ……180
楼船　ろうせん……16
六条河原の合戦　ろくじょうがわらのかっせん……42
六波羅探題　ろくはらたんだい……69、75
露梁の海戦　ろりょうのかいせん……228

わ

和歌川の戦い　わかがわのたたかい……146
脇坂安治　わきざかやすはる……225
倭船　わせん……17

関ケ原古戦場《せきがはらこせんじょう》(岐阜県《ぎふけん》)。

235 長谷堂合戦図屏風（複製）（最上義光歴史館所蔵）

259 大坂冬の陣図屏風（模写）（大阪城天守閣所蔵）

260 国崩（フォトライブラリー提供）

268 大名行列（国立国会図書館所蔵）

270 重要文化財 金地卍文軍配団扇（仙台市博物館所蔵）

270 重要文化財 日の丸文軍扇（仙台市博物館所蔵）

270 池田恒興画像（東京大学史料編纂所所蔵 模写）

292 アームストロング砲（複製）（佐賀県立佐賀城本丸歴史館所蔵）

295 会津若松城（フォトライブラリー提供）

296 破壊された会津若松城（国立国会図書館所蔵）

297 会津軍記（福島県立博物館所蔵）

303 熊本城に攻め寄せる西郷軍（国立国会図書館所蔵）

316 関ケ原古戦場（フォトライブラリー提供）

317 川中島古戦場（フォトライブラリー提供）

川中島古戦場《かわなかじまこせんじょう》に立つ武田信玄《たけだしんげん》と上杉謙信《うえすぎけんしん》の像《ぞう》（長野県《ながのけん》）。

主要参考文献

『詳説日本史図録』（山川出版社）／『ビジュアルワイド 図説日本史』（東京書籍）／『日本甲冑史 上巻·下巻』中西立太著（大日本絵画）／『武士の世に 日本の歴史7』（集英社）／『天下一統 日本の歴史 11』（集英社）／『歴史文学地図 地図で知る戦国上巻・下巻』（武揚堂）／『歴史群像シリーズ 源平の興亡』（学研）／『決定版 図説 戦国合戦地図集』（学研）／『歴史群像シリーズ 信長と織田軍団』（学研）／『決定版 図説 薩摩の群像』（学研）／『地図で読み解く 戦国合戦の真実』小和田哲男監修（小学館）／『歴史群像シリーズ幕末大全 下巻』（学研）／『歴史群像シリーズ 会津戦争』（学研）／『決定版 図説 幕末 戊辰 西南戦争』（学研）／『歴史群像シリーズ 西南戦争』（学研）／『別冊歴史読本 太閤秀吉と豊臣一族』（新人物往来社）／『源平合戦「3D 立体」地図』（宝島社）／『石田三成と忍城水攻め』（行田市郷土博物館）／『一冊でわかるイラストでわかる 図解幕末・維新』東京都歴史教育研究会監修（成美堂出版）／『歴史人別冊　幕末維新の真実』（KK ベストセラーズ）／『変り兜　戦国の COOL DESIGN』橋本麻里著（新潮社）／『歴史人 2013 年5月号 戦国城の合戦の真実』（KK ベストセラーズ）／『歴史人別冊 戦国武将の死』（KK ベストセラーズ）／『一個人別冊 戦国武将の謎 127』（KK ベストセラーズ）／『一個人 2013 年7月号 戦国合戦の謎を旅する』（KK ベストセラーズ）／『大判ビジュアル図解 大迫力！写真と絵でわかる日本の合戦』加唐亜紀著（西東社）／『戦国合戦史事典』小和田泰経著（新紀元社）／『戦国の合戦と武将の絵事典』小和田哲男監修（成美堂出版）／『すぐわかる日本の甲冑・武具』笹間良彦監修（東京美術）／『聖徳太子』吉村武彦著（岩波新書）／『大化改新と古代国家誕生（別冊歴史読本）』吉村武彦編（新人物往来社）／『壬申の乱（戦争の日本史）』倉本一宏著（吉川弘文館）／『保元の乱·平治の乱』河内祥輔著（吉川弘文館）／『楠木正成』新井孝重著（吉川弘文館）／『武田信玄（人物叢書 新装版）奥野高広著（吉川弘文館）／『上杉謙信 - 政虎 - 世中忘失すべからず候』矢田俊文著（ミネルヴァ書房）／『定本徳川家康』本多隆成著（吉川弘文館）／『真田信繁 幸村と呼ばれた男の真実』平山優著（角川選書）／『織田信長（人物叢書）』池上裕子著（吉川弘文館）／『今川義元（人物叢書）』有光友學著（吉川弘文館）／『伊達政宗』相川司著（新紀元社）／『真説 上野彰義隊』加来耕三著（中公文庫）／『西郷隆盛 命もいらず 名もいらず』北康利著（ワック）／『幕末明治の「戦争」全部解説します』中村一朗著（彩流社）

写真資料所蔵・提供一覧

17 大野城跡（フォトライブラリー提供）

23 瀬田橋（フォトライブラリー提供）

25 地方軍団の兵士（福島県立文化財センター白河館提供）

25 平安時代初期の軍装（国立国会図書館所蔵）

29 大日本名将鑑 小野好古朝臣（山口県立萩美術館・浦上記念館所蔵）

41 燃え上がる三条東殿（国立国会図書館所蔵）

42 天皇の脱出（国立国会図書館所蔵）

42 後白河上皇を連行（国立国会図書館所蔵）

42 信西を襲撃（国立国会図書館所蔵）

45 大日本名将鑑 平親王将門 常陸掾平貞盛（山口県立萩美術館・浦上記念館所蔵）

45 平治の乱で弓を射る武士（国立国会図書館所蔵）

46 平城京の朱雀門と大垣（奈良市観光協会写真提供）

46 多賀城復元模型（国立歴史民俗博物館所蔵）

46 長安の城壁（フォトライブラリー提供）

55 自害する頼政（国立国会図書館所蔵）

65 源義経・平知盛像（フォトライブラリー提供）

67 黒韋肩裾取威腹巻（国立歴史民俗博物館所蔵）

71 蒙古襲来絵詞（宮内庁三の丸尚蔵館所蔵）

73 蒙古襲来絵詞（宮内庁三の丸尚蔵館所蔵）

88 マロ塚古墳出土品（国立歴史民俗博物館所蔵）

88 鉄十八枚張星兜（国立歴史民俗博物館所蔵）

88 三十四間二方白筋兜（国立歴史民俗博物館所蔵）

103 槍で突かれる義元（国立国会図書館所蔵）

109 米沢本川中島合戦図屏風（米沢市上杉博物館所蔵）

130 源平合戦の武将たちの母衣（国立国会図書館所蔵）

151 漢詩をよむ謙信（国立国会図書館所蔵）

175 本能寺焼討之図（愛知県図書館所蔵）

177 上杉本洛中洛外図屏風（米沢市上杉博物館所蔵）

179 関ケ原合戦図屏風（関ケ原町歴史民俗資料館所蔵）

180 岡山城天守（フォトライブラリー提供）

180 宇和島城天守（フォトライブラリー提供）

180 姫路城天守（フォトライブラリー提供）

180 江戸城三重櫓（フォトライブラリー提供）

180 彦根城多聞櫓（フォトライブラリー提供）

180 上田城櫓門（フォトライブラリー提供）

205 上田古図（上田市立博物館所蔵）

222 昇梯子の具足（真田宝物館所蔵）

222 茶糸威桶側五枚胴具足（大阪城天守閣所蔵）

222 紅糸胸白威二枚胴具足（大阪城天守閣所蔵）

223 日月竜紋蒔絵仏胴具足（大阪城天守閣所蔵）

223 松平信一着用具足（上田市立博物館所蔵）

223 鉄皺革包月輪文最上胴具足（立花家史料館所蔵）

224 兎耳形兜（千葉県立中央博物館大多喜城分館所蔵）

224 鉄一枚張南蛮鎖兜（国立歴史民俗博物館所蔵）

224 鉄八枚張椎形眼鏡付兜（国立歴史民俗博物館所蔵）

224 鉄六枚張桃形前付臥蝶兜（国立歴史民俗博物館所蔵）

225 銀白檀塗合子形兜（もりおか歴史文化館収蔵）

225 鉄錆地置手拭形兜（個人蔵・大阪城天守閣写真提供）

225 大黒頭巾形兜（関ケ原町歴史民俗資料館所蔵）

225 鳥毛立雑賀兜（関ケ原町歴史民俗資料館所蔵）

229 朝鮮軍陣図屏風（第一図）（公益財団法人鍋島報效会所蔵）

231 田辺城（フォトライブラリー提供）

234 最上義光所蔵 三十八間総覆輪筋兜（最上義光歴史館所蔵）

イラストレーター紹介

あおひと

平将門の乱、藤原純友の乱、前九年の役、文永の役、湊川の戦い、人取橋の戦い、大坂冬の陣、誉田の戦い、大坂夏の陣、禁門の変、西南戦争、中大兄皇子、源頼義、源義家、源義経、足利義政、足軽、今川義元、雑賀孫一、森長可、佐竹義重、伊達政宗、蘆名義広、伊達政宗軍、久坂玄瑞、大政奉還、大村益次郎、徳川慶喜

奥田みき

持統天皇、北条政子

喜久家系

北条時宗、榊原康政、武田勝頼、滝川一益、島津家久、龍造寺隆信、羽柴秀長

狛ヨイチ

富士川の戦い、扇の的、倶利伽羅峠の戦い、一の谷の戦い、上杉憲政、厳島の戦い、大坂冬の陣、大坂城の落城、西郷隆盛の最期

末富正直

源義朝

添田一平

山崎の戦い、賤ケ岳七本槍

ナカウトモヒロ

源頼朝、九鬼嘉隆、天草四郎、島津久光、山県有朋

成瀬京司

1章～5章合戦CG

なんばきび

平清盛、源為朝、一の谷の戦い、足利尊氏、鳥居元忠、最上義光、島津義弘、西郷隆盛

福田彰宏

鎌倉の戦い、河越夜戦、川中島の戦い、三方ケ原の戦い、手取川の戦い、小牧・長久手の戦い、九州攻め、長谷堂城の戦い、上田合戦、石垣原の戦い、関ケ原の戦い、新田義貞、北条氏康、毛利元就、織田信長、徳川家康（松平元康）、武田信玄、上杉謙信、柴田勝家、豊臣（羽柴）秀吉、織田信忠、松永久秀、荒木村重、黒田官兵衛、明智光秀、真田昌幸、石田三成、上杉景勝、直江兼続、真田幸村、大谷吉継、高杉晋作

ぺーた

天武天皇

ホマ蔵

平将門、足利尊氏、朝倉義景、小早川秀秋、榎本武揚

松浦はこ

沖田畷の戦い、上田合戦、人取橋の戦い、摺上原の戦い、誉田の戦い、禁門の変

宮本サトル

蘇我馬子、後醍醐天皇、陶晴賢、宇喜多秀家、徳川秀忠、小西行長

山口直樹

藤原純友、フビライ・ハン、細川勝元、山名宗全、顕如、織田信雄、島津義久、浅野長政、豊臣秀頼、徳川家茂、板垣退助、黒田清隆

Natto-7

浅井長政、村上武吉、小早川隆景、北条氏政、立花宗茂、井伊直政、勝海舟、白虎隊

pigumo

物部守屋、文武王、大友皇子、藤原秀郷、小野好古、安倍貞任、清原家衡、源為義、信西、藤原信頼、平重衡、源頼政、平維盛、平知盛、平宗盛、源範頼、平教経、藤原秀衡、源義仲、後鳥羽上皇、北条高時、足利義視、足利義尚、延暦寺の僧、岡部元信、吉川経家、別所長治、長続連、下間頼旦、村上元吉、清水宗治、成田長親、李舜臣、真田信之、大友義統、松平信綱、ジョン・ニール、天野八郎、1章～5章解説イラスト

tsumo

楠木正成、お市の方、長宗我部元親

マンガ家紹介

小坂伊吹

1章～5章マンガ

桐丸ゆい

1章～5章4コママンガ

監修者 **矢部健太郎**（やべ けんたろう）

1972年、東京都生まれ。國學院大學大学院文学研究科日本史学専攻博士課程後期修了、博士（歴史学）。現在、國學院大學文学部教授。専門は日本中世史および室町・戦国・安土桃山時代の政治史。おもな著書に、『豊臣政権の支配秩序と朝廷』（吉川弘文館）、『関ヶ原合戦と石田三成』（吉川弘文館）、『関白秀次の切腹』（KADOKAWA）など。監修に『超ビジュアル！日本の歴史人物大事典』『超ビジュアル！日本の歴史大事典』『超ビジュアル！戦国武将大事典』『超ビジュアル！歴史人物伝 織田信長』『超ビジュアル！歴史人物伝 坂本龍馬』『超ビジュアル！歴史人物伝 豊臣秀吉』『超ビジュアル！歴史人物伝 徳川家康』（すべて西東社）などがある。

CG製作	成瀬京司
マンガ	小坂伊吹、桐丸ゆい
イラスト	あおひと、奥田みき、喜久家系、狛ヨイチ、末富正直、添田一平、ナカウトモヒロ、なんばきび、福田彰宏、ぺーた、ホマ蔵、松浦はこ、宮本サトル、山口直樹、Natto-7、pigumo、tsumo
デザイン	五十嵐直樹　大場由紀（ダイアートプランニング）
地図製作	ジェオ
DTP	ダイアートプランニング、明昌堂
校正	エディット、群企画
編集協力	浩然社

超《ちょう》ビジュアル！ 日本《にほん》の合戦大事典《かっせんだいじてん》

2018年 4月20日発行　第1版
2024年 2月15日発行　第1版　第9刷

監修者　矢部健太郎
発行者　若松和紀
発行所　株式会社 西東社
〒113-0034　東京都文京区湯島2-3-13
https://www.seitosha.co.jp/
電話　03-5800-3120（代）
※本書に記載のない内容のご質問や著者等の連絡先につきましては、お答えできかねます。

ISBN 978-4-7916-2721-9